Grundriß der Sozialwissenschaft

25

GRUNDRISS
DER SOZIALWISSENSCHAFT

BEGRÜNDET VON REINHARD SCHAEDER

Herausgegeben von
Harald Jürgensen und Andreas Predöhl

BAND 25

ALFRED E. OTT

GRUNDZÜGE DER PREISTHEORIE

GÖTTINGEN · VANDENHOECK & RUPRECHT · 1979

GRUNDZÜGE DER PREISTHEORIE

Von

ALFRED E. OTT

Mit 128 Abbildungen und 29 Tabellen

3., überarbeitete Auflage

GÖTTINGEN · VANDENHOECK & RUPRECHT · 1979

CIP-Kurztitelaufnahme der Deutschen Bibliothek

Ott, Alfred E.:
Grundzüge der Preistheorie / von Alfred E. Ott.
— 3., überarb. Aufl. — Göttingen: Vandenhoeck
und Ruprecht, 1979
(Grundriß der Sozialwissenschaft; Bd. 25)
ISBN 3-525-10519-3 kart.
ISBN 3-525-10520-7 Lw.

Gesamtherstellung: Hubert & Co., Göttingen

VORWORT ZUR 3. AUFLAGE

Nachdem für die 2. Auflage nur Einzel-Korrekturen durchgeführt wurden, enthält die 3. Auflage neben solchen einzelnen Verbesserungen eine Zusammenfassung der Abschnitte III. 5 § 2 und § 3. Für wertvolle Hinweise danke ich vor allem den Herren H.-G. KREILKAMP, W. PSCHENNY und T. SEITZ von der Universität Bochum. Bei allen Lesern bedanke ich mich für die freundliche Aufnahme, welche die „Grundzüge" bisher gefunden haben.

Tübingen, im Juni 1978 ALFRED E. OTT

INHALT

I. Einführung in die Preistheorie

1. Die Problemstellung

Die Preistheorie befaßt sich, wie ihr Name schon sagt, mit *Preisen.* Um den Begriff des Preises zu klären und um die Problemstellung in der Preistheorie zu verstehen, empfiehlt es sich, zunächst vom *Tausch* auszugehen. Ein Tausch liegt vor, wenn ein Gut gegen ein anderes umgesetzt wird, wenn also eine wechselseitige Übertragung von Gütern stattfindet. Symbolisch kann der Tausch in einer auf K. MARX zurückgehenden Schreibweise wie folgt dargestellt werden:

$$W - W$$

Bei der Betrachtung von nur zwei Waren A und B kann das *Austauschverhältnis,* die Austauschrelation zwischen den zwei Waren, offenbar alternativ wie folgt gefaßt werden:

Mengeneinheiten der Ware A pro Mengeneinheit der Ware B oder

Mengeneinheiten der Ware B pro Mengeneinheit der Ware A.

Erhält man beim Tausch z.B. ein Pferd für zwei Kühe, so ergeben sich die Austauschverhältnisse

$$\frac{W_{\mathrm{K}}}{W_{\mathrm{Pf}}} = \frac{2\ \text{Kühe}}{1\ \text{Pferd}} \quad \text{und} \quad \frac{W_{\mathrm{Pf}}}{W_{\mathrm{K}}} = \frac{\frac{1}{2}\ \text{Pferd}}{1\ \text{Kuh}}.$$

Im kommenden bezeichnen wir die zweite Austauschrelation als die zu der ersten *reziproke* oder *inverse Austauschrelation,* wobei es natürlich willkürlich ist, welche Relation an die erste oder zweite Stelle gesetzt wird.

Fragen wir jetzt, wieviele Austauschverhältnisse bei n wirtschaftlichen Gütern existieren, und beginnen wir mit dem Fall dreier Güter. Wie aus Abbildung 1 unmittelbar hervorgeht, lassen sich bei drei Waren A, B und C drei Austauschverhältnisse bilden, nämlich W_A/W_B, W_A/W_C und W_B/W_C. Die reziproken Austauschverhältnisse W_B/W_A, W_C/W_A und W_C/W_B dürfen natürlich nicht mitgezählt werden.

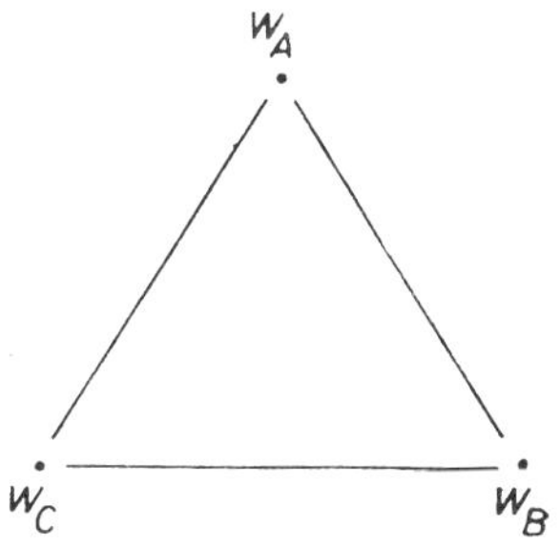

Abb. 1

Schon aus diesem einfachen Beispiel mit drei Waren läßt sich eine interessante Tatsache erkennen: Offenbar läßt sich bei Kenntnis zweier Austauschrelationen die unbekannte dritte aus den zwei bekannten errechnen. Sind etwa W_A/W_B und W_A/W_C gegeben, so erhält man bei Division von $W_A/$

W_C durch W_A/W_B die Relation W_B/W_C. Sind W_A/W_B und W_B/W_C gegeben, so sind diese beiden Relationen miteinander zu multiplizieren, um W_A/W_C zu erhalten usf. Wir werden auf diese Erscheinung, daß eine bestimmte Zahl von Austauschverhältnissen genügt, um alle Austauschverhältnisse bestimmen zu können, wieder zurückkommen.

Betrachten wir zunächst noch zwei weitere Beispiele, nämlich den Vier- und den Fünf-Güter-Fall. Aus den Abbildungen 2 und 3 läßt sich ohne weiteres erkennen, daß bei vier Gütern sechs und bei fünf Gütern zehn Austauschverhältnisse existieren, wobei jeweils die reziproken Werte nicht mitgerechnet wurden. Bei vier Gütern erhält man:

W_A/W_B	W_B/W_C	W_C/W_D
W_A/W_C	W_B/W_D	
W_A/W_D		

und bei fünf Gütern:

W_A/W_B	W_B/W_C	W_C/W_D	W_D/W_E
W_A/W_C	W_B/W_D	W_C/W_E	
W_A/W_D	W_B/W_E		
W_A/W_E			

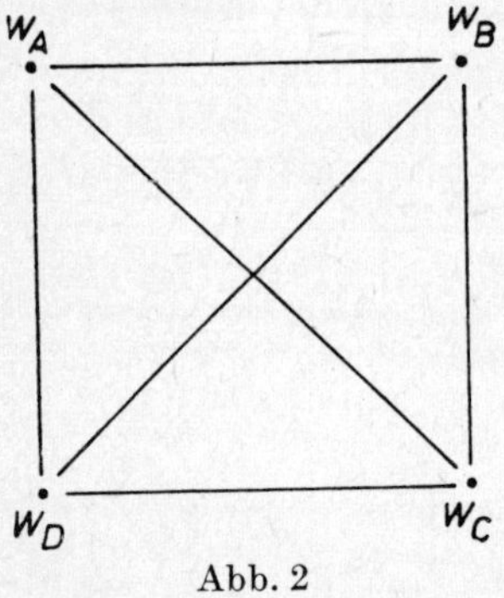

Abb. 2

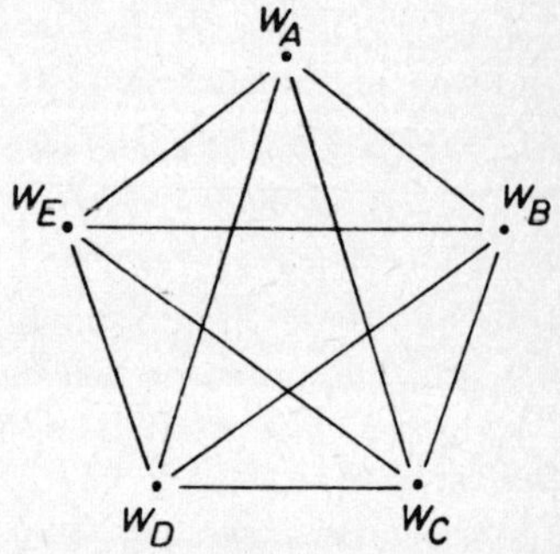

Abb. 3

Die Abbildungen 1—3 deuten nun schon an, wieviele Austauschrelationen bei n Gütern existieren. Wird jedes der n Güter in die Ecke eines Polygons plaziert, so gibt es offenbar soviele Austauschrelationen, als Verbindungslinien zwischen den n Ecken des Polygons gezogen werden können, d.s. $\frac{n(n-1)}{1 \cdot 2}$ Linien. Das bedeutet: *Bei n Waren existieren bei Vernachlässigung der reziproken Werte* $\frac{n(n-1)}{2}$ *Austauschverhältnisse.*

Wenden wir uns jetzt erneut der Frage zu, wieviele Austauschrelationen bekannt sein müssen, um daraus alle Austauschrelationen bestimmen zu können. Wenn wir vom Vier-Güter-Fall ausgehen, so kann man offensichtlich nicht wie im Drei-Güter-Fall einfach sagen, es müßten $(n - 1)$, d.h. jetzt drei Austauschrelationen bekannt sein, um die restlichen Austauschrelationen errechnen zu können. Wären nämlich z. B. W_A/W_B, W_A/W_C und W_B/W_C gegeben, so könnten W_A/W_D, W_B/W_D und W_C/W_D nicht bestimmt werden. Der Grund ist leicht einzusehen: In den drei bekannten Relationen kommt die Ware D überhaupt nicht vor; also können mit Hilfe der drei bekannten die drei unbekannten Relationen, in denen jeweils die Ware D auftritt, auf keine Weise hergeleitet werden. Man muß deshalb fordern, daß in den bekannten $(n - 1)$ Austauschrelationen *alle* n Waren vorkommen. Diese Bedingung läßt sich auch etwas anders formulieren. Betrachten wir dazu nochmals die drei Relationen, die als gegeben angenommen worden waren, nämlich W_A/W_B, W_A/W_C und W_B/W_C. Diese drei Relationen sind offensichtlich nicht unabhängig voneinander, denn eine von ihnen läßt sich ja, wie wir im Drei-Güter-Fall bewiesen hatten, jeweils aus den beiden übrigen errechnen. Es kommt also darauf an, daß die bekannten Austauschrelationen *voneinander unabhängig* sind, und wir können somit als Ergebnis unserer Überlegungen festhalten: *Um alle* $\frac{n(n-1)}{2}$ *Austauschverhältnisse bestimmen zu können, müssen* $(n-1)$ *Austauschverhältnisse bekannt sein, in denen alle* n *Waren vorkommen, bzw. müssen* $(n-1)$ *voneinander unabhängige Austauschverhältnisse bekannt sein.* Einen Überblick über die Zusammenhänge vermittelt Tabelle 1.

Tabelle 1
Die Austauschverhältnisse zwischen den Waren A–Z

Ware \ Ware	A	B	C	D	E	...	Z
A	W_{AA}	W_{AB}	W_{AC}	W_{AD}	W_{AE}	...	W_{AZ}
B	W_{BA}	W_{BB}	W_{BC}	W_{BD}	W_{BE}	...	W_{BZ}
C	W_{CA}	W_{CB}	W_{CC}	W_{CD}	W_{CE}	...	W_{CZ}
D	W_{DA}	W_{DB}	W_{DC}	W_{DD}	W_{DE}	...	W_{DZ}
E	W_{EA}	W_{EB}	W_{EC}	W_{ED}	W_{EE}	...	W_{EZ}
⋮	⋮	⋮	⋮	⋮	⋮	...	⋮
Z	W_{ZA}	W_{ZB}	W_{ZC}	W_{ZD}	W_{ZE}	...	W_{ZZ}

Wie man ohne weiteres erkennt, enthält die Tabelle insgesamt n^2 Austauschverhältnisse. Davon sind die in der Hauptdiagonalen stehenden n Austauschverhältnisse $W_{AA}, W_{BB}, \cdots, W_{ZZ}$ abzuziehen, so daß noch $n(n-1)$

übrigbleiben. Über der Hauptdiagonalen stehen dann $\frac{n(n-1)}{2}$ Austauschverhältnisse, unter der Hauptdiagonalen stehen deren reziproke Werte; ihre Zahl beträgt natürlich ebenfalls $\frac{n(n-1)}{2}$. Jede Zeile wie auch jede Spalte enthält, bei Vernachlässigung von W_{AA}, W_{BB}, ..., W_{ZZ}, $n-1$ voneinander unabhängige Austauschverhältnisse.

Aus den vorstehenden Überlegungen läßt sich noch eine andere wichtige Folgerung ableiten. Man kann z.B. bei den vier Waren A, B, C und D die notwendigen Austauschverhältnisse wahlweise in Einheiten von A, B, C oder D ausdrücken und erhält bei A als Bezugseinheit W_A/W_B, W_A/W_C und W_A/W_D oder bei C als Bezugseinheit W_C/W_A, W_C/W_B und W_C/W_D. Man beschränkt sich auf die notwendigen Austauschverhältnisse (die ja genügen, um alle Austauschverhältnisse zu bestimmen) und wählt diese notwendigen Austauschverhältnisse so, daß im Zähler jeweils das gleiche Gut steht. Ein beliebiges Gut der n Güter wird also *Bezugseinheit*, wird als *numéraire* (L. WALRAS) gewählt. Dieses Gut dient als Rechenmittel, als Geld. Aus den Austauschrelationen von Gütern werden dann *Preise*. Wird z.B. das Gut A als Bezugseinheit genommen, so lautet der Preis des Gutes B, ausgedrückt in Einheiten von A:

$$P_{B,A} = \frac{\text{Mengeneinheiten des Gutes A}}{\text{1 Mengeneinheit des Gutes B}}.$$

Sobald eine Ware als Bezugseinheit festgelegt wird, ist es nicht mehr notwendig, alle Austauschrelationen auszurechnen und zu benutzen. Es genügen jetzt die $(n-1)$ notwendigen Austauschrelationen, die durch die Wahl der Bezugseinheit in $(n-1)$ Preise übergegangen sind. Der Preis der als numéraire gewählten Ware ist selbstverständlich eins, also $P_{A,A} = 1$, wenn Gut A als Bezugseinheit fungiert.

Damit kommen wir zu der Definition des Preises: *Der Preis einer Ware und zwar der sogenannte absolute Preis ist das Austauschverhältnis des Geldes gegen diese Ware. Der Preis besitzt demnach grundsätzlich die Dimension Geldmenge pro Mengeneinheit des betreffenden Gutes.* (Auf zwei vermeintliche Ausnahmen von dieser Regel werden wir später eingehen.) Durch die Einführung des Geldes, zunächst als allgemeines Rechenmittel und dann als allgemeines Zahlungsmittel[1]), werden aus den Austauschrelationen Preise. Das Geld schiebt sich sozusagen zwischen die Waren, so daß aus dem Symbol für den Tausch $W - W$ das Symbol

$$W - G - W$$

[1]) Die sogenannte Preisausdrucksfunktion des Geldes geht logisch, aber auch historisch der Zahlungsmittelfunktion voraus. Vgl. W. GERLOFF, Die Entstehung des Geldes und die Anfänge des Geldwesens, 2. Aufl., Frankfurt 1943, S. 163ff.

wird. Der Tausch zerfällt in zwei halbe Tauschakte[1]) $W - G$ und $G - W$, d.h. aus dem Tausch wird *Kauf* (vom Nachfrager aus gesehen) und *Verkauf* (vom Anbieter aus gesehen). Aus der wechselseitigen Übertragung von Gütern wird die Übertragung von Gütern gegen Geld.

Befaßt sich nun die Preistheorie mit diesen absoluten Preisen, d.h. den Austauschrelationen zwischen Geld und Ware? Zunächst mag man geneigt sein, diese Frage als völlig selbstverständlich zu bejahen, denn womit soll sich die Preistheorie denn sonst befassen, wenn nicht mit den absoluten Preisen? Diese Antwort ist jedoch vorschnell und nicht aufrecht zu erhalten, wie die folgenden Überlegungen zeigen mögen. Nehmen wir an, eine Modell-Volkswirtschaft bestehe aus nur drei Wirtschaftssubjekten 1, 2 und 3. Das Wirtschaftssubjekt 1 verfüge über einen bestimmten Bestand der Ware X, das Wirtschaftssubjekt 2 über Y und 3 über Z. Wenn diese Gütermengen x, y und z ohne Rest zwischen den drei Individuen gehandelt werden, so ergeben sich die in Abbildung 4 eingezeichneten Warenströme.

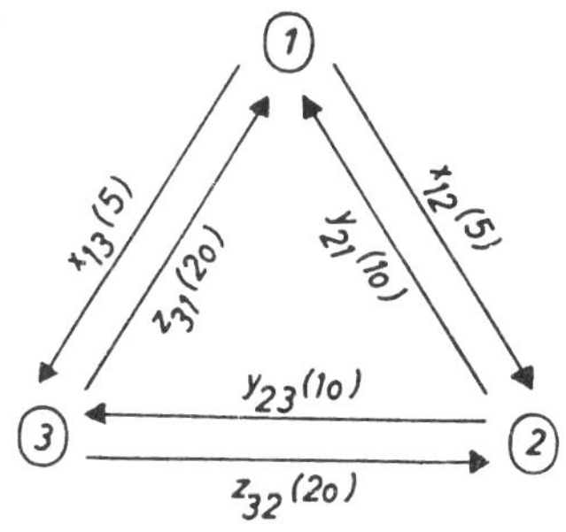

Abb. 4

Nehmen wir an, diese einzelnen Warenströme, bei denen der erste Index den Absender, den Lieferanten, der zweite Index den Empfänger, den Bezieher bezeichnet, seien bekannt. Für jedes Wirtschaftssubjekt (jeden „Pol") gilt dann, daß die Summe seiner Ausgaben der Summe seiner Einnahmen gleich sein muß. Bezeichnen wir die Preise der drei Güter mit p_x, p_y und p_z, so lauten die sogenannten Bilanzgleichungen der drei Wirtschaftssubjekte:

	Ausgaben		*Einnahmen*
Individuum 1:	$y_{21}\, p_y + z_{31}\, p_z$	$=$	$x_{12}\, p_x + x_{13}\, p_x \; (= x p_x)$
Individuum 2:	$x_{12}\, p_x + z_{32}\, p_z$	$=$	$y_{21}\, p_y + y_{23}\, p_y \; (= y p_y)$
Individuum 3:	$x_{13}\, p_x + y_{23}\, p_y$	$=$	$z_{31}\, p_z + z_{32}\, p_z \; (= z p_z)$.

Wie man leicht nachprüft, ergibt sich die dritte Gleichung aus den beiden ersten durch Addition, d.h. wir verfügen nur über zwei voneinander unabhängige Gleichungen bei drei Unbekannten, nämlich p_x, p_y und p_z. Diese Tatsache, daß die Zahl der Gleichungen um eins hinter der Zahl der Unbekannten zurückbleibt, ist von außerordentlicher Tragweite, bedeutet sie doch nichts anderes, als daß nur die Preisverhältnisse p_x/p_y, p_x/p_z und

[1]) J. G. KOOPMANS, Zum Problem des neutralen Geldes, in: Beiträge zur Geldtheorie, hrsg. v. F. A. HAYEK, Wien 1933, S.211ff. insbesondere S.257.

p_y/p_z, nicht aber die absoluten Preise bestimmt werden können. Für die Preisverhältnisse läßt sich mit etwas Rechenaufwand ermitteln:

$$\frac{p_x}{p_y} = \frac{y_{21}z_{31} + y_{21}z_{32} + y_{23}z_{31}}{x_{12}z_{31} + x_{12}z_{32} + x_{13}z_{32}}$$

$$\frac{p_x}{p_z} = \frac{y_{21}z_{31} + y_{21}z_{32} + y_{23}z_{31}}{x_{12}y_{23} + x_{13}y_{21} + x_{13}y_{23}}$$

$$\frac{p_y}{p_z} = \frac{x_{12}z_{31} + x_{12}z_{32} + x_{13}z_{32}}{x_{12}y_{23} + x_{13}y_{21} + x_{13}y_{23}}$$

Bei Zugrundelegung der numerischen Werte für die Warenströme, die in Abb. 4 in Klammern stehen, ergeben sich die Preisrelationen

$$\frac{p_x}{p_y} = 2; \quad \frac{p_x}{p_z} = 4; \quad \frac{p_y}{p_z} = 2$$

bzw. die Proportion

$$p_x : p_y : p_z = 4:2:1.$$

In diesem System von Tauschbeziehungen sind demnach nur die Preisverhältnisse oder die *relativen Preise* bestimmt, während wir über die absolute Preishöhe bis jetzt nichts aussagen können. Wir wissen also nicht, ob die drei Preise p_x, p_y und p_z in Einheiten des Gutes X, Y oder Z ausgedrückt werden, d.h. wir wissen nicht, welches der drei Güter als Recheneinheit fungiert. Wenn wir der Reihe nach das Gut X, dann Y und schließlich Z als Bezugseinheit fixieren, also nacheinander p_x, p_y und schließlich p_z gleich eins setzen, so erhalten wir die folgenden absoluten Preise:

Bezugseinheit X also $p_x = 1$:

$$p_y = \frac{x_{12}z_{31} + x_{12}z_{32} + x_{13}z_{32}}{y_{21}z_{31} + y_{21}z_{32} + y_{23}z_{31}}; \quad p_y = 0{,}5$$

$$p_z = \frac{x_{12}y_{23} + x_{13}y_{21} + x_{13}y_{23}}{y_{21}z_{31} + y_{21}z_{32} + y_{23}z_{31}}; \quad p_z = 0{,}25$$

Bezugseinheit Y also $p_y = 1$:

$$p_x = \frac{y_{21}z_{31} + y_{21}z_{32} + y_{23}z_{31}}{x_{12}z_{31} + x_{12}z_{32} + x_{13}z_{32}}; \quad p_x = 2$$

$$p_z = \frac{x_{12}y_{23} + x_{13}y_{21} + x_{13}y_{23}}{x_{12}z_{31} + x_{12}z_{32} + x_{13}z_{32}}; \quad p_z = 0{,}5$$

Bezugseinheit Z also $p_z = 1$:

$$p_x = \frac{y_{21}z_{31} + y_{21}z_{32} + y_{23}z_{31}}{x_{12}y_{23} + x_{13}y_{21} + x_{13}y_{23}}; \quad p_x = 4$$

$$p_y = \frac{x_{12}z_{31} + x_{12}z_{32} + x_{13}z_{32}}{x_{12}y_{23} + x_{13}y_{21} + x_{13}y_{23}}; \quad p_y = 2.$$

Die absolute Preishöhe richtet sich also nach der Menge des Gutes, das als Geld fungiert, und zwar sind die absoluten Preise um so höher, je größer die Menge dieses Gutes ist. So haben wir im numerischen Beispiel die höchsten absoluten Preise $p_x = 4$, $p_y = 2$ und $p_z = 1$, wenn das am reichlichsten vorhandene Gut Z als Bezugseinheit gewählt wird (Gesamtmenge $z = 40$); wir haben die niedrigsten absoluten Preise $p_x = 1$, $p_y = 0{,}5$ und $p_z = 0{,}25$, wenn das knappste Gut X die Bezugseinheit bildet (Gesamtmenge $x = 10$). Wird das Gut Y mit der Gesamtmenge $y = 20$ zur Recheneinheit erklärt, so ergeben sich die mittleren absoluten Preise $p_x = 2$, $p_y = 1$ und $p_z = 0{,}5$. In allen drei Fällen bleiben die relativen Preise, also die Proportion $p_x : p_y : p_z = 4:2:1$, von der Bestimmung der absoluten Preise unberührt.

Bevor aus dieser Analyse die Folgerungen gezogen werden, sollen die Zusammenhänge noch auf eine etwas andere Art dargestellt werden, die es uns gleichzeitig erlaubt, unseren Einblick in das System von Tauschbeziehungen noch etwas zu vertiefen. Wir wissen, daß die relativen Preise im numerischen Beispiel durch die Proportion $p_x : p_y : p_z = 4:2:1$ angegeben werden. Man kann nun auf Grund dieser Proportion jeweils zwei Preise als Vielfaches (Multiplum) des dritten Preises ausdrücken, also p_x und p_y durch p_z, p_x und p_z durch p_y oder p_y und p_z durch p_x. Im ersten Fall erhält man $p_x = 4p_z$ und $p_y = 2p_z$, ein Ergebnis, das wir uns für einige Augenblicke merken wollen. Wenn wir jetzt eine bestimmte Geldmenge G einführen, die sich einmal in der Periode umschlägt, d.h. bei der jede Geldeinheit im Durchschnitt einmal in der Periode verwendet wird, so muß mit dieser Geldmenge offenbar die gesamte Umsatztätigkeit in unserer Modellwirtschaft bewältigt werden. Wir können auch sagen: Die *Umlaufsgeschwindigkeit des Geldes* beträgt eins, und damit muß der Gesamtumsatz der Volkswirtschaft gleich der gegebenen, konstanten Geldmenge sein. Das bedeutet nichts anderes, als daß die folgende Gleichung gilt:

$$G = xp_x + yp_y + zp_z.$$

Unter Berücksichtigung der Zahlenwerte für die Gesamtmengen der drei Güter und der oben abgeleiteten Beziehungen $p_x = 4p_z$ sowie $p_y = 2p_z$ erhält man:

$$G = 10 \cdot 4p_z + 20 \cdot 2p_z + 40\,p_z$$

$$G = 120\,p_z$$

Setzen wir jetzt $p_z = \gamma$, so daß $p_x = 4\gamma$ und $p_y = 2\gamma$, so ist

$$G = 120\,\gamma.$$

Führt man für die Geldmenge G einen konkreten Wert ein, z.B. $G = 40$, so ist die multiplikative Konstante γ bestimmt mit $\gamma = \frac{1}{3}$, und damit liegen auch die absoluten Preise mit $p_x = 4/3$, $p_y = 2/3$ und $p_z = 1/3$ fest. Dieses etwas umständliche Verfahren läßt uns erkennen, daß in einem System von Tauschgleichungen zwar die relativen Preise bestimmt sind, die absoluten

Preise aber erst durch die Einführung der Geldmenge determiniert werden. Oder anders formuliert: Die absoluten Preise sind bis auf eine multiplikative Konstante (nämlich γ) bestimmt.

Nun scheint zwischen einer unserer früheren Ableitungen und dem eben Ausgeführten ein Widerspruch zu bestehen. Oben war gezeigt worden, daß sich bei der Wahl des am reichlichsten vorhandenen Gutes Z mit der Gesamtmenge $z = 40$ als Bezugseinheit die absoluten Preise $p_x = 4$, $p_y = 2$ und $p_z = 1$ ergeben, während wir eben bei Annahme der gleichen Geldmenge $G = 40$ zu den absoluten Preisen $p_x = 4/3$, $p_y = 2/3$ und $p_z = 1/3$ gelangt waren. Wie kann dieselbe Geldmenge $z = 40$ bzw. $G = 40$ zu unterschiedlich hohen absoluten Preisen führen? Der Widerspruch löst sich auf, wenn man das folgende berücksichtigt: Im ersten Fall, bei der Wahl von Z als Bezugseinheit, waren die absoluten Preise abgeleitet worden ohne Berücksichtigung der Frage, ob mit der Geldmenge $z = 40$ auch der ganze volkswirtschaftliche Umsatz bewältigt werden könne. Bei der zweiten Analyse dagegen war explizit gefordert worden, die Geldmenge $G = 40$ müsse bei einer Umlaufsgeschwindigkeit von eins für die Gesamtheit aller Zahlungen ausreichen. Man kann auch sagen, bei der ersten Analyse sei die Umlaufsgeschwindigkeit des Geldes bis jetzt nicht berücksichtigt worden, während sie im zweiten Fall ausdrücklich in das System einging. Noch in einer anderen Hinsicht besteht ein Unterschied zwischen beiden Modellen. Wenn im ersten Modell das Gut Z zum Geld erklärt wird, so scheidet es aus der gesamten Gütermenge aus, die somit nur noch aus x und y besteht. Das Wirtschaftssubjekt 3 ist somit alleiniger Besitzer von Geld, nämlich von $z = 40$, aber nicht von Gütern, während die Wirtschaftssubjekte 1 und 2 über Gütermengen verfügen. Im zweiten Modell dagegen fungiert Z weiterhin als Gut, die gesamte Gütermenge besteht also weiterhin aus x, y und z. Daneben muß angenommen werden, daß sich die Gesamtgeldmenge $G = 40$ gleichmäßig auf die drei Wirtschaftssubjekte verteilt, d.h. jedes Wirtschaftssubjekt besitzt neben seinem Gütervorrat einen Kassenbestand von 40/3 Geldeinheiten.

Im ersten Modell, in dem Z als Geld fungiert, finden offenbar die folgenden Transaktionen statt. In der ersten Runde kauft das Wirtschaftssubjekt 3 die Gütermenge $x_{13} = 5$ zum Preise von $p_x = 4$ dem Wirtschaftssubjekt 1 ab, zahlt also 20 Geldeinheiten Z an 1. Ferner kauft 3 von 2 die Menge $y_{23} = 10$ zum Preise von $p_y = 2$, zahlt also ebenfalls 20 Geldeinheiten an 2. Das Wirtschaftssubjekt 3 besitzt jetzt kein Geld mehr, dafür aber die Gütermengen x_{13} und y_{23}; die beiden anderen Individuen besitzen jeweils 20 Geldeinheiten Z sowie die Gütermengen x_{12} bzw. y_{21}. In der zweiten Runde kauft das Wirtschaftssubjekt 1 von 2 die Gütermenge $y_{21} = 10$ zum Preise $p_y = 2$ und zahlt den Kaufpreis von 20 Geldeinheiten Z mit dem Geld, das es in der ersten Runde von 3 empfangen hat. Umgekehrt kauft 2 von 1 die Gütermenge $x_{12} = 5$ zum Preise von $p_x = 4$ und bezahlt mit den 20 Geldeinheiten, die ihm in der ersten Runde von 3 zugeflossen sind. Damit sind alle Transaktionen ausgeführt. Jede Geldeinheit hat zwei Umsatzakte bewerkstelligt, die Umlaufsgeschwindigkeit des Geldes beträgt also 2.

Im zweiten Modell verfügt jedes Wirtschaftssubjekt zu Beginn über 40/3 Geldeinheiten, und alle drei Wirtschaftssubjekte können demnach zugleich mit ihren Käufen anfangen. Die Gesamtheit aller Transaktionen können wir der Einfachheit halber in Tabellenform darstellen, wobei zu beachten ist, daß es sich jetzt — im Gegensatz zu Tabelle 1 — um Geldströme handelt.

Tabelle 2

Einnahmen und Ausgaben im Drei-Personen-drei-Güter-Fall ($G = 40$)

Von \ An	1	2	3	Summe der Ausgaben
1		$y_{21}\, p_y = 10 \cdot \frac{2}{3}$	$z_{31}\, p_z = 20 \cdot \frac{1}{3}$	40/3
2	$x_{12}\, p_x = 5 \cdot \frac{4}{3}$		$z_{32}\, p_z = 20 \cdot \frac{1}{3}$	40/3
3	$x_{13}\, p_x = 5 \cdot \frac{4}{3}$	$y_{23}\, p_y = 10 \cdot \frac{2}{3}$		40/3
Summe der Einnahmen	40/3	40/3	40/3	40

Jede Geldeinheit hat demnach nur einen Umsatzakt zu bewältigen, d.h. die Umlaufsgeschwindigkeit des Geldes beträgt 1.

Die vorstehenden Überlegungen können jetzt leicht verallgemeinert werden. Das Produkt aus Geldmenge und Umlaufsgeschwindigkeit des Geldes, also $G \cdot U$, muß in jeder Volkswirtschaft gleich dem Gesamtumsatz sein. Der Gesamtumsatz, in unserem ersten Beispiel $xp_x + yp_y$, im zweiten $xp_x + yp_y + zp_z$, läßt sich jetzt auch dadurch wiedergeben, daß man aus den Einzelpreisen einen *Preisdurchschnitt* (als gewogenes arithmetisches Mittel), ein *Preisniveau* bildet und mit der Gesamtmenge der gehandelten Güter, dem sogenannten *Handelsvolumen* multipliziert. Man erhält in den beiden Fällen für das Preisniveau

$$P_1 = \frac{xp_x + yp_y}{x + y}\,; \qquad P_2 = \frac{xp_x + yp_y + zp_z}{x + y + z}$$

und für das Handelsvolumen

$$H_1 = x + y; \qquad H_2 = x + y + z,$$

so daß deren Produkt P_1H_1 bzw. P_2H_2 wieder den Gesamtumsatz $xp_x + yp_y$ bzw. $xp_x + yp_y + zp_z$ ergibt. In den beiden numerischen Beispielen betragen die Preisniveaus und Handelsvolumen:

$$P_1 = \frac{10 \cdot 4 + 20 \cdot 2}{30} = \frac{8}{3} \text{ (für } p_x = 4,\ p_y = 2,\ p_z = 1)$$

$$P_2 = \frac{10 \cdot \frac{4}{3} + 20 \cdot \frac{2}{3} + 40 \cdot \frac{1}{3}}{70} = \frac{4}{7} \text{ (für } p_x = 4/3,\ p_y = 2/3,\ p_z = 1/3)$$

$$H_1 = x + y = 30$$

$$H_2 = x + y + z = 70$$[1]

Für die beiden Modelle lassen sich die folgenden Gleichungen aufstellen:

$$G \cdot U_1 = P_1 \cdot H_1 \quad \text{oder} \quad 40 \cdot 2 = \frac{8}{3} \cdot 30$$

$$G \cdot U_2 = P_2 \cdot H_2 \quad \text{oder} \quad 40 \cdot 1 = \frac{4}{7} \cdot 70$$

In diesen Gleichungen steht links das Produkt aus Geldmenge und Umlaufsgeschwindigkeit des Geldes, rechts das Produkt aus Preisniveau und Handelsvolumen. Allgemein läßt sich schreiben:

$$G \cdot U = P \cdot H$$

Geldmenge × Umlaufsgeschwindigkeit = Preisniveau × Handelsvolumen. Diese Gleichung nennt man die *Quantitätsgleichung* oder *Fishersche Verkehrsgleichung*[2]).

Versuchen wir jetzt, aus den vorstehenden Überlegungen das Fazit zu ziehen. *In einem System von Tauschbeziehungen sind nur die relativen Preise, die Preisrelationen, eindeutig bestimmt; die absoluten Preise liegen dagegen nur bis auf eine beliebige, allerdings gemeinsame multiplikative Konstante fest. Erst durch Einführung der Geldmenge und ihrer Umlaufsgeschwindigkeit lassen sich die absoluten Preise ermitteln. Ihre Höhe ist dann bei konstanter Umlaufsgeschwindigkeit des Geldes und konstantem Handelsvolumen proportional zur Geldmenge.* Bei einer Verdoppelung der Geldmenge, d.h. der Einheiten des zum Geld deklarierten Gutes, müssen die Preise — jedenfalls in den von uns hier ausschließlich behandelten einfachen Tauschmodellen — ebenfalls auf das Doppelte steigen[3]). *Man bezeichnet diesen letzten Zusammenhang zwischen Geldmenge, Umlaufsgeschwindigkeit des Geldes, Preisniveau und Handelsvolumen auch als Quantitätstheorie des Geldes, die demnach nichts anderes als*

---

[1]) Man beachte, was für eine problematische Größe das Handelsvolumen darstellt: Es werden völlig heterogene Güter addiert, z.B. Krawatten + Turbinen + Salat.

[2]) I. Fisher, The Purchasing Power of Money, New York 1911, deutsche Übersetzung. Die Kaufkraft des Geldes, Berlin 1916.

[3]) Vgl. zu diesem Thema auch Kapitel IV, 5.

eine ganz bestimmte kausale Interpretation der Quantitätsgleichung darstellt. Aus diesen wenigen Bemerkungen wird schon deutlich, daß die Höhe der absoluten Preise oder vielleicht sogar besser: die absolute Höhe der Preise nicht den Gegenstand der Preistheorie bildet. Die Bestimmung des Preisniveaus ist in der Geld-, Beschäftigungs-, Konjunktur- und Wachstumstheorie zu untersuchen.

Die Preistheorie hat es dagegen mit den relativen Preisen, den Preisrelationen zu tun, die, wie gezeigt wurde, von der Geldmenge unabhängig und damit auch invariant gegenüber Veränderungen der Geldmenge sind. Dies geht aus der Division zweier Preise unmittelbar hervor; so ergibt sich z.B. für die Preisrelation zwischen einem Herrenanzug zu DM 200,– und einem Herrenhut zu DM 25,–:

$$\frac{\text{Preis eines Herrenanzugs}}{\text{Preis eines Herrenhutes}} = \frac{\dfrac{200\ \text{DM}}{1\ \text{ME Herrenanzug}}}{\dfrac{25\ \text{DM}}{1\ \text{ME Herrenhut}}} = \frac{8\ \text{ME Herrenhüte}}{1\ \text{ME Herrenanzug}}$$

(ME = Mengeneinheit(en)). Bei der Division der beiden Preise kürzt sich die Gelddimension heraus, und das Verhältnis zweier Preise ist demnach nichts anderes als das reziproke Tauschverhältnis zwischen den beiden Gütern. Wenn ein Herrenanzug 200,– DM und ein Herrenhut 25,– DM kostet, dann lassen sich 8 Herrenhüte gegen einen Herrenanzug eintauschen. Diese Preisverhältnisse, diese relativen Preise, bilden den Gegenstand der Preistheorie. *Als Grundproblem der Preistheorie kann man also die Frage nach den Bestimmungsgründen der relativen Preise bezeichnen, und wenn sich die Preistheorie mit den relativen Preisen befaßt, so befaßt sie sich im Grunde mit den realen Austauschverhältnissen zwischen den einzelnen Gütern.* Die ältere Bezeichnung für die Preistheorie „Katallaktik“ (*καταλλάττειν*, griech. = tauschen) erscheint unter diesem Aspekt als nicht unglücklich gewählt.

Es war oben betont worden, daß Preise grundsätzlich die Dimension Geldmenge pro Mengeneinheit aufweisen, und es war ferner erwähnt worden, daß es von dieser Regel zwei vermeintliche Ausnahmen gibt. Auf diese beiden Ausnahmen ist nunmehr kurz einzugehen. Einen ersten Sonderfall stellt der *Währungskurs* dar, d.i. der Preis des (ausländischen) Zahlungsmittels A, ausgedrückt in Einheiten des (inländischen) Zahlungsmittels B:

$$P_{A,B} = \frac{\text{Einheiten des Zahlungsmittels } B}{1 \text{ Einheit des Zahlungsmittels } A}$$

So beträgt z.B. der Kurs zwischen dem amerikanischen Dollar und der DM $P_{\$,\,\text{DM}} = \frac{2.70\,\text{DM}}{1\,\$}$. Bei diesem Preis scheint die Dimensionierung Geldmenge pro Mengeneinheit nicht vorzuliegen, tauchen doch im Zähler wie im Nenner Geldgrößen auf. Aber es liegt nur scheinbar eine Ausnahme von unserer Regel vor, denn man muß beachten, daß auf den Devisenmärkten ausländische

Zahlungsmittel genau wie andere Waren gehandelt werden. M.a.W.: Im internationalen Handel wird ein Zahlungsmittel zu einer Ware (Valuta), deren Preis der Währungskurs ist.

Eine weitere vermeintliche Ausnahme von unserer Dimensionsregel stellen dagegen die *Zinssätze* dar; bei ihnen wirkt sich nämlich die Dimensionslosigkeit des Preises des numéraires aus. Der Kontokorrentsatz z.B., den man für einen Kredit in laufender Rechnung bei einer Bank zu zahlen hat, ist ja nichts anderes als die Geldsumme, die man für die zeitweilige Überlassung einer bestimmten Geldsumme entrichten muß, damit aber eine dimensionslose Größe pro Zeiteinheit, die man üblicherweise als Prozentsatz (der geliehenen Geldsumme) pro Zeiteinheit angibt[1]).

Unsere letzten Bemerkungen führen nahezu von selbst zu der Frage, welche Preise in der Preistheorie behandelt werden sollen, wie also die Preistheorie abzugrenzen ist. So sind ja die Zinssätze, wie gezeigt wurde, eine spezielle, eigene Kategorie von Preisen, die eigentlich in das Gebiet der Preistheorie fällt und hier analysiert werden müßte. Ferner sind die Lohnsätze Preise, und dasselbe gilt für den Pachtsatz (Preis für die Bodennutzung) und den Bodenpreis selbst. Wenn man folglich den Begriff der Preistheorie nur weit genug faßt, so schließt sie offenbar die Zinstheorie, die Lohntheorie und auch die Theorie des Bodenpreises mit ein. Wegen der diesen Gebieten eigentümlichen Besonderheiten und Schwierigkeiten beschränken wir uns im wesentlichen auf die Analyse von Konsumgüter- und Produktionsmittelmärkten und -preisen, ohne etwa auf die Besonderheiten bestimmter Produktionsmittelmärkte, z.B. des Arbeitsmarktes, einzugehen.

2. Die Methoden

§ 1. Objektivistische und subjektivistische Wert- und Preistheorie

Wissenschaftshistorisch haben wir in der Preistheorie zwei methodische Richtungen zu unterscheiden, nämlich

1. die objektive oder besser *objektivistische* und
2. die subjektive oder besser *subjektivistische* Richtung.

Für diese wichtige Unterscheidung von objektivistischen und subjektivistischen Wert- und Preislehren ist einmal die Fassung des Wertbegriffs bzw. genauer des Begriffs des *Gebrauchswertes* maßgebend. Man kann – etwas vereinfachend – sagen: In der objektivistischen Theorie wird der Gebrauchs-

[1]) W. Stützel und W. Krümmel bezeichnen die Güterpreise auch als Strömungspreise und die Zinssätze als *Bestandshaltepreise*. — Vgl. W. Krümmel, Bankzinsen, Schriftenreihe Annales Universitatis Saraviensis, Rechts- und Wirtschaftswissenschaftliche Abteilung, Heft 11, Köln/Berlin/Bonn/München 1964, S.16ff.

wert eines Gutes als eine Objekt-Objekt-Beziehung aufgefaßt. Der objektive Gebrauchswert einer Ware ist demnach die objektiv meßbare Brauchbarkeit oder Verwendbarkeit dieser Ware für einen bestimmten Zweck, wie z.B. der Gebrauchswert eines Ofens, ausgedrückt in Wärmeeinheiten (Kcal/h). In der subjektivistischen Theorie wird der Gebrauchswert als subjektiver Gebrauchswert, als eine Subjekt-Objekt-Beziehung interpretiert. Der subjektive Gebrauchswert ist demnach die Nützlichkeit eines Gutes für eine bestimmte Person in einem bestimmten Zeitpunkt, z.B. der Nutzen eines Glases Bier für Herrn *X* an einem warmen Sommerabend. Man erkennt leicht, daß die objektive Brauchbarkeit eines Gutes für einen bestimmten Zweck die subjektive Nützlichkeit für eine bestimmte Person nicht unbedingt einschließt, daß also der objektive Gebrauchswert isoliert vom subjektiven Gebrauchswert auftreten kann: Ein Ofen mag objektiv eine noch so gute Heizleistung besitzen; für den Neger in Zentralafrika ist er subjektiv unnütz. Ein völlig analoges Auseinanderklaffen von objektivem und subjektivem Gebrauchswert enthält der bekannte Satz, ein guter Verkäufer müsse in der Lage sein, einem Eskimo einen Eisschrank zu verkaufen.

Man hat also genau zwischen dem objektiven und dem subjektiven Gebrauchswert zu unterscheiden. Daneben existiert aber noch ein weiterer objektiver Wertbegriff, nämlich der des objektiven *Tauschwerts*. Man versteht darunter nichts anderes als den Preis eines Gutes. Somit gelangen wir zu dem folgenden Schema der verschiedenen Wertbegriffe:

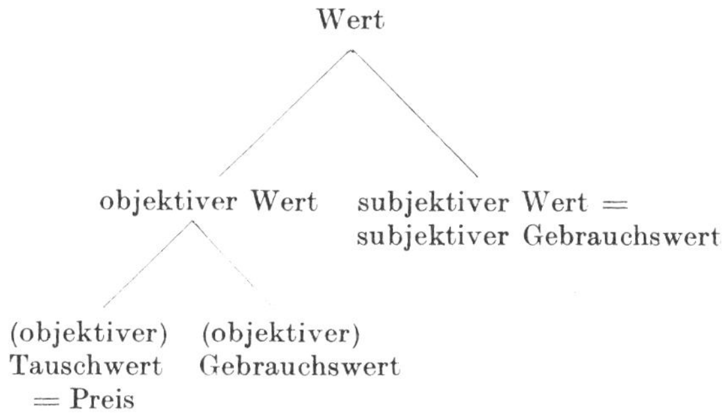

Die historisch älteren objektivistischen Wert- und Preistheorien basieren auf der bis auf Aristoteles zurückgehenden Unterscheidung von objektivem Gebrauchswert und objektivem Tauschwert[1]), ein Begriffspaar, das bei den Physiokraten *valeur usuelle* und *valeur vénale*, bei den nationalökonomischen Klassikern *value in use* und *value in exchange* heißt. Der Gebrauchswert wird in der objektivistischen Theorie wie gesagt als objektiver Gebrauchswert

[1]) „Man kann einen Schuh gebrauchen, um ihn zu tragen, aber auch, um ihn zu tauschen; beides sind Gebrauchsmöglichkeiten ein und desselben Schuhes". Aristoteles, Politik I, 9.

interpretiert und als bei allen Gütern vorhanden unterstellt; der Tauschwert ist der Preis eines Gutes.

Um die objektivistische Theorie in der Form zu verstehen, die ihr etwa D. RICARDO gegeben hat, ist es notwendig, ein weiteres Begriffspaar einzuführen. Man unterscheidet:

1. Nicht beliebig vermehrbare Güter, und
2. beliebig vermehrbare Güter.

Die nicht beliebig vermehrbaren Güter, auch Seltenheits- oder Monopolgüter oder spezifisch seltene Güter genannt, sind solche, deren Menge auch mit noch so hohen Aufwendungen nicht (oder nur unwesentlich) vergrößert werden kann, wie z.B. Gemälde von Rembrandt, Johannisberger Wein etc. Beliebig vermehrbare Güter können durch kostenverursachende Produktion vermehrt werden, wie z.B. Ansichtskarten oder „Niersteiner Domtal". Bei den nicht beliebig vermehrbaren Gütern richtet sich die Preishöhe im wesentlichen nach der Intensität der Nachfrage. Das Angebot ist ja gegeben und kann kaum variiert werden; also muß der entscheidende Einfluß von der Nachfrageseite ausgehen. Bei den beliebig vermehrbaren Gütern liegen die Dinge nicht ganz so einfach. Hier hat man nämlich zu unterscheiden zwischen dem kurzfristigen *Marktpreis* (market price) und dem langfristigen „*Preis auf die Dauer und im Durchschnitt*", dem *natürlichen Preis* (natural price). Auch diese Unterscheidung findet sich schon bei den Physiokraten: prix courant und prix naturel. Der kurzfristige Marktpreis wird durch Angebot und Nachfrage bestimmt, während der langfristige natürliche Preis durch die Produktionskosten (A. SMITH) bzw. die Arbeitskosten (RICARDO) determiniert wird. Ihre klassische Ausprägung fand die objektivistische Wert- und Preistheorie in dem *Arbeitswertgesetz* RICARDOS, das über die langfristigen natürlichen Preise das Folgende aussagt: "The value of a commodity, or the quantity of any other commodity for which it will exchange, depends on the relative quantity of labour which is necessary for its production, and not on the greater or less compensation which is paid for that labour"[1]). Diese Formulierung läßt ganz eindeutig erkennen, daß es RICARDO um die Bestimmung der relativen Preise geht. Ein anschauliches Beispiel für dieses Arbeitswertgesetz findet sich schon bei SMITH: "If among a nation of hunters, for example, it usually costs twice the labour to kill a beaver which is does to kill a deer, one beaver should naturally exchange for or be worth two deer. It is natural that what is usually the produce of two days' or two hours' labour, should be worth double of what is usually the produce of one day's or one hour's labour"[2]).

---

[1]) D. RICARDO, The Principles of Political Economy and Taxation, No. 590 Everyman's Library, London 1962, S. 5.

[2]) A. SMITH, The Wealth of Nations, Vol. 1., No. 412 Everyman's Library, London 1964, S. 41f.

In dem Zurückgehen auf das objektive Datum der Produktions- bzw. Arbeitskosten sieht man in der Regel ein weiteres Moment, das dazu berechtigt, von objektivistischer Wert- und Preistheorie zu sprechen. Ihr Inhalt kann zusammengefaßt wie folgt wiedergegeben werden:

1. Nicht beliebig vermehrbare Güter:	Die Intensität der Nachfrage entscheidet über den Preis. Das Angebot ist konstant.
2. Beliebig vermehrbare Güter:	
a) kurzfristig	Angebot und Nachfrage bestimmen den Marktpreis.
b) langfristig	Die Produktions- bzw. Arbeitskosten bestimmen den natürlichen Preis.

Wie man sieht, sind es nach der objektivistischen Theorie zwei verschiedene Erklärungsprinzipien, die für die Bestimmung der relativen Preise herangezogen werden, nämlich einmal die Preisbildung durch Angebot und Nachfrage (1 und 2a) und die Preisbestimmung durch die Produktions- bzw. Arbeitskosten (2b). Ist dieses Nebeneinander verschiedener Erklärungsprinzipien an sich schon mißlich, so muß ferner beanstandet werden, daß jede Preiserklärung durch Angebot und Nachfrage solange unbefriedigend bleibt, als die hinter dem Angebot und der Nachfrage stehenden Faktoren nicht ebenfalls untersucht werden. M.a.W.: Wenn man das Zustandekommen eines bestimmten Preises durch die Marktkräfte Angebot und Nachfrage erklären will, so hat man außerdem die Bestimmungsgründe eben dieser Marktkräfte zu analysieren. Schließlich kann man gegen die Erklärung des langfristigen natürlichen Preises ebenfalls Einwendungen erheben: Sind die Produktionskosten wirklich ein objektives Datum, wie wir oben gesagt hatten? Offensichtlich lassen sie sich in eine Mengen- und eine Preiskomponente zerlegen, z.B. die Materialkosten in Materialeinsatz mal Materialpreis, die Arbeitskosten in Arbeitseinsatz mal Arbeitslohn (Lohnsatz). Wenn also der langfristige natürliche Preis durch die Produktionskosten erklärt wird, so wird damit zumindest zum Teil (Preiskomponente) ein Preis durch andere Preise erklärt. Das macht insoweit nichts aus, als es sich um die Materialpreise handelt, für die eben wieder dasselbe Erklärungsprinzip gilt: Die langfristigen natürlichen Materialpreise werden ebenfalls auf die Produktionskosten zurückgeführt. Konsequenterweise mußten die nationalökonomischen Klassiker aber auch den Arbeitslohn dem Produktionskostengesetz unterwerfen: Der langfristige natürliche Arbeitslohn ist gleich den (Re-)Produktionskosten der Arbeit, d.h. dem Gegenwert der Gütermenge, die zur Erhaltung der Arbeiterschaft gerade ausreicht. Mag diese Argumentation bei den Existenzminimum-Löhnen des frühen 19. Jahrhunderts auch durchaus wirklichkeitsnah gewesen sein, so kann sie heute doch nicht mehr befriedigen. Es fehlt in dieser Lohntheorie, um nur zwei Einwände zu nennen, einmal die Berücksichtigung der Produktivität der Arbeit; ferner kann die Ansicht, die Zahl der Arbeiter sei positiv mit der Lohnhöhe korreliert, angesichts der empirischen Entwicklung nicht aufrecht erhalten werden.

Schon RICARDO hatte einen anderen Weg eingeschlagen, indem er bei der langfristigen Preisbildung der beliebig vermehrbaren Güter nicht auf die Produktions-, sondern auf die Arbeitskosten rekurrierte und diese in Arbeitsmengen ausdrückte. Aber auch dann ergeben sich Schwierigkeiten, die hier nur angedeutet werden sollen. Wenn sich die relativen Preise allein nach den Arbeitsmengen richten, die zur Produktion der verschiedenen Güter notwendig sind, so dürfen die anderen Produktionsmittel, also Boden und Kapital, offensichtlich keinen Einfluß auf die Preise ausüben. Für den Boden gelang es RICARDO in seiner berühmten Theorie der Differentialrente nachzuweisen, daß die Bodenrente keine Preisursache, sondern eine Preisfolge ist und demgemäß das Arbeitswertgesetz nicht beeinträchtigt[1]). Für das Kapital konnte RICARDO einen solchen Nachweis nicht erbringen. Man gerät hier in unüberwindliche Schwierigkeiten: Entweder versucht man, das Kapital als vorgetane, „geronnene" Arbeit aufzufassen und dadurch in das Arbeitswertgesetz einzubeziehen. Dies führt, wie man sich leicht klarmacht, zu einem nahezu unendlichen historischen Regreß; dieser Regreß hört erst dort auf, wo das erste produzierte Produktionsmittel allein mit Arbeitseinsatz produziert wurde. Oder man muß annehmen, daß die Kapitalintensität, d.h. das Verhältnis von Kapital- zu Arbeitseinsatz, in allen Produktionszweigen gleich ist. Auch unter dieser Voraussetzung würde dann der Kapitaleinsatz die Gültigkeit des Arbeitswertgesetzes nicht stören. Man sieht aber, daß beide Wege nicht gangbar sind, denn der eine führt uns in das Dunkel der Vorzeit, der andere zu einer völlig unrealistischen Annahme über das Einsatzverhältnis von Kapital und Arbeit.

Noch ein letzter Einwand gegen die objektivistische Wert- und Preistheorie soll erwähnt werden. Wenn der objektive Gebrauchswert eines Gutes die notwendige und hinreichende Bedingung dafür ist, daß das betreffende Gut einen objektiven Tauschwert, also einen Preis besitzt, so müßte eigentlich der Preis des Gutes um so höher sein, je höher der objektive Gebrauchswert des betreffenden Gutes ist. Dem steht aber die Erfahrung entgegen, daß manche Güter wie etwa Wasser einen hohen objektiven Gebrauchswert, aber nur einen niedrigen Tauschwert, andere Güter wie z.B. Diamanten dagegen einen niedrigen objektiven Gebrauchswert und einen hohen Tausch-

[1]) Dies gilt nur solange, als keine sogenannte absolute Rente entsteht, solange also der Grenzboden noch keine Rente abwirft. Vgl. dazu den Artikel „Rente" (G. STAVENHAGEN) in: Handwörterbuch der Sozialwissenschaften, 8. Bd., Stuttgart/Tübingen/Göttingen 1964, S.802—812.

wert besitzen[1]). Man bezeichnet dieses Phänomen als die *klassische Wertantinomie* oder mit P. J. PROUDHON als eine der contradictions économiques. Dieser Widerspruch ist auf der Basis der objektivistischen Wertlehre, bei objektivistischer Fassung des Gebrauchswertes nicht lösbar.

In der zweiten Hälfte des 19. Jahrhunderts wurde die objektivistische Wert- und Preislehre von der subjektivistischen Lehre abgelöst, wenn sich natürlich auch die Theorie des subjektiven Wertes viel weiter zurückverfolgen läßt (B. DAVANZATI 1589, G. MONTANARI 1685, D. BERNOULLI 1738, F. GALIANI 1750; später E. DE CONDILLAC, A. R. J. TURGOT, F. B. W. VON HERMANN u.a.). Von besonderer Fruchtbarkeit erwies sich der Begriff des *Grenznutzens*, den nahezu gleichzeitig und unabhängig voneinander im Jahre 1871 der Österreicher C. MENGER, der Engländer W. St. JEVONS und etwas später der Franzose WALRAS in die Theorie eingeführt haben. Als wichtiger, wenn auch völlig unbeachteter Vorläufer muß H. H. GOSSEN genannt werden, der in seinem Buch ,,Entwicklung der Gesetze des menschlichen Verkehrs und der daraus fließenden Regeln für menschliches Handeln" (Braunschweig 1854), den Grenznutzenbegriff in großer Klarheit entwickelt hatte.

Von der subjektivistischen Schule wird, wie schon ausgeführt wurde, der Begriff des Gebrauchswertes als subjektive Nützlichkeit eines Gutes interpretiert. Fragt man nach der Nutzenveränderung, die sich beim Hinzukommen einer weiteren Einheit eines bestimmten Gutes für ein Individuum ergibt, so gelangt man zum Begriff des Grenznutzens, der mathematisch als erster Differentialquotient einer Nutzenfunktion aufgefaßt werden kann. Diese Nutzenfunktion gibt die Abhängigkeit des (Gesamt-)Nutzens von der Menge des betreffenden Gutes an. Recht anschaulich erklärt E. VON BÖHM-BAWERK den Begriff des Grenznutzens in dem folgenden Beispiel: ,,Ein Kolonist, dessen Blockhütte abseits von allen Verkehrsstraßen einsam im Urwalde steht, hat soeben fünf Säcke Korn geerntet. Mit ihnen muß er sich bis zur nächsten Ernte behelfen. Als ordnungsliebender Mann trifft er seine Dispositionen über die beabsichtigte Verwendung. Einen Sack braucht er unumgänglich notwendig, um sein Leben bis zur nächsten Ernte zu fristen. Einen zweiten, um seine Mahlzeiten soweit zu vervollständigen, daß er gesund und bei Kräften bleiben kann. Noch mehr Korn in der Gestalt von Brot und Mehlspeisen zu genießen, hat er keinen Wunsch. Dagegen wäre es ihm recht erwünscht, zur Brotnahrung etwas Fleischnahrung hinzuzufügen, er bestimmt daher einen dritten Sack zur Mästung von Geflügel. Einen vierten Sack widmet er der Erzeugung von Kornbranntwein. Für den letzten Sack endlich weiß er, nachdem seine bescheidenen persönlichen Bedürfnisse durch die vorausgehenden Dispositionen völlig gedeckt sind, keine bessere Verwendung mehr, als damit eine Anzahl von Papageien zu füttern, an

[1]) Man bezeichnet solche Güter, die keinen Preis haben, deren Tauschwert also gleich Null ist, als freie Güter. Den Gegensatz bilden die wirtschaftlichen Güter.

deren Possen er sich ergötzt. Natürlich stehen ihm die genannten Verwendungen an Wichtigkeit nicht gleich. Dies erprobt sich am einfachsten daran, wieviel er Nutzen einbüßen würde, falls ihm ein Sack verloren ginge. Offenbar müßte unser Mann nicht recht klug sein, wenn er den verlorenen Sack sich am Munde abdarben, dadurch Leben und Gesundheit preisgeben, dabei aber Branntwein brennen und Hühner und Papageien füttern wollte wie zuvor. Bei gesunder Überlegung ist vielmehr ein einziger Ausgang denkbar: der Kolonist wird mit den übrig gebliebenen vier Säcken die vier wichtigsten Bedürfnisgruppen decken, und nur auf die Gewinnung des unbedeutendsten letzten, des „Grenznutzens" verzichten. Das ist in diesem Fall die Haltung der Papageien"[1]).

Ausgehend vom Grenznutzenbegriff entwickelten die Österreichische oder Wiener Schule (MENGER, v. BÖHM-BAWERK, F. v. WIESER), die angloamerikanische Schule (JEVONS, F. Y. EDGEWORTH, J. B. CLARK) und die Lausanner Schule (WALRAS, V. PARETO) eine Wert- und Preistheorie, in der insbesondere die Determinanten der Nachfrageseite ausführlich analysiert wurden (1. und 2. Gossensches Gesetz, vgl. §1 Kap. II, 2). Der objektive Tauschwert, d.h. der Preis eines Gutes bildet sich danach gemäß den subjektiven Nutzenschätzungen der Käufer und Verkäufer. Die Preise der Produktionsmittel („Güter höherer Ordnung") werden auf die Preise der Endprodukte („Güter niederer Ordnung") zurückgeführt, wobei der Kostenbegriff subjektiviert wird: Kosten sind entgangener Nutzen (disutility, opportunity oder alternative costs).

Aber schon die Vertreter der Lausanner Schule, WALRAS und PARETO, erkannten, daß die ausschließliche Basierung der Preistheorie auf subjektiven Elementen zur Einseitigkeit und zu einer Überbetonung der Nachfrageseite führen muß. Daneben war es vor allem A. MARSHALL, der in seinen „Principles of Economics" (1. Aufl. London 1890, 9. Aufl. London 1961) aus den Einseitigkeiten, die sowohl die objektivistische als auch die subjektivistische Wert- und Preislehre kennzeichnen, einen Ausweg suchte. Die Nachfrage nach Gütern wird von MARSHALL auf subjektive Elemente, nämlich die Nutzenschätzungen der Wirtschaftssubjekte zurückgeführt; das Angebot von Gütern wird als eine Funktion der Produktionskosten, also objektivistisch gedeutet. Einer Überbetonung der Nachfrage- oder der Angebotsseite sucht MARSHALL durch das berühmt gewordene Scherengleichnis vorzubeugen:" Wir können uns ebensogut ernstlich darüber streiten, ob bei einer Schere das obere oder das untere Blatt ein Stück Papier durchschneidet oder ob der Wert vom Nutzen oder von den Produktionskosten bestimmt wird"[2]).

---

[1]) E. v. BÖHM-BAWERK, Kapital und Kapitalzins, Zweite Abteilung Positive Theorie des Kapitales, 4. Aufl., Jena 1921, S.185f.

[2]) A. MARSHALL, deutsche Übersetzung der Principles of Economics (Handbuch der Volkswirtschaftslehre), 1. Bd., Stuttgart u. Berlin 1905, S.360.

Das System MARSHALLS ist für die Weiterentwicklung der Preistheorie von fundamentaler Bedeutung gewesen. Betrachtet man die objektivistische Wert- und Preislehre als These und die subjektivistische als Antithese, so sind beide in der Synthese aufgehoben: Die Synthese enthält als Datengruppen einer vollständigen Preistheorie subjektive bzw. subjektivistische und objektive bzw. objektivistische Elemente. Zu den subjektivistischen Elementen gehören die Bedürfnis- oder Präferenzskalen der einzelnen Wirtschaftssubjekte (Indifferenzkurvensysteme), aber auch etwa die Zielsetzungen und Verhaltensweisen der Anbieter und Nachfrager. Zu den objektivistischen Elementen gehören die Produktionsbedingungen (Produktions- und Aufwandsfunktionen etc.), die Marktformen, aber auch die Ausgangsquantitäten von Geld und Gütern, über die die Wirtschaftssubjekte zu Beginn des Marktgeschehens verfügen (man vgl. daraufhin die beiden einfachen Tauschmodelle in Kap. I,1)[1]).

Dieser Sachverhalt kann auch in einer etwas anderen Art verdeutlicht werden. Wenn man wirtschaftliche Vorgänge untersucht, also hier die Preisbildung, so schneidet man aus der gesamten gesellschaftswirtschaftlichen Wirklichkeit einen Sektor heraus. Dessen Schnittflächen entscheiden sozusagen darüber, welche Größen in der Analyse als Daten, als bekannt und gegeben, und welche als Problem, als unbekannt anzusehen sind. Bei den Daten preistheoretischer Untersuchungen lassen sich nun drei Gruppen unterscheiden, nämlich

1. eine psychologische Datengruppe,
2. eine technologische Datengruppe und
3. eine soziologische Datengruppe.

Zu der psychologischen Datengruppe gehören die Bedürfnisskalen der Wirtschaftssubjekte, ihre Zielsetzungen und Verhaltensweisen. Zu den technologischen Daten zählen die Produktionsbedingungen und zu den soziologischen die Eigentumsverteilung (die Ausgangsquantitäten von Geld und Gütern, die „Startbedingungen") und die Marktformen. (Diese Dreiteilung ist natürlich eine Vereinfachung, denn man kann z. B. die Verhaltensweisen der Wirtschaftssubjekte als sozialpsychologisches Phänomen ansehen.) Eine vollständige Preistheorie basiert demnach auf einem psychischen, technischen und sozialen Datenkranz, in dem subjektivistische wie objektivistische Faktoren enthalten sind.

§ 2. Modelltypen in der Preistheorie

Für die Methode der Wirtschaftstheorie ist die Konstruktion von sogenannten *Modellen* charakteristisch. Da die wirkliche Wirtschaft, unser

[1]) Vgl. dazu H. PETER, Grundprobleme der theoretischen Nationalökonomie, Bd. 1, Wert, Preis, Profit, Stuttgart 1933.

Erfahrungsobjekt, zu vielfältig und kompliziert ist, als daß man ihre Funktionsweise ohne weiteres durchschauen und verstehen könnte, konstruiert man vereinfachte Abbilder, Modelle, d.h. man leitet aus dem Erfahrungsobjekt ein vereinfachtes Erkenntnisobjekt ab, mit dessen Hilfe man sich an die Wirklichkeit herantastet. Durch abnehmende Abstraktion, d.h. durch die schrittweise Einführung zusätzlicher, wirklichkeitsnaher Annahmen, muß dann das Modell so weit der Wirklichkeit angeglichen werden, daß es verbindliche Aussagen über tatsächliche wirtschaftliche Zusammenhänge erlaubt.

Bevor wir auf die Modelltypen eingehen, die in der Preistheorie angewandt werden, ist noch eine Vorbemerkung über die zugrundegelegte *Wirtschaftsordnung* notwendig. Die Preistheorie geht grundsätzlich von der Annahme einer *marktwirtschaftlichen* oder *verkehrswirtschaftlichen* (W. Eucken) Ordnung aus, in der die Wirtschaftssubjekte autonom ihre Wirtschaftspläne aufstellen und keinem volkswirtschaftlichen Gesamtplan unterworfen sind. Das Hauptproblem einer marktwirtschaftlichen Ordnung besteht dann in der Koordination dieser individuellen Wirtschaftspläne, die zu einem großen Teil durch das Preissystem und den Preismechanismus herbeigeführt wird. In einer *planwirtschaftlichen* oder *zentralverwaltungswirtschaftlichen* (Eucken) Ordnung kommen dem bewußt geschaffenen, „konstruierten" Preissystem zwar z.T. dieselben Aufgaben zu wie in einer Marktwirtschaft, nämlich die Abstimmung von Angebot und Nachfrage, die optimale Verteilung der volkswirtschaftlichen Ressourcen etc.; die Probleme der Aufstellung des Preissystems sind aber von denen einer marktwirtschaftlichen Ordnung, in der sich das Preissystem aus dem Zusammen- und Gegeneinanderwirken der individuellen Aktionen und Reaktionen quasi automatisch ergibt, so weit entfernt, daß sie hier nicht behandelt werden sollen. Wir gehen also im kommenden stets von der Voraussetzung eines marktwirtschaftlichen Systems mit freier Preisbildung aus; die Auswirkungen bestimmter staatlicher Eingriffe in den Preisbildungsprozeß, die in Marktwirtschaften vorkommen, wie z.B. die Festsetzung von Höchst- oder Mindestpreisen, sollte der Leser später selbständig analysieren können.

Wenden wir uns nunmehr den einzelnen Modelltypen zu. Wie E. Schneider gezeigt hat, gehört jedes wirtschaftstheoretische Modell jeder der drei folgenden Eigenschaftsgruppen an[1]):

a) Partialmodelle — Totalmodelle;

b) Mikroökonomische — makroökonomische Modelle;

c) Statische — dynamische Modelle.

Versuchen wir als erstes, Klarheit über diese drei Eigenschaftspaare zu gewinnen. Ein Partialmodell umfaßt nur einen bestimmten Ausschnitt aus

---

[1]) E. Schneider, Wirtschaftsforschung in unserer Zeit, München 1951, S.4.

einer Volkswirtschaft, so wenn man etwa den Automobilmarkt eines Landes untersucht. Ein Totalmodell umfaßt demgegenüber die gesamte Volkswirtschaft. Ein Modell ist mikroökonomisch bzw. ein Modell beruht auf mikroökonomischer Basis, wenn die Analyse bis auf die Dispositionen der einzelnen Wirtschaftssubjekte zurückgeht (Verbrauchspläne der Haushalte, Produktionspläne der Unternehmungen etc.). Die einzelnen Wirtschaftseinheiten (Haushalte, Unternehmungen etc.) gehen nicht aggregiert in das Modell ein. Ein Modell ist demgegenüber makroökonomisch bzw. beruht auf makroökonomischer Basis, wenn die Wirtschaftseinheiten zu Gruppen aggregiert in das Modell eingehen; man faßt also etwa von vornherein die Gesamtheit aller privaten Haushalte zu einem Pol private Haushalte zusammen oder die Unternehmungen zu einem Pol Unternehmungen. Von einem statischen Modell spricht man, wenn sich alle in dem Modell vorkommenden Größen auf denselben Zeitpunkt bzw. auf dieselbe Zeitperiode beziehen, wenn also alle Variablen gleich datiert sind, den gleichen Zeitindex aufweisen. Ein Beispiel für eine statische Funktion stellt etwa die folgende Angebotsfunktion dar: $x_t = \varphi_1 (p_t)$, die angebotene Menge in der Periode t, x_t, hängt vom Preis p_t in derselben Periode t ab. Wie man sieht, kann man bei statischer Betrachtung auf die Zeitindizes verzichten. Ein dynamisches Modell ist dadurch gekennzeichnet, daß entweder mindestens eine Größe in zwei verschiedenen Datierungen auftritt (z.B. p_t, p_{t-1}), oder daß von einer Variablen eine ihrer Ableitungen nach der Zeit in dem Modell vorkommt $\left(\text{z.B. } \frac{dp}{dt}\right)$. Beispiele für dynamische Funktionen sind also etwa die folgenden Angebotsfunktionen: $x_t = \varphi_2 (p_t,\ p_{t-1})$, $x = \varphi_3 \left(p, \frac{dp}{dt}\right)$. In der ersten hängt die angebotene Menge in der Periode t nicht nur vom Preis derselben, sondern auch vom Preis der Vorperiode ab. In der zweiten Funktion beeinflußt auch die Preisveränderung in der Zeit $\frac{dp}{dt}$ die Angebotsmenge.

Ein Modell gehört, wie schon angedeutet, allen drei Eigenschaftsgruppen an, so daß sich insgesamt 8 Modelltypen ergeben:

1. Partialmodell, mikroökonomisch, statisch	←	Für die Preistheorie relevante Modelle
2. Partialmodell, mikroökonomisch, dynamisch	←	
3. Partialmodell, makroökonomisch, statisch		
4. Partialmodell, makroökonomisch, dynamisch		
5. Totalmodell, mikroökonomisch, statisch	←	
6. Totalmodell, mikroökonomisch, dynamisch	←	
7. Totalmodell, makroökonomisch, statisch		
8. Totalmodell, makroökonomisch, dynamisch		

Da es für die Ableitung des Preisbildungsprozesses notwendig ist, auf die Dispositionen der einzelnen Wirtschaftssubjekte zurückzugehen, scheiden die Modelle auf makroökonomischer Basis für die Preistheorie aus. Es bleiben also die mikroökonomischen Partialmodelle (1,2) und die mikroökonomischen Totalmodelle (5,6) übrig. Da die Behandlung dynamischer Modelle die Beherrschung spezieller mathematischer Techniken erfordert (Differential- und/oder Differenzengleichungen), werden wir uns im kommenden grundsätzlich auf das Arbeiten mit statischen Modellen beschränken[1]). Es bleiben demnach die Modelltypen 1 und 5 übrig, d.s.:

Statische Partialmodelle auf mikroökonomischer Basis;

Statische Totalmodelle auf mikroökonomischer Basis.

Diese beiden Modelltypen entsprechen in der Tat auch den beiden wichtigsten methodischen Richtungen, die die moderne Preistheorie kennt. Die statischen Partialmodelle auf mikroökonomischer Basis entsprechen der sogenannten *Methode des partiellen Gleichgewichts,* die schon von dem französischen Mathematiker und Nationalökonomen A. A. Cournot im Jahre 1838, später von Marshall, E. H. Chamberlin, J. Robinson u.a. mit Meisterschaft gehandhabt wurde. Den zweiten Typ, also die statischen Totalmodelle auf mikroökonomischer Basis, kann man mit der von der Lausanner Schule (Walras, Pareto) eingeführten *Methode des totalen Gleichgewichts* identifizieren, die später von G. Cassel, H. von Stackelberg und R. Triffin weitergeführt wurde.

Bei der partiellen Gleichgewichtsanalyse (Methode des partiellen Gleichgewichts) wird aus der gesamten Volkswirtschaft ein Markt, z.B. der Automobilmarkt, herausgelöst, und die Preisbildung auf eben diesem Markt untersucht. Das Geschehen in der ökonomischen Umwelt dieses Marktes wird als „eingefroren" gedacht bzw. durch die sogenannte *ceteris paribus-Klausel* ausgeklammert. Man nimmt also an, die übrigen Umstände blieben gleich, d.h. von den anderen Sektoren der Volkswirtschaft gingen keine Wirkungen oder Störungen auf den betrachteten Sektor aus und umgekehrt. Die Methode des partiellen Gleichgewichts hat sich seit langem als sehr vielseitig und flexibel bei preistheoretischen Analysen bewährt; ihre Schwäche liegt selbstverständlich in der ceteris paribus-Klausel, die zu größter Vorsicht gegenüber den Folgerungen zwingt, die aus der Anwendung der partiellen Gleichgewichtsanalyse resultieren.

In der totalen Gleichgewichtsanalyse umfaßt das Modell die gesamte Volkswirtschaft. Außerdem ist das Modell mikroökonomisch, d.h. es werden die Dispositionen eines jeden einzelnen Wirtschaftssubjektes berücksichtigt. Es ist einleuchtend, daß solche Modelle allein schon wegen der Zahl der darin enthaltenen Funktionen und Variablen äußerst „unhandlich" sind[2]). Zu-

[1]) Dynamische preistheoretische Modelle finden sich in A. E. Ott, Einführung in die dynamische Wirtschaftstheorie. Göttingen 1963.

[2]) Man hat das Walrasianisch-Paretianische System treffend mit einem wunderbaren Schloß verglichen, das aber das Problem des Wohnungsbaus nicht löst. U. Ricci, Pareto e l'Economia Pura, Giornale degli Economisti, Vol. LXV(1924), S. 43.

gleich steht aber auch fest, daß man nur mit der Methode des totalen Gleichgewichts die Gefahren vermeiden kann, die die ceteris paribus-Klausel in sich schließt, und daß man nur mit ihr die *allgemeine Interdependenz aller wirtschaftlichen Größen* adäquat berücksichtigt. Allein die Methode des totalen Gleichgewichts ist geeignet und in der Lage, die simultane Bestimmung des Preissystems in einer marktwirtschaftlichen Ordnung aufzuzeigen. Und nur mit Hilfe der totalen Gleichgewichtsanalyse kann der prinzipielle Nachweis geführt werden, daß das marktwirtschaftliche Geschehen unter bestimmten Annahmen determiniert ist, daß also die ausgetauschten Mengen und die Preise (bis auf eine multiplikative Konstante) bestimmt sind.

Trotz der nicht zu übersehenden Vorteile der totalen Gleichgewichtsanalyse werden wir uns im kommenden fast ausschließlich der partiellen Gleichgewichtsanalyse bedienen. Zunächst gilt es, die Preisbildung bei den verschiedenen Marktformen zu untersuchen, und zwar mit dem flexibleren und handlicheren Instrument der partiellen Gleichgewichtsanalyse. Erst später kann dann die schwierige Aufgabe in Angriff genommen werden, das totale Gleichgewicht einer Verkehrswirtschaft unter vereinfachten Annahmen mit Hilfe der Methode des totalen Gleichgewichts zu analysieren.

II. Die Grundlagen der Preisbildung

1. Marktform, Zielsetzung und Verhaltensweise

§ 1. Der Begriff des Marktes und die Klassifikation der Märkte

Die Preistheorie hat die Aufgabe, von bestimmten psychischen, technischen und sozialen Daten ausgehend die Höhe der relativen Preise zu erklären, und zwar bei den verschiedenen Marktformen, bei verschiedenen Zielsetzungen und Verhaltensweisen der Anbieter und Nachfrager.

Jede Preisbildung vollzieht sich auf einem *Markt*, der in der Regel als *der ökonomische Ort des Tausches* definiert wird. „Ökonomischer Ort" soll dabei besagen, daß ein Zusammentreffen der Anbieter und Nachfrager an einem bestimmten geographischen Ort wie z. B. auf dem Wochenmarkt nicht unbedingt erforderlich ist. Der Versandhandel etwa ist ein anschauliches Beispiel für das Auseinanderfallen der Standorte von Käufern und Verkäufern. Für die Art der Preisbildung ist die Gestalt oder auch Struktur des betreffenden Marktes von entscheidender Bedeutung, und wir wenden uns deshalb als erstes der Marktmorphologie oder auch Strukturanalyse der Märkte zu. Zu der Morphologie eines Marktes gehören:

1. die qualitative Beschaffenheit des einzelnen Marktes und
2. die quantitative Besetzung der einzelnen Marktseiten (Angebots- und Nachfrageseite).

Die Kennzeichnung der einzelnen Märkte nach ihrer qualitativen Beschaffenheit und nach der quantitativen Besetzung der beiden Marktseiten nennt man die Lehre von den *Marktformen* oder Marktfiguren. Wir befassen uns in diesem Abschnitt zunächst mit der Einteilung der Märkte nach qualitativen Merkmalen.

Die wichtigste Einteilung der Märkte in qualitativer Hinsicht ist diejenige in *vollkommene* und *unvollkommene* Märkte. Ein Markt wird als vollkommen bezeichnet, wenn die folgenden Bedingungen erfüllt sind:

1. Sachliche Gleichartigkeit der Güter (Homogenität und Fungibilität);
2. Nichtvorhandensein persönlicher Präferenzen von Käufern für bestimmte Verkäufer et vice versa;
3. Nichtvorhandensein räumlicher Differenzierungen zwischen den einzelnen Anbietern bzw. Nachfragern;

4. Nichtvorhandensein zeitlicher Differenzierungen zwischen den einzelnen Anbietern bzw. Nachfragern;
5. Vollständige Markttransparenz.

Diese fünf Bedingungen seien im einzelnen noch etwas erläutert. Die sachliche Gleichartigkeit der Güter erheischt das Fehlen von Unterschieden in der Qualität, der Verpackung, der Aufmachung der Waren etc. Die Waren müssen, wie es im §91 BGB heißt, vertretbar (fungibel) sein, d.h. sie müssen „im Verkehr nach Zahl, Maß oder Gewicht bestimmt" werden. Wir finden solche homogenen Güter etwa bei landwirtschaftlichen Produkten, bei denen eine Standardisierung der verschiedenen Qualitäten vorgenommen wurde (z.B. „Hafer, Kanad. Western II"; in Frage kommen außerdem die übrigen Getreidesorten sowie Baumwolle, Kaffee, Kakao, Sojabohnen etc.), ferner auf den Metallmärkten (Blei, Zink, Kupfer, Aluminium, Messing etc.) und an den Devisen- und Wertpapierbörsen. Die Ware eines Anbieters X darf sich also von der eines anderen Anbieters Y in keiner Hinsicht unterscheiden[1]).

Das Nichtvorhandensein persönlicher Präferenzen bedeutet, um dies an dem Standardbeispiel zu demonstrieren, daß man ein Einzelhandelsgeschäft nicht wegen einer hübschen Verkäuferin frequentieren darf. Es darf also weder Stammkunden noch einen Kundenstamm geben. Das Fehlen räumlicher Differenzierungen läuft entweder auf den sogenannten Punktmarkt hinaus (alle Anbieter und alle Nachfrager befinden sich an dem gleichen Ort) oder darauf, daß sich die Anbieter (Nachfrager) in den Ecken eines regelmäßigen Polygons oder auf der Peripherie eines Kreises, die Nachfrager (Anbieter) in dessen Mittelpunkt befinden müssen. Die Bedingung 4 — Nichtvorhandensein zeitlicher Differenzierungen — erfordert dieselben Lieferfristen, dieselbe Promptheit bei der Abfertigung bzw. Bedienung etc. Vollständige Markttransparenz schließlich ist dann gegeben, wenn die Nachfrager über die von den Anbietern gesetzten Bedingungen vollständig informiert sind und umgekehrt.

Der vollkommene Markt kann also abgekürzt definiert werden durch das Nichtvorhandensein sachlicher, persönlicher, räumlicher und zeitlicher Differenzierungen und das Vorhandensein vollständiger Markttransparenz. Faßt man nach dem Vorbild E. Gutenbergs die Bedingungen 1—4 zu einer *Homogenitätsbedingung* zusammen, so erfordert der vollkommene Markt die Erfüllung der Homogenitätsbedingung und vollständige Markttransparenz[2]).

In der Literatur werden gelegentlich noch weitere Bedingungen des vollkommenen Marktes genannt, auf die kurz einzugehen ist. Das Streben nach dem Nutzenmaxi-

[1]) Selbstverständlich sind Stammaktien der Veba und der BASF heterogene Güter, aber beide Arten sind in sich homogen. Eine Effektenbörse setzt sich also aus vollkommenen „Elementarmärkten" zusammen. Vgl. dazu §3 dieses Kapitels.

[2]) E. Gutenberg, Grundlagen der Betriebswirtschaftslehre, 2. Bd. Der Absatz, 15. Aufl., Berlin-Heidelberg-New York 1976, S. 183ff.

mum von seiten der Nachfrager und nach dem Gewinnmaximum von seiten der Anbieter ist *keine* Bedingung für die Vollkommenheit des Marktes. Ein Markt verliert nämlich seine Vollkommenheit nicht, d.h. er funktioniert immer noch wie ein vollkommener Markt, wenn die Anbieter z.B. Umsatz- oder Absatzmaximierung (evtl. unter bestimmten Nebenbedingungen) anstreben. Ebensowenig gehört unendliche Reaktionsgeschwindigkeit aller Anpassungsvorgänge zu den Bedingungen des vollkommenen Marktes. Unterstellt man unendliche Reaktionsgeschwindigkeit aller Anpassungsvorgänge, so arbeitet man mit einem statischen Modell. Die These, unendliche Reaktionsgeschwindigkeit sei eine Bedingung für die Marktvollkommenheit, läuft also darauf hinaus, daß man einen vollkommenen Markt oder genauer die Preisbildung auf einem vollkommenen Markt nur statisch betrachten kann, was offenbar absurd ist. Schließlich gehört auch das Gesetz der Unterschiedslosigkeit der Preise, auf das gleich einzugehen sein wird, nicht zu den Bedingungen für die Vollkommenheit eines Marktes, sondern dieses Gesetz ist vielmehr eine Folge der Vollkommenheit des Marktes.

Ein Markt wird unvollkommen genannt, wenn eine der vier ersten Bedingungen nicht erfüllt ist bzw. wie man auch sagen kann, wenn die Homogenitätsbedingung nicht erfüllt ist. Zu den unvollkommenen Märkten gehören vor allem die Konsumgütermärkte; die Konsumgüter verschiedener Anbieter unterscheiden sich regelmäßig durch die Qualität, die Aufmachung und Verpackung; die Bedienung in den einzelnen Handelsgeschäften ist in der Regel unterschiedlich höflich und zuvorkommend, und vor allem im Handel spielen räumliche Unterschiede eine erhebliche Rolle. Schließlich spielen auch zeitliche Differenzierungen eine Rolle, etwa in der Promptheit der Bedienung, was man sich leicht am Gaststättengewerbe veranschaulicht. Um einen Markt unvollkommen zu machen, genügt es schon, wenn eine der vier ersten Bedingungen nicht erfüllt ist; natürlich können sich die Unvollkommenheitsfaktoren auch kumulieren. Ist die Homogenitätsbedingung auf einem Markt erfüllt, die Markttransparenz jedoch unvollständig, so bezeichnet man diesen Markt seit F. ZEUTHEN als „*temporär unvollkommen*“. In diesem Fall ist mit einer allmählichen „Entschleierung“ des an sich ja vollkommenen Marktes zu rechnen, d.h. mit einer im Laufe der Zeit immer größer werdenden Unterrichtung der Marktteilnehmer. Eventuell auftretende Preisunterschiede zwischen den Anbietern können nur temporär sein.

Eine Übersicht über die drei bis jetzt behandelten Typen von Märkten vermittelt Tabelle 3.

Aus den Bedingungen des vollkommenen Marktes folgt das „*Gesetz der Unterschiedslosigkeit der Preise*“ (law of indifference), das von JEVONS aufgestellt wurde. Es besagt: Auf dem vollkommenen Markt kann es nur einen einheitlichen Preis geben, zu dem alle Umsätze getätigt werden. Die Begründung für das Gesetz der Unterschiedslosigkeit der Preise ist leicht einzusehen: Würde z.B. ein Anbieter — bei Preisfixierung durch die Anbieter — einen höheren Preis fordern als seine Konkurrenten, so könnte er keinen Umsatz erzielen, da die Nachfrager zu dem niedrigeren Preis der Konkurrenten einkaufen würden. Es existiert ja kein Qualitätsvorsprung, keine persön-

Tabelle 3
Die Bedingungen des vollkommenen, temporär unvollkommenen und unvollkommenen Marktes

Bedingungen 1—4 \ Bedingung 5	Vollständige Markttransparenz	Unvollständige Markttransparenz
Homogen. bedingung erfüllt	Vollkommener Markt	Temporär unvollkommener Markt
Homogen. bedingung nicht erfüllt	Unvollkommener Markt	

liche Präferenz, kein räumlicher oder zeitlicher Vorteil, der sozusagen ein Äquivalent für den höheren Preis wäre und somit Kunden an den Anbieter mit dem höheren Preis binden könnte. Eine entsprechende Argumentation gilt selbstverständlich bei Preissetzung durch die Nachfrager und Abweichung eines Nachfragers vom Konkurrentenpreis. Ist die Homogenitätsbedingung nicht erfüllt, liegt also ein unvollkommener Markt vor, so werden dadurch unterschiedliche Preise der einzelnen Anbieter bzw. Nachfrager möglich. Die unterschiedlichen Produktqualitäten (im weitesten Sinn, also inklusive der Aufmachung, der Verpackung, des Kundendienstes etc.), die Präferenzen, sowie die unterschiedlichen räumlichen und zeitlichen Bedingungen drücken sich also in unterschiedlichen Preisen der einzelnen Marktteilnehmer aus. Der einzelne Anbieter bzw. Nachfrager besitzt einen preispolitischen Spielraum. Bei unvollständiger Markttransparenz, aber erfüllter Homogenitätsbedingung schließlich, also auf dem temporär unvollkommenen Markt, sind, wie schon erwähnt, Preisunterschiede zwischen den einzelnen Anbietern bzw. Nachfragern als kurzfristige Erscheinung möglich. Allmählich müssen aber die Marktteilnehmer merken, daß die Güter homogen sind, daß keine Präferenzen und keine Standortvorteile existieren und auch die zeitlichen Bedingungen überall gleich sind, der Markt also an sich vollkommen ist. Durch diese „Entschleierung" wird sich hier auf die Dauer das Gesetz der Unterschiedslosigkeit der Preise durchsetzen.

Beschließen wir die Analyse des Begriffspaares vollkommener und unvollkommener Markt mit einigen Hinweisen. Einmal ist anzumerken, daß die Bezeichnungen vollkommener und unvollkommener Markt nicht als Werturteile aufgefaßt werden dürfen. Der vollkommene Markt stellt das System von Bedingungen dar, das einen völlig reibungslosen Ablauf des Marktgeschehens und vor allem — bei entsprechender Organisation des Marktes (vgl. dazu weiter unten) — eine sehr schnelle Bildung des einheitlichen Marktpreises garantiert. Darin liegt sicher ein Vorteil, so wie auch die vollständige Markttransparenz durchaus als vorteilhaft anzusehen ist. Diesen Annehmlichkeiten stehen aber Nachteile entgegen, die sich besonders auf vollkommenen Konsumgütermärkten sehr unangenehm bemerkbar machen würden: Was wäre das für eine trostlose Welt, in der Herrenanzüge und Damenkleider „uniform" wären, in der es nicht den „Laden an der Ecke" und nicht den aufmerksamen Ober in der Weinstube gäbe? Konsumgütermärkte müssen unvollkommen sein, wenn das Konsumgüterangebot bunt und vielfältig sein soll. Die Gefahr liegt in der Überzahl von Typen und Qualitäten, die nicht mehr überschaubar und vergleichbar sind[1]).

In der Wirklichkeit kommen die Börsen (Waren-, Devisen- und Wertpapierbörsen) dem Modell des vollkommenen Marktes am nächsten. Ebenso nähern sich verschiedene Produktionsmittelmärkte, auf denen eine Typisierung der Güter vorgenommen wurde (z.B. Zement, Rohre, Stahlträger und -bleche etc.), von der Homogenität der Güter her dem vollkommenen Markt, wenn auch auf diesen Märkten z.B. wegen des hohen spezifischen Gewichts der Güter (Zement) Standortvorteile oft ins Gewicht fallen.

Eine weitere wichtige Einteilung, die wir jetzt kennenlernen müssen, ist die in *organisierte* und *nichtorganisierte* Märkte[2]). Auf organisierten Märkten richtet sich das Zusammentreffen und Zusammenspiel von Anbietern und Nachfragern nach bestimmten, festgelegten Regeln, wenn es z.B. wie an den Effektenbörsen durch Makler koordiniert wird oder wenn man, wie bei den Auktionen von Obst, Gemüse und Blumen, Versteigerungsuhren zu Hilfe nimmt. Bei nichtorganisierten Märkten fehlen solche Regeln. Die Börse ist sowohl der Prototyp des vollkommenen als auch des organisierten Marktes.

Schließlich gilt es noch eine letzte Einteilung der Märkte zu behandeln, die auf die Eintrittsbedingungen in einem Markt abstellt und damit auf der Grenze zwischen den Markteinteilungen nach qualitativen und quantitativen Kriterien liegt. Denn während bei manchen Märkten der Eintritt frei ist, wird der Zugang bei anderen behindert oder sogar verhindert. So war beispielsweise bis zu der Entscheidung des Bundesverfassungsgerichts vom 30. 5. 1956 bzw. bis zu dem Gesetz über das Apothekenwesen vom 20. 8. 1960 (Bundesapothekengesetz) die Errichtung und das Betreiben einer Apotheke nur mit einer staatlichen Berechtigung zulässig (Konzession). Bis dahin genügten nicht wie jetzt allein die subjektiven Voraussetzungen (Approbation, mehrjährige Berufserfahrung etc.), sondern es mußten auch objektive Voraussetzungen erfüllt sein (Bedürfnisfrage). Zu den Hemmnissen des Markt-

---

[1]) Vgl. dazu die auch in anderer Hinsicht höchst lesenswerte Schrift von E. Schmalenbach, Der freien Wirtschaft zum Gedächtnis, 3. erw. u. verb. Aufl., Köln u. Opladen 1958, S. 71 ff.

[2]) Vgl. dazu E. Liefmann-Keil, Organisierte Konkurrenzpreisbildung, Leipzig 1936.

zugangs zählt also einmal der rechtlich gesperrte Zugang durch Investitions-, Neugründungs-, Niederlassungs- oder Filialgründungsverbote, ferner die rechtlich-wirtschaftliche Behinderung durch spezielle Steuern (Warenhaussteuer, Zweigstellensteuer etc.), aber auch der wirtschaftlich quasi gesperrte Zugang durch mangelndes Kapital oder mangelnde Qualifikation. Ferner gehört hierher die mangelnde Mobilität der Produktionsfaktoren, die ebenfalls den Zugang zu einem Markt, d.h. die Aufnahme einer bestimmten Produktion, be- oder verhindern kann. Die Terminologie zur Bezeichnung dieser Phänomene ist leider weder einheitlich noch immer glücklich gewählt. Wir unterscheiden *Märkte mit unbeschränktem Zugang*, bei denen das Eindringen neuer Anbieter bzw. Nachfrager jederzeit möglich ist, und *Märkte mit beschränktem Zugang*, bei denen dies nur unter bestimmten Bedingungen oder überhaupt nicht möglich ist. Die Zugangsbeschränkungen können rechtlich-institutioneller oder auch wirtschaftlicher Natur sein, und daraus folgt unmittelbar, daß die von uns gewählten Begriffe mehr umfassen als die Begriffe offener und geschlossener Markt bei Eucken, der allein die rechtliche Seite berücksichtigt[1]). Völlig unbeschränkter Zugang zu einem Markt läuft letzten Endes auf das hinaus, was A. Wagner „*freie Konkurrenz*" nannte, d.h. einen Zustand, bei dem jeder, der sich am Markt beteiligen will, dies auch kann und darf[2]).

Kombiniert man die Einteilung der Märkte nach den Zugangsbedingungen mit der Einteilung in vollkommene und unvollkommene Märkte, so ergeben sich vier Möglichkeiten:

1. vollkommener Markt mit unbeschränktem Zugang;
2. vollkommener Markt mit beschränktem Zugang;
3. unvollkommener Markt mit unbeschränktem Zugang;
4. unvollkommener Markt mit beschränktem Zugang.

Wie später zu zeigen sein wird, ist diese Unterscheidung von vollkommenen und unvollkommenen Märkten mit unbeschränktem oder beschränktem Zugang vor allem für die langfristige Marktentwicklung und Preisbildung von nicht unerheblicher Bedeutung.

Damit sind wir am Ende der Klassifikation der Märkte nach qualitativen Merkmalen und wenden uns im folgenden Abschnitt der quantitativen Besetzung der beiden Marktseiten zu.

§ 2. Die quantitative Besetzung der beiden Marktseiten: das Marktformenschema

Die wesentlichen Bauelemente des morphologischen Marktformenschemas sind die *Anzahl* und *relative Größe* der Marktteilnehmer. Auf diesen Elemen-

[1]) W. Eucken, Die Grundlagen der Nationalökonomie, 8. Aufl., Berlin-Heidelberg-New York 1965 (1. Aufl. 1939), S. 146ff.

ten basieren schon die frühesten Versuche einer Klassifikation der Marktformen bei dem Merkantilisten J. J. BECHER, bei COURNOT und v. BÖHM-BAWERK[1]). Die wichtigsten neueren Arbeiten stammen von v. STACKELBERG, CHAMBERLIN, EUCKEN und SCHNEIDER, der seine Ansichten über die Marktmorphologie allerdings erheblich revidiert hat[2]). Wie bei der Klassifikation der Märkte nach qualitativen Merkmalen kommt es jetzt darauf an, eine solche Einteilung der Märkte nach der Teilnehmerzahl zu finden, in der jede unterschiedene Marktform sich von jeder anderen durch die spezifische Art der Preisbildung abhebt.

Wir legen zunächst die sogenannte ,,Symmetrieannahme" zugrunde, unterstellen also, daß sich die Marktteilnehmer einer Marktseite nicht oder nur unwesentlich in ihrer Größe unterscheiden. Unter Größe verstehen wir die relative Größe, d.h. den Anteil, der einem einzelnen Anbieter am Gesamtangebot des Marktes bzw. der einem einzelnen Nachfrager an der Gesamtnachfrage des Marktes zufällt. Infolge der Symmetrieannahme und dieser Definition der Größe sind Anzahl und Größe der Marktteilnehmer keine voneinander unabhängigen Merkmale mehr. Vielmehr ist mit der Größe der Marktteilnehmer, ausgedrückt als Prozentsatz des Gesamtangebots bzw. der Gesamtnachfrage, die Zahl der Marktteilnehmer einer Marktseite eindeutig festgelegt. Beträgt z.B. der Marktanteil eines Anbieters 20 % oder 1/5, so gibt es, da alle Anbieter gemäß der Symmetrieannahme gleich groß sind, 5 Anbieter auf dem betreffenden Markt. Die Anzahl der Marktteilnehmer (Anbieter oder Nachfrager) ist gleich dem reziproken Wert des Marktanteils.

Auf jeder Marktseite können 1,2,3, ..., ∞ Teilnehmer auftreten. Diese Reihe der natürlichen Zahlen ist nun durch Einschnitte so in Gruppen zu zerlegen, daß sich jede Gruppe von der anderen durch die spezifische Art der Preisbildung unterscheidet. Das abzuleitende Marktformenschema ist demnach keine a priori-Konstruktion, sondern kann nur im engsten Zusammenhang mit der Theorie der Preisbildung deduziert werden. Seit COURNOT hat sich immer deutlicher gezeigt, daß sich die Preisbildung völlig an-

---

[1]) J. J. BECHER, Politischer Discurs von den eigentlichen Ursachen dess Auff- und Abnehmens der Städt, Länder und Republicken, Frankfurt 1668; A. A. COURNOT, Recherches sur les principes mathématiques de la théorie des richesses, Paris 1838. — Deutsche Ausgabe: Untersuchungen über die mathematischen Grundlagen der Theorie des Reichtums. Sammlung sozialwissenschaftlicher Meister, Bd. 24, Hrsg. H. WAENTIG, Jena 1924, E. v. BÖHM-BAWERK, Kapital und Kapitalzins, a.a.O.

[2]) Vgl. dazu vor allem die folgenden Arbeiten SCHNEIDERS: Zur Konkurrenz und Preisbildung auf vollkommenen und unvollkommenen Märkten, Weltwirtschaftliches Archiv, Bd. 48 (1938, II) S. 399—419; Wirklichkeitsnahe Theorie der Absatzpolitik, ebenda, Bd. 56 (1942, II), S. 90—130, und Zielsetzung, Verhaltensweise und Preisbildung, Jahrbücher für Nationalökonomie und Statistik, Bd. 157 (1943), S. 405 bis 434 (Nachdruck in: Preistheorie, hrsg. von ALFRED E. OTT, Neue Wissenschaftliche Bibliothek 1 Wirtschaftswissenschaften, 3. Aufl., Köln/Berlin 1968, S. 33—61).

ders vollzieht, je nachdem ob auf einer Marktseite *ein* Teilnehmer auftritt, oder ob es *wenige*, oder ob es *viele* sind. Da wegen der Verbindung von Anzahl und relativer Größe ein einziger Teilnehmer immer groß sein muß, wenige immer von mittlerer Größe und viele immer klein sein müssen, liegt dem Marktformenschema die folgende doppelte Reihe zugrunde:

einer	wenige	viele
|	|	|
groß	mittel	klein

Wird die Reihe einer — wenige — viele der natürlichen Zahlenreihe 1, 2, 3, ..., ∞ konfrontiert, so zeigt sich die folgende Eigentümlichkeit: *Wenige* können offenbar exakt von *einem* abgegrenzt werden, aber nicht von *vielen*. Diese Unmöglichkeit wurde immer wieder als Einwand gegen das morphologische Marktformenschema ins Feld geführt; wir werden später darauf zurückkommen.

Auf jeder Marktseite kann entweder ein Großer auftreten oder wenige Mittlere oder viele Kleine, so daß sich die neun Möglichkeiten des folgenden Marktformenschemas ergeben.

Tabelle 4

Das Marktformenschema bei Gültigkeit der Symmetrieannahme

Anbieter \ Nachfrager	einer	wenige	viele
einer	Bilaterales Monopol	Beschränktes Monopol	Monopol
wenige	Beschränktes Monopson	Bilaterales Oligopol	Oligopol
viele	Monopson	Oligopson	(Bilaterales) Polypol

Zu diesem Marktformenschema erscheint ein kurzer philologischer Kommentar angebracht. Die drei Begriffe Monopol, Oligopol und Polypol sind zusammengesetzt aus den griechischen Wörtern für allein, wenige, viele und dem Wort verkaufen (*μόνος*, *ὀλίγοι*, *πολύ* bzw. *πολλοί* und *πωλεῖν*[1])); Monopol bedeutet demnach Alleinverkauf, Oligopol Verkauf durch wenige und Polypol Verkauf durch viele. Bei den Begriffen Monopson, Oligopson und dem entsprechend zu bildenden, aber wenig gebräuchlichen Polypson sind die ersten Bestandteile dieselben, der zweite Bestandteil ist das griechische

[1]) Die Bezeichnung Polypol ist genau genommen unkorrekt, denn es müßte richtig Polloipol heißen (*πολλοί* = viele).

Wort für kaufen (ὀψωνεῖν[1])), so daß Monopson Alleinkauf, Oligopson Kauf durch wenige und Polypson Kauf durch viele heißt. Beim Zusammentreffen von wenigen Teilnehmern auf der einen Marktseite und einem Teilnehmer auf der anderen wirkt sich die schwächere Marktform, d.i. das Oligopol oder Oligopson, als eine Beschränkung der stärkeren Marktform, also des Monopsons oder Monopols aus. Vollständigerweise müßte man demnach von einem oligopolistisch beschränkten Monopson (wenige Anbieter, ein Nachfrager) und einem oligopsonistisch beschränkten Monopol (wenige Nachfrager, ein Anbieter) sprechen. Die Marktmacht eines Monopolisten oder Monopsonisten wird durch das Auftreten von nur wenigen Teilnehmern auf der Marktgegenseite beschränkt.

Dieses Marktformenschema enthält aber dadurch, daß es sich nur auf die symmetrischen Formen beschränkt, noch nicht alle für die Preisbildung relevanten Marktformen. Läßt man asymmetrische Größenverteilungen zu, so resultieren daraus zwei wichtige Möglichkeiten:

1. Zu einem großen treten viele oder wenige kleine Marktteilnehmer hinzu (im Grenzfall: ein kleiner);
2. zu wenigen mittleren treten wenige oder viele kleine Marktteilnehmer hinzu (im Grenzfall: ein kleiner).

Existieren neben einem großen Anbieter kleine Anbieter (viele, wenige oder einer), so spricht man von einem *Teilmonopol*; tritt die entsprechende Konfiguration auf der Nachfrageseite auf, so nennt man die sich so ergebende Marktform *Teilmonopson*. Haben wenige mittlere Anbieter mit kleinen Konkurrenten zu rechnen (vielen, wenigen oder einem), so liegt ein *Teiloligopol*, bei der entsprechenden Konfiguration auf der Nachfrageseite ein *Teiloligopson* vor. Unsere ursprüngliche einfache Reihe einer-wenige-viele bzw. groß-mittel-klein muß demnach durch die folgende Reihe ersetzt werden:

Ein Großer
ein Großer, viele, wenige oder ein Kleine(r)
wenige Mittlere
wenige Mittlere, viele, wenige oder ein Kleine(r)
viele Kleine

Wie Eucken und Schneider gegen v. Stackelberg geltend gemacht haben, können die so entstehenden Marktformen nicht als Mischformen angesehen werden, bei denen sich die Preisbildung sozusagen additiv aus der Monopol- oder Monopson-, Oligopol- oder Oligopsonpreisbildung und der

---

[1]) Stackelberg wendet gegen die Begriffe Monopson, Oligopson etc. mit Recht ein, daß ὀψωνεῖν eigentlich Fleisch einkaufen und nicht schlechthin einkaufen bedeutet. Die sprachlich korrekten Begriffe Monoon, Oligoon etc. (von griech. ὠνέεσθαι kaufen) vermochten sich jedoch nicht durchzusetzen. Vgl. H. v. Stackelberg, Grundlagen der theoretischen Volkswirtschaftslehre, Bern 1948, S. 191, Fußnote 1.

Preisbildung beim Polypol ergäbe. Es handelt sich vielmehr um *reine Elementarformen*, gekennzeichnet durch völlig neuartige Preisbildungserscheinungen. So kann z.B. die Preisbildung beim Teilmonopol nicht dadurch erklärt werden, daß man für den Teilmonopolisten die Ergebnisse der Monopoltheorie und für die kleinen Anbieter die der Polypoltheorie heranzieht und beides zusammenfügt; wie später in extenso zu zeigen sein wird, ist das Teilmonopol durch eine spezifische Verhaltensweise des Teilmonopolisten, die sogenannte Überlegenheitsstrategie, charakterisiert, die bei der gewöhnlichen Monopolpreisbildung nicht auftaucht (vgl. §2, Kap. III, 3).

Die asymmetrischen Marktformen Teilmonopol, Teilmonopson, Teiloligopol und Teiloligopson sind als reine Elementarformen zu werten. Ihre Berücksichtigung führt zu dem vollständigen Marktformenschema mit 25 Marktformen (vgl. Tabelle 5).

Tabelle 5

Das vollständige Marktformenschema

Nachfrager / Anbieter	ein großer	ein großer, viele, wenige oder (ein) kleine(r)	wenige mittlere	wenige mittlere, viele, wenige oder (ein)kleine(r)	viele kleine
ein großer	bilaterales Monopol	teilmonopsonistisch beschränktes Monopol	oligopsonistisch beschränktes Monopol	teiloligopsonistisch beschränktes Monopol	Monopol
ein großer, viele, wenige oder (ein) kleine(r)	teilmonopolistisch beschränktes Monopson	bilaterales Teilmonopol	oligopsonistisch beschränktes Teilmonopol	teiloligopsonistisch beschränktes Teilmonopol	Teilmonopol
wenige mittlere	oligopolistisch beschränktes Monopson	oligopolistisch beschränktes Teilmonopson	bilaterales Oligopol	teiloligopsonistisch beschränktes Oligopol	Oligopol
wenige mittlere, viele, wenige oder (ein) kleine(r)	teiloligopolistisch beschränktes Monopson	teiloligopolistisch beschränktes Teilmonopson	teiloligopolistisch beschränktes Oligopson	bilaterales Teiloligopol	Teiloligopol
viele kleine	Monopson	Teilmonopson	Oligopson	Teiloligopson	bilaterales Polypol

Die Bezeichnung der einzelnen Marktformen folgt wieder der oben erwähnten Regel: Die „schwächere“ Marktform wirkt sich in einer Beschränkung der „stärkeren“ Marktform aus, wobei die Stärke in der Horizontalen von links nach rechts, in der Vertikalen von oben nach unten abnimmt. Bei

Zusammentreffen zweier gleicher Formen auf der Nachfrage- und auf der Angebotsseite, z.B. einer oligopsonistischen mit einer oligopolistischen Struktur, dient regelmäßig die Bezeichnung der Angebotsseite zur Bezeichnung der Marktform insgesamt: Oligopol, und zwar mit dem Zusatz „bilaterales“ Oligopol. (Die an sich mögliche Bezeichnung Oligopol-Oligopson ist nicht üblich.)

Das Marktformenschema ist symmetrisch aufgebaut, wobei die Hauptdiagonale (von links oben nach rechts unten) die Symmetrieachse bildet. Da die Preisbildungsprobleme bei den zueinander symmetrischen Marktformen ähnlich bzw. sogar gleich sind, genügt es, die über der Hauptdiagonale und die auf ihr liegenden Marktformen zu analysieren. Aber auch von den verbleibenden 15 Kombinationen kann noch eine ganze Reihe als relativ bedeutungslos ausgeschieden werden, da es ja genügt, die typischen Formen der Preisbildung zu untersuchen, und es wenig sinnvoll wäre, um jeden Preis Vollständigkeit zu erstreben. Wir werden uns in den späteren Kapiteln damit begnügen, die Preisbildung bei den folgenden Marktformen zu untersuchen: Bilaterales Monopol, Monopol, Teilmonopol, Oligopol, Monopson und Polypol. Aus Gründen der Systematik wird allerdings die Reihenfolge geändert werden.

Von den Einwänden, die gegen das morphologische Marktformenschema erhoben wurden, kann der folgende als einer der gewichtigsten gelten: Das morphologische Schema kann die Trennungslinie zwischen dem Oligopol bzw. Oligopson und dem Polypol nicht exakt ziehen; es gibt keine exakte Trennung von *wenigen* und *vielen*. Man kann also bei empirischen Untersuchungen, z.B. bei Branchenanalysen, nicht von vornherein sagen, in der Branche *X* mit 25 Unternehmungen liege die Marktform des Oligopols vor, da 25 Firmen noch wenige Firmen seien. 25 Marktteilnehmer können in dem einen Fall *wenige*, in dem anderen Fall *viele* sein; das läßt sich wie gesagt apriorisch nicht entscheiden.

Das morphologische Marktformenschema läßt demnach in der Tat keine exakte, quantitative Trennung zwischen dem Oligopol bzw. Oligopson auf der einen und dem Polypol auf der anderen Seite zu, und insoweit ist dieser Einwand unwiderlegbar.

Es ist allerdings zu fragen, ob dieser Einwand wirklich durchschlägt, d.h. das morphologische Marktformenschema wirklich entwertet. Bedienen wir uns dazu eines Vergleichs. Die Begriffe kalt und warm sind sicher nicht inhaltsleer; jeder kann sich unter kalt und warm etwas vorstellen. Vielleicht ließe sich sogar eine Einigung darüber erzielen, daß z.B. kaltes Wetter als der Zustand definiert wird, bei dem man einen (warmen) Mantel anziehen muß. Das bedeutet aber noch lange nicht, daß alle an der Einigung über die Definition Beteiligten bei der gleichen objektiven Kälte, gemessen in Celsius-Graden, ihren Wintermantel anziehen. Der eine wird dies vielleicht bei 5° über Null, der andere bei 0° oder ein dritter vielleicht erst bei 5° unter Null tun. Eine analoge Situation haben wir bei dem morphologischen Marktformenschema vor uns. Man hat sich dabei auf die folgenden Definitionen des Oligopols (und entsprechend des Oligopsons) und des Polypols zu einigen:

Ein Oligopol (Oligopson) liegt vor, wenn die Anzahl der Anbieter (Nachfrager) *so* gering ist, der Anteil des Einzelnen am Gesamtmarkt also *so* hoch ist, daß der einzelne Marktteilnehmer mit seinem Einfluß auf das Marktgeschehen rechnen muß, daß also „oligopolistisches Verhalten" als das Resultat der objektiven Marktstruktur betrachtet werden kann.

Ein Polypol liegt vor, wenn die Anzahl der Marktteilnehmer auf jeder Marktseite *so* groß ist, der Anteil des Einzelnen am Gesamtmarkt also *so* gering, daß der einzelne Marktteilnehmer seinen Einfluß auf das Marktgeschehen nicht beachtet, daß also „polypolistisches Verhalten" zwangsläufig aus der objektiven Marktstruktur resultiert.

Wie man sieht, kommt als neues Element der Markteinfluß bzw. die Verhaltensweise in die Definitionen des Oligopols (Oligopsons) und des Polypols hinein, und es wird ein kausaler Zusammenhang zwischen der objektiven Marktstruktur und der durch sie erzwungenen oder zumindest den Marktteilnehmern „empfohlenen", nahegelegten Verhaltensweise postuliert. Auch dieser kausale Zusammenhang zwischen Marktform und Verhaltensweise ist nicht unbestritten (vgl. dazu § 5 dieses Kapitels); wenn er jedoch existiert, so sind die aufgestellten Definitionen des Oligopols (Oligopsons) und des Polypols genauso ein- oder vieldeutig und ebenso anfechtbar oder nicht wie die oben in unserem Vergleich angeführte Definition der Kälte. Daraus folgt, daß der keineswegs als abrupt, sondern als fließend anzunehmende Übergang vom Oligopol bzw. Oligopson zum Polypol von Branche zu Branche bei einer anderen Marktteilnehmerzahl stattfinden kann. Dies hängt von den jeweiligen Bedingungen des individuellen Falls ab, insbesondere von der qualitativen Beschaffenheit des betreffenden Marktes, aber auch von dem dominierenden Unternehmertypus etc.[1]).

Ein letztes Wort muß im Zusammenhang mit dem morphologischen Marktformenschema noch über den Begriff des Kollektivmonopols gesagt werden. Das Kollektivmonopol ist als eine Gruppe von Anbietern aufzufassen, die „nach außen" als Einheit auftreten, zwischen denen aber im Innenverhältnis sehr wohl Konkurrenz oder konkurrenzähnliche Beziehungen bestehen können. Entsprechendes gilt für das Kollektivmonopson.

§ 3. Die Kombination des Marktformenschemas mit den verschiedenen Markttypen

Die „Einführung des morphologischen Gliederungsschemas in das System vollkommener und unvollkommener Märkte" (GUTENBERG) scheint

[1]) Vgl. dazu die originelle Untersuchung von E. HEUSS, Allgemeine Markttheorie, Tübingen/Zürich 1965.

nach dem Vorhergegangenen keine Schwierigkeiten mehr zu bereiten. Man erhält bei Zugrundelegung des kleineren Schemas 9 Marktformen auf dem vollkommenen und 8 auf dem unvollkommenen Markt, bei Zugrundelegung des vollständigen Schemas 25 Marktformen auf dem vollkommenen und 24 auf dem unvollkommenen Markt. Die Differenz zwischen der Anzahl der Formen des vollkommenen und der des unvollkommenen Marktes erklärt sich daraus, daß das bilaterale Monopol nur auf dem vollkommenen Markt denkbar ist. Wenn nur ein Anbieter und nur ein Nachfrager auftritt, dann kann es selbstverständlich keine Differenzierungen zwischen den Anbietern oder den Nachfragern geben. Man hätte also nach dieser Einfügung des morphologischen Schemas in das System vollkommener und unvollkommener Märkte z. B. das Oligopol auf dem vollkommenen von dem auf dem unvollkommenen Markt („Oligopoloid") zu unterscheiden. Man hätte ferner das Polypol auf dem vollkommenen Markt — auch atomistische Konkurrenz, vollständiger oder freier Wettbewerb und im Englischen pure oder perfect competition genannt — und das Polypol auf dem unvollkommenen Markt (monopolistische Konkurrenz, monopolistic oder imperfect competition[1])). Schließlich gäbe es auch ein Monopol auf dem vollkommenen und auf dem unvollkommenen Markt, wobei das letztere dann vorläge, wenn der Monopolist den vollkommenen Markt bewußt in einen unvollkommenen umgestaltete, und zwar durch Trennung der Gesamtnachfrage in „Absatzschichten" (v. Stackelberg), die eine Preisdifferenzierung zwischen diesen Absatzschichten erlaubt.

Ist diese Kombination des Marktformenschemas mit den Markttypen vollkommener und unvollkommener Markt aber tatsächlich so unproblematisch, wie es hier dargestellt wurde? Sind die dadurch entstehenden Marktformen für den vollkommenen und unvollkommenen Markt wirklich eindeutig abgegrenzte Gebilde? Man erkennt die auftretenden Probleme wohl am ehesten bei der Betrachtung der folgenden Beispiele. Ein Oligopol auf dem unvollkommenen Markt liegt vor, wenn wenige mittlere Anbieter heterogene Produkte anbieten und die Zahl der Nachfrager groß ist. Nach dieser Definition wäre z. B. die Motorräder- und Motorroller-Branche sicher ein unvollkommenes Oligopol, denn es treten sicher wenige Firmen als Anbieter auf, die Güter sind nicht homogen, und es gibt viele Nachfrager. Motorräder und Motorroller konkurrieren aber auch mit Kleinwagen, so daß man sich fragen muß, ob denn die Kleinwagenhersteller nicht in diesen Markt einzubeziehen sind. Kleinwagen konkurrieren aber ihrerseits zumindest teilweise mit Mittelklassewagen, so daß eine weitere Hinausschiebung der Markt-

[1]) Exakterweise müßte man sagen: monopolistic competition, large group. Vgl. dazu F. Machlup, Monopoly and Competition, A Classification of Market Positions, The American Economic Review, Vol. XXVII (1937), S. 445—451, deutsche Übersetzung in: Preistheorie, hrsg. von Alfred E. Ott, a.a.O. S. 270—279.

grenzen evtl. als notwendig erscheint. Es ist also m.a.W. *nach den Grenzen des unvollkommenen Marktes zu fragen.*

Aber damit haben wir die Problematik noch nicht vollständig aufgezeigt. Betrachten wir noch das folgende Beispiel. Ein Monopol auf dem vollkommenen Markt liegt nach unseren bisherigen Definitionen dann vor, wenn ein großer Anbieter viele kleine Nachfrager mit einem homogenen Gut beliefert, wobei die Wendung „mit einem homogenen Gut" als pars pro toto für den vollkommenen Markt steht. Kann man diesen Anbieter aber wirklich als Monopolisten bezeichnen, wenn andere Anbieter nahe Substitutionsprodukte auf den Markt bringen? Ist z.B. die Deutsche Bundesbahn ein Monopolist, da doch andere Anbieter ebenfalls Verkehrsleistungen „zu Lande, zu Wasser und in der Luft" anbieten? *Es geht also offenbar um die Marktgrenzen schlechthin; oder, wie es im Wirtschaftsrecht heißt, um die Grenzen des „relevanten" Marktes; es geht um die Frage, wie eine Gruppe (group, industry) von Anbietern (Nachfragern) so abgegrenzt werden kann, daß von den nicht zur Gruppe gehörenden Anbietern (Nachfragern) keinerlei oder nur zu vernachlässigende Einflüsse auf die Preisbildung innerhalb der Gruppe ausgehen können.* Mit KRELLE können wir auch sagen, es handelt sich darum, einen „Marktkomplex" abzugrenzen[1]).

In der Literatur wurden auf diese Frage zwei Antworten gegeben, nämlich

1. die Theorie der Substitutionslücke von J. ROBINSON und E. A. G. ROBINSON[2]);
2. die Theorie der Marktbeziehungen von v. STACKELBERG[3]).

Bei der Theorie der *Substitutionslücke* ("gap in the chain of substitution") geht man von folgender Überlegung aus: Alle Konsumgüter stehen untereinander in „totaler Konkurrenz" (W. VERSHOFEN), d.h. jedes Konsumgut konkurriert mit jedem anderen um die Kaufkraft der Konsumenten. Die Konsumgüter bilden demnach eine Kette von Substituten, die aber keineswegs als ununterbrochen zu denken ist, sondern die durch Lücken zerschnitten wird. So ist z.B., um ein Beispiel E. A. G. ROBINSONS abzuwandeln, Palmolive-Seife ein Substitut für Lux-Seife, diese wiederum für „8 × 4" usw., so daß alle Feinseifen untereinander eine Substitutionskette bilden. Würde ein Anbieter das gesamte Feinseifenangebot in seiner Hand vereinigen, so könnte er eine monopolistische Preispolitik betreiben und den Preis für Feinseife beträchtlich erhöhen; erst ab einer bestimmten Grenze müßte der

---

[1]) W. KRELLE, Preistheorie 1961, S. 25ff. (Eine zweibändige Neuauflage ist 1976 erschienen; wir zitieren jedoch die erste Auflage von 1961).

[2]) J. ROBINSON, The Economics of Imperfect Competition. 2nd ed., London 1969, (1. Aufl. 1933), S. 17 — E. A. G. ROBINSON, Monopoly, Cambridge Economic Handbooks XI, 7. Aufl. New York/London 1949, S. 4ff.

[3]) H. v. STACKELBERG, Marktform und Gleichgewicht, Wien und Berlin 1934.

Monopolist damit rechnen, daß die Nachfrager auf Substitutionsprodukte im weiteren Sinn ausweichen, auf Kernseife, Öl (wie die alten Römer), Mandelkleie etc. Um noch ein anderes Beispiel zu nennen[1]: Der Bedarf nach Brot kann durch Schwarzbrot, Weißbrot, Mischbrot, Brötchen, Wecken usw. befriedigt werden. Man kann also alle Brotsorten, die zur Deckung des gesellschaftlichen Bedarfs nach Brot dienen, zum Begriff des „Bedarfsgutes" zusammenfassen, das auf einem „Bedarfsmarkt" gehandelt wird. Zwischen dem Bedarfsgut Brot und allen anderen Konsumgütern, z. B. Kartoffeln oder Nudeln, bestehen Substitutionslücken, die nur in Notzeiten mehr oder weniger verschwinden[2].

Eine Gruppe von Anbietern wird demnach von den nicht zur Gruppe gehörenden Anbietern durch das Auftreten von Substitutionslücken abgegrenzt. Die Substitutionslücke ist sozusagen der Graben, der die zur Gruppe gehörenden Anbieter von der ökonomischen Umwelt trennt. Besteht die Gruppe nur aus einem Anbieter, so liegt ein Monopol vor, das aber nur durch die Existenz von Substitutionslücken effektiv wird. Die Substitutionslücken brauchen nun nicht unbedingt auf extremer Heterogenität der Güter wie in den beiden angeführten Beispielen zu beruhen, sondern können auch auf extreme persönliche, räumliche oder zeitliche Differenzierungen zurückgehen. Betrachten wir auch dazu noch ein Beispiel. In einer Ortschaft gebe es nur zwei Gastwirtschaften, so daß rein marktmorphologisch von einem Dyopol, vermutlich auf dem unvollkommenen Markt, zu sprechen wäre. Nehmen wir jetzt an, in der Ortschaft lebten die Angehörigen zweier Rassen, Stämme, Konfessionen, Kasten oder Parteien, z.B. Weiße und Neger oder Preußen und Bayern, zwischen denen keinerlei Kommunikation bestehe, sondern das Verhältnis der Diskriminierung. Ist der Besitzer der einen Gastwirtschaft Angehöriger der Gruppe A, der der anderen Angehöriger der Gruppe B, so befindet sich jeder gegenüber seinen Artgenossen in einer Monopolstellung, die einzig und allein auf der auf extremen persönlichen Differenzierungen beruhenden Substitutionslücke basiert.

Zieht man die Theorie der Substitutionslücken heran, so sind die Marktformen wie folgt zu definieren: Ein Oligopol auf dem unvollkommenen Markt z.B. liegt vor, wenn vielen kleinen Nachfragern wenige mittlere Anbieter heterogener Produkte gegenüberstehen, und zwischen den Produkten dieser

---

[1]) Die Begriffe stammen von H. Arndt, das Beispiel von H. Sanmann. Vgl. H. Arndt, Anpassung und Gleichgewicht am Markt, Jahrbücher für Nationalökonomie und Statistik Bd. 170 (1958), S. 217—286, 362—394, 434—465; H. Sanmann, Marktform, Verhalten, Preisbildung bei heterogener Konkurrenz, Jahrbuch für Sozialwissenschaft, Bd. 14 (1963), S. 65f.

[2]) Der Genauigkeit halber sei angemerkt, daß die Abgrenzung des Bedarfsmarktes bei Arndt und Sanmann mit unserer Marktabgrenzung nicht völlig übereinstimmt: Arndt und Sanmann berücksichtigen nur solche Substitutionslücken, die auf extreme Heterogenität der Güter zurückgehen.

Anbieter und allen anderen Produkten Substitutionslücken bestehen. Ein Monopol auf dem vollkommenen Markt liegt vor, wenn ein großer Anbieter vielen kleinen Nachfragern ein homogenes Produkt anbietet, zwischen dem und allen übrigen Gütern Substitutionslücken bestehen. Diese zwei Beispiele mögen genügen, wird doch aus ihnen hinreichend klar, worauf es ankommt: *Die Substitutionsmöglichkeiten und damit die Konkurrenzbeziehungen müssen innerhalb der Gruppe wesentlich größer bzw. intensiver sein als zwischen der Gruppe und ihrer ökonomischen Umwelt.* Mit Hilfe der Theorie der Substitutionslücken gelingt es also, Marktkomplexe abzugrenzen, wenn auch der Einfluß nicht berücksichtigt wurde, der von vor- und nachgelagerten Märkten auf das Marktgeschehen und speziell die Preisbildung ausgehen kann (vgl. dazu Kap. IV, 3 und 4).

Wenden wir uns jetzt der zweiten Lösung zu, die für die Marktabgrenzung vorgeschlagen wurde, der *Theorie der Marktbeziehungen* von v. STACKELBERG. Um die Mannigfaltigkeit der möglichen Marktstrukturen zu erfassen, schlägt v. STACKELBERG einen ganz anderen Weg ein. Sein Ausgangspunkt ist der vollkommene „Elementarmarkt", d.i. der größte vollkommene Teilmarkt eines unvollkommenen Marktes. So kann jeder unvollkommene Markt gedanklich in vollkommene Elementarmärkte zerlegt bzw. der unvollkommene Markt aus vollkommenen Elementarmärkten aufgebaut werden. Im zweiten Fall entsteht der unvollkommene Markt durch die Beziehungen, die zwischen Elementarmärkten existieren. Diese Beziehungen lassen sich zunächst nach ihrer Ordnung unterscheiden: So heißt eine Beziehung zwischen zwei Elementarmärkten Beziehung 1. Ordnung, wenn dieselben Wirtschaftssubjekte auf dem Elementarmarkt A und dem Elementarmarkt B auftreten; eine Beziehung heißt 2. Ordnung, wenn sich die Wirtschaftssubjekte des Elementarmarktes A auf einem Elementarmarkt C mit Wirtschaftssubjekten des Elementarmarktes B treffen usf. Wir beschränken uns auf die Marktbeziehungen 1. Ordnung, bei denen v. STACKELBERG fünf Arten unterscheidet:

1. die Nachfragebeziehung;
2. die Angebotsbeziehung;
3. die horizontale Doppelbeziehung (zusammengesetzte Beziehung);
4. die vertikale Beziehung;
5. die zyklische Beziehung.

Da die vertikale und die zyklische Beziehung die Verbindung zwischen vor- und nachgelagerten Märkten kennzeichnen, brauchen wir uns hier nur mit den ersten drei Arten zu befassen.

Eine Nachfragebeziehung liegt vor, wenn den Anbietern mehrerer Elementarmärkte gemeinsame Nachfrager gegenüberstehen (vgl. Abb. 5).

Werden die Güter der einzelnen Anbieter von den Nachfragern als Substitute angesehen, so heißt die Nachfragebeziehung substitutive oder gegenläufige Nachfragebeziehung. Die Kennzeichnung „gegenläufig" erklärt sich

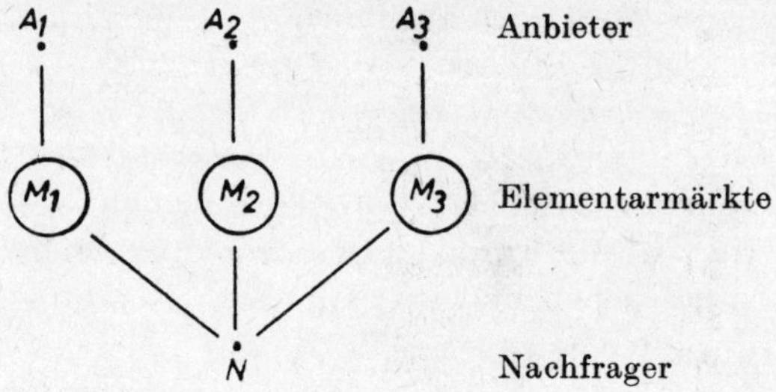

Abb. 5

dabei wie folgt: Eine Preisänderung auf dem Elementarmarkt 1 führt auf dem Elementarmarkt 2 zu einer Nachfrageänderung, deren Richtung der Nachfrageänderung auf dem Elementarmarkt 1 entgegengesetzt ist. In dem vorliegenden Zusammenhang interessiert uns nur diese gegenläufige Nachfragebeziehung, deren Existenz die vollkommenen Elementarmärkte in einen von der Nachfrageseite her unvollkommenen Gesamtmarkt umwandelt.

Entsprechend liegt eine Angebotsbeziehung vor, wenn den Nachfragern mehrerer Elementarmärkte eine gemeinsame Anbieterschaft gegenübersteht (vgl. Abb. 6).

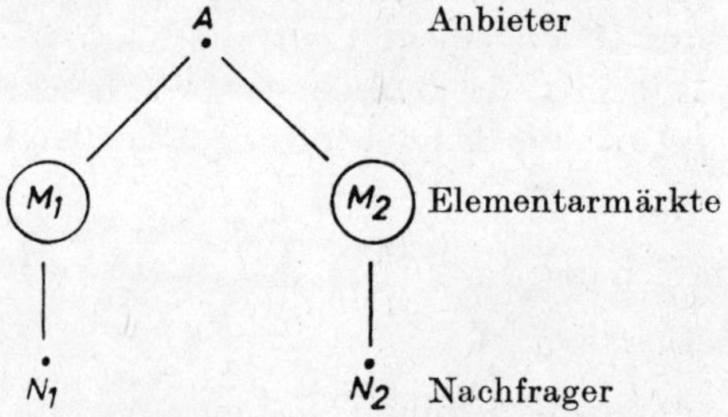

Abb. 6

Wenn die nachgefragten Güter von den Anbietern als Substitute angesehen werden, so heißt die Angebotsbeziehung substitutiv oder gegenläufig. Die Veränderung des Preises auf dem Elementarmarkt 1 führt zu einer Angebotsveränderung auf dem Elementarmarkt 2, deren Richtung der Angebotsveränderung auf dem ersten Elementarmarkt entgegengesetzt ist. Es interessiert wiederum nur diese gegenläufige Beziehung, deren Existenz aus den vollkommenen Elementarmärkten jetzt einen von der Angebotsseite her unvollkommenen Gesamtmarkt werden läßt.

Die horizontale Doppelbeziehung schließlich ist eine aus Nachfrage- und Angebotsbeziehung zusammengesetzte Beziehung. Die Elementarmärkte sind also sowohl durch eine Nachfrage- als auch durch eine Angebotsbeziehung miteinander verbunden (vgl. Abb. 7).

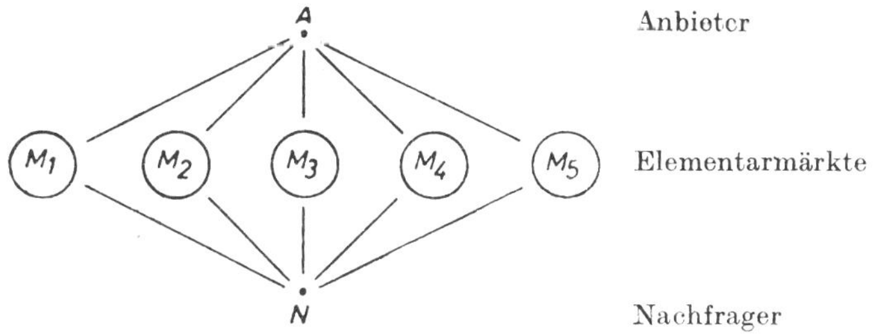

Abb. 7

Ist die Nachfragebeziehung substitutiv (gegenläufig), so ist der Markt auf der Nachfrageseite unvollkommen, ist die Angebotsbeziehung substitutiv (gegenläufig), so ist er auf der Angebotsseite unvollkommen. Ein beiderseitig unvollkommener Markt ergibt sich bei substitutiver Nachfrage- und Angebotsbeziehung. (Die Möglichkeit einer gleichläufigen Nachfrage- und Angebotsbeziehung kann im vorliegenden Zusammenhang wieder außer Betracht bleiben.)

Man erkennt aus dieser gedrängten Darstellung schon, daß es mit dem Instrumentarium STACKELBERGS möglich ist, sämtliche Formen des vollkommenen und des unvollkommenen Marktes zu erfassen. So zeigt z.B. Abbildung 5 ein Tripol, Abbildung 6 ein Dyopson auf dem unvollkommenen Markt. (Abb. 7 läßt keine Identifikation mit einer bestimmten Marktform zu, da die Anzahl der Anbieter und Nachfrager nicht konkretisiert wurde.) Man erkennt ferner, daß sich die Theorie der Marktbeziehungen v. STACKELBERGS und die Theorie der Substitutionslücke von J. und E. A. G. ROBINSON nicht widersprechen. Die Existenz einer Substitutionslücke bedeutet nichts anderes, als daß die Beziehungen zwischen Elementarmärkten so schwach werden, daß sie vernachlässigt werden können. Marktkomplexe lassen sich also mit beiden Methoden ableiten, d.h. es gelingt mit beiden Methoden, die Grenzen eines Marktes eindeutig abzustecken. Die Einfügung des morphologischen Marktformenschemas in das System vollkommener und unvollkommener Märkte ist also möglich, wenn dabei auch einige Schwierigkeiten zu überwinden sind.

Es kann nun allerdings auch der Fall eintreten, worauf als erster wohl N. KALDOR aufmerksam gemacht hat[1]), daß eine solche Abgrenzung der Gruppe, wie wir sie bis jetzt vorgenommen haben, nicht möglich ist. In den bisher analysierten Fällen war die durch die Substitutionslücken gebildete Grenze für alle Anbieter (bzw. Nachfrager) dieselbe; es kann aber auch sein, daß diese Grenze für jeden Anbieter anders verläuft. In diesem Fall ist die Gruppenbildung unmöglich, wie etwa das folgende Beispiel zeigt. Entlang einer Autobahnstrecke, z.B. Karlsruhe–München, existiert eine Reihe von Tankstellen, deren Abstand voneinander mehr oder weniger gleich ist (vgl. Abb. 8).

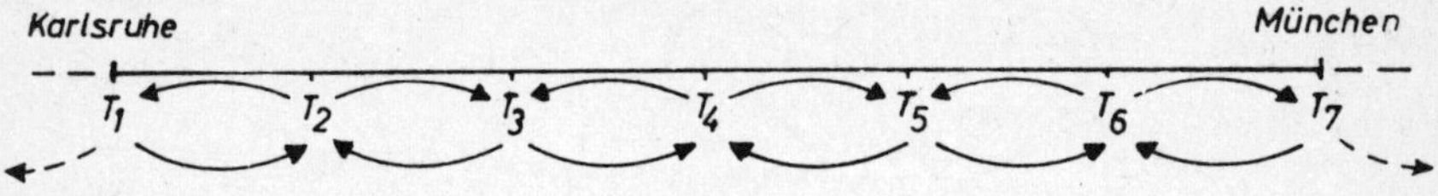

Abb. 8

Bei einer Entfernung von rd. 300 km ist es nun ziemlich unwahrscheinlich, daß die Tankstellen an der Autobahneinfahrt Karlsruhe mit denen in München konkurrieren; wer bei einer Fahrt von Karlsruhe nach München in Karlsruhe das Tanken vergessen hat, der muß dies bei einer „benachbarten" Tankstelle nachholen und kann nicht bis München warten. Es konkurrieren also, wenn man die Dinge etwas schematisiert, die jeweils benachbarten Tankstellen miteinander, so wie es in Abb. 8 durch die Bögen angedeutet wurde. Es konkurrieren demnach z.B. der Anbieter T_2 mit T_1 und T_3, der Anbieter T_3 mit T_2 und T_4, T_4 mit T_3 und T_5 usf. Die Anbieter T_1 und T_4 besitzen danach schon keine gemeinsamen Konkurrenten mehr; zwischen ihnen verläuft die Marktgrenze des T_2 und die des T_3.

Überträgt man die vorstehende *Kettenbeziehung* (Chain relationship) von der eindimensionalen Strecke in die zweidimensionale Ebene, so läßt sich eine Fülle von Marktkonfigurationen konstruieren, bei denen die Marktgrenze für jeden Anbieter anders verläuft. Als besonders anschaulich soll das folgende Beispiel herausgegriffen werden, in dem jeder Anbieter durch eine sechseckige Wabe repräsentiert wird (vgl. Abb. 9)[2]). Jeder Anbieter konkurriert mit den sechs Nachbarn, also den sechs Anbietern, die an die sechs

[1]) N. KALDOR, Market Imperfection and Excess Capacity, Economica, NS Vol. II (1935), S.33—50, neu erschienen in: Readings in Price Theory, London 1953 (Nachdruck London 1956), S.384—403.

[2]) Vgl. A. LÖSCH, Die räumliche Ordnung der Wirtschaft, Jena 1944, Kap. 10, S.74ff.; W. KRELLE, Unbestimmtheitsbereiche in der Preisbildung als ein Erklärungsgrund für Änderungen der Einkommensverteilung, hrsg. von E. SCHNEIDER, Schriften des Vereins für Socialpolitik, NF Bd.12, Berlin 1956, S.61—96.

Kanten seines Sechsecks anstoßen. So muß der Anbieter 6 mit der Konkurrenz der Anbieter 1, 2, 5, 7, 10 und 11 rechnen, 7 mit 2, 3, 6, 8, 11 und 12, 8 mit 3, 4, 7, 9, 12 und 13 usf. Die Anbieter 6 und 7 besitzen zwei gemeinsame Konkurrenten, nämlich 2 und 11, die Anbieter 7 und 8 gleichfalls, nämlich 3 und 12. Dagegen besitzen 6 und 8 nur noch einen gemeinsamen Konkurrenten, nämlich 7, und zwischen 6 und 9 bestehen schließlich nur noch indirekte Konkurrenzbeziehungen. Durch Variation der geometrischen Grundfigur läßt sich eine Unzahl von Marktkonfigurationen „erfinden", auf die näher einzugehen sich jedoch erübrigt.

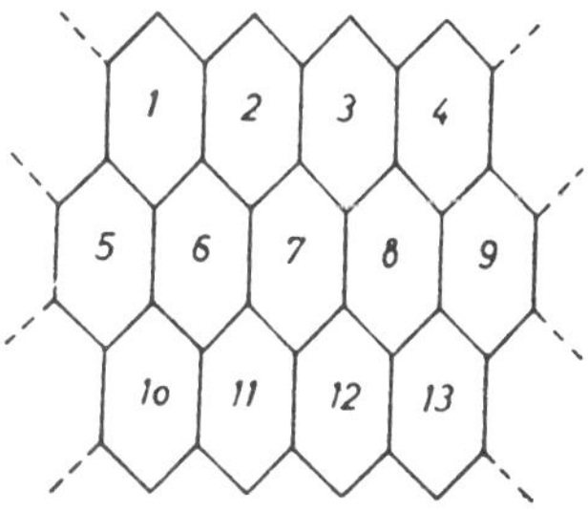

Abb. 9

Die zuletzt angeführten Marktkonfigurationen sind dadurch gekennzeichnet, daß die Ableitung des Preisbildungsprozesses bei ihnen erhebliche Schwierigkeiten verursacht. Wir werden uns später mit der Analyse der einfacheren Fälle begnügen, also der Fälle, bei denen die Marktabgrenzung für alle Anbieter bzw. Nachfrager einheitlich ist. Es erschien jedoch notwendig, darauf hinzuweisen, daß die traditionelle Marktformenlehre nur einen Teil der Wirklichkeit erfaßt. Die tatsächlichen Marktverhältnisse sind, wie angedeutet, nicht selten recht kompliziert.

Beschließen wir diesen Abschnitt mit einer kurzen Ergänzung. Wir waren von der Frage ausgegangen, ob das morphologische Marktformenschema mit der Einteilung der Märkte in vollkommene und unvollkommene Märkte kombiniert werden könne, und hatten diese Frage — nach Einführung der Theorie der Substitutionslücke bzw. der STACKELBERGschen Lehre von den Marktbeziehungen — bejaht. Es ist jetzt noch zu klären, ob auch die anderen Einteilungen der Märkte mit dem Marktformenschema kombiniert werden können, d.s. die Einteilungen in organisierte und nichtorganisierte Märkte und in Märkte mit unbeschränktem und mit beschränktem Zugang. Selbstverständlich besteht diese Kombinationsmöglichkeit, so daß eine Marktform stets jedem der drei folgenden Eigenschaftspaare angehört:

1. vollkommener — unvollkommener Markt;
2. organisierter — nichtorganisierter Markt;
3. Markt mit unbeschränktem Zugang — Markt mit beschränktem Zugang.

Man erkennt jetzt auch einen weiteren Vorteil, der aus der Abgrenzung der Gruppe mit Hilfe der Substitutionslücken folgt. Es ist offenbar wenig sinnvoll, von freiem Zugang zu einem unvollkommenen Markt zu sprechen, wenn ein Anbieter jederzeit ein Substitutionsprodukt auf den Markt bringen kann, wenn also die Substitutionskette ununterbrochen ist. Ist dagegen ein Markt oder Marktkomplex durch Substitutionslücken von seiner ökonomischen Umwelt eindeutig abgegrenzt, dann bedeutet unbeschränkter Zugang zu diesem Markt das Überschreiten bestimmter Marktgrenzen, d.h. das Anbieten eines sehr nahen Substitutionsproduktes, das mit den Produkten des Marktes, mit den Produkten der zur Gruppe gehörenden Firmen konkurriert.

§ 4. Zielsetzungen und Verhaltensweisen der Marktteilnehmer

Wie schon oben angedeutet wurde, sind bei preistheoretischen Analysen die Zielsetzungen und Verhaltensweisen der Marktteilnehmer als wichtige Determinanten des Preisbildungsprozesses zu betrachten. Bei der Behandlung der Zielsetzungen und Verhaltensweisen ist es notwendig, den Zusammenhang mit unseren früheren Überlegungen über die Marktmorphologie herzustellen, und zwar gilt es insbesondere, evtl. bestehende Zusammenhänge zwischen Marktform und Verhaltenweise herauszuarbeiten.

Beginnen wir mit der Zielsetzung der Nachfrager (Konsumenten), die mit wenigen Worten abgetan werden kann. Es ist wohl hinreichend wirklichkeitsnah, wenn man unterstellt, daß die Nachfrager nach Konsumgütern ihr Nutzenmaximum erstreben; ihre Zielsetzung heißt demnach *Nutzenmaximierung*. Wie später in extenso zu zeigen sein wird, handelt es sich dabei genau genommen um ein Maximierungsproblem unter einer Nebenbedingung, nämlich Nutzenmaximierung bei gegebenem Einkommen und gegebenen Konsumgüterpreisen. Bei kurzfristiger Betrachtung (die durch die Einkommensperiode fixiert wird) kann die Aufteilung des Haushaltseinkommens in Ausgabensumme und Sparsumme als gegeben unterstellt werden; bei langfristiger Betrachtung – über mehrere Einkommensperioden hinweg – würde dagegen die Aufteilung des Einkommens auf Konsum und Sparen zum Problem.

Ein Wort mag noch gesagt werden über die Werturteilsfreiheit der Hypothese, der einzelne Haushalt bzw. das einzelne Wirtschaftssubjekt erstrebe die Nutzenmaximierung. Wenn ein Wirtschaftssubjekt seinen Nutzen dadurch zu maximieren sucht, daß es die Güter A, B, C, ... in bestimmten Proportionen kauft, so ist die dahinterstehende Nutzenschätzung oder Wertskala völlig subjektiv und subjektiv immer richtig, selbst wenn objektiv, z.B. vom ärztlichen Standpunkt aus, der Einkauf von Zigaretten zu verurteilen ist. Die Aussage, die Konsumenten erstrebten Nutzenmaximierung, ist demnach werturteilsfrei.

Bei den Produzenten ist es zweckmäßig, die Zielsetzungen danach zu unterscheiden, ob sie von der Anerkennung der bestehenden Marktform ausgehen oder nicht, ob also „*wirtschaftsfriedliche*" Zielsetzungen (SCHNEIDER) und damit auch „wirtschaftsfriedliche" Verhaltensweisen oder „*kämpferische*" Zielsetzungen und damit auch Kampf- und/oder Verhandlungsstrategien vorliegen.

Bei den wirtschaftsfriedlichen Zielsetzungen spielt offenbar in der kapitalistischen Marktwirtschaft die *Gewinnmaximierung* die dominierende Rolle. Trotz aller Einwendungen muß diese Zielsetzung als die wichtigste und typische Zielsetzung der Unternehmer (Anbieter) angesprochen werden. Dabei kann man wie bei der Nutzenmaximierung der Haushalte zwischen kurz- und langfristiger Betrachtung unterscheiden. Bei kurzfristiger Betrachtung sucht der Unternehmer den Periodengewinn zu maximieren, bei langfristiger Betrachtung den Gesamtgewinn mehrerer Perioden, wobei natürlich zukünftige Gewinne auf die Gegenwart abzudiskontieren sind. In der Realität wird man annehmen dürfen, daß die kurzfristige Zielsetzung stets im Zusammenhang mit der langfristigen Entwicklung gesehen wird. So wird, um diesen Zusammenhang anhand eines Beispiels zu illustrieren, ein Monopolist vielleicht auf die kurzfristige, rigorose Ausnützung seiner Monopolstellung verzichten, um nicht langfristig — durch das Aufkommen von Konkurrenten oder durch das Eingreifen einer staatlichen Kartellbehörde — seine Monopolstellung zu gefährden. Die kurzfristige Zielsetzung Maximierung des Periodengewinns wird also der langfristigen Zielsetzung Maximierung des Gesamtgewinns innerhalb des ökonomischen Horizonts untergeordnet.

Neben der Gewinnmaximierung kommt eine Reihe weiterer wirtschaftsfriedlicher Zielsetzungen in Betracht, von denen nur einige aufgezählt seien: Absatz- oder auch Umsatzmaximierung bei Nichtunterschreitung eines Mindestgewinns, Gewinnmaximierung bei Nichtunterschreitung eines Mindestabsatzes, das Halten eines bestimmten Marktanteils, und schließlich auch die Erzielung eines branchenüblichen, traditionellen oder angemessenen Gewinns. Als letzte wirtschaftsfriedliche Zielsetzung sei das Streben nach Kostendeckung erwähnt, von dem angeblich die kommunalen Versorgungsunternehmungen beseelt sind[1]).

Wird die bestehende Marktform nicht akzeptiert, so kommt als kämpferische Zielsetzung vor allem die *Verdrängung von Konkurrenten* in Frage. Dasselbe Ziel, die Monopolisierung eines Marktes, kann allerdings auch auf anscheinend oder scheinbar höchst friedlichem Wege verfolgt werden durch *Kartellierung* oder *Konzern- und Trustbildung*.

Abschließend ist in diesem Zusammenhang auf das Folgende hinzuweisen: Es kann sein, daß eine bestimmte Marktform eine bestimmte Zielsetzung ganz oder teilweise ausschließt. Z.B. kann sich ein Monopolist per definitionem nicht das Ziel setzen, seine Konkurrenten zu verdrängen, sondern er kann nur versuchen, neu auftretende Firmen (new comers) von seinem Markt

[1]) Vgl. E. HEIMANN, Stellung und Bedeutung der öffentlichen Unternehmung im Wirtschaftssystem des Kapitalismus. Grundsätzliche Bemerkungen, in: Moderne Organisationsformen der öffentlichen Unternehmung, hrsg. von JULIUS LANDMANN, Schriften des Vereins für Socialpolitik, 176. Bd., München und Leipzig 1932, S. 19ff.

abzuhalten. Bei anderen Marktformen, wie z. B. beim Polypol auf dem vollkommenen Markt, ist das Ziel „Verdrängung von Konkurrenten“ nicht völlig ausgeschlossen, aber doch äußerst unwahrscheinlich. Es existieren demnach bestimmte, hier nicht näher zu analysierende Beziehungen zwischen der Marktform und den Zielsetzungen der Marktteilnehmer, so wie auch Marktform und Verhaltenweise nicht isoliert voneinander betrachtet werden können.

Untersuchen wir jetzt das Problem der Verhaltensweisen, das in der Literatur vor allem von K. Sting, R. Frisch und E. Schneider behandelt wurde[1]). Unter der Verhaltensweise eines Marktteilnehmers soll die Art seines Handelns im Hinblick auf die Marktgegenseite und auf seine Konkurrenten verstanden werden. Mit Schneider kann man zwischen wirtschaftsfriedlichen Verhaltensweisen einerseits, Kampf- und Verhandlungsstrategien andererseits unterscheiden. Wirtschaftsfriedliches Verhalten soll dann vorliegen, wenn die Existenz der Marktform und/oder das Marktgeschehen durch die Verhaltensweise nicht in Frage gestellt werden, während Kampf- und Verhandlungsstrategien entweder zur Umwandlung der bestehenden Marktform oder zur Unterbrechung des Marktgeschehens führen (Streik, Aussperrung, Boykott).

Um weitere Unterscheidungen der einzelnen Verhaltensweisen vornehmen zu können, ist es notwendig, die Begriffe *Aktions- oder Fixierungsparameter* und *Erwartungsparameter* einzuführen. Unter dem Aktionsparameter eines Marktteilnehmers versteht man diejenige Variable, d. h. ökonomische Größe, durch deren Festsetzung er sein wirtschaftliches Ziel zu verwirklichen sucht. Der Erwartungsparameter eines Marktteilnehmers ist hingegen diejenige Variable, über die der Marktteilnehmer nicht selbst entscheidet, sondern die von anderen Marktteilnehmern festgelegt wird, und zwar nach der Fixierung oder als Antwort auf die Fixierung des Aktionsparameters. Verdeutlichen wir uns den Zusammenhang an einem Beispiel: Ein monopolistischer Anbieter sieht sich der Gesamtnachfrage nach seinem Produkt gegenüber. Fixiert der Monopolist den Preis, so entscheiden die Nachfrager über ihre Einkaufsmengen, d. h. über die Absatzmenge des Monopolisten; fixiert er die Menge, so entscheiden die Nachfrager über die Preishöhe. Der Monopolist verfügt also alternativ über die Aktionsparameter Preis und Menge; wählt er den Preis als Aktionsparameter, so ist die Absatzmenge Erwartungsparameter, wählt er die Menge als Aktionsparameter, so ist der Preis Erwartungsparameter.

---

[1]) K. Sting, Die polypolitische Preisbildung. Ein Kapitel der Preistheorie, Jahrbücher für Nationalökonomie und Statistik, Bd. 134 (1931, I), S. 761—789; R. Frisch, Monopole-Polypole. La notion de force dans l'économie, in: Festschrift für Harald Westergaard, Kopenhagen 1933, S. 241—259, deutsche Übers. in: Preistheorie, hrsg. von A. E. Ott, a.a.O., S. 17—32; E. Schneider, Zielsetzung . . ., a.a.O.

Mit Hilfe dieser beiden Begriffe Aktions- und Erwartungsparameter kann jetzt innerhalb der wirtschaftsfriedlichen Verhaltensweisen zwischen *Anpassung* und *Strategie* differenziert werden[1]). Anpassung kommt zum Zuge, wenn alle Größen, auf deren Grundlage ein Marktteilnehmer seinen bzw. seine Aktionsparameter (Preis, Menge, Produktqualität etc.) fixiert, nach Ansicht des Marktteilnehmers seiner Beeinflussung entzogen, also Daten sind. Mit Strategie ist hingegen zu rechnen, wenn zwischen Aktions- und Erwartungsparametern des Anbieters bzw. Nachfragers eine von ihm einkalkulierte funktionale Beziehung besteht, wenn also etwa wie in unserem obigen Beispiel die Absatzmenge als Erwartungsparameter von dem Preis als Aktionsparameter eines Anbieters abhängt et vice versa.

Bei den Formen der Anpassung unterscheiden wir zwischen *Mengenanpassung* und *Optionsempfang*. Bei der Mengenanpassung fixiert ein Marktteilnehmer — Streben nach dem maximalen Nutzen bzw. maximalen Gewinn vorausgesetzt — seine Bezugs- oder Absatzmenge derart, daß sein Nutzen bzw. Gewinn bei dem als Datum angesehenen Marktpreis ein Maximum wird. Die Handlungsfreiheit des Wirtschaftssubjektes ist also denkbar gering: Der Preis ist ein Datum, nur die Bezugs- bzw. Absatzmenge kommt als Aktionsparameter in Betracht. Noch beschränkter ist die Handlungsfreiheit bei dem Optionsempfang. Der Optionsempfänger, der ein Anbieter oder ein Nachfrager sein kann, steht vor der folgenden Alternative: Er hat entweder Preis *und* Menge nach dem Vorschlag bzw. Diktat seines Gegenübers zu akzeptieren oder überhaupt auf das Zustandekommen des Geschäfts zu verzichten. Wie wir später sehen werden, ist der Optionsempfang und sein Korrelat, die Optionsfixierung, eine bei der Marktform des bilateralen Monopols mögliche Verhaltensweise.

Die Einteilung der Strategien erfolgt nach dem Kriterium, ob bzw. in welchem Umfang ein Marktteilnehmer Aktionsparameter anderer Marktteilnehmer der gleichen Marktseite bei der Aufstellung seines Wirtschaftsplanes berücksichtigt, und welche Veränderungen dieser Parameter er bei der Variation seiner eigenen hervorzurufen glaubt. Den einfachsten Fall stellt die *isoliert-autonome Strategie* dar mit dem Unterfall der schon erwähnten *Optionsfixierung*. Bei der isoliert-autonomen Strategie berücksichtigt der Marktteilnehmer bei der Aufstellung seines Absatz- bzw. Bezugsplanes keinerlei Aktionsparameter anderer Marktteilnehmer der gleichen Marktseite, handelt also isoliert-autonom. Die Optionsfixierung ist gekennzeichnet

[1]) Der Begriff der Strategie wird hier, wie immer in der preistheoretischen Literatur, in einem speziellen, engeren Sinne als dem klassischen, auf v. CLAUSEWITZ zurückgehenden, gebraucht, und er weicht ebenso von dem Strategiebegriff der Spieltheorie ab. Vgl. C. v. CLAUSEWITZ, Vom Kriege, 13. Aufl., Berlin/Leipzig 1918, S. 83f.; J. v. NEUMANN/O. MORGENSTERN, The Theory of Games and Economic Behavior, Princeton 1943, zitiert nach der deutschen Übersetzung: Spieltheorie und wirtschaftliches Verhalten, Würzburg 1961, S. 79.

durch die simultane Fixierung mehrerer Parameter, speziell der Menge und des Preises, so daß die Marktgegenseite (der Optionsempfänger) nur zustimmen oder ablehnen kann.

Von besonderer Bedeutung sind die beiden folgenden Begriffe *autonome* und *konjekturale* Strategie. Autonome Strategie liegt vor, wenn ein Marktteilnehmer bei der Fixierung seines bzw. seiner Aktionsparameter bestimmte Aktionsparameter seiner Konkurrenten berücksichtigt, aber nicht glaubt, daß die Veränderung seines Parameters die anderen Marktteilnehmer veranlassen wird, ihre Parameter zu verändern. Bei konjekturaler Strategie berücksichtigt ein Marktteilnehmer bei der Fixierung seines bzw. seiner Parameter ebenfalls bestimmte Aktionsparameter seiner Konkurrenten, darüber hinaus aber auch noch vermutliche Änderungen dieser Parameter der Konkurrenten als Folge der eigenen Aktion.

Der Unterschied zwischen autonomer und konjekturaler Strategie läßt sich präzis herausarbeiten mit Hilfe der sogenannten *konjekturalen Elastizität*, ein Begriff, der auf FRISCH zurückgeht. Wir bezeichnen mit Z_j^k einen bestimmten Aktionsparameter des Polisten (Verkäufers) k, mit Z_i^h einen bestimmten Parameter des Polisten h. Dann ist $\eth Z_j^k/Z_j^k$ die relative (prozentuale) Änderung des Parameters Z_j^k und $\eth Z_i^h/Z_i^h$ die des Parameters Z_i^h. Um anzudeuten, daß es sich nicht um tatsächliche, sondern um vermutete Änderungen handelt, benützen wir $\eth$ als das Symbol der „partiellen konjekturalen Differentiation" und erhalten

$$Z_{ij}^{hk} = \frac{\eth Z_i^h}{\eth Z_j^k} \frac{Z_j^k}{Z_i^h}$$

als konjekturale Elastizität. Dieser Koeffizient drückt aus, welche prozentuale Änderung des Parameters Z_i^h des Anbieters h der Anbieter k bei einer einprozentigen Veränderung seines eigenen Aktionsparameters Z_j^k erwartet[1]). Bei autonomer Strategie gilt offenbar $Z_{ij}^{hk} = 0$, d.h. der Anbieter k rechnet mit keiner Veränderung des Parameters Z_i^h seines Konkurrenten h bei einer Veränderung seines eigenen Aktionsparameters Z_j^k. Dagegen gilt bei konjekturaler Strategie $Z_{ij}^{hk} \neq 0$, d.h. der Anbieter k erwartet eine (positive oder negative) Veränderung von Z_i^h als Antwort auf die Veränderung seines eigenen Parameters Z_j^k. Mathematisch kann die autonome Strategie als Grenzfall der konjekturalen Strategie aufgefaßt werden.

---

[1]) Da es sich bei dem $\eth Z$ um kleine, streng genommen um unendlich kleine, Größen handelt, ist es nicht ganz exakt, die prozentuale Änderung des einen Parameters auf eine *ein*prozentige Veränderung des anderen zu beziehen. Hier, wie bei allen folgenden Elastizitätsbegriffen, verwenden wir jedoch die anschaulichere Einprozent-Änderung, ohne daß durch diese kleine Inkorrektheit unsere Ergebnisse verfälscht würden.

Eine Abart der konjekturalen Strategie ist die beim bilateralen Monopol auftauchende *korrespektive* Strategie[1]). Bei ihr bezieht sich das konjekturale bzw. korrespektive Element nicht auf die vermutlichen Reaktionen der Konkurrenten, sondern auf die der Marktgegenseite. Der Anbieter (Nachfrager) beim bilateralen Monopol versucht also, die vermutlichen Reaktionen seines Gegners auf seine eigenen Aktionen herauszufinden. Da bei ausgeglichenen Marktverhältnissen weder der Monopolist noch der Monopsonist die Preis-Mengen-Kombination allein – durch Optionsfixierung – bestimmen kann, beim bilateralen Monopol also in der Regel verhandelt werden muß, zählen wir die korrespektive Strategie zu den Verhandlungsstrategien.

Als letztes bleibt noch die sog. *Überlegenheitsstrategie* zu behandeln. Ihr Inhalt mag aus dem folgenden Beispiel deutlich werden. Bei einer Geburtstagsfeier bleiben gegen Ende der Kaffeetafel noch zwei Tortenstücke übrig, die man zum Hinaustragen schon auf eine Platte deponiert hat, und zwar ein schönes großes Stück und ein erbärmlich kleines Stück Torte. Zwei der Geburtstagsgäste sind noch hungrig, und es stellt sich für beide die Frage, wie sie in den Genuß des großen Stückes gelangen können. Offensichtlich wird es demjenigen zufallen, der zuerst die Initiative, d.h. die Platte mit den zwei Tortenstücken ergreift und scheinheilig dem anderen zur Auswahl anbietet. Als höflicher Mensch kann dieser gar nicht anders als das kleinere Stück wählen, so daß für den ersten das größere Stück übrigbleibt. Das ist Überlegenheitsstrategie, offenbar keine sehr vornehme, aber eine äußerst wirkungsvolle Verhaltensweise. Versuchen wir, dieses Beispiel aus dem vollen Menschenleben zu verallgemeinern und in die rein ökonomische Sphäre zu übertragen. Innerhalb einer Gruppe von Marktteilnehmern (Anbietern oder Nachfragern) existiere eine Untergruppe, die sich autonom verhält. Wenn der Rest der Gruppe dies weiß, so kann er sich dieses Wissen zunutze machen und die Position einnehmen, die ihm nach der Anpassung der ersten Untergruppe den maximalen Vorteil erbringt. Die Überlegenheitsstrategie besteht demnach darin, die Position einzunehmen, die nach erfolgter Anpassung der übrigen, autonom handelnden Marktteilnehmer den maximalen Gewinn erbringt.

Werfen wir nach der Behandlung der wirtschaftsfriedlichen Verhaltensweisen noch einen kurzen Blick auf die Kampf- und Verhandlungsstrategien. Die Kampfstrategien umfassen das ganze Arsenal der ökonomischen Kriegführung, wozu einmal die bekannten Waffen wie Boykott, Streik und Aussperrung gehören. Ferner zählen hierher die rücksichtslose Preisunterbietung mit dem Ziel der Ausschaltung des oder der Konkurrenten, die so-

[1]) J. A. Schumpeter, Knut Wicksells mathematische Nationalökonomie, Archiv für Sozialwissenschaft und Sozialpolitik, Bd. 58 (1927), S. 238–251, neu erschienen in: J. A. Schumpeter, Dogmenhistorische und Biographische Aufsätze, Tübingen 1954, S. 241–254.

genannte cut throat competition, sowie die wirtschaftliche Nötigung und Knebelung, die im Einzelfall allerdings der genauen ökonomischen und juristischen Definition bedürfen[1]). Zu den Kampfstrategien müssen aber auch diejenigen Maßnahmen gerechnet werden, die über eine Beeinflussung der Legislative, also durch politische Mittel, auf eine Ausschaltung von tatsächlichen oder potentiellen Konkurrenten abzielen. Dazu gehören insbesondere auch alle Versuche, den Zugang zu einem bestimmten Markt durch Befähigungsnachweise, Bedürfnisprüfungen etc. zu behindern oder zu sperren.

Die allgemeine Verhandlung und die dazu zählende korrespektive Strategie tauchen bei der Marktform des bilateralen Monopols auf; bei dieser Marktform existiert keinerlei Mechanismus, der das Zustandekommen eines für beide Marktpartner akzeptablen Preises und einer akzeptablen Menge garantieren würde. Sind die Machtverhältnisse zwischen dem Anbieter und dem Nachfrager einigermaßen ausgeglichen, so kann die Preis-Mengen-Kombination auch nicht durch einen der Marktpartner allein bestimmt werden, und es bleibt keine andere Möglichkeit, als durch Verhandeln (bargaining) eine Lösung zu suchen.

Es erscheint zweckmäßig, diese Analyse der Verhaltensweisen durch eine Übersicht über die einzelnen Arten abzurunden[2]):

Verhaltensweisen auf dem Markt

I. Wirtschaftsfriedliche Verhaltensweisen
   1. Anpassung
      a) Mengenanpassung
      b) Optionsempfang
   2. Strategien
      a) Isoliert-autonome Strategie
         Sonderfall: Optionsfixierung
      b) Autonome Strategie
      c) Konjekturale Strategie
      d) Überlegenheitsstrategie

II. Kampf- und Verhandlungsstrategien
    Unterfall: korrespektive Strategie

Eine Bemerkung ist noch anzufügen über die Aktionsparameter. Nach der Wahl der Aktionsparameter läßt sich zwischen Preis-, Mengen- und Produktstrategie (Qualitätsvariation und Werbung) unterscheiden. Wie

---

[1]) Man kann darüber streiten, ob die Optionsfixierung nicht auch zu den Kampfstrategien gerechnet werden sollte.

[2]) Vgl. dazu A. E. Ott, Marktform und Verhaltensweise, Stuttgart 1959.

SCHNEIDER gezeigt hat, ist es eine Frage institutioneller Natur, ob die Anbieter über die Preise und die Nachfrager über die Mengen entscheiden oder umgekehrt. In modernen Volkswirtschaften ist das erstere die Regel, so daß es berechtigt ist, „wenn die Theorie ihre Entwicklungen vorwiegend für den Fall durchführt, daß die Anbieter die Preise setzen"[1]).

§ 5. Marktform und Verhaltensweise

In dem folgenden Abschnitt ist die Frage zu behandeln, ob den Marktformen in der Regel bestimmte Verhaltensweisen zugeordnet sind in dem Sinne, daß eine bestimmte Marktform eine bestimmte Verhaltensweise erzwingt oder zumindest nahelegt. Besteht eine solche Zuordnung von Marktform und Verhaltensweise, so kommt den Marktformen primäre und den Verhaltensweisen nur sekundäre Bedeutung zu; fehlt sie, so sind die Verhaltensweisen von ausschlaggebender Bedeutung.

In der Literatur wurde die zweite Position vor allem von SCHNEIDER nachdrücklich vertreten, weshalb es zweckmäßig erscheint, seine Argumentation kurz zu betrachten. Um das Fehlen eines Zusammenhangs zwischen Marktform und Verhaltensweise zu demonstrieren, führt SCHNEIDER zwei Beispiele an, von denen das erste wie folgt lautet: In einem umgrenzten Wirtschaftsgebiet bietet ein Anbieter A als einziger den Staubsauger der Marke X an. Der Anbieter besitzt demgemäß nach SCHNEIDER eine Monopolstellung. Werden jetzt von anderen Anbietern B, C,... Substitutionsprodukte angeboten, also Staubsauger der Marken Y, Z, so bestehen zwischen dem Anbieter A und den Anbietern B, C, ... Konkurrenzbeziehungen. Der Anbieter A wird bei der Aufstellung seines Wirtschaftsplanes die Aktionsparameter seiner Konkurrenten B, C, ... in Rechnung stellen müssen; er wird sich also je nachdem, ob er diese fremden Aktionsparameter für konstant oder variabel hält, polypolistisch oder oligopolistisch verhalten, obwohl er morphologisch als Monopolist bezeichnet werden muß[2]).

Der entscheidende Fehler in dieser Argumentation SCHNEIDERS ist nicht schwer herauszufinden. Ist der morphologische Monopolist (im Sinne SCHNEIDERS) wirklich auch Monopolist? Diese Frage muß eindeutig mit nein beantwortet werden, denn der Anbieter A steht ja in (heterogenen) Konkurrenzbeziehungen zu den Anbietern B, C, ... Das Einzige, was die Argumentation SCHNEIDERS zeigt, ist die Unzweckmäßigkeit, ja Unhaltbarkeit eines Monopolbegriffs, nach dem jeder, der innerhalb eines abgegrenzten Wirtschaftsgebietes ein Produkt allein anbietet, als Monopolist bezeichnet wird, ganz gleichgültig, ob er in heterogenen Konkurrenzbeziehungen zu anderen Unternehmern steht oder nicht. Oder anders formuliert: Der Anbieter A ist zwar Monopolist auf seinem Elementarmarkt, aber nicht auf dem Bedarfsmarkt (H. ARNDT, H. SANMANN); nur eine Monopolstellung der zweiten Art ist eine effektive Monopolstellung.

In seinem zweiten Beispiel nimmt SCHNEIDER innerhalb des Wirtschaftsgebietes zwei Anbieter an, die ein physisch gleiches Gut auf den Markt bringen. Obwohl morphologisch ein Dyopol vorliegt, können sich beide Anbieter nach SCHNEIDER mono-

[1]) E. SCHNEIDER, Wirklichkeitsnahe Theorie ..., a.a.O., S. 97.

[2]) E. SCHNEIDER, Einführung in die Wirtschaftstheorie, II. Teil, 14. Aufl. Tübingen 1972 (1. Aufl. 1948), S. 71f.

polistisch verhalten, d.h. bei der Aufstellung ihrer Wirtschaftspläne von der Berücksichtigung des Aktionsparameters bzw. der Aktionsparameter des anderen Anbieters absehen. Und zwar sei dies unter der folgenden Voraussetzung möglich: „Sind z.B. die beiden Anbieter räumlich so weit voneinander entfernt, daß sich ihre Absatzgebiete beim Preise Null ab Werk nicht überschneiden, so hat kein Anbieter Anlaß, bei seiner Preissetzung auf die Höhe des Preises des anderen Anbieters Rücksicht zu nehmen. In bezug auf den zweiten Anbieter wird sich der erste Anbieter so verhalten, als ob dieser nicht da wäre. Er wird seinen Absatz als allein von seinem eigenen Preise und dem Verhalten der Käufer abhängig betrachten"[1]).

Der in dieser Argumentation verborgene Fehler läßt sich auch diesmal unschwer entdecken. Sind die beiden Dyopolisten räumlich so weit voneinander entfernt, daß keiner den Absatz des anderen durch irgendwelche Preismanipulationen beeinflussen kann, so liegt kein einheitlicher Markt für beide Anbieter vor, sondern jeder Anbieter bietet sein Gut auf einem eigenen Markt an. Die beiden Anbieter sind keine Dyopolisten, sondern Monopolisten. Zwischen dem Markt des einen Monopolisten und dem des anderen besteht eine (extreme) räumliche Substitutionslücke, die den Markt des einen von dem des anderen Anbieters eindeutig abgrenzt.

Nach der von uns vorgenommenen Korrektur lassen beide Beispiele entgegen der Ansicht SCHNEIDERS einen Zusammenhang zwischen Marktform und Verhaltensweise erkennen: Im ersten Beispiel werden die Anbieter A, B, C, ... sich entweder autonom verhalten, wenn die Anzahl der Anbieter groß ist und ein jeder Anbieter deshalb bei eigenen Aktionen mit der Konstanz der Aktionsparameter seiner Konkurrenten rechnen kann, oder sie werden sich konjektural verhalten, wenn die Anzahl der Anbieter klein ist und die Aktionen eines Anbieters infolgedessen Reaktionen der Konkurrenten hervorrufen. Im zweiten Beispiel wird jeder der beiden Monopolisten isoliert-autonome Strategie treiben. Damit haben wir unsere eigene Ansicht schon anklingen lassen: *Es besteht grundsätzlich ein Zuordnungsverhältnis zwischen Marktform und Verhaltensweise.*

Um das Zuordnungsverhältnis von Marktform und Verhaltensweise bei den einzelnen Marktformen abzuleiten, ist es zweckmäßig, zunächst die Situation, in der sich der einzelne Marktteilnehmer befindet, genau zu charakterisieren. Wir verwenden dazu die Termini *Independenz*, *Dependenz* und *Interdependenz* und beschränken uns auf die Marktformen Polypol auf dem vollkommenen und auf dem unvollkommenen Markt, Oligopol auf dem vollkommenen und auf dem unvollkommenen Markt, Monopol und Monopson sowie bilaterales Monopol. Der Einfluß, der von der Marktmorphologie auf die Situation des einzelnen Marktteilnehmers ausgeht, wird zerlegt in den Einfluß, den die Anzahl und relative Größe der Marktteilnehmer ausüben, und den Einfluß, der von der Vollkommenheit bzw. Unvollkommenheit des Marktes ausgeht.

Beim Monopol und Monopson liegen die Dinge offenbar am einfachsten. Der Monopolist wie der Monopsonist befindet sich ganz zweifellos in einer Independenzsituation. Er ist unabhängig von den Aktionen anderer Marktteilnehmer der gleichen Marktseite, weil solche Marktteilnehmer nicht existieren. Der Einfluß, der von der Vollkommenheit bzw. Unvollkommenheit

[1]) E. SCHNEIDER, Einführung ..., a.a.O., S. 72.

des Marktes ausgeht, braucht hier nicht geprüft zu werden, da es ja der Monopolist bzw. der Monopsonist selbst ist, der über die Beschaffenheit seines Marktes entscheidet, ihn also entweder vollkommen läßt oder ihn durch Aufspaltung der Nachfrage in Absatzschichten bzw. des Angebots in Bezugsschichten in einen unvollkommenen Markt umgestaltet. Halten wir also fest: Der Monopolist wie der Monopsonist befindet sich in einer Independenzsituation.

So einfach und unkompliziert die Dinge beim Monopol und beim Monopson liegen, so schwierig und verwickelt sind sie beim Oligopol. In der Literatur hat man nämlich Oligopollösungen auf der Basis ganz unterschiedlicher Verhaltensweisen entwickelt, so daß hier eine ganze Reihe von Verhaltensweisen als möglich und eine Zuordnung von Marktform und Verhaltensweise als unmöglich erscheint. Das Oligopol erlaubt offenbar mehrere Verhaltensweisen, ohne daß eine von ihnen als zwangsläufiges oder auch nur wahrscheinliches Ergebnis der objektiven Marktkonstellation angesehen werden könnte. Unter diesen Umständen muß es als ein zunächst völlig aussichtsloses Unterfangen erscheinen, durch eine genaue Charakterisierung der Situation, in der sich der einzelne Oligopolist befindet, eine Basis zu schaffen, von der aus doch ein Zusammenhang zwischen Marktform und Verhaltensweise aufgezeigt werden kann. Aber der Schein trügt, wie im kommenden dargelegt werden soll.

Sieht man von der Marktbeschaffenheit zunächst ab, untersucht also zunächst nur den Einfluß, der von der Anzahl und relativen Größe der Marktteilnehmer ausgeht, so ergibt sich offenbar folgendes Resultat: Da nur wenige mittlere Anbieter am Markt sind, spürt jeder Oligopolist die Aktionen eines jeden anderen Oligopolisten. Keiner der Oligopolisten kann also damit rechnen, daß seine Aktionen einen seiner Rivalen nicht beeinflussen, und umgekehrt muß jeder Oligopolist damit rechnen, daß ihn jede Aktion eines jeden seiner Konkurrenten beeinflußt. Die oligopolistischen Beziehungen sind also „zirkulare" Beziehungen (Triffin), sie besitzen einen bumerangartigen Charakter (A. G. Papandreou). Oder mit Hilfe unserer Termini formuliert: Jeder Oligopolist befindet sich in einer Interdependenzsituation.

Diese oligopolistische Interdependenz ist nun — und damit kommen wir auf die bisher vernachlässigte Marktbeschaffenheit — umso stärker ausgeprägt, je vollkommener der Markt ist, umso schwächer, je unvollkommener der Markt ist. Dies ist leicht einzusehen: Wenn die von den einzelnen Oligopolisten angebotenen Güter homogen sind, wenn persönliche, räumliche und zeitliche Differenzierungen fehlen und die Markttransparenz vollständig ist, so sind die Oligopolisten „unterschiedslos". Keiner der Oligopolisten besitzt irgendeinen Vorsprung vor dem anderen (von unterschiedlichen Kostenstrukturen einmal abgesehen), und die Konkurrenzintensität zwischen den einzelnen Anbietern ist außerordentlich hoch. Weichen dagegen die von den Oligopolisten angebotenen Güter voneinander ab, oder existieren bestimmte

Präferenzen von seiten der Nachfrager etc., so entsteht dadurch eine Abschwächung der Konkurrenzintensität und eine Abschwächung der oligopolistischen Interdependenz. Der einzelne Anbieter kann dann mit einem monopolistischen Bereich, mit einem Independenzbereich rechnen. Dieser monopolistische Bereich wird umso ausgedehnter sein, je größer die Unvollkommenheit des Marktes ist. Bei extremer Unvollkommenheit, d.h. bei dem Auftauchen von Substitutionslücken, würde die oligopolistische Interdependenz verschwinden und monopolistische Independenz an ihre Stelle treten: Das Oligopol zerfiele in einzelne Monopole. Das Ergebnis dieser Überlegungen lautet also: Ein Oligopolist auf dem vollkommenen Markt befindet sich in einer Interdependenzsituation („totale oligopolistische Interdependenz" nach GUTENBERG), ein Oligopolist auf dem unvollkommenen Markt in einer Interdependenz-Independenzsituation („partielle oligopolistische Interdependenz" nach GUTENBERG), wobei die Independenz mit dem Unvollkommenheitsgrad des Marktes wächst.

Auch beim Polypol (auf dem vollkommenen und auf dem unvollkommenen Markt) sind die Verhältnisse, die die Situation des einzelnen Marktteilnehmers bestimmen, nicht ganz einfach zu durchschauen. Hier muß nämlich unterschieden werden zwischen der Situation des einzelnen gegenüber *einem* Mit-Anbieter (bzw. Mit-Nachfrager) einerseits und der Situation des einzelnen gegenüber der *Gesamtheit aller* Mit-Anbieter (bzw. Mit-Nachfrager) andererseits, ein Unterschied, dem beim Oligopol kaum Bedeutung zukommt. Berücksichtigt man zunächst wieder nur den Einfluß, der von der Anzahl und der relativen Größe der Marktteilnehmer auf die Situation des einzelnen ausgeht, so befindet sich der einzelne Anbieter (Nachfrager) in einer Independenzsituation, was seine Beziehungen zu *einem* der anderen Anbieter (Nachfrager), zu einem „Kollegen" betrifft. Er befindet sich dagegen in einer Dependenzsituation gegenüber der *Gesamtheit* aller anderen Anbieter bzw. Nachfrager. Die Unvollkommenheit eines polypolistischen Marktes wirkt sich auf die Independenz—Dependenz—Situation des einzelnen Marktteilnehmers wie folgt aus: Die Independenz vom einzelnen Mit-Anbieter (bzw. Mit-Nachfrager) wird durch die Unvollkommenheit des Marktes offenbar erhöht. Es ist jetzt nicht mehr allein die große Anzahl von Marktteilnehmern, die den einzelnen die Aktionen eines seiner Konkurrenten kaum spüren läßt, sondern die Heterogenität der Produkte, die Existenz persönlicher, räumlicher oder zeitlicher Differenzierungen wirken jetzt zusätzlich auf eine Isolierung des einen vom anderen hin. Zugleich wird die Dependenz des einzelnen Marktteilnehmers von der Gesamtheit aller anderen abgeschwächt: Der einzelne Anbieter bzw. Nachfrager ist nicht mehr völlig abhängig von der Gesamtheit aller anderen, wie es beim Polypol auf dem vollkommenen Markt infolge der völligen Unterschiedslosigkeit aller Marktteilnehmer der Fall sein muß. Als Ergebnis können wir demnach festhalten: Sowohl der Polypolist auf dem vollkommenen als auch der auf dem unvollkommenen Markt befindet sich in einer Independenz-Situation gegenüber einem Mit-Anbieter, in einer Dependenz-Situation gegenüber der Gesamtheit aller Mit-Anbieter. (Das Entsprechende gilt für einen Polypsonisten). Auf dem unvollkommenen Markt ist die Independenz stärker, die Dependenz schwächer ausgeprägt als auf dem vollkommenen Markt.

Wiederum andere, teilweise neue Züge zeigt das bilaterale Monopol, dem wir uns als letzter Marktform zuwenden. Beim bilateralen Monopol wäre es völlig verkehrt, sich mit einem Rückgriff auf die Ergebnisse unserer Untersuchung des Monopols und Monopsons zu begnügen: Natürlich ist der Anbieter beim bilateralen Monopol in einer Independenz-Situation, da keine anderen Anbieter existieren, und entsprechendes gilt für den Nachfrager. Aber das ist eben beim bilateralen Monopol noch nicht alles, sondern aus der Tatsache, daß es nur einen Anbieter und nur einen Nachfrager gibt, folgt das eigentlich Entscheidende und für das bilaterale Monopol Charakteristische. Der Anbieter kann nicht mehr wie der „gewöhnliche" Monopolist mit einer gegebenen Nachfrage rechnen, die von vielen kleinen Nachfragern ausgeht, welche seine Preis- oder Mengenfixierung mit einer eindeutigen und deshalb unproblematischen Mengen- oder Preisanpassung beantworten. Und entsprechend kann der Nachfrager beim bilateralen Monopol nicht wie ein gewöhnlicher Monopsonist mit einem gegebenen Angebot rechnen, das von vielen kleinen Anbietern ausgeht und deshalb keine Schwierigkeiten birgt. Vielmehr muß sowohl der Anbieter als auch der Nachfrager bei einer Preisfixierung gewärtig sein, daß sein Gegenüber zu „feilschen" anfängt, daß er seinerseits ein Preisangebot unterbreitet und seine Marktmacht ins Spiel zu bringen versucht. Für jeden der beiden Marktteilnehmer hängt also der Ausgang des „Spiels" von Variablen ab, die er nicht alle selbst kontrolliert. Man kann also ähnlich wie beim Oligopol von einer Interdependenz-Situation sprechen, in der sich die beiden Kontrahenten befinden, aber Interdependenz bedeutet jetzt die gegenseitige Abhängigkeit von der Marktgegenseite[1]).

Damit haben wir die jeweilige Situation, in der sich ein Marktteilnehmer bei einer der ausgewählten Marktformen befindet, genügend gekennzeichnet und können zu der Frage übergehen, welche Konsequenzen sich aus diesen Überlegungen für unser Problem, die Zuordnung von Marktform und Verhaltensweise, ziehen lassen.

Beginnen wir wieder mit dem Monopol und dem Monopson. Aus der absoluten Independenz-Situation des Monopolisten bzw. Monopsonisten folgt, wenn man von der Berücksichtigung potentieller Konkurrenten absieht, zwingend die Anwendung der isoliert-autonomen Strategie. Das Zuordnungs-

[1]) Aufschlußreich ist in diesem Zusammenhang der Buchtitel „Competition among the Few" von W. Fellner (W. Fellner, Competition Among the Few, Oligopoly and Similar Market Structures, (1949), Reprint New York 1960): Fellner behandelt das Oligopol und das bilaterale Monopol.

verhältnis von Marktform und Verhaltensweise ist streng, d.h. der Monopolist (Monopsonist) wird mit Sicherheit isoliert-autonome Strategie treiben. Ein Oligopolist auf dem vollkommenen Markt befindet sich in einer totalen Interdependenz-Situation und wird wegen dieser totalen Interdependenz grundsätzlich konjekturale Strategie treiben. Ein Oligopolist auf dem vollkommenen Markt wird also damit rechnen, daß grundsätzlich jede seiner Aktionen Reaktionen seiner Konkurrenten hervorruft. Andere Verhaltensweisen, z.B. die Anwendung autonomer Strategie, würden der totalen oligopolistischen Interdependenz nicht gerecht, so daß wir auch hier ein ziemlich strenges Zuordnungsverhältnis zwischen Marktform und Verhaltensweise postulieren[1]). Beim Oligopol auf dem unvollkommenen Markt liegen die Dinge etwas anders, da die totale Interdependenz ja zu einer partiellen abgeschwächt ist bzw. eine Interdependenz-Independenz vorliegt. Ein Oligopolist auf dem unvollkommenen Markt wird demnach konjekturale oder autonome Strategie betreiben; die Wahrscheinlichkeit autonomer Strategie ist dabei um so größer, je unvollkommener der Markt ist und umgekehrt.

Betrachten wir jetzt das Polypol auf dem vollkommenen und auf dem unvollkommenen Markt. Ein Anbieter auf einem vollkommenen Polypolmarkt befindet sich in einer Independenz-Situation gegenüber dem einzelnen Mit-Anbieter, in einer Dependenz-Situation gegenüber der Gesamtheit aller Mit-Anbieter. Wegen der Stärke dieser Dependenz kann sich der einzelne Polypolist nur als Mengenanpasser verhalten; um die Independenz vom einzelnen Mit-Anbieter auszudrücken, sprechen wir von autonomer Mengenanpassung[2]). Beim Polypol auf dem unvollkommenen Markt ist die Independenz-Situation stärker, die Dependenz-Situation schwächer ausgeprägt als auf dem vollkommenen Markt; daraus ergibt sich die Möglichkeit der Strategie anstelle der Anpassung. Auf Grund der Independenz des einzelnen Anbieters vom einzelnen Mit-Anbieter ist mit autonomer Strategie zu rechnen, d.h. der einzelne Anbieter erwartet nicht, daß seine Aktionen Reaktionen seiner (vielen) Konkurrenten hervorrufen; er sieht die Aktionsparameter seiner Konkurrenten als für ihn gegebene Größen an[3]).

Es bleibt noch das bilaterale Monopol übrig, bei dem wir die Situation des Anbieters wie des Nachfragers als eine Interdependenz-Situation charakterisiert hatten, wobei unter Interdependenz jetzt aber die gegenseitige Abhängigkeit von der Marktgegenseite zu verstehen ist. Auf Grund dieser Konstellation wird jeder der beiden Kontrahenten eine Art konjekturaler Strate-

---

[1]) Vgl. Kap. III. 4.

[2]) Vgl. §2, Kap. III, 1.

[3]) Man kann die Verhaltensweise eines Polypolisten auf dem unvollkommenen Markt „beschränkt autonome Strategie" nennen, um die Abhängigkeit des einzelnen von der Gesamtheit der Mit-Anbieter zu berücksichtigen. Vgl. dazu A. E. Ott, Marktform und Verhaltensweise, a.a.O.

gie betreiben, die korrespektive Strategie. Bei ihr bezieht sich das konjekturale Element auf die Marktgegenseite. Mit fast der gleichen Berechtigung kann man auch sagen, die dem bilateralen Monopol zugeordnete Verhaltensweise sei die „allgemeine Verhandlung"; die Ausnahme von dieser Regel ist die Optionsfixierung durch den stärkeren und der Optionsempfang durch den schwächeren Marktteilnehmer, eine Möglichkeit, die offenbar kein Verhandeln erfordert.

Verschaffen wir uns zum Abschluß einen Überblick über die Zuordnungsverhältnisse zwischen Marktformen und Verhaltensweisen, wie sie sich nach dem oben Ausgeführten ergeben (Tabelle 6).

Tabelle 6

Die Zuordnungsverhältnisse zwischen Marktformen und Verhaltensweisen

Marktform	Situation des einzelnen Marktteilnehmers	Verhaltensweise
Monopol Monopson	Independenz	isoliert autonome Strategie
Oligopol auf dem vollkommenen Markt	Interdependenz	konjekturale Strategie
Oligopol auf dem unvollkommenen Markt	Interdependenz-Independenz	konjekturale oder autonome Strategie
Polypol auf dem vollkommenen Markt	Independenz vom einzelnen, Dependenz von der Gesamtheit aller Konkurrenten	autonome Mengenanpassung
Polypol auf dem unvollkommenen Markt	Independenz vom einzelnen, Dependenz von der Gesamheit aller Konkurrenten*	autonome Strategie
Bilaterales Monopol	Interdependenz**	allgemeine Verhandlung, korrespektive Strategie (Optionsfixierung bzw. -empfang)

* Independenz stärker, Dependenz schwächer als beim Polypol auf dem vollkommenen Markt.

** Interdependenz im Sinne von gegenseitiger Abhängigkeit von der Marktgegenseite.

Die in dieser Tabelle angedeuteten Beziehungen zwischen Marktform und Verhaltensweise werden in den Einzelanalysen der Preisbildung bei den verschiedenen Marktformen genauer erkennbar werden.

§ 6. Konkurrenz und Kooperation

In den bisherigen Ausführungen war der Begriff der Konkurrenz weitgehend vermieden worden, und zwar einmal wegen gewisser Unklarheiten, die mit ihm merkwürdigerweise noch heute in der Wirtschaftstheorie verbunden sind, zum anderen, um der Gleichsetzung der Konkurrenz mit einer Marktform vorzubeugen, wie sie durch bestimmte Termini — atomistische Konkurrenz, vollständiger Wettbewerb etc. — nahegelegt wird.

Versucht man, sich mittels einer etymologischen Erklärung an den Konkurrenzbegriff heranzutasten, so stößt man auf das Folgende: Das „Zusammenlaufen" setzt offensichtlich mindestens zwei Läufer voraus. *Konkurrenz beginnt demnach apodiktisch jenseits der Teilnehmerzahl eins.* Es besteht also keine primäre Beziehung zwischen dem Konkurrenzbegriff und der Reihe einer — wenige — viele, die wir dem Marktformenschema zugrundegelegt hatten, sondern die primäre Beziehung besteht zwischen dem Begriff der Konkurrenz und der Reihe

einer — mehrere.

Konkurrenz hat es also mit *mehreren* zu tun, seien diese Mehreren wenige oder seien sie viele.

Damit ist der Konkurrenzbegriff nur insoweit geklärt als feststeht, daß Konkurrenz auf einer Marktseite eine Teilnehmerzahl $n \geq 2$ erfordert. Zwischen mehreren Marktteilnehmern einer Marktseite herrscht Konkurrenz, wenn zwischen ihnen eine Beziehung besteht. Dies ist der Konkurrenzbegriff, wie ihn Triffin geprägt hat[1]. Aber der Begriff der Konkurrenz von Triffin ist eigentlich inhaltsleer, denn um was für eine Beziehung zwischen den Marktteilnehmern handelt es sich? Wir wollen deshalb den Konkurrenzbegriff wie folgt präzisieren: *Konkurrenz ist eine agonistische oder antagonistische Beziehung zwischen (mehreren) Anbietern oder Nachfragern.* Agonistisch — von dem griechischen Wort ἄγων, der Wettkampf abgeleitet — soll dabei bedeuten, daß sich die Anbieter bzw. Nachfrager zu übertreffen suchen, d.h. sie unter- oder überbieten sich im Preis, in der Menge oder in der Produktqualität.

Den Gegensatz zur Konkurrenz als einer agonistischen Beziehung zwischen Marktteilnehmern der gleichen Marktseite muß offenbar die nichtagonistische Beziehung darstellen, die wir die *kooperative* Beziehung nennen. An die Stelle des Wettbewerbs tritt also die Zusammenarbeit. Gegensatz zur Konkurrenz ist also die *Kooperation,* die im allgemeinen die Form einer *Koalition* annimmt. Demnach steht die Konkurrenz in polarem Verhältnis einerseits zum Monopol bzw. Monopson als denjenigen Marktformen, bei denen

[1] R. Triffin, Monopolistic Competition and General Equilibrium Theory, 7th print, Cambridge 1962 (1. Aufl. 1940), S. 99.

auf Grund der Teilnehmerzahl keine Beziehungen zwischen Teilnehmern einer Marktseite möglich sind, andererseits zur Kooperation als derjenigen Beziehung zwischen Anbietern und Nachfragern, der das agonistische Element fehlt:

Kooperation (Koalition)
↕
Monopol }
Monopson } ←——→ Konkurrenz
(einer) (mehrere)

Da auf dem Markt kooperativ handelnde Anbieter bzw. Nachfrager nach außen praktisch wie „einer" auftreten, steht nichts im Wege, die Kooperation bzw. die Koalition von Marktteilnehmern als Kollektivmonopole zu bezeichnen, so daß man also als Gegensätze zur Konkurrenz erhält:

Kollektivmonopol
↕
Individualmonopol ←——→ Konkurrenz

Die Konkurrenz auf einem vollkommenen Markt bezeichnet man seit TRIFFIN als *homogene,* die auf einem unvollkommenen Markt als *heterogene* Konkurrenz. Im Zusammenhang mit dieser Unterscheidung erhebt sich die Frage nach der *Konkurrenzintensität,* d.h. nach der Stärke der agonistischen Beziehung zwischen Anbietern bzw. Nachfragern. Die Intensität der Konkurrenz hängt offenbar vor allem von der Anzahl der Marktteilnehmer der gleichen Marktseite und der qualitativen Beschaffenheit des Marktes, d.h. dem Vollkommenheits- bzw. Unvollkommenheitsgrad des Marktes ab. Wie sich bei der Analyse des Preisbildungsprozesses für verschiedene Marktformen zeigen wird, ist die Konkurrenz zwischen Anbietern (Nachfragern) bei gegebenem Vollkommenheits- bzw. Unvollkommenheitsgrad des Marktes umso intensiver, je geringer die Zahl der Marktteilnehmer ist. Polypolisten sind, nach einer treffenden Formulierung MACHLUPS, untereinander viel eher Kollegen als Rivalen, Oligopolisten viel eher Rivalen als Kollegen. Bei gegebener Zahl von Anbietern bzw. Nachfragern dürfte die Konkurrenzintensität mit wachsender Vollkommenheit des Marktes zunehmen, also mit wachsender Unvollkommenheit abnehmen.

Man kann vernünftigerweise annehmen, daß der Wunsch, die Konkurrenz zu vermeiden, ihr auszuweichen, umso größer ist, je stärker die Intensität der Konkurrenz ausgeprägt ist. Je intensiver die (potentiellen) agonistischen Beziehungen zwischen Anbietern oder Nachfragern sind, um so größer wird der *Hang zur Koalitionenbildung*, die *Tendenz zur Monopolbildung (Monopsonbildung)* sein. Wie aus Abb. 10 ersichtlich wird, ist nach dieser Theorie das Oligopol auf dem vollkommenen Markt die Marktform mit der höchsten Konkurrenzintensität und dem am stärksten ausgeprägten Hang zur Koalitionenbildung, während das Polypol auf dem unvollkommenen Markt als Marktform mit der geringsten Konkurrenzintensität und dem geringsten Hang zur Koalitionenbildung zu bezeichnen wäre. Es mag noch erwähnt werden, daß die geringe Teilnehmerzahl im Oligopol (und natürlich ebenso im Oligopson) die Möglichkeit der Koalitionenbildung gegenüber dem Polypol mit seiner großen Zahl von Teilnehmern erhöht, so daß beim Oligopol (Oligopson) *Neigung* und Möglichkeit zur Koalierung hoch sind[1]).

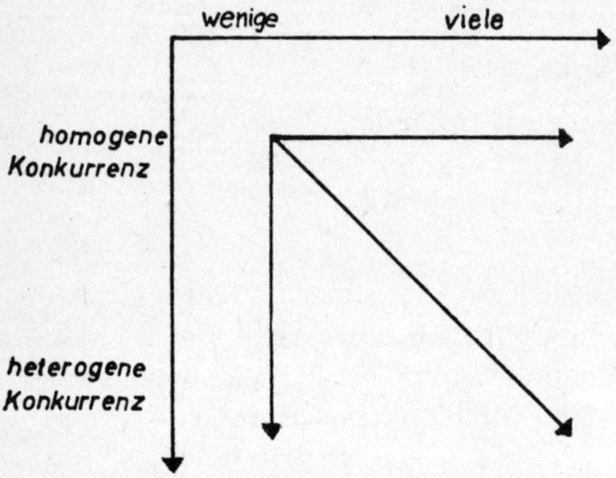

(Die Pfeile bedeuten abnehmende Intensität der Konkurrenz = abnehmenden Hang zur Koalitionenbildung.)

Abb. 10

Schließlich ist vor allem für die Wettbewerbspolitik eine weitere Frage von erheblicher Bedeutung, die Frage nämlich, ob die *Qualitätskonkurrenz* (die nur auf unvollkommenen Märkten möglich ist) stärker oder schwächer wirkt als die *Preiskonkurrenz*. Hören wir zunächst, was SCHUMPETER dazu sagt:

„Das erste, was weichen muß, ist der überlieferte Begriff des modus operandi der Konkurrenz. Die Ökonomen entwachsen nun endlich dem Stadium, wo sie nur Preiskonkurrenz sahen und nichts sonst. Sobald die Qualitätskonkurrenz und der Kundendienst in die geheiligten Felde der Theorie zugelassen werden, ist die Preisvariable aus ihrer beherrschenden Stellung vertrieben... In der kapitalistischen Wirtschaft jedoch, im Unterschied zu ihrem Bild in den Lehrbüchern, zählt... die Konkurrenz der neuen Ware, der neuen Technik, der neuen Versorgungsquelle, des neuen Organisationstyps — jene Konkurrenz, die über einen entscheidenden Kosten- oder Qualitätsvorteil gebietet und die bestehenden Firmen nicht an den Profit- und Produktionsgrenzen, sondern in ihren Grundlagen, ihrem eigentlichen Lebensmark trifft. Diese Art der Konkurrenz ist um so viel wirkungsvoller als die andere, wie es ein Bombardement ist im Vergleich zum Aufbrechen einer Tür, und sie ist so viel wichtiger, daß es verhältnismäßig gleichgültig

---

1) Vgl. dazu M. SHUBIK, Information, Theories of Competition, and the Theory of Games, The Journal of Political Economy, Vol. LX (1952), S. 145—150.

ist, ob die Konkurrenz im gewöhnlichen Sinn mehr oder weniger rasch funktioniert"[1]).

Diese Stellungnahme des großen Nationalökonomen ist in dieser Einseitigkeit bzw. Überspitzung nicht haltbar. Man muß offenbar einmal zwischen solchen Produkten unterscheiden, bei denen nur noch mehr oder weniger geringfügige Verbesserungen durchgeführt werden, ohne daß es zu grundlegend Neuem kommt, und solchen Produkten, die entweder völlig neu konstruiert werden oder die durch völlig neuartige Produkte verdrängt werden. Bei der ersten Kategorie von Produkten wirkt sich die Qualitätsvariation nur in *akzidentellen* Eigenschaften des Produktes aus, bei der zweiten Kategorie dagegen tangiert sie die *Substanz* des Produkts. Als Beispiel für die erste Art von Gütern können u.a. Schokolade und Spirituosen genannt werden, und bei dieser Art von Gütern erschöpft sich die Qualitätsvariation tatsächlich häufig in den „Kinkerlitzchen der Aufmachung" (F. W. Meyer). Hier ist der Preiswettbewerb de facto oft intensiver und gefährlicher für den Produzenten als der Qualitätswettbewerb, denn wäre er nicht gefährlicher, weshalb hätten dann die Produzenten, z.B. die Markenartikelproduzenten, einen so großen Respekt vor dem Preiswettbewerb, ersichtlich etwa an ihrem zähen Kampf um die Aufrechterhaltung der Preisbindung der zweiten Hand? Anders dagegen bei der zweiten Kategorie von Gütern, für die als Beispiel nur die synthetischen Herrenhemden (gegenüber Baumwollhemden) angeführt seien. Hier geht die Qualitätskonkurrenz dem einzelnen Produzenten wirklich an den Kragen, und es kann kein Zweifel darüber bestehen, daß diese Qualitätskonkurrenz à la Schumpeter wesentlich intensiver ist als die Preiskonkurrenz.

2. Nutzen und Nachfrage

§ 1. Kardinale und ordinale Nutzentheorie

Wie wir in dem vorhergehenden Kapitel gesehen haben, vollzieht sich die Preisbildung stets auf Märkten, wobei wir nach der Art der gehandelten Güter zwischen Konsumgüter- und Produktionsmittelmärkten unterscheiden können. Auf den Konsumgütermärkten stehen die individuellen Haushalte als Nachfrager den Unternehmungen als Anbietern gegenüber. In dem kommenden Kapitel sind die Determinanten der Haushaltsnachfrage nach Konsumgütern zu untersuchen, um dann in Kap. II, 3 den Determinanten des Unternehmungsangebots nachzugehen. Der Tatsache, daß zwischen den Konsumenten und den Produzenten von Konsumgütern in der Regel eine oder mehrere Handelsstufen eingeschoben sind, wird erst später Rechnung

[1]) J. A. Schumpeter, Kapitalismus, Sozialismus und Demokratie, Bern 1950, S.166.

zu tragen sein (Kap. IV, 3); ebenso sollen die Produktionsmittelmärkte erst später analysiert werden (Kap. IV, 4).

Die Nachfrage nach Konsumgütern geht von den individuellen Haushalten oder Haushaltswirtschaften aus, die wir als Entscheidungseinheiten auffassen. Die Frage, wie bei Mehr-Personen-Haushalten aus den unterschiedlichen Vorstellungen der Haushaltsmitglieder ein einheitlicher Einkaufsplan entsteht, soll hier nicht behandelt werden; wir nehmen also an, daß der Haushalt über eine einheitliche Vorstellung bezüglich der Rangordnung seiner Bedürfnisse verfügt. Ferner soll die Interdependenz der Präferenzen zwischen Haushalten nicht berücksichtigt werden, d.h. die Erscheinung, daß die Präferenzstrukturen der Haushalte gegenseitig voneinander abhängen, daß man sich am Lebensstandard anderer orientiert und mit anderen Haushalten Schritt zu halten versucht („to keep up with the Jones")[1]).

Das Einkommen des individuellen Haushalts, seine „Beschaffungskraft" soll als gegeben angenommen werden; dasselbe gilt für die Preise der Konsumgüter, die für den Haushalt die „Beschaffungswiderstände" darstellen. Ebenso soll die Aufteilung des Einkommens in Konsum und Sparen als gegeben vorausgesetzt werden, d.h. wir rechnen mit einer gegebenen konstanten Konsumquote (Konsum/Einkommen) und Sparquote (Sparen/Einkommen). Schließlich besitzt der individuelle Haushalt eine bestimmte „Bedürfnisstruktur", d.h. eine Vorstellung über die Rangordnung seiner Bedürfnisse, die ebenfalls als bekannt und konstant angenommen werden soll. Die Determinanten der Haushaltsnachfrage nach Konsumgütern sind also:

Bedürfnisstruktur,
Beschaffungskraft bzw. Einkommen (bzw. Konsumsumme),
Beschaffungswiderstände bzw. Preise der Konsumgüter.

Als Zielsetzung der Haushalte hatten wir früher die Nutzenmaximierung unterstellt; der Haushalt steht demnach vor der folgenden Frage: Wie ist das gegebene Einkommen bei gegebenen Konsumgüterpreisen auf die einzelnen Güter aufzuteilen, damit sich bei gegebener Bedürfnisstruktur ein Nutzenmaximum einstellt? Bei der Beantwortung dieser Frage verfügt der Haushalt über die meßbare Größe Einkommen bzw. Konsumsumme; die als Geldmenge pro Mengeneinheit definierten Güterpreise sind ebenfalls meßbar und somit mit dem Einkommen vergleichbar. Was soll aber unter der Bedürfnisstruktur und vor allem unter dem Nutzenmaximum verstanden werden? Wie soll man den Nutzen definieren und wie kann man ihn messen, denn eine Messung des Nutzens scheint ja erforderlich zu sein, da-

---

[1]) Vgl. dazu vor allem: TH. VEBLEN, The Theory of the Leisure Class. An Economic Study of Institutions, (1925), Third Impression, London 1957, deutsche Übersetzung: Theorie der feinen Leute, Köln/Berlin, o. J.; SINCLAIR LEWIS, Babbit, (1922), Rororo Taschenbuchausgabe Nr. 83; W. KROMPHARDT, Sinn und Inhalt der Präferenzhypothese in der Wirtschaftstheorie, Jahrbücher für Nationalökonomie und Statistik, Bd. 169 (1957), S. 161—172.

mit man über drei kompatible Größen — Einkommen, Preise der Güter und Nutzen der Güter — verfügt und damit der Ausdruck Nutzenmaximum überhaupt einen Sinn erhält?
Wir hatten früher den Nutzen als den subjektiven Gebrauchswert einer Ware für eine bestimmte Person bzw. einen bestimmten Haushalt zu einem bestimmten Zeitpunkt definiert und können ohne weiteres auf diese Definition des Nutzens zurückgreifen. Die Grenznutzenschule (MENGER, JEVONS, WALRAS u.a.) hatte nun angenommen, der Nutzen sei *kardinaler* Natur, d.h. er sei meßbar.

Besitzt ein Haushalt beispielsweise eine bestimmte Menge x des Gutes X, sagen wir 6 Mengeneinheiten, so könnte man bei kardinaler Natur des Nutzens den Gesamtnutzen der Gesamtmenge wie auch einer jeden Teilmenge angeben. Ferner ließe sich der Grenznutzen, d.i. die Nutzenänderung bei Veränderung der zur Verfügung stehenden bzw. konsumierten Menge um eine Mengeneinheit, leicht ausrechnen. So könnte für den Haushalt etwa die folgende Tabelle gelten (Tabelle 7).

Tabelle 7
Gesamt- und Grenznutzen (kardinale Begriffsfassung)

Gütermenge	Gesamtnutzen	Grenznutzen
1	6	
		5
2	11	
		4
3	15	
		3
4	18	
		2
5	20	
		1
6	21	

In diesem Beispiel nimmt der Grenznutzen $\Delta N/\Delta x$ bzw. dN/dx mit zunehmender zur Verfügung stehender Menge ständig ab, ein Zusammenhang, den man als das *Gesetz vom abnehmenden Grenznutzen* oder, nach einem Vorschlag v. WIESERS, als das *1. Gossensche Gesetz* bezeichnet. Dieses Gesetz besagt also: *Der Grenznutzen eines Gutes nimmt mit zunehmender zur Verfügung stehender bzw. konsumierter Menge des Gutes ständig ab.* Anhand der Tabelle läßt sich das erste Gossensche Gesetz graphisch leicht darstellen: werden die Gütermenge auf der Abszisse und der Grenznutzen auf der Ordinate eines rechtwinkligen Koordinatensystems aufgetragen, so ergibt sich eine monoton fallende Grenznutzenkurve (Abb. 11).

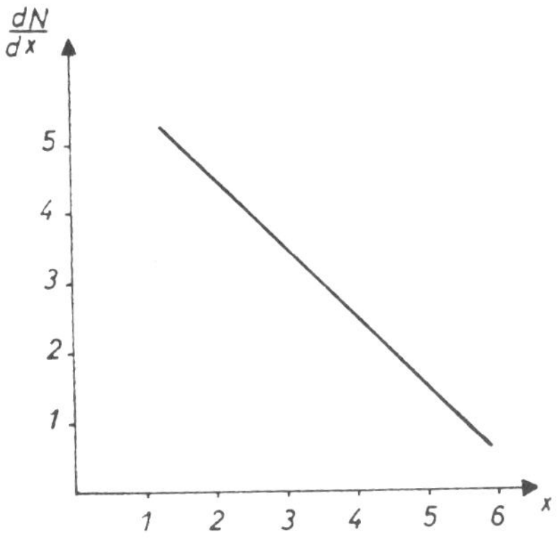

Abb. 11

Wenn der Nutzen tatsächlich kardinaler Natur wäre, so könnte das zentrale Problem, vor dem jeder individuelle Haushalt steht, mit seinem gegebenen Einkommen bei ebenfalls gegebenen Konsumgüterpreisen das Nutzenmaximum zu verwirklichen, leicht gelöst werden. Zunächst hat der Haushalt eine Liste all der Güter aufzustellen, die überhaupt potentiell in seinen „Begehrskreis" fallen, die also potentiell beschafft werden sollen. Danach hat der Haushalt nach dem Muster von Tabelle 7 für jedes Gut eine Grenznutzenskala (in Abhängigkeit von der Menge des jeweiligen Gutes) aufzustellen. Als letzter Schritt ist schließlich anhand des gegebenen Einkommens und der gegebenen Preise die Entscheidung darüber zu fällen, welche Güter in welchen Mengen eingekauft werden sollen. Dabei ist nach der folgenden Regel zu verfahren: Die Güter sind in den Proportionen zu beschaffen, daß die zuletzt ausgegebene Geldeinheit bei jedem Gut denselben Nutzen stiftet. Verdeutlichen wir uns die Zusammenhänge wieder an einem Beispiel. Ein Student plane ein verlängertes Wochenende und stehe somit vor der Frage, welche Güter in den Handkoffer einzupacken sind. Es sollen fünf Güter (*A*, *B*, *C*, *D*, *E*) zur Wahl stehen, die in Tabelle 8 nach ihrer Wichtigkeit geordnet wurden. Die Zahlen in der Tabelle geben jeweils den Nutzen der *i*-ten Mengeneinheit des betreffenden Gutes an.

Tabelle 8

Das Gesetz vom Ausgleich der Grenznutzen (kardinale Begriffsfassung)

Gut / Mengeneinheit	A	B	C	D	E
1.	10	8	6	4	2
2.	8	6	4	2	0
3.	6	4	2	0	
4.	4	2	0		
5.	2	0			
6.	0				

Wenn der Student 6 Mengeneinheiten der fünf Güter in dem Handkoffer unterbringen kann, so ist es offenbar am besten, 3 Mengeneinheiten von Gut *A*, 2 von *B* und eine Mengeneinheit von *C* einzupacken. Bei dieser Auswahl ergibt sich der maximale Gesamtnutzen von 44 Nutzeneinheiten, der bei keiner anderen Zusammenstellung erreicht werden kann. Die zwei Güter *D* und *E* bleiben also unberücksichtigt, d.h. etwa die beiden Skripten (*D*) und das nationalökonomische Lehrbuch (*E*) bleiben zu Hause.

Die Regel, nach der unser Student verfahren muß, um das Nutzenmaximum zu erreichen, ist jetzt leicht zu ermitteln: Er muß die Grenznutzen der einzelnen Güter zum Ausgleich bringen. Man bezeichnet diese Regel als das *Gesetz vom Ausgleich der Grenznutzen* oder — wiederum nach dem Vorschlag v. WIESERS — als das *2. Gossensche Gesetz: Das Nutzenmaximum eines Haushalts ist erreicht, wenn die Grenznutzen der zuletzt beschafften Gütereinheiten gleich sind.* Handelt es sich bei der Beschaffung der Güter um ihren Einkauf (bei gegebenen Preisen und gegebenem Einkommen), so erfährt das Gesetz vom Ausgleich der Grenznutzen eine bestimmte Modifikation. In diesem Fall erreicht der Haushalt sein Nutzenmaximum, wenn der (mit den Preisen) gewogene Grenznutzen bei allen gekauften Gütern gleich ist. Es muß also gelten:

$$\frac{N_1'}{p_1} = \frac{N_2'}{p_2} = \frac{N_3'}{p_3} = \cdots = \frac{N_n'}{p_n},$$

wobei $N_1', N_2', \ldots, N_n'$ die Grenznutzen der Güter $1, 2, \ldots, n$ und $p_1, p_2, \ldots, p_n$ die Preise bedeuten. Man nennt diese Modifikation das *Gesetz vom Ausgleich der gewogenen Grenznutzen.* Die zuletzt ausgegebene Geldeinheit muß also bei allen Gütern denselben Nutzen stiften oder, um noch weitere mögliche Formulierungen anzuführen, der *Grenznutzen des Geldes muß bei jeder Art der Einkommensverwendung gleich sein.* Der Sinn dieser beiden zuletzt angeführten Formulierungen für das Gesetz vom Ausgleich der gewogenen Grenznutzen wird ohne weiteres erkennbar, wenn man einen der beiden Quotienten in der obenstehenden Gleichung genauer betrachtet. Der Grenznutzen des ersten Gutes ist nichts anderes als der Nutzenzuwachs bei Veränderung der Menge des ersten Gutes um eine Mengeneinheit, also $N_1' = dN/dx_1 = dN/1$ ME des Gutes 1[1]. Der Preis des ersten Gutes hat die Dimension Geldmenge pro Mengeneinheiten, also $p_1 =$ DM/1 ME des Gutes 1, so daß der Quotient aus Grenznutzen und Preis die Dimension Grenznutzen pro Geldeinheit besitzt: $N_1'/p_1 = dN/\text{DM}$ bzw. $N_1'/p_1 = dN/1$ DM. Der Grenznutzen des Geldes beim Einkauf des Gutes 1 ist demnach nichts anderes als der Quotient aus dem Grenznutzen des Gutes und dem Preis des Gutes 1.

So einleuchtend und elegant diese Lösung des Nutzenmaximierungsproblems zunächst auch zu sein scheint, bei genauerem Nachdenken erheben sich doch gewisse Bedenken und Zweifel. Wenn der Nutzen kardinaler Natur, also meßbar ist, so muß es offenbar einen Maßstab geben, mit dessen Hilfe der Nutzen gemessen werden kann. Welches sind aber die „Nutzeneinheiten", die auf diesem Maßstab stehen, und gelten diese Nutzeneinheiten in gleicher Weise für alle Individuen ? Kann man wirklich sagen, der Nutzen von zwei Anzügen sei beispielsweise um 90 % höher als der von einem An-

---

[1]) Streng genommen handelt es sich natürlich nicht um 1 ME des Gutes 1, sondern um eine infinitesimal kleine Einheit.

zug, der von drei Anzügen um 150 % höher? Kann man nicht vielmehr nur sagen, drei Anzüge gewähren einen höheren Nutzen als zwei und diese einen höheren als einer? Bezeichnet man den Nutzen von einem Anzug mit N_1, den von zwei (drei) Anzügen mit N_2 (N_3), so läßt sich das zur Diskussion stehende Problem auch wie folgt ausdrücken: Nach der kardinalen Nutzentheorie sind beispielsweise die folgenden Aussagen möglich:

$$N_2 - N_1 = 0{,}9\,N_1 \qquad \frac{N_2 - N_1}{N_1} = 0{,}9$$

$$N_3 - N_1 = 1{,}5\,N_1 \qquad \text{bzw.} \qquad \frac{N_3 - N_1}{N_1} = 1{,}5$$

$$N_3 - N_2 = 0{,}6\,N_1 \qquad \frac{N_3 - N_2}{N_2} = 0{,}32.$$

Die ordinale Theorie wendet dagegen ein, man könne nur die folgende Ungleichung angeben:

$$N_1 < N_2 < N_3.$$

In dem ersten Fall, nach der kardinalen Nutzentheorie, kann der Nutzen*abstand* oder die Nutzen*differenz* präzis genannt werden, die sich zwischen zwei verschiedenen Gütermengen ergibt. Sie beträgt zwischen zwei Anzügen und einem 0,9 N_1, zwischen drei und einem 1,5 N_1 und damit zwischen drei und zwei Anzügen 0,6 N_1. Dagegen läßt sich im zweiten Fall nur aussagen, daß der Nutzen von drei Anzügen größer ist als der von zwei und dieser wieder größer als der von einem Anzug. Im zweiten Fall läßt sich also nur etwas über die *Reihenfolge* der Nutzen, aber nichts über den Nutzenabstand aussagen. Man beschränkt sich darauf, eine *Ordnung* festzulegen, weshalb man diese Theorie die *ordinale* Nutzentheorie genannt hat.

Noch im 19. Jahrhundert waren Zweifel an der kardinalen Natur des Nutzens aufgetaucht, und es ist das Verdienst von EDGEWORTH und PARETO, den Übergang zur ordinalen Nutzentheorie vollzogen zu haben. Danach ist der Nutzen nicht mehr meßbar, sondern nur *skalierbar*, d.h. es kann nur die Rangfolge von Nutzengrößen angegeben werden. Diese schwächere Fassung der Aussage über die Natur des Nutzens ist von weittragender Bedeutung, wie man sich relativ leicht klarmacht. Als erstes nämlich verliert das 1. Gossensche Gesetz seine Bedeutung. Da der Nutzenabstand, die Nutzendifferenz zwischen zwei Gütermengen, sagen wir x_1 und x_0, nicht mehr gemessen werden kann, büßt der Begriff des Grenznutzens seinen Aussagewert ein. Es läßt sich zwar noch $\Delta x = x_1 - x_0$ angeben, aber nicht mehr

$$\Delta N = N_1 - N_0.$$

Dagegen besitzt, wie im zweiten Abschnitt dieses Kapitels zu zeigen sein wird, *das Verhältnis zweier Grenznutzen* durchaus reale Bedeutung, und somit gilt das 2. Gossensche Gesetz und zwar in seiner modifizierten Form als

Gesetz vom Ausgleich der gewogenen Grenznutzen auch in der ordinalen Nutzentheorie. Ferner zieht der Übergang von der kardinalen zur ordinalen Nutzentheorie die folgenden Konsequenzen nach sich: Die Reihenfolge von Nutzengrößen, etwa unsere obige Ungleichung $N_1 < N_2 < N_3$, kann offenbar durch eine beliebige, monoton ansteigende Zahlenfolge wiedergegeben werden. Wenn es nicht auf den Abstand, sondern nur auf die Reihenfolge ankommt, so läßt sich die Ungleichung $N_1 < N_2 < N_3$ durch die Ungleichung $1 < 2 < 4$ oder durch $1 < 3 < 9$ oder $1 < 10 < 100$ ausdrücken. Aus einer Nutzenfunktion $N = N(x)$ läßt sich also durch eine sogenannte monotone Transformation eine *Nutzenindexfunktion* bilden, die dieselben Beziehungen, nämlich dieselbe Reihenfolge der Nutzenwerte, zeigt wie die Nutzenfunktion selbst[1]). Daraus folgt aber, daß es einer Nutzenfunktion „an sich" gar nicht bedarf, sondern daß man stets mit Nutzenindexfunktionen arbeiten kann. Man kann sich sogar jede Nutzenfunktion als aus einer monotonen Transformation entstanden denken, sie also selbst als Nutzenindexfunktion interpretieren.

Verdeutlichen wir uns diese etwas komplizierten Zusammenhänge anhand eines Beispiels. Es sei $N = N(x)$ eine ordinale Nutzenfunktion, die die Abhängigkeit des Nutzens von der zur Verfügung stehenden Menge x eines Gutes X angebe. Da die Funktion als ordinal bezeichnet wurde, sind nur Aussagen der folgenden Art möglich: Der Nutzen der Gütermenge $x = 2$ ist größer als der Nutzen der Gütermenge $x = 1$, der Nutzen der Menge $x = 3$ größer als der der Menge $x = 2$ usf. Es gilt also die Ungleichung

$$\begin{array}{lccccccccc} & N_1 & < & N_2 & < & N_3 & < & N_4 & < & N_5 \\ \text{für } x = & 1, & & 2, & & 3, & & 4, & & 5\,. \end{array}$$

Dabei soll der Index bei den Nutzengrößen allein deren Zuordnung zu den einzelnen Mengen andeuten.

Unterstellen wir jetzt für einen Augenblick, es existiere eine Nutzenfunktion „an sich", die durch die Gleichung $N = x^2$ repräsentiert werde[2]). Man erhielte dann für die Nutzengrößen die folgenden Werte

$$1 < 4 < 9 < 16 < 25\,,$$

die der obigen Ungleichung genügen und außerdem eine kardinale Nutzenmessung erlauben: Die Nutzenabstände betragen 3, 5, 7, 9. Nehmen wir jetzt eine monotone Transformation der ursprünglichen Nutzenfunktion „an sich" vor, ersetzen sie also durch eine Funktion, die für sukzessive Werte

[1]) Eine Funktion $\varphi(x)$ ist eine monotone Transformation der Funktion $f(x)$, wenn stets gilt: $\varphi(x_1) > \varphi(x_0)$, wenn $f(x_1) > f(x_0)$.

[2]) Es läge von der Natur der Sache her näher, mit einer degressiv steigenden Funktion, also z. B. $N = x^{\frac{1}{2}}$ zu arbeiten. Nur zur Vereinfachung wurde die progressiv ansteigende Funktion im Text gewählt.

von x dieselbe Reihenfolge der Nutzengrößen $N_1 < N_2 < N_3 < N_4 < N_5$ garantiert.

Wählt man z. B. die Nutzenindexfunktion $N^* = x^2 + 1$, so erhält man die folgenden Nutzengrößen bzw. Nutzenindizes:

$$2 < 5 < 10 < 17 < 26.$$

Die Reihenfolge hat sich demnach durch die monotone Transformation nicht geändert; noch immer ist der Nutzen von zwei Mengeneinheiten größer als der von einer Mengeneinheit, der von drei größer als der von zwei. Auch die absoluten Nutzendifferenzen stimmen noch mit früher überein, während die relativen Nutzendifferenzen schon von denen der ursprünglichen Funktion abweichen. Versuchen wir noch eine zweite monotone Transformation, indem wir etwa für die Nutzenindexfunktion $N^{**} = x^3$ ansetzen. Dann ergeben sich die Nutzenindizes

$$1 < 8 < 27 < 64 < 125.$$

Die Reihenfolge der Nutzenindizes ist wiederum die gleiche geblieben, während sich jetzt sowohl die absoluten als auch die relativen Nutzendifferenzen gegenüber früher geändert haben.

Jetzt bleibt nur noch ein letzter Schritt zu tun. Da wir die ursprüngliche Nutzenfunktion „an sich" $N = x^2$ durch monotone Transformationen in die Nutzenindexfunktionen $N^* = x^2 + 1$ und $N^{**} = x^3$ verwandeln konnten, kann die ursprüngliche Nutzenfunktion selbst als Nutzenindexfunktion aufgefaßt werden, die durch eine monotone Transformation aus einer anderen Funktion entstanden ist, z. B. aus $N^* = x$. Denn auch diese Funktion garantiert ja die zu Anfang geforderte Reihenfolge der Nutzengrößen, wie die folgende Ungleichung zeigt:

$$1 < 2 < 3 < 4 < 5.$$

Die Funktion $N^* = x$ kann aber ihrerseits wieder durch monotone Transformation aus einer anderen Funktion hervorgegangen sein, so daß es sich nicht ausmachen läßt, welche Funktionen Nutzenindexfunktionen sind und welches die „wahre" (kardinale) Nutzenfunktion ist. Jede Funktion könnte mit dem gleichen Recht für sich beanspruchen, die wahre Funktion zu sein, und jeder Funktion könnte man mit der gleichen Berechtigung diesen Anspruch bestreiten. Die Suche nach der wahren Nutzenfunktion ist deshalb müßig, und es muß als vernünftig und realistisch angesehen werden, wenn die Wirtschaftstheorie ordinale Natur des Nutzens unterstellt und nur mit Nutzenindexfunktionen arbeitet.

Nach diesen Vorarbeiten können wir den Inhalt der ordinalen Nutzentheorie durch die folgenden Sätze wiedergeben:

1. Ein Wirtschaftssubjekt bzw. ein Haushalt weiß für alle möglichen Alternativen A_1B_1; A_2B_2; ...; A_nB_n, ob es die Möglichkeit A_i der Möglichkeit B_i oder B_i der Möglichkeit A_i vorzieht oder ob es sich gegenüber A_i und B_i indifferent verhält. Bezeichnet man die Bevorzugung durch das Zeichen $\rangle$, die Indifferenz durch $\approx$, so kann dieser Satz auch wie folgt ausgedrückt werden: Ein Haushalt weiß für alle möglichen Alternativen A_1B_1; A_2B_2; ... ; A_nB_n, ob die Beziehung $A_i \rangle B_i$, $B_i \rangle A_i$ oder $A_i \approx B_i$ vorliegt.
2. Von den drei möglichen Beziehungen $A_i \rangle B_i$, $B_i \rangle A_i$, $A_i \approx B_i$ gilt für jede mögliche Alternative A_1B_1; A_2B_2; ...; A_nB_n eine und nur eine. Es ist also z.B. ausgeschlossen, daß gleichzeitig gilt: $A_i \rangle B_i$, $B_i \rangle A_i$ oder $A_i \rangle B_i$, $A_i \approx B_i$; es gilt entweder $A_i \rangle B_i$ oder $B_i \rangle A_i$ oder $A_i \approx B_i$.
3. Zieht ein Haushalt die Möglichkeit A der Möglichkeit B und diese wiederum C vor, so zieht der Haushalt auch A der Möglichkeit C vor. Wenn also $A \rangle B$ und $B \rangle C$, dann gilt auch $A \rangle C$. Durch diese Bedingung wird ausgedrückt, daß die Präferenzstruktur des Haushalts *konsistent* oder auch *transitiv* ist[1]).
4. Ein Haushalt wird aus einer Alternative A_iB_i stets die Möglichkeit auswählen, die den höheren Nutzenindex aufweist, d.h. $A_i \rangle B_i$, wenn

$$N(A_i) > N(B_i) .$$

Um diese vier Hauptsätze der ordinalen Nutzentheorie noch etwas zu erläutern, betrachten wir das folgende Beispiel. Es soll die Präferenzstruktur eines Haushalts in bezug auf zwei Güter untersucht werden, die (unvoll-

---

[1]) Intransitive Präferenzstrukturen können sich dann ergeben, wenn mehrere Personen über bestimmte Alternativen zu entscheiden haben (sog. „Arrow-Paradoxon"). Betrachten wir dazu das folgende Beispiel, in dem drei Personen die folgenden Präferenzstrukturen aufweisen:

	Präferenzordnung
Person 1	$A \rangle B$, $B \rangle C$, also $A \rangle C$
Person 2	$B \rangle C$, $C \rangle A$, also $B \rangle A$
Person 3	$C \rangle A$, $A \rangle B$, also $C \rangle B$.

Wird jetzt in einem ersten Wahlgang darüber abgestimmt, ob A besser ist als B, so stimmen zwei Personen (1, 3) für besser, die zweite für schlechter. Wird in einem zweiten Wahlgang darüber abgestimmt, ob B besser ist als C, so stimmen die ersten beiden Personen mit ja, die dritte dagegen mit nein. Aus dem Ergebnis dieser beiden Wahlgänge $A \rangle B$, $B \rangle C$ scheint hervorzugehen, daß auch A der Möglichkeit C vorgezogen wird. Aber der Schein trügt: Ein dritter Wahlgang, in dem darüber abgestimmt wird, ob A besser ist als C, führt zu nur einer Ja-Stimme (1. Person) bei zwei Nein-Stimmen (2. und 3. Person). Vgl. dazu K. J. ARROW, Social Choice and Individual Values, New York/London 1951.

kommen) substitutiv sind, z. B. Schokolade und Zigaretten. In einem Koordinatensystem werden auf der Abszisse die Zigaretten (in Packungen), auf der Ordinate die Schokolade (in Tafeln) aufgetragen (Abb. 12). Betrachten wir als erstes die zwei Alternativen P und Q, d. s. die Kombinationen 2 Z, 2 *Sch* und 4 Z, 4 *Sch*. Mit Sicherheit wird der Haushalt die durch den Punkt Q repräsentierte Mengenkombination 4 Z, 4 *Sch* der durch P repräsentierten Kombination 2 Z, 2 *Sch* vorziehen, da 4 Packungen Zigaretten + 4 Tafeln Schokolade sicher einen höheren Nutzen stiften als 2 Packungen Zigaretten + 2 Tafeln Schokolade. Es gilt also $Q \rangle P$, da $N(Q) > N(P)$ bzw. $N(4\ Z,\ 4\ Sch) > N(2\ Z,\ 2\ Sch)$. Q repräsentiert also einen höheren Nutzen- oder Ophelimitätsindex (PARETO) als P. Wenn die Beziehung $Q \rangle P$ gilt, so sind die Beziehungen $P \rangle Q$ und $Q \approx P$ ausgeschlossen (2. Hauptsatz). Würde der Haushalt vor die Wahl gestellt, entweder die durch P oder die durch Q repräsentierte Mengenkombination von Zigaretten und Schokolade als Geschenk zu erhalten, so würde der Haushalt mit Sicherheit Q wählen (4. Hauptsatz). Betrachten wir jetzt das Verhältnis der durch Q und R dargestellten Mengenkombinationen 4 Z, 4 *Sch* und 6 Z, 6 *Sch*. Für den Vergleich dieser beiden ,,Warenkörbe" gilt das für P und Q Ausgeführte analog, d. h. $R \rangle Q$, da $N(R) > N(Q)$ bzw. $N(6Z,\ 6\ Sch) > N(4Z,\ 4 Sch)$ und ferner: $R \rangle Q$ schließt $Q \rangle R$ und $Q \approx R$ aus. R repräsentiert einen höheren Nutzenindex als Q.

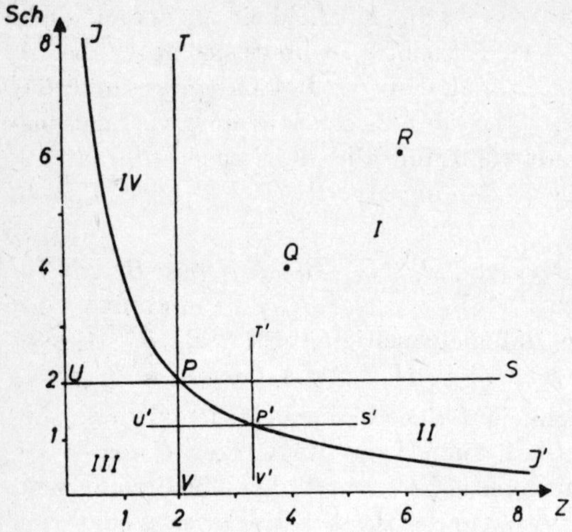

Abb. 12

Da nun der Warenkorb Q dem Warenkorb P und R wiederum Q vorgezogen wird, wird R auch P vorgezogen: Da $Q \rangle P$ und $R \rangle Q$, gilt auch $R \rangle P$ (3. Hauptsatz). Die Präferenzstruktur des Haushalts ist demnach konsistent (transitiv).

Man kann nun leicht sämtliche Warenkörbe herausfinden, die ebenso wie Q und R dem Warenkorb P vorgezogen werden. Das müssen offensichtlich alle diejenigen Warenkörbe sein, in denen entweder mehr Zigaretten oder mehr Schokolade oder schließlich mehr Zigaretten und mehr Schokolade als in dem Warenkorb P enthalten sind. Diese Kombinationen liegen auf der Geraden PS (ausschließlich mehr Zigaretten), auf der Geraden PT (ausschließlich mehr Schokolade) und in dem Gebiet zwischen PS und PT (mehr

Zigaretten und mehr Schokolade), also in dem Gebiet „nordöstlich" von P. Dieses Gebiet einschließlich seiner Begrenzungslinien PS und PT bezeichnen wir als das Gebiet I, so daß man auch sagen kann: $W_I \rangle P$, da $N(W_I) > N(P)$, wobei W_I alle Warenkörbe, alle Kombinationen von Zigaretten und Schokolade, bedeutet, die im Gebiet I liegen. Entsprechend lassen sich alle Warenkörbe ermitteln, die nach dem Urteil des Haushalts eindeutig schlechter sind als der durch den Punkt P dargestellte Warenkorb. Es sind dies alle Mengenkombinationen, die entweder weniger Zigaretten oder weniger Schokolade oder schließlich weniger Zigaretten und weniger Schokolade enthalten als die Kombination P. Diese schlechteren Kombinationen liegen auf der Geraden PU (ausschließlich weniger Zigaretten), auf der Geraden PV (ausschließlich weniger Schokolade) und in dem Gebiet zwischen PU und PV (weniger Zigaretten und weniger Schokolade), also in dem Gebiet südwestlich von P. Dieses Gebiet einschließlich seiner Begrenzungslinien PU und PV bezeichnen wir mit III, so daß gilt:

$$P \rangle W_{III}, \text{ da } N(P) > N(W_{III}).$$

Es bleiben noch die Felder II und IV übrig, in denen das eine Mal die Schokoladenmenge niedriger, die Zigarettenmenge aber höher ist als in P (Feld II), das andere Mal die Zigarettenmenge niedriger, dafür aber die Schokoladenmenge höher ist als in P (Feld IV). Mit Sicherheit müssen diejenigen Mengenkombinationen, denen gegenüber sich ein Haushalt indifferent verhält, in den Gebieten II und IV liegen, aber es wäre falsch anzunehmen, der Haushalt verhielte sich gegenüber allen Kombinationen in II und IV indifferent. Vielmehr läßt sich nachweisen, daß diejenigen Mengenkombinationen von Zigaretten und Schokolade, die im Urteil des Haushaltes gleichwertig sind, ausnahmslos auf einer monoton fallenden Kurve liegen müssen, die durch das Feld IV, den Punkt P und das Feld II verläuft. Betrachten wir zum Beweis den Punkt P' im Südosten von P, also eine Mengenkombination, die weniger Schokolade, aber mehr Zigaretten als die durch P dargestellte Mengenkombination enthält. Von dieser Kombination P' soll angenommen werden, der Haushalt sehe sie als P äquivalent an, eine Annahme, die deshalb zulässig ist, weil P' ja im Gebiet II liegt. In dem Punkt P' kann ein Achsenkreuz errichtet werden mit den Halbachsen $P'S'$, $P'T'$, $P'U'$ und $P'V'$. Durch dieses Achsenkreuz erhält man nach dem früheren Muster alle Warenkörbe, die nach dem Urteil des Haushalts besser, schlechter oder gleich dem durch P' repräsentierten Warenkorb sind. Die diesem Warenkorb gleichwertigen Warenkörbe liegen im Nordwesten und im Südosten von P'. Betrachtet man das kleine Feld im Nordwesten von P', das durch die Gerade PS nach oben, $P'T'$ nach rechts, $P'U'$ nach unten und PV nach links begrenzt wird, dessen linke obere Ecke also P ist, so erkennt man das Folgende: Sind P und P', wie ja angenommen wurde, zwei im Urteil des Haushalts gleichwertige *Versorgungslagen*, so können andere gleichwertige

Versorgungslagen zwischen P und P' nur südöstlich von P bzw. nordwestlich von P' liegen. Entsprechend können weitere P und P' gleichwertige Warenkörbe nur im Südosten von P', also unterhalb bzw. rechts der Halbachsen $P'S'$ und $P'V'$ bzw. im Nordwesten von P, also oberhalb bzw. links der Halbachsen PU bzw. PT liegen. Die Gesamtheit aller gleichwertigen Versorgungslagen, ein *Versorgungsniveau*, muß demnach auf einer monoton fallenden Kurve liegen, die man als *Indifferenzkurve* bezeichnet (II' in Abb. 12). Auf dieser Indifferenzkurve liegen demnach alle Warenkörbe, alle Mengenkombinationen der beiden Güter, denen gegenüber sich der Haushalt indifferent verhält. Über der Indifferenzkurve liegen alle Kombinationen, die der Haushalt höher, unter ihr alle Kombinationen, die er niedriger schätzt. Da jede Mengenkombination von Zigaretten und Schokolade auf irgendeiner Indifferenzkurve liegt, kann für jede Kombination W_i angegeben werden, ob sie einer anderen Kombination W_j über- oder unterlegen oder ihr gleichwertig ist (1. Hauptsatz). Damit wurde auch der 1. Hauptsatz der ordinalen Nutzentheorie bewiesen, und wir können uns im nächsten Abschnitt der Indifferenzkurvenanalyse ausführlich zuwenden.

§ 2. Das Nutzenmaximum des Haushalts

Wie oben dargelegt wurde, ließ sich die kardinale Nutzentheorie nicht aufrecht erhalten. An ihre Stelle trat die ordinale Nutzentheorie. Diese umfaßt gleichzeitig eine *Theorie der Wahlakte*, da untersucht wird, wie sich ein Individuum bzw. ein Haushalt angesichts der ihm offenstehenden Alternativen verhält. Die geometrische Technik, der man sich — wie auch wir dies im vorigen Abschnitt schon andeutungsweise taten — dabei bedient, nennt man die Indifferenzkurvenanalyse. Ihre Begründer sind EDGEWORTH und PARETO; die wichtigsten Ergebnisse verdanken wir dem russischen Nationalökonomen E. E. SLUTSKY sowie der Gemeinschaftsarbeit von J. R. HICKS und R. G. D. ALLEN[1]).

Stellen wir jetzt als erstes die Fragen, wie eine Indifferenzkurve zu definieren ist und welche Eigenschaften sie bzw. ein Indifferenzkurvensystem aufweist. *Die Indifferenzkurve ist der geometrische Ort aller Güterkombinationen (x, y), die im Urteil des Haushalts gleichwertig sind, also denselben Nutzen stiften.* Sie ist somit eine Kurve gleichen Nutzens: $N = N(x, y) =$ const.

---

[1]) E. E. SLUTSKY, Sulla teoria del bilancio del consumatore, Giornale degli Economisti, Bd. 51 (1915), S. 1—26, deutsche Übersetzung in: Preistheorie, hrsg. von ALFRED E. OTT, a. a. O., S. 87—116; J. R. HICKS, R. G. D. ALLEN, A Reconsideration of the Theory of Value, Economica, NS Bd. 1 (1934), Teil I, S. 52—76, Teil II, S. 196—219, deutsche Übersetzung in: Preistheorie, hrsg. von ALFRED E. OTT, a. a. O., S. 117—161.

Eine geometrische Darstellung ist für maximal drei Güter im dreidimensionalen (räumlichen) Koordinatensystem als Indifferenzfläche möglich; üblich ist die zweidimensionale Darstellung der Indifferenzkurve für zwei Güter. Analytisch können die entsprechenden Überlegungen natürlich für eine beliebig große Zahl von Gütern durchgeführt werden.

Um die möglichen Verläufe von Indifferenzkurven abzuleiten, ist es zunächst notwendig, verschiedene Arten von Konsumgütern zu unterscheiden:

1. Die Güter sind vollkommene Substitute, d.h. im Grunde identisch.
2. Die Güter sind unvollkommene Substitute.
3. Die Güter sind streng komplementär („limitational").

Im ersten Fall, bei vollkommenen Substituten, läßt sich eine Mengeneinheit des Gutes X jeweils durch genau eine Mengeneinheit des Gutes Y ersetzen. Das in der Literatur gelegentlich für vollkommene Substitute angeführte Beispiel – Butter gleicher Qualität aus einem Faß A und einem Faß B – zeigt, daß es sich hierbei eigentlich um identische Güter handelt. Die Indifferenzkurve für vollkommene Substitute stellt eine fallende Gerade – bei geeigneter Wahl des Maßstabs mit einem Steigungswinkel von 45° – dar (Abb. 13).

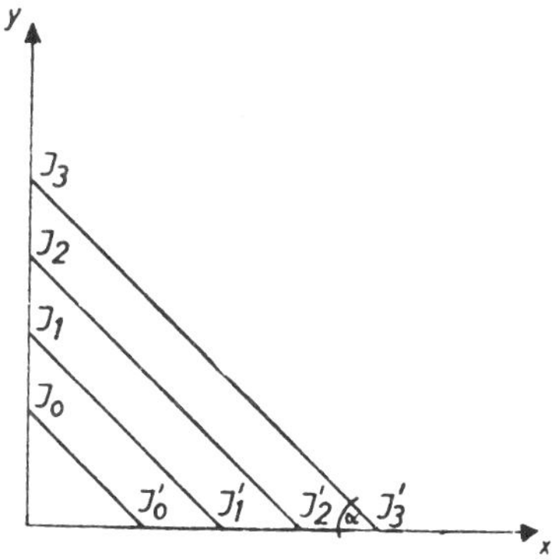

Abb. 13

Das Indifferenzkurvensystem besteht aus der Gesamtheit aller dieser Geraden; der Nutzenindex ist umso höher, je weiter die Indifferenzkurve vom Ursprung des Koordinatensystems entfernt liegt. Die Nutzenindizes besagen nur etwas über die Reihenfolge der Nutzen, nicht aber über den Nutzenabstand, so daß genauso gut etwa die Indizierung I_0, I_1, I_3, I_5 gewählt werden könnte.

Wenden wir uns als nächster Kategorie nicht den unvollkommenen Substituten, sondern den streng komplementären Konsumgütern zu. Um Nutzen zu stiften, müssen die beiden Konsumgüter in einem ganz bestimmten, konstanten Mengenverhältnis vorhanden sein; jedes der beiden Güter für sich ist also „nutzlos". So braucht man z.B. für eine Schreibtischlampe eine Glühbirne; die Lampe allein wie die Glühbirne allein stiften keinen Nutzen. Die Indifferenzkurve ist bei solch streng komplementären Konsumgütern ein rechtwinkliger Linienzug (Abb. 14). Die sogenannte effiziente Kombination liegt in der Ecke des Linienzuges; tg β gibt also das richtige Einsatzverhältnis, die richtige Kombination der beiden Konsumgüter an.

Es bleiben noch die unvollkommenen Substitute übrig, für die wir in dem vorigen Abschnitt schon Schokolade und Zigaretten als Beispiel angeführt hatten. Als weitere Beispiele können etwa Kartoffeln und Brot oder Fleisch und Fisch genannt werden. Für diese Kategorie von Gütern, die die Mehrzahl aller Güter umfassen dürfte, treffen wie für die vollkommenen Substitute unsere Überlegungen des vorigen Abschnitts zu, d.h. die Indifferenzkurve ist eine monoton fallende Kurve. Sie kann aber keine Gerade sein, sonst wären ja die Güter keine unvollkommenen, sondern vollkommene Substitute; ferner ist ein Verlauf der Indifferenzkurve wie bei den streng komplementären Gütern ausgeschlossen, so daß die Indifferenzkurve bei unvollkommenen Substituten zwischen der Indifferenzkurve bei vollkommen substitutiven und der bei streng komplementären Konsumgütern verlaufen muß. Das ergibt zwangsläufig einen zum Koordinatenursprung konvexen Verlauf der Indifferenzkurve bei unvollkommen substitutiven Gütern (Abb.15).

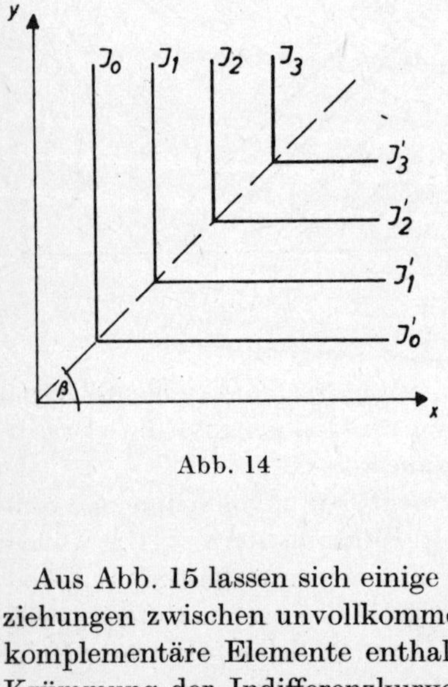

Abb. 14

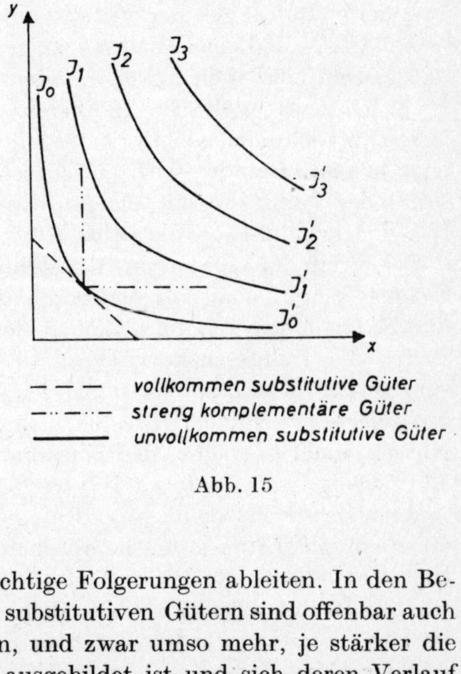

Abb. 15

Aus Abb. 15 lassen sich einige wichtige Folgerungen ableiten. In den Beziehungen zwischen unvollkommen substitutiven Gütern sind offenbar auch komplementäre Elemente enthalten, und zwar umso mehr, je stärker die Krümmung der Indifferenzkurven ausgebildet ist und sich deren Verlauf damit an die der Indifferenzkurven bei streng komplementären Gütern anschmiegt. Umgekehrt sind die substitutiven Elemente umso stärker ausgeprägt, je geringer die Kurvenkrümmung wird und je mehr sich die Indifferenzkurven damit denen bei vollkommener Substitutivität annähern. Komplementarität und Substitutivität sind demnach keine sich völlig ausschließenden Gegensätze.

Über die Eigenschaften von Indifferenzkurven sind die folgenden Aussagen möglich:

1. Indifferenzkurven sind negativ geneigt. Das gilt für die Indifferenzkurven bei vollkommen und unvollkommen substitutiven Gütern; bei streng komplementären Gütern gilt es, wenn man den rechtwinkligen Linienzug als Grenzfall einer negativ geneigten Kurve auffassen darf, was nach Abbildung 15 als zulässig erscheint.

2. Zwei Indifferenzkurven können sich niemals schneiden. Dies braucht für die Indifferenzkurven bei vollkommen substitutiven und streng komplementären Gütern nicht bewiesen zu werden; es folgt unmittelbar aus der Konstruktion dieser Kurven. Auch für die unvollkommen substitutiven Güter könnten wir auf einen Beweis dieses Satzes verzichten und uns auf die Argumentation berufen, die zu Ende des §1 dieses Kapitels vorgeführt wurde; zur Vertiefung soll jedoch ein weiterer, recht anschaulicher Beweis geboten werden. In Abbildung 16 wurden zwei Indifferenzkurven für unvollkommen substitutive Güter eingezeichnet, die sich entgegen unserer Behauptung 2 doch schneiden.

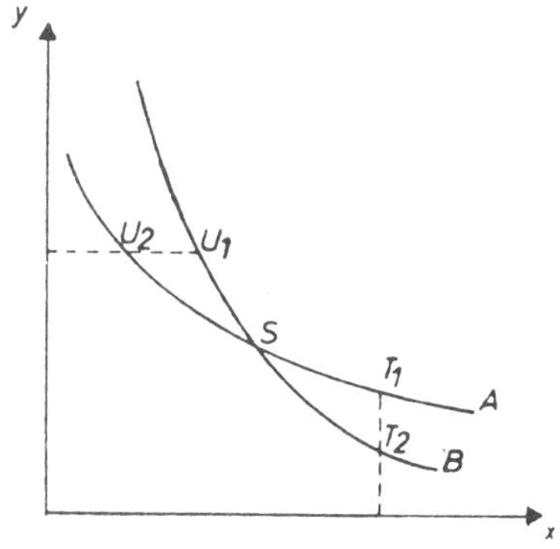

Abb. 16

Mit Hilfe dieses argumentum e contrario läßt sich jetzt leicht zeigen, daß die Abbildung 16 eine nicht mögliche Situation darstellt. Man kann nämlich sagen: Im Schnittpunkt S der beiden Indifferenzkurven würde ein und dieselbe Mengenkombination (x, y) zwei verschiedenen Versorgungsniveaus angehören, also zwei verschiedene Nutzenindizes repräsentieren, was offenbar nicht sein kann. Oder, um den Beweis noch auf eine andere Art zu erbringen: Bei der Betrachtung der Mengenkombinationen T_1 und T_2 müßte die durch T_1 laufende Indifferenzkurve A den höheren Nutzenindex aufweisen als die Kurve B, da die Mengenkombination T_1 bei gleicher Menge von X eine größere Menge von Y enthält als T_2. Bei Betrachtung der Mengenkombinationen U_1 und U_2 liegen die Dinge dagegen umgekehrt; da die Mengenkombination U_1 bei gleicher Menge von Y mehr von dem Gut X enthält als U_2, muß die durch U_1 gehende Indifferenzkurve den höheren Nutzenindex aufweisen. Das ist jetzt aber die Kurve B, die demnach links von dem Schnittpunkt S einen höheren und rechts von S einen niedrigeren Nutzenindex als die Kurve A besitzen müßte. Das ist aber mit der Definition der Indifferenzkurve selbst unvereinbar, womit bewiesen ist, daß zwei (gleichzeitig geltende) Indifferenzkurven sich nicht schneiden können.

Über die Eigenschaften eines ganzen Indifferenzkurvensystems ist schließlich die folgende Aussage möglich:

3. Indifferenzkurven weisen einen umso höheren Nutzenindex auf, repräsentieren also ein umso höheres Versorgungsniveau, je weiter sie vom Ursprung des Koordinatensystems entfernt liegen. Dies gilt für alle Typen von Indifferenzkurven. Der Beweis für diesen Satz findet sich schon am Ende des vorigen Abschnitts dieses Kapitels, so daß sich ein weiteres Eingehen auf diese Frage erübrigt.

Wenden wir uns jetzt den Indifferenzkurven bei unvollkommen substitutiven Gütern noch etwas genauer zu, da ja dieser Kurventyp bei den meisten Konsumgütern anzutreffen ist. Von besonderem Interesse ist die konvexe Krümmung dieser Indifferenzkurven (vom Koordinatenursprung aus gesehen), die wir bis jetzt mit der Lage dieser Kurven zwischen den Indifferenzkurven bei vollkommen substitutiven und bei streng komplementären Gütern begründet hatten, die aber auch auf andere Weise abgeleitet werden kann. Versetzen wir uns dazu in die Lage eines Individuums bzw. eines Haushaltes, der in der Ausgangssituation über einen relativ großen Vorrat des Gutes Y und einen relativ kleinen Vorrat des Gutes X verfügt. Der Haushalt befindet sich also zu Anfang in dem Punkte P_1 der Indifferenzkurve II' von Abbildung 17. Der Haushalt wird jetzt gebeten, das Gut Y durch das Gut X zu substituieren, wobei die Substitution sukzessiv erfolgen und jeweils eine Mengeneinheit des Gutes Y durch eine bestimmte Menge des Gutes X ersetzt werden soll. Die zu ersetzende Menge y beträgt also in jeder Runde eine Mengeneinheit, während die von dem Haushalt als Kompensation gewünschte Menge x zu bestimmen ist.

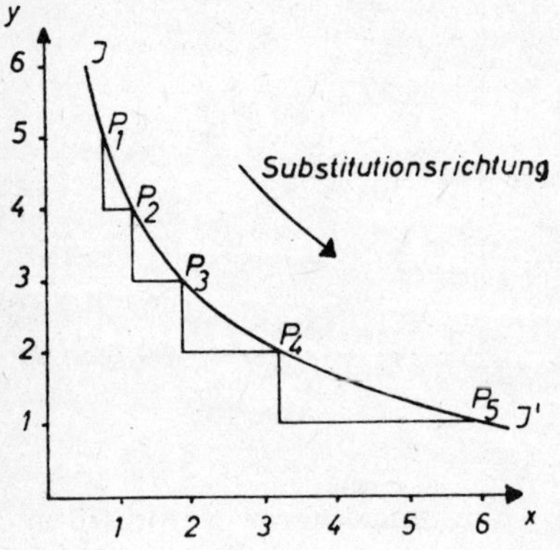

Abb. 17

Wenn der Haushalt, wie vorausgesetzt wurde, zu Anfang über einen relativ großen Vorrat des Gutes Y (5 Mengeneinheiten) und einen relativ kleinen Vorrat von X (1 Mengeneinheit) verfügt, so wird er sicher bereit sein, auf eine relativ große Menge von Y zu verzichten, um nur ein wenig mehr von X zu erhalten. Der Haushalt wird also bei der ersten Substitution, dem Schritt von P_1 nach P_2, eine Mengeneinheit Y gegen einen geringen Bruchteil einer Mengeneinheit von X eintauschen. Im Punkte P_2 hat sich die relative Seltenheit der beiden Güter schon etwas zuungunsten von Y und zugunsten von X verschoben, aber noch immer ist Y im Vergleich zu X relativ reichlich vorhanden. Der Haushalt wird deshalb noch immer bereit sein, relativ viel von Y aufzugeben, um nur etwas mehr von X zu erhalten. Bei der als konstant angenommenen Substitutionsmenge von Y (= 1 Mengeneinheit) wird die als Kompensation geforderte Menge von X bei der zweiten Substitution von P_2 nach P_3 aber größer sein als bei der ersten Substitution von P_1 nach P_2, da sich ja in P_2 gegenüber P_1 die relative Seltenheit zuungunsten von Y und zugunsten von X geändert hat. Eine entsprechende Argumentation gilt für eine dritte Runde, d.h. den Übergang von P_3 nach P_4, wie wohl nicht ausgeführt zu werden braucht. Betrachten wir die letzte noch in Abbildung 17 eingezeichnete Substitution, den Schritt von P_4 nach P_5. In P_4 haben sich die Bestände von Y und X, über die der Haushalt verfügt, mittlerweile so geändert, daß das Gut X reichlicher vorhanden ist als das Gut Y. Der Haushalt wird jetzt nur dann zu einer weiteren Substitution von Y durch X bereit sein, wenn die weitere Verminderung des relativ knapperen Bestandes durch eine kräftige Erhöhung des relativ reichlicheren Bestandes kompensiert wird, d.h. wenn er für die konstante (negative) Substitutionsmenge $\Delta y = 1$ Mengeneinheit Y eine relativ große Ersatzmenge Δx erhält. Betrachtet man alle Substitutionsvorgänge insgesamt, so bleibt die Substitutionsmenge von Y voraussetzungsgemäß stets gleich, während die Substitutionsmenge von X von P_1 bis P_5 laufend zunimmt. Das Verhältnis der beiden Substitutionsmengen $\Delta y/\Delta x$ nimmt somit (dem Betrag nach) bei fortgesetzter Substitution stets ab.

Diese Zusammenhänge lassen sich jetzt leicht in die exakte mathematische Sprache übertragen. Wir bezeichnen das negativ genommene Verhältnis der beiden Substitutionsmengen $-\Delta y/\Delta x$ bei einer Substitution von P_1 nach P_2 als die *Durchschnittsrate der Substitution* von y durch x. Diese Durchschnittsrate der Substitution wird gemessen durch den Steigungswinkel der durch P_1 und P_2 laufenden Substitutionssekante SS' (vgl. Abb. 18).

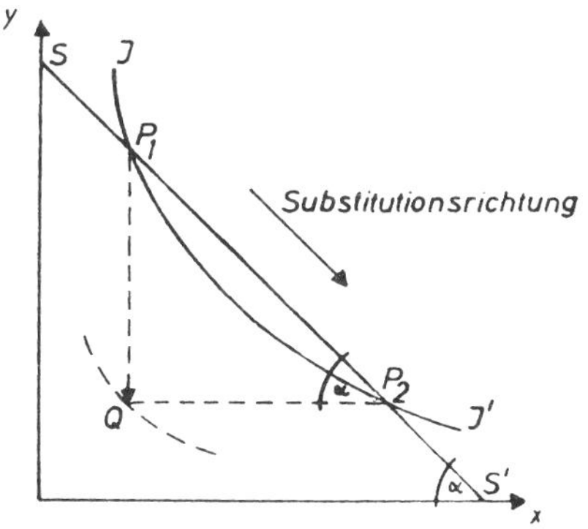

Abb. 18

Es ist also $\mathrm{tg}\,\alpha = -\Delta y/\Delta x =$ Durchschnittsrate der Substitution von y durch x. Mit Hilfe dieser Definition lassen sich die anhand der Abbildung 17 abgeleiteten Zusammenhänge wie folgt ausdrücken: *Bei fortgesetzter Substitution von y durch x nimmt die Durchschnittsrate der Substitution $-\Delta y/\Delta x$ laufend ab.* Man kann sich in Abbildung 17 die Substitutionssekanten von P_1 nach P_2, P_2 nach P_3 usf. eingezeichnet denken und erhielte vier verschiedene Winkel α_1 bis α_4, die immer kleiner werden, womit auch der jeweilige Tangens, die Durchschnittsrate der Substitution, stets kleiner wird. Dieses Gesetz von der abnehmenden Durchschnittsrate der Substitution gilt natürlich auch für die Substitution von x durch y, also bei umgekehrter Substitutionsrichtung; in diesem Fall ist als Durchschnittsrate der Substitution der Differenzenquotient $\Delta x/\Delta y$ zu wählen.

Die Abbildung 18 erlaubt noch eine weitere interessante Interpretation der Durchschnittsrate der Substitution und damit auch des Gesetzes von der abnehmenden Durchschnittsrate der Substitution. Der Übergang vom Punkte P_1 nach P_2 läßt sich in die zwei Schritte $\overrightarrow{P_1Q}$ und $\overrightarrow{QP_2}$ zerlegen, indem man zunächst bei dem ersten Schritt die Indifferenzkurve II' verläßt und auf eine niedrigere Indifferenzkurve gelangt (in Abb. 18 gestrichelt), während der zweite Schritt wieder auf die ursprüngliche Indifferenzkurve zurückführt. Bei dem ersten Schritt $\overrightarrow{P_1Q}$ sinkt also der Nutzen, wobei dieser Nutzenrückgang nicht quantifiziert werden kann, da Nutzendifferenzen wegen der zugrundegelegten ordinalen Natur des Nutzens nicht meßbar sind. Es steht aber zweifelsfrei fest, daß der Nutzenzuwachs bei dem zweiten Schritt $\overrightarrow{QP_2}$ genau so groß sein muß wie der Nutzenrückgang bei dem ersten Schritt $\overrightarrow{P_1Q}$, da man ja wieder auf die alte Kurve gleichen Nutzens, die ursprüngliche Indifferenzkurve zurückkommt. Da der Schritt $\overrightarrow{P_1Q}$ in einer Verminderung der Menge von Y bei konstanter Menge von X und der Schritt $\overrightarrow{QP_2}$ in einer Vergrößerung von x bei konstantem y besteht, kann die Bedingung, daß der Nutzen insgesamt, also bei beiden Schritten zusammen, unverändert bleibt, wie folgt gefaßt werden:

$$-\frac{\Delta N y}{\Delta y}\Delta y = \frac{\Delta N x}{\Delta x}\Delta x$$

bzw.

$$-\frac{\Delta y}{\Delta x} = \frac{\Delta N x/\Delta x}{\Delta N y/\Delta y}.$$

Nach der letzten Gleichung ist die *Durchschnittsrate der Substitution zwischen Y und X gleich dem reziproken Verhältnis der Grenznutzen der beiden Güter*, die wie die Durchschnittsrate der Substitution als Differenzenquotienten ausgedrückt wurden. Es erscheint hier also das Verhältnis zweier Grenznutzen, dem, wie schon erwähnt wurde, auch in der ordinalen Nutzentheorie eine reale Bedeutung zugestanden wird. Dieses Verhältnis der beiden Grenznutzen kann indirekt über die Durchschnittsrate der Substitution $-\Delta y/\Delta x$ gemessen werden; der isolierte Grenznutzen eines Gutes ist dagegen nicht meßbar und für die Theorie bedeutungslos.

Im Lichte dieser Beziehung zwischen der Durchschnittsrate der Substitution und dem Grenznutzenverhältnis erscheint das Gesetz von der abnehmenden Durchschnittsrate der Substitution jetzt als höchst plausibel: Ist das Gut Y reichlich und das Gut X spärlich vorhanden wie in der Ausgangssituation von Abbildung 17, so weist das Gut X im Vergleich zu Y einen hohen Grenznutzen auf, das Grenznutzenverhältnis von X und Y ist hoch, und die Durchschnittsrate der Substitution von Y durch X ist ebenfalls hoch. Ist umgekehrt das Gut X reichlich und das Gut Y spärlich vorhanden wie im Punkte P_4 der Abbildung 17, so weist das Gut X im Vergleich zu Y einen niedrigeren Grenznutzen auf, das Grenznutzenverhältnis von X zu Y ist niedrig und die Durchschnittsrate der Substitution von Y durch X damit ebenfalls. Die konvexe Krümmung der Indifferenzkurven bei unvollkommen substitutiven Gütern läßt sich demnach auch damit erklären, daß man eine vernünftige, plausible Einstellung der Haushalte bei der Bewertung von Warenkörben unterschiedlicher Zusammensetzung annimmt: Ist ein Gut im Vergleich zu einem anderen reichlich vorhanden, so bewirkt der Überfluß an dem einen seine niedrige Bewertung, der Mangel an dem anderen seine hohe Bewertung. Dieser Zusammenhang, d.h. das Gesetz von der abnehmenden Rate der Substitution, ist in der ordinalen Nutzentheorie an die Stelle des 1. Gossenschen Gesetzes getreten.

Die im Voranstehenden dargelegten Zusammenhänge und Beziehungen können jetzt in eine elegantere Form gebracht werden, indem man anstelle von Differenzen- mit Differentialquotienten arbeitet, also den Grenzübergang vollzieht. Läßt man die beiden Punkte P_1 und P_2 von Abbildung 18 immer näher zusammenrücken, bis sie schließlich in einem Punkte P zusammenfallen, so wird aus der Substitutionssekante die *Substitutionstangente* TT' und aus der Durchschnittsrate der Substitution die *Grenzrate* der Substitution (Abb. 19).

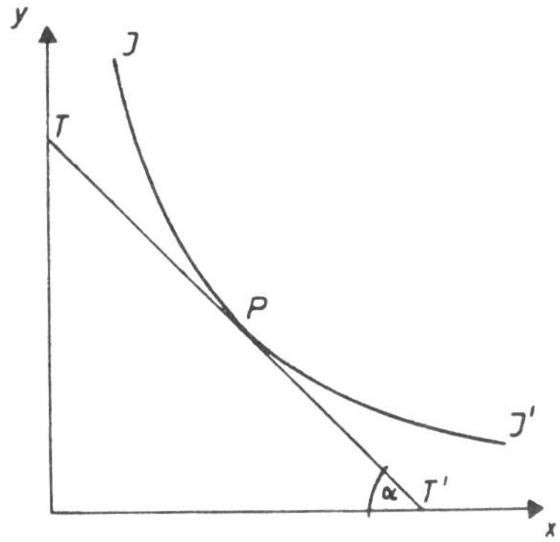

Abb. 19

Die Grenzrate der Substitution von y durch x wird dann mit $R_x^y = -dy/dx$ bezeichnet und ist nichts anderes als die negativ genommene Steigung der Indifferenzkurve in einem bestimmten Punkt, in der Abbildung 19 im Punkte P. Es ist also $R_x^y = -dy/dx = \operatorname{tg} \alpha$. Der Zusammenhang zwischen der Grenzrate der Substitution und dem Grenznutzenverhältnis kann wie folgt festgestellt werden. Die Indifferenzkurve ist per definitionem eine Kurve gleichen Nutzens, bzw. des gleichen Nutzenindexes, gemäß der Gleichung

$$N = N(x,y) = \text{const.}$$

Das totale Differential, d.h. die Nutzenänderung bei gleichzeitiger Veränderung von x und y entlang einer Indifferenzkurve, ist damit gleich Null, also

$$dN = \frac{\partial N(x,y)}{\partial x} dx + \frac{\partial N(x,y)}{\partial y} dy = 0\,,$$

bzw. wenn man für die partiellen Differentialquotienten $\partial N/\partial x$ oder $N'x$ und $\partial N/\partial y$ oder $N'y$ schreibt und umstellt:

$$-\frac{dy}{dx} = \frac{\partial N/\partial x}{\partial N/\partial y} \quad \text{oder} \quad -\frac{dy}{dx} = \frac{N'x}{N'y}.$$

Die Grenzrate der Substitution zwischen y und x ist gleich dem reziproken Verhältnis der Grenznutzen der beiden Güter. Und das *Gesetz der abnehmenden Grenzrate* der Substitution lautet dann: *Bei fortgesetzter Substitution von y durch x nimmt die Grenzrate der Substitution* $-dy/dx$ *laufend ab.* D.h. aber auch: Bei fortgesetzter Substitution von y durch x nimmt die Steigung einer Indifferenzkurve, gemessen als $\operatorname{tg} \alpha = -dy/dx$, laufend ab.

Wir wissen jetzt über die Bedürfnisstruktur eines Haushalts genug, um unser Problem, die Nutzenmaximierung eines Haushalts bei gegebenem Einkommen, gegebenen Konsumgüterpreisen und gegebener Bedürfnisstruktur, lösen zu können. Der Haushalt beziehe in der betrachteten Periode ein Einkommen E, von dem er einen bestimmten Bruchteil c konsumiert und einen bestimmten Bruchteil s spart. Es gilt also

$$E = C + S$$

und

$$C = cE; \quad S = sE.$$

Man nennt c die *durchschnittliche Konsum-* und s die *durchschnittliche Sparquote.* Der dem Konsum gewidmete Teil des Einkommens werde für die Güter X und Y ausgegeben, muß also den Ausgaben für das Gut X und für das Gut Y gleich sein:

$$C = cE = p_x x + p_y y.$$

Diese Gleichung nennt man die *Bilanz- oder Budgetgleichung* des Haushalts. Da der Haushalt einerseits über ein gegebenes Einkommen verfügt und die durchschnittliche Konsumquote konstant hält, andererseits der Haushalt die Güterpreise p_x und p_y als Daten ansieht, stellt die Bilanzgleichung eine Gleichung in den Unbekannten x und y dar. Nach y aufgelöst lautet die Bilanzgleichung:

$$y = -\frac{p_x}{p_y} x + \frac{cE}{p_y}$$

oder, wenn wir der Einfachheit halber eine durchschnittliche Konsumquote von eins (also eine durchschnittliche Sparquote von Null) unterstellen:

$$y = -\frac{p_x}{p_y} x + \frac{E}{p_y}.$$

Die Bilanzgleichung ist demnach eine lineare Gleichung mit der Steigung $dy/dx = -p_x/p_y$ und der additiven Konstanten E/p_y. Oder ökonomisch interpretiert: Die Bilanzgleichung besitzt eine Steigung, die dem negativen Preisverhältnis gleich ist; ihre additive Konstante E/p_y zeigt die Menge des

Gutes Y an, die der Haushalt kaufen könnte, wenn er nur y und kein x kaufen würde. Entsprechend zeigt der Abszissenabschnitt die Menge von x an, die der Haushalt kaufen könnte, wenn er nur x und kein y kaufen würde. (Der letzte Satz wird einsichtig, wenn man in der obigen Gleichung $y = 0$ setzt oder die Bilanzgleichung als Abschnittsgleichung schreibt: $\frac{x}{E/p_x} + \frac{y}{E/p_y} = 1$.) Die Zusammenhänge werden durch die Abbildung 20 verdeutlicht.

Die Bilanzgerade ist demnach der geometrische Ort aller Güterkombinationen (x, y), die ein Haushalt bei gegebenem Einkommen E und gegebenen Güterpreisen p_x und p_y maximal kaufen kann.

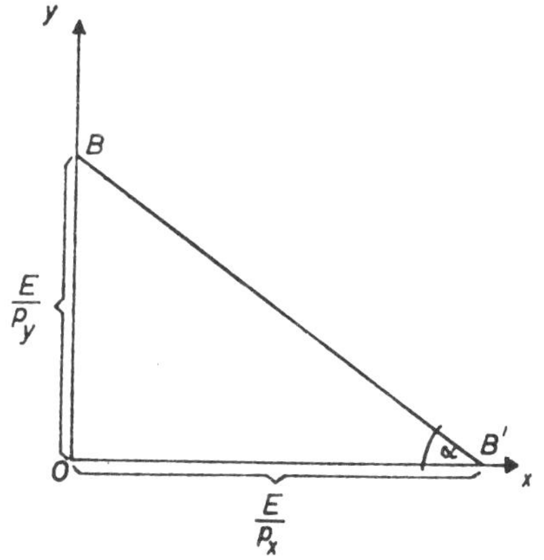

Abb. 20

Wenn der Haushalt nur y kauft, so erhält er die Menge $OB = E/p_y$, wenn er nur x kauft, die Menge $OB' = E/p_x$[1]). Alle (maximal) möglichen Mengenkombinationen liegen auf der Bilanzgeraden zwischen B und B'. Da die Steigung der Bilanzgeraden gleich dem negativen Preisverhältnis ist ($dy/dx = - p_x/p_y$), verläuft die Bilanzgerade umso flacher, je teurer das Gut Y im Vergleich zu X ist, umso steiler, je teurer das Gut X im Vergleich zu Y ist.

Damit haben wir alle analytischen Werkzeuge beisammen, die für die Ableitung des Nutzenmaximums eines Haushalts erforderlich sind. Die Bedürfnisstruktur des Haushalts wird durch ein System von Indifferenzkurven wiedergegeben; die beiden anderen Determinanten der Haushaltsnachfrage – Einkommen und Konsumgüterpreise – kommen in der Bilanzgleichung bzw. Bilanzgeraden zum Ausdruck. Man hat demnach ein Indifferenzkurvensystem mit einer Bilanzgeraden zu kombinieren, wie es die Abbildung 21 zeigt.

Wie aus der Abbildung 21 ohne weiteres hervorgeht, kann der Haushalt bestimmte Versorgungslagen mit seinem Einkommen und bei den gegebenen Preisen überhaupt nicht erreichen, nämlich $I_3I'_3$ und $I_4I'_4$. Ferner ist leicht einzusehen, daß die Schnittpunkte S_1 und S_1^* der Bilanzgeraden BB' mit der Indifferenzkurve $I_1I'_1$ für die nutzenmaximale Position nicht in Frage kom-

[1]) Will man die Steigung der Bilanzgeraden durch das Verhältnis des Ordinatenabschnitts E/p_y zum Abszissenabschnitt E/p_x messen, so darf man nicht vergessen, daß die Steigung einer Kurve korrekt durch den Tangens des Winkels gemessen wird, den die Kurve mit der Abszisse in positiver Richtung bildet, also in unserem Falle durch *tg* (180°-α). Nun gilt tg (180°-α) = – tg α, $= - \frac{E/p_y}{E/p_x} = - \frac{p_x}{p_y}$.

men, denn offenbar stellt sich der Haushalt am besten, wenn er mit seinem gegebenen Einkommen (und bei den gegebenen Preisen) die höchste Versorgungslage, d.h. die Indifferenzkurve mit dem höchsten Nutzenindex erreicht. Das ist in Abbildung 21 die Indifferenzkurve $I_2 I'_2$, die im Punkte P von der Bilanzgeraden BB' tangiert wird. Halten wir diese Aussage noch einmal fest: *Das Nutzenmaximum eines Haushalts liegt dort, wo die gegebene Bilanzgerade eine Indifferenzkurve tangiert; dann wird mit dem gegebenen Einkommen bei den gegebenen Preisen das höchste Versorgungsniveau erreicht.*

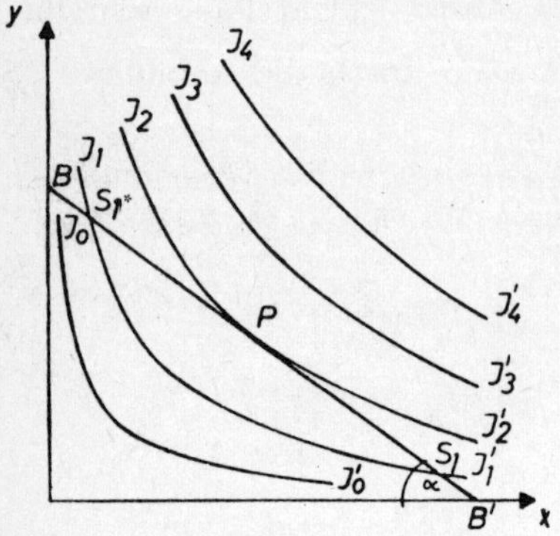

Abb. 21

Die Bedingung für das Nutzenmaximum des Haushalts kann jetzt auch wie folgt angegeben werden. Die Bilanzgerade BB' in Abbildung 21 besitzt die Steigung

$$\operatorname{tg} \alpha = -\frac{d\,y}{d\,x} = \frac{p_x}{p_y}.$$

Da die Bilanzgerade die Indifferenzkurve $I_2 I'_2$ in P tangiert, ist sie gleichzeitig Substitutionstangente und besitzt als solche die Steigung

$$\operatorname{tg} \alpha = -\frac{d\,y}{d\,x} = \frac{N'\,x}{N'\,y}.$$

Daraus ergibt sich als Bedingung für das Nutzenmaximum des Haushalts[1]):

$$\frac{p_x}{p_y} = \frac{N'\,x}{N'\,y} \quad \text{oder} \quad \frac{N'\,x}{p_x} = \frac{N'\,y}{p_y}.$$

Der Haushalt befindet sich in einer nutzenmaximalen Position, wenn sich die Grenznutzen der gekauften Güter wie ihre Preise verhalten bzw. wenn der Grenznutzen des Geldes bei allen Arten der Einkommensverwendung gleich ist. Wir stoßen damit auf nichts anderes als das 2. Gossensche Gesetz, das in dieser modifizierten Form — Gesetz vom Ausgleich der *gewogenen* Grenznutzen — die Bedingung für die Nutzenmaximierung des Haushalts bei ordinaler Natur des Nutzens angibt.

Um den Charakter dieses Maximierungsproblems noch schärfer hervortreten zu lassen, empfiehlt es sich, die exakte analytische Ableitung hinzuzuziehen. Es handelt sich nämlich bei der Nutzenmaximierung des Haushalts

---

[1]) Hierbei handelt es sich um die notwendige Bedingung. Auf die Ableitung der hinreichenden Bedingung wird hier verzichtet. Sie ist jedoch bei zum Ursprung konvexen Indifferenzkurven offensichtlich erfüllt.

um ein Maximierungsproblem unter einer Nebenbedingung; die Nutzenfunktion (bzw. genauer Nutzenindexfunktion)

$$N = N(x, y)$$

ist unter der Nebenbedingung

$$E = p_x x + p_y y$$

zu maximieren, d.h. unter der Bedingung, daß die Ausgaben für die beiden Güter X und Y gleich dem Einkommen sein müssen. Man bildet die Lagrange-Funktion

$$N^* = N(x, y) - \lambda (E - p_x x - p_y y),$$

die zu maximieren ist. Die ersten partiellen Ableitungen nach x, y und λ müssen gleich Null sein:

$$\frac{\partial N^*}{\partial x} = N'x + \lambda p_x = 0,$$

$$\frac{\partial N^*}{\partial y} = N'y + \lambda p_y = 0,$$

$$\frac{\partial N^*}{\partial \lambda} = -E + p_x x + p_y y = 0.$$

Löst man die ersten beiden Ableitungen nach λ auf und setzt sie dann gleich, so ergibt sich als notwendige Bedingung für die Nutzenmaximierung des Haushalts dieselbe Bedingung wie oben, nämlich $p_x/p_y = N'x/N'y$ bzw. $N'x/p_x = N'y/p_y$[1]). Der Haushalt verwirklicht also sein Nutzenmaximum, indem er die Güter in den Proportionen einkauft, daß der Nutzen der letzten Geldeinheit bei jeder Art der Einkommensverwendung gleich ist.

Die Ergänzung dieser Analysen soll ein numerisches Beispiel bilden, dem die folgenden Annahmen zugrundegelegt werden. Die Bedürfnisstruktur des Haushalts werde durch das folgende Indifferenzkurvensystem, durch die folgende Nutzenindexfunktion wiedergegeben:

$$N = \frac{x y}{1 + x}.$$

Nach diesem Ansatz sind die einzelnen Indifferenzkurven Hyperbeln (vgl. Abb. 22); so lautet z.B. die Hyperbel für den Nutzenindex $N = 5$:

$$5 = \frac{x y}{1 + x} \quad \text{bzw.} \quad y = \frac{5}{x} + 5.$$

Das Einkommen des Haushalts betrage 100 Geldeinheiten, die Preise der Konsumgüter seien mit $p_x = p_y = 10$ als gleich angenommen, so daß die

[1]) Auf die Ableitung der hinreichenden Bedingung wird wiederum verzichtet.

Bilanzgleichung

$$100 = 10x + 10y$$

lautet. Für die zu maximierende Lagrange-Funktion ergibt sich aus diesen Angaben:

$$N^* = \frac{xy}{1+x} - \lambda\,(100 - 10\,x - 10\,y)\,.$$

Die ersten, gleich Null gesetzten, partiellen Ableitungen sind:

$$\frac{\partial N^*}{\partial x} = \frac{y}{(1+x)^2} + 10\,\lambda = 0\,,$$

$$\frac{\partial N^*}{\partial y} = \frac{x}{1+x} + 10\,\lambda = 0\,,$$

$$\frac{\partial N^*}{\partial \lambda} = -\,100 + 10\,x + 10\,y = 0\,.$$

Aus den ersten beiden Ableitungen gewinnt man die folgende Beziehung zwischen x und y:

$$y = x + x^2\,,$$

die in die Bilanzgleichung eingesetzt wird:

$$100 = 10x + 10(x + x^2).$$

Die sich ergebende quadratische Gleichung für x

$$x^2 + 2x - 10 = 0$$

besitzt die beiden Wurzeln $x_1 = +\,2{,}32$, $x_2 = -\,4{,}32$, von denen die positive zu wählen ist, da der Haushalt ja keine negativen x-Mengen einkaufen kann[1]). Die Einkaufsmenge von y erhält man durch Einsetzen von $x_1 = 2{,}32$ in die Gleichung $y = x + x^2$ mit $y = 7{,}68$. Der Haushalt kauft also 2,32 Mengeneinheiten des Gutes X und 7,68 Mengeneinheiten des Gutes Y jeweils zum Preise von 10 ein; seine Gesamtausgabe für beide Güter ist somit gleich seinem Einkommen.

Setzt man die gefundenen Mengen $x = 2{,}32$ und $y = 7{,}68$ in die Nutzenindexfunktion $N = \frac{xy}{1+x}$ ein, so ergibt sich daraus die Indifferenzkurve, die der Haushalt erreicht, nämlich

$$5{,}36 = \frac{xy}{1+x} \quad \text{bzw.} \quad y = \frac{5{,}36}{x} + 5{,}36\,.$$

Der Haushalt erreicht demnach den Nutzenindex 5,36.

---

[1]) Kleinere Abweichungen in dem Zahlenbeispiel erklären sich aus Auf- und Abrundungen.

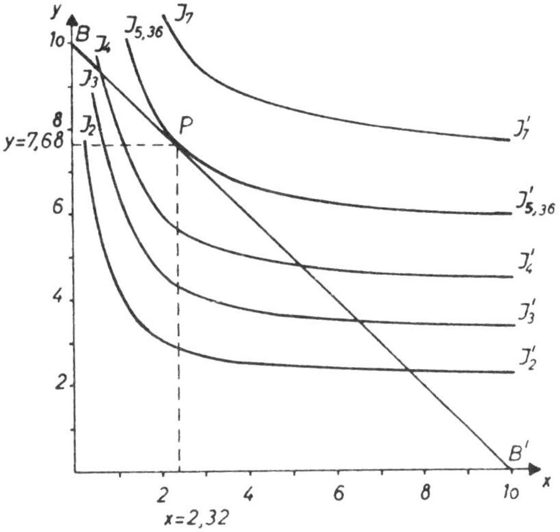

Abb. 22

Es bleibt noch übrig, die Steigung der Bilanzgeraden und der relevanten Indifferenzkurve abzuleiten und in dem relevanten Punkt P (mit $x = 2{,}32$, $y = 7{,}68$) miteinander zu vergleichen. Die Bilanzgerade besitzt die Steigung

$$\frac{dy}{dx} = -\frac{p_x}{p_y} = -1$$

an allen Punkten. Die relevante Indifferenzkurve besitzt allgemein die Steigung

$$\frac{dy}{dx} = -\frac{N'x}{N'y} = -\frac{5{,}36}{x^2}.$$

Setzt man in diesen Ausdruck für x die Menge $x_1 = 2{,}32$ ein, so ergibt sich für den Tangentialpunkt P eine Steigung der Indifferenzkurve von $dy/dx = -1$, d.h. die Steigung der Bilanzgeraden und der Indifferenzkurve sind im Punkt P gleich. Der Haushalt hat demnach mit den Einkaufsmengen $x = 2{,}32$ und $y = 7{,}68$ die für das Nutzenmaximum notwendige Bedingung erfüllt.

Stellen wir zum Schluß noch die Frage, ob die vorgetragene Theorie der Nutzenmaximierung auch bei mehr als zwei Gütern gilt. Diese Frage ist zu bejahen; auch bei n Konsumgütern lautet die Bedingung für die Nutzenmaximierung des Haushalts, daß der Grenznutzen des Geldes bei allen Arten der Einkommensverwendung gleich sein muß. Die Analyse kann demnach ohne weiteres auf mehr als zwei Güter ausgedehnt werden.

§ 3. Die Wirkungen von Einkommens- und Preisänderungen

Im folgenden ist es unsere Aufgabe, die Wirkungen von Einkommens- und Preisänderungen auf die Situation des Haushalts zu analysieren. Speziell für die Preistheorie ist die Frage von Bedeutung, wie ein Haushalt auf Preisänderungen eines Gutes bei Konstanz der übrigen Güterpreise und konstantem Einkommen reagiert. Die Untersuchung dieser Frage führt zur Ableitung der individuellen Nachfragefunktion des Haushalts nach dem betreffenden Gut. Bei all diesen Überlegungen wird eine konstante Bedürfnisstruktur des Haushalts unterstellt.

Wir beginnen mit einer Analyse der Veränderungen, die die Bilanzgerade unter dem Einfluß von Einkommens- und Preisänderungen erfährt. Dabei kann grundsätzlich zwischen den folgenden sechs elementaren Fällen unterschieden werden, aus denen sich alle anderen komplexen Fälle durch Kombination gewinnen lassen:

1a) Steigt das Einkommen bei konstanten Güterpreisen oder sinken die Güterpreise pari passu bei konstantem Einkommen, so verschiebt sich die Bilanzgerade parallel nach rechts oben.

1b) Sinkt das Einkommen bei konstanten Güterpreisen oder steigen die Güterpreise pari passu bei konstantem Einkommen, so verschiebt sich die Bilanzgerade parallel nach links unten.

2a) Sinkt p_x bei konstantem p_y und konstantem Einkommen, so dreht sich die Bilanzgerade entgegen dem Uhrzeigersinn bei unverändertem Ordinatenabschnitt E/p_y.

2b) Steigt p_x bei konstantem p_y und konstantem Einkommen, so dreht sich die Bilanzgerade im Uhrzeigersinn bei unverändertem Ordinatenabschnitt E/p_y.

3a) Sinkt p_y bei konstantem p_x und konstantem Einkommen, so dreht sich die Bilanzgerade im Uhrzeigersinn bei unverändertem Abszissenabschnitt E/p_x.

3b) Steigt p_y bei konstantem p_x und konstantem Einkommen, so dreht sich die Bilanzgerade entgegen dem Uhrzeigersinn bei unverändertem Abszissenabschnitt E/p_x.

Alle Kombinationen von Einkommens- und Preisänderungen und alle nicht-pari-passu-Veränderungen beider Güterpreise lassen sich aus diesen sechs elementaren Möglichkeiten ableiten.

Wenden wir uns jetzt den Auswirkungen zu, die sich von einer Erhöhung (bzw. Senkung) des Haushaltseinkommens bei konstanten Güterpreisen oder einer pari-passu-Senkung (bzw. Erhöhung) der beiden Güterpreise bei konstantem Einkommen auf die Situation des Haushalts ergeben. Für jede Einkommenshöhe bzw. jedes Niveau der beiden Güterpreise existiert eine nutzenmaximale Position des Haushalts, in der das Gesetz vom Ausgleich der gewogenen Grenznutzen erfüllt ist. Im Regelfall steigt bei einer Einkommenserhöhung und konstanten Preisen bzw. pari-passu sinkenden Preisen und konstantem Einkommen die Nachfrage nach beiden Gütern, so daß man die in Abbildung 23 dargestellte Situation erhält.

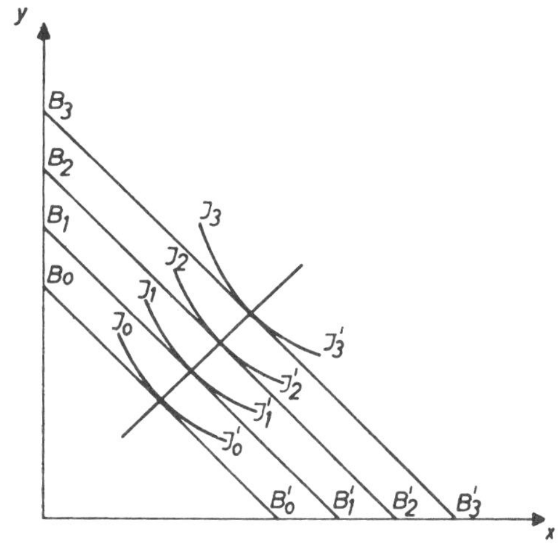

Abb. 23

Diesen Sachverhalt kann man auch wie folgt ausdrücken: Im Regelfall ist der Einkommenseffekt einer Einkommenserhöhung in bezug auf beide Güter positiv, im Falle einer Einkommenssenkung negativ. Verbindet man die Tangentialpunkte der Bilanzgeraden mit den Indifferenzkurven, d.h. verbindet man die nutzenmaximalen Positionen des Haushalts, so erhält man die sog. *Engelsche Kurve*, benannt nach dem preußischen Statistiker E. ENGEL (1821–1896), der sich als einer der ersten Statistiker mit Konsumstatistiken befaßte[1]). Diese Engelsche Kurve ist im Regelfall eine monoton ansteigende Kurve (nicht notwendigerweise eine Gerade). Das bedeutet, daß im Regelfall mit steigendem Einkommen die Nachfrage nach beiden Gütern oder verallgemeinert nach allen Gütern steigt.

Der Ausnahmefall stellt sich dann ein, wenn eines der betrachteten Güter ein sogenanntes *inferiores* Gut ist. Als Standardbeispiel dient üblicherweise Margarine, die gegenüber Butter inferior ist; man könnte ferner daran denken, das Mensaessen gegenüber einem Restaurantessen als inferior zu bezeichnen. Bei solchen inferioren Gütern pflegt die Nachfrage nach dem inferioren Gut mit steigendem Einkommen zunächst ebenfalls zu steigen, um dann aber ab einem kritischen Einkommen bei weiterer Einkommenssteigerung zu fallen. Die Engelsche Kurve biegt sich in diesem Fall ab einem bestimmten Einkommen zurück, und zwar zu der Koordinatenachse, auf der das superiore Gut aufgetragen wurde (Abb. 24).

In Abbildung 24 ist X ein gegenüber Y inferiores Gut. Mit steigendem Einkommen nimmt die Nachfrage nach X zunächst zu, und zwar bis zu dem

[1]) E. ENGEL, Die Produktions- und Konsumtionsverhältnisse des Königreichs Sachsen, Zeitschrift des Statistischen Bureaus des königlich-sächsischen Ministeriums des Innern, Dresden 1857; wiederabgedruckt in: E. ENGEL, Die Lebenskosten belgischer Arbeiter früher und jetzt, Dresden 1895.

durch die Bilanzgerade $B_4\,B_4'$ wiedergegebenen Einkommen, um dann absolut zu fallen. Der Einkommenseffekt einer Einkommenserhöhung ist demnach in bezug auf ein inferiores Gut ab einem bestimmten Einkommen negativ, der Effekt einer Einkommenssenkung bis zu eben diesem Einkommen positiv. In bezug auf das superiore Gut ist der Einkommenseffekt normal, d. h. bei einer Einkommenserhöhung positiv und bei einer Senkung negativ. Dabei ist aber das Folgende zu beachten: Ab dem kritischen Einkommen, nach dem der absolute Nachfragerückgang nach dem inferioren Gut einsetzt, ist der Einkommenseffekt in bezug auf das superiore Gut unverhältnismäßig stark, denn das superiore Gut muß ja jetzt nicht nur den Effekt der Einkommenssteigerung allein auffangen, sondern auch die freiwerdende Kaufkraft, die aus dem absoluten Rückgang der Ausgaben für das inferiore Gut resultiert, absorbieren. Für unsere weiteren Überlegungen ist es wichtig zu betonen, daß die inferioren Güter exakterweise nur so definiert werden dürfen, daß man auf die Einkommensabhängigkeit (oder wie wir später sagen werden: auf das Vorzeichen der Einkommenselastizität, vgl. §1, Kap. III, 1) abstellt: Inferiore Güter sind solche Güter, die bei einer Einkommenserhöhung von einem kritischen Einkommen ab absolut weniger nachgefragt werden[1]).

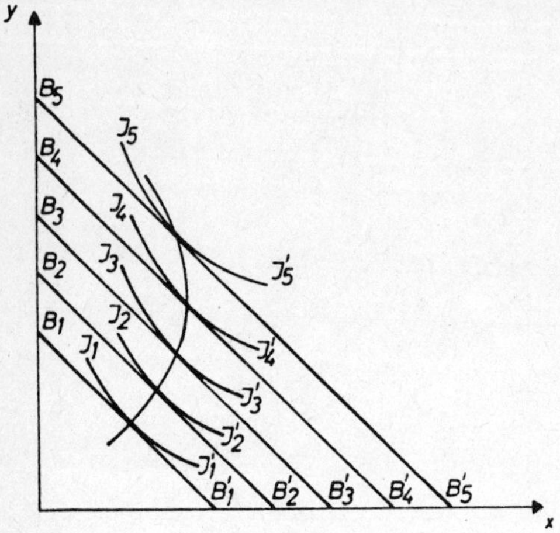

Abb. 24

Rekapitulieren wir noch einmal, was die voranstehenden Überlegungen eigentlich im Kern enthalten, so können wir sagen: Wir haben die individuelle mengenmäßige Nachfrage nach den beiden Gütern X und Y in Abhängigkeit von der Einkommenshöhe bei konstanten Güterpreisen und konstanter Bedürfnisstruktur analysiert:

$$x_N = f_1(E, \overline{p}_x, \overline{p}_y)\,; \quad y_N = f_2(E, \overline{p}_x, \overline{p}_y)\,.$$

[1]) Inferiore Güter sollten demnach nicht etwa folgendermaßen definiert werden: Ein inferiores Gut liegt vor, wenn die Nachfrage nach dem betreffenden Gut mit sinkendem Preis des Gutes abnimmt und mit steigendem Preis zunimmt. Dieser sog. Giffen-Effekt kann eintreten, aber er muß es nicht (vgl. dazu S. 100f.). Man kann G. J. Stigler nur beipflichten, wenn er nach der empirischen Überprüfung den Giffen-Fall sozusagen in die Fußnoten zu Fußnoten verbannen möchte. Vgl. G. J. Stigler, Notes on the History of the Giffen Paradox, The Journal of Political Economy, Vol. LV (1947), S. 152—156.

(Der Index N bei x und y soll bedeuten: *nachgefragte* Menge von x bzw. y.) Da die Preise der beiden Güter als konstant vorausgesetzt wurden ($p_x = \bar{p}_x$, $p_y = \bar{p}_y$), kann aus dieser mengenmäßigen Nachfrage nach X und Y auch die Ausgabenentwicklung in Abhängigkeit von der Einkommenshöhe abgeleitet werden. Man erhält — wenn auf der Abszisse eines Koordinatensystems das Einkommen, auf der Ordinate die Ausgaben für das betreffende Gut aufgetragen werden — im Regelfall eine monoton ansteigende, im Ausnahmefall (inferiores Gut) eine zunächst ansteigende und dann wieder absinkende Ausgabenkurve, wobei es sich wohlgemerkt um die Ausgaben in Abhängigkeit vom Einkommen handelt.

Wechseln wir jetzt unsere Fragestellung und gehen zu den Wirkungen von Preisänderungen eines Gutes bei konstantem Preis des anderen Gutes und konstantem Einkommen über. Fassen wir als erstes wieder den Regelfall ins Auge und zwar soll p_x bei konstantem p_y und konstantem Einkommen E sinken. Die Bilanzgerade dreht sich also von B_1B_1' nach B_1B_2', der Ordinatenabschnitt E/p_y, d.h. die Menge y, die man bei ausschließlicher Beschaffung von Y kaufen könnte, bleibt unverändert (Abb. 25).

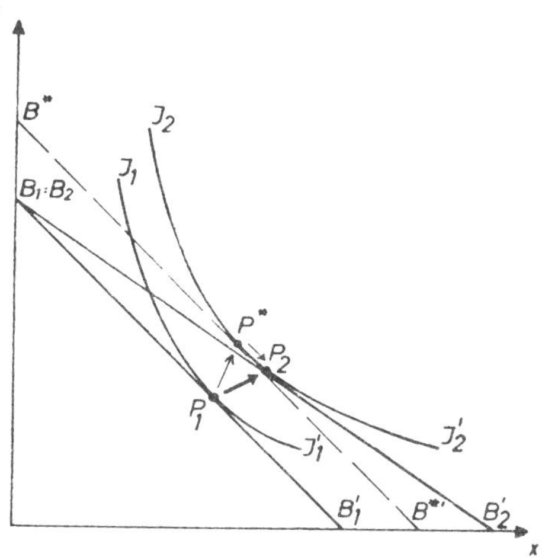

Abb. 25

Die ursprüngliche, nutzenmaximale Position des Haushalts wird durch P_1, die neue durch P_2 wiedergegeben. Der Vektor $\overrightarrow{P_1P_2}$ ist also der Gesamteffekt der Preisveränderung, d.h. der Senkung von p_x.

Allen und Hicks haben nun diesen Gesamteffekt der Preisveränderung $\overrightarrow{P_1P_2}$ in zwei Teileffekte aufgespalten, die sich mit Hilfe der folgenden Konstruktion darstellen lassen. Man fingiert zunächst, nicht der Preis p_x sei gesunken, sondern das Einkommen habe sich bei Gültigkeit der ursprünglichen Preisrelation p_x/p_y so erhöht, daß der Haushalt von dem ursprünglichen Versorgungsniveau I_1I_1' auf das neue Versorgungsniveau I_2I_2' gelangen könne. Diese fiktive Einkommenserhöhung wird in Abbildung 25 durch die Hilfsbilanzgerade $B^*B^{*\prime}$ ausgedrückt, die die neue Indifferenzkurve I_2I_2' in P^* tangiert. Die Einkommenserhöhung zieht also einen Einkommenseffekt $\overrightarrow{P_1P^*}$ nach sich, der im Regelfall zu einer Mehrnachfrage nach beiden Gütern führt. Verwendet man jetzt die Hilfs-Bilanzgerade $B^*B^{*\prime}$

als Ausgangspunkt, so gelangt man von ihr aus zu der Bilanzgeraden B_1B_2', die durch die Senkung von p_x zustandekommt, offenbar durch die folgende Annahme: Wenn, von $B^*B^{*\prime}$ ausgehend, der Preis von Y steigt und der Preis von X sinkt, so dreht sich die Hilfs-Bilanzgerade um die neue oder entlang der neuen Indifferenzkurve I_2I_2'. Führt man diese Drehung lange genug aus, nämlich bis P_2, so wird aus der Hilfs-Bilanzgeraden die relevante neue Bilanzgerade B_1B_2'. Aus der Hilfs-Bilanzgeraden $B^*B^{*\prime}$ wird also dadurch die neue, endgültige Bilanzgerade B_1B_2', daß man eine gegenläufige Bewegung der beiden Güterpreise, eine Erhöhung von p_y und eine Senkung von p_x annimmt. Der dadurch ausgelöste Effekt $\overrightarrow{P^*P_2}$, bei dem man auf derselben Indifferenzkurve I_2I_2' bleibt, ist der sog. Substitutionseffekt. Es gilt also

$$\text{Gesamteffekt} = \text{Einkommenseffekt} + \text{Substitutionseffekt}$$

$$\overrightarrow{P_1P_2} = \overrightarrow{P_1P^*} + \overrightarrow{P^*P_2}$$

Um die drei Effekte analysieren zu können, betrachten wir einen vergrößerten Ausschnitt aus der Abbildung 25, in den nur die drei Punkte P_1, P^* und P_2 in ihrer für den Regelfall charakteristischen Lage aufgenommen werden, während man sich die Indifferenzkurven und die Bilanzgeraden hinzudenken muß (Abb. 26).

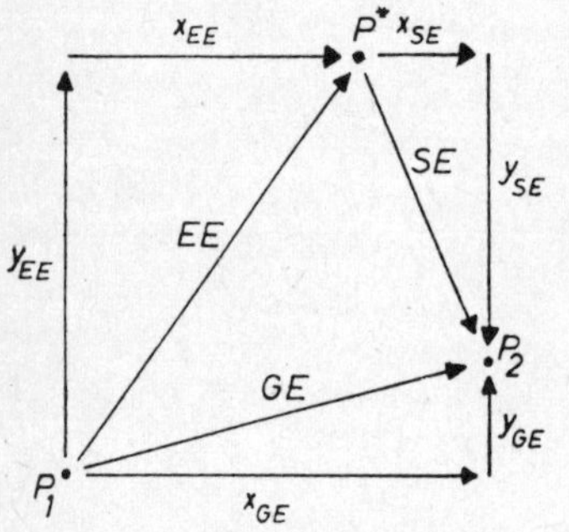

Abb. 26

In Abbildung 26 bedeutet GE den Gesamteffekt, EE den Einkommens- und SE den Substitutionseffekt. Jeder dieser Effekte (Vektoren) kann nun seinerseits in eine x-Komponente und eine y-Komponente aufgespalten werden, wobei die x-Komponenten in der horizontalen und die y-Komponenten in der vertikalen Richtung verlaufen. So besagt etwa die von links nach rechts verlaufende x-Komponente des Gesamteffekts x_{GE}, daß der Gesamteffekt in bezug auf X positiv ist, d.h. als Folge der Preissenkung von X nimmt die mengenmäßige Nachfrage nach X zu.

Einen Überblick über die einzelnen Komponenten der einzelnen Effekte vermittelt Tabelle 9.

Die Tabelle 9 zeigt, daß die x-Komponenten des Einkommens- wie des Substitutionseffektes dasselbe Vorzeichen aufweisen (positiv), womit der Gesamteffekt in bezug auf das Gut X eindeutig bestimmt ist (ebenfalls positiv). Das bedeutet ökonomisch: *Bei der Preissenkung eines Gutes nimmt im Regelfall die mengenmäßige Nachfrage nach diesem Gut zu, bei einer Preiserhöhung nimmt sie ab.* Dagegen zeigt die Tabelle bei den y-Komponenten des Einkommens- und des Substitutionseffektes keine solche Einheitlich-

Tabelle 9

Einkommens-, Substitutions- und Gesamteffekt im Regelfall

Komponente \ Effekt	Einkommens-effekt	Substitutions-effekt	Gesamt-effekt
x-Komponente	positiv	positiv	positiv
y-Komponente	positiv	negativ	unbestimmt (positiv)*

*) Der eingeklammerte Gesamteffekt in bezug auf y gilt für die Abbildungen 25 und 26. Die Vorzeichen der Effekte beziehen sich hier und in Tabelle 10 auf Preis*senkungen* des Gutes X.

keit, sondern beide Komponenten weisen entgegengesetzte Vorzeichen auf. Daraus folgt, daß der Gesamteffekt in bezug auf das im Preis konstant gebliebene Gut *unbestimmt* ist, und das heißt ökonomisch: *Bei der Preissenkung eines Gutes X ist die Auswirkung auf die mengenmäßige Nachfrage nach einem anderen Gut im Regelfall unbestimmt,* d.h. sie kann zu- oder abnehmen oder im Grenzfall konstant bleiben. Für Preiserhöhungen des Gutes X gilt dasselbe. In unserem Beispiel (Abbildungen 25 und 26) überwiegt der Einkommenseffekt in bezug auf Y den Substitutionseffekt, so daß die Nachfrage nach Y im Gefolge einer Preissenkung von X zunimmt.

Analysieren wir jetzt den Ausnahmefall, in dem X ein inferiores Gut ist und das kritische Einkommen bereits überschritten wurde. Aus unseren früheren Überlegungen über die Einkommensabhängigkeit der mengenmäßigen Nachfrage eines Haushaltes wissen wir, daß die Nachfrage nach einem inferioren Gut mit steigendem Einkommen absolut zurückgeht, nachdem das kritische Einkommen überschritten ist. Der Einkommenseffekt in bezug auf das inferiore Gut X ist demnach negativ, und man erhält somit eine Lage, wie sie in Abbildung 27 dargestellt ist.

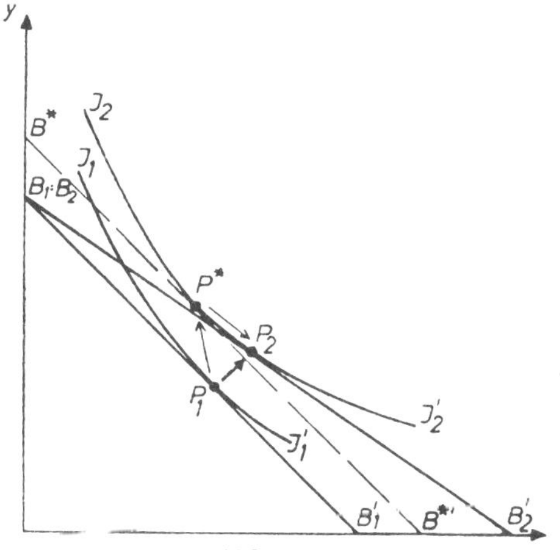

Abb. 27

Die Konstruktion der Hilfs-Bilanzgeraden $B^*B^{*\prime}$ erfolgt nach dem früheren Muster, so daß auf eine weitere Erläuterung der Abbildung 27 verzichtet werden kann. Entscheidend ist die gegenüber früher veränderte Lage der drei Punkte P_1, P^* und P_2 zueinander; von primärer Bedeutung ist dabei die Lage von P^* gegenüber P_1. Auf Grund des negativen Einkommenseffektes in bezug auf das inferiore Gut X und des positiven Einkommenseffektes in bezug auf Y muß P^* links oben oder nordwestlich von P_1 liegen. Ferner muß P_2 auf Grund des Substitutionseffektes rechts unten oder südöstlich von P^* liegen, während eine genaue Lokalisierung des Punktes P_2 gegenüber P_1 unterbleiben muß (vgl. dazu weiter unten). In ,,Großaufnahme" ergibt sich für die drei Punkte P_1, P^* und P_2 und den Einkommens-, Substitutions- und Gesamteffekt die Situation von Abbildung 28.

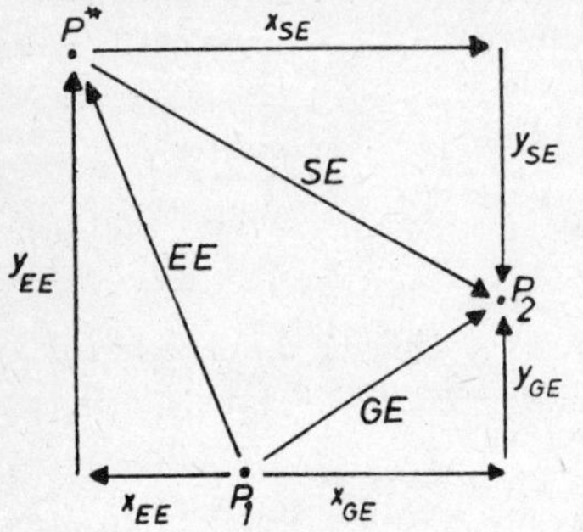

Abb. 28

Aus der Inferiorität des Gutes X gegenüber Y resultiert, wie aus Abb. 28 deutlich hervorgeht, eine wichtige Änderung gegenüber dem Normalfall: Die x-Komponente des Einkommenseffekts ist nicht mehr wie früher positiv, sondern negativ. Über das Vorzeichen bei den einzelnen Komponenten der drei Effekte informiert Tabelle 10.

Tabelle 10

Einkommens-, Substitutions- und Gesamteffekt im Ausnahmefall

Effekt / Komponente	Einkommens-effekt	Substitutions-effekt	Gesamt-effekt
x-Komponente	negativ	positiv	unbestimmt (positiv)*
y-Komponente	positiv	negativ	unbestimmt (positiv)*

*) Die eingeklammerten Gesamteffekte gelten für die Abbildungen 27 und 28.

Wie man sieht, sind im Ausnahmefall beide Gesamteffekte unbestimmt, aber auf Grund verschiedener Ursachen: Bei dem inferioren Gut X ist der Einkommenseffekt negativ, der Substitutionseffekt positiv, bei dem superioren Gut Y ist der Einkommenseffekt positiv und der Substitutionseffekt negativ. Bei diesem Gut hat sich demnach gegen früher nichts geändert, so daß wir die folgende Regel formulieren können: *Bei der Preissenkung eines inferioren Gutes X ist die Auswirkung auf die mengenmäßige Nachfrage nach einem superioren Gut Y unbestimmt,* d. h. sie kann zu- oder abnehmen oder im Grenzfall auch konstant bleiben. Für Preiserhöhungen des inferioren Gutes gilt dasselbe. Über die mengenmäßige Nachfrage nach dem inferioren Gut läßt sich die folgende Regel aufstellen: *Bei einer Preissenkung eines inferioren Gutes ist die*

Auswirkung auf die mengenmäßige Nachfrage nach diesem Gut unbestimmt, d.h. sie kann zu- oder abnehmen oder auch im Grenzfall konstant bleiben. Daraus folgt, daß inferiore Güter nicht mit Hilfe der Preisabhängigkeit der mengenmäßigen Nachfrage definiert werden sollten, die nach dem Ausgeführten nicht eindeutig ist, sondern nur mit Hilfe der Einkommensabhängigkeit (vgl. S. 96, Anm. 1). Ferner ist auf das Folgende hinzuweisen: Es wurde nachgewiesen, daß bei der Preissenkung eines inferioren Gutes X die Nachfrage nach dem inferioren Gut X zu- oder abnehmen oder auch konstant bleiben kann, und dasselbe wurde auch für die Nachfrage nach dem superioren Gut Y (in Abhängigkeit von p_x) gezeigt. Dabei muß man sich aber darüber im klaren sein, daß verschiedene dieser Möglichkeiten nicht gleichzeitig auftreten können. So ist es z.B. ausgeschlossen, daß im Gefolge einer Senkung von p_x die Nachfrage nach dem inferioren Gut X konstant bleibt oder sinkt und die Nachfrage nach dem superioren Gut Y ebenfalls konstant bleibt oder sinkt. Wenn nämlich bei sinkendem p_x die mengenmäßige Nachfrage nach X konstant bleibt oder sinkt, so vermindert sich die Ausgabe für X, und zwar bei konstantem x wegen des sinkenden Preises und bei sinkendem x wegen des Rückgangs der mengenmäßigen Nachfrage und des Preises. Damit das gesamte Einkommen vollständig für die beiden Güter X und Y ausgegeben wird, muß die Ausgabe für das Gut Y steigen, d.h. aber bei Konstanz von p_y muß die mengenmäßige Nachfrage nach Y steigen. Ist demnach bei einer Senkung von p_x der Gesamteffekt in bezug auf X gleich Null oder negativ, so muß der Gesamteffekt in bezug auf Y positiv sein. Ist umgekehrt bei einer Preissenkung von X der Gesamteffekt in bezug auf Y gleich Null oder negativ, so muß der Gesamteffekt in bezug auf X positiv sein. Miteinander verträglich sind allein positive Gesamteffekte in bezug auf beide Güter, so wie es in den Abbildungen 27 und 28 dargestellt wurde.

Nach diesen Vorarbeiten können wir darangehen, die sogenannte individuelle Nachfragekurve eines Haushalts aus dem Indifferenzkurvensystem abzuleiten, wobei wir uns auf den Regelfall beschränken. Wir unterstellen eine Reihe von potentiellen Preisänderungen des Gutes X und untersuchen, wie der Haushalt infolge dieser Preisänderungen seine Dispositionen abwandelt, d.h. konkret, wie er seine Einkaufsmengen von X und Y variiert. Bedienen wir uns dazu eines numerischen Beispiels mit dem festen Einkommen $E = 100$ (Geldeinheiten) und dem festen Preis $p_y = 10$ (Geldeinheiten pro Mengeneinheit Y). p_x soll die folgenden hypothetischen Werte annehmen: $p_x^1 = 20$, $p_x^2 = 15$, $p_x^3 = 10$ und $p_x^4 = 5$. Man erhält dann die um den Punkt B_1 gedrehten Bilanzgeraden B_1B_1', B_1B_2', B_1B_3' und B_1B_4' von Abbildung 29. Die jeweiligen Tangentialpunkte mit den Indifferenzkurven $I_1I_1', \cdots, I_4I_4'$ sind P_1 bis P_4 (Abbildung 29).

In dem durch Abbildung 29 dargestellten Normalfall wird der Haushalt bei Preisvariation ceteris paribus, d.h. bei konstantem Einkommen und konstanten Preisen der übrigen Güter, für die stellvertretend $\bar{p}_y$ steht, von dem im Preis gesunkenen (gestiegenen) Gut mehr (weniger) kaufen. In unserem Falle erhöht der Haushalt bei der Preissenkung von X die Einkaufsmenge

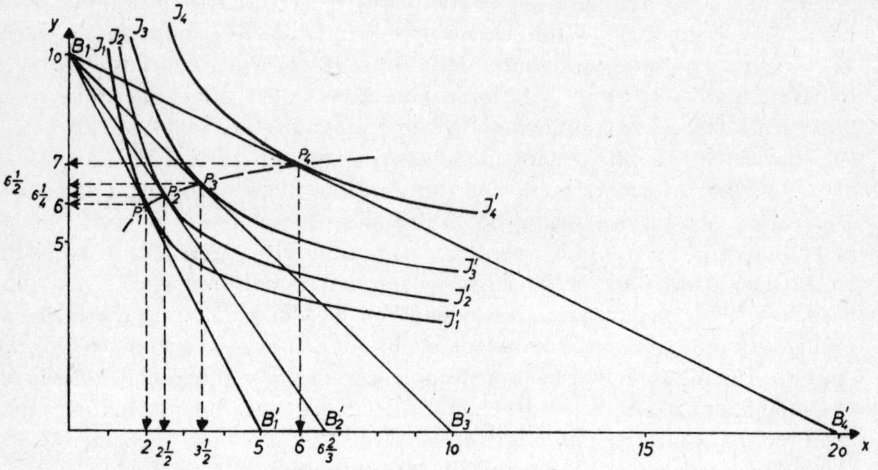

Abb. 29

von X und gleichzeitig auch diejenige von Y. Einen Überblick über die in Abbildung 29 verwendeten Funktionen und die aus ihnen folgenden Einkaufsmengen von X und Y vermittelt Tabelle 11.

Tabelle 11

Die Ableitung der individuellen Nachfragekurve aus dem Indifferenzkurvensystem

1	2	3	4	5	6	7
E	p_y	p_x	Bilanzgleichung	Indifferenzkurve	y	x
100	10	20	$(B_1 B_1')\ y = -2x + 10$	$(I_1 I_1')\ y = \frac{8}{x} + 2$	6	2
100	10	15	$(B_1 B_2')\ y = -\frac{3}{2}x + 10$	$(I_2 I_2')\ y = \frac{9\frac{3}{8}}{x} + 2\frac{1}{2}$	$6\frac{1}{4}$	$2\frac{1}{2}$
100	10	10	$(B_1 B_3')\ y = -x + 10$	$(I_3 I_3')\ y = \frac{12\frac{1}{4}}{x} + 3$	$6\frac{1}{2}$	$3\frac{1}{2}$
100	10	5	$(B_1 B_4')\ y = -\frac{1}{2}x + 10$	$(I_4 I_4')\ y = \frac{18}{x} + 4$	7	6

Stellt man nunmehr die alternativen hypothetischen Preise des Gutes X aus Spalte 3 den Werten der Spalte 7, also den Einkaufsmengen des Gutes X gegenüber, so erhält man die mengenmäßige Nachfrage des Haushalts nach dem Gute X in Abhängigkeit vom Preis des Gutes X bei konstantem Einkommen und konstanten Preisen der übrigen Güter (hier des Gutes Y). Dies ist nichts anderes als die *individuelle Nachfragefunktion eines Haushalts nach einem bestimmten Gut*, die alternativen hypothetischen Preisen eines Gutes alternative hypothetische Einkaufsmengen desselben Gutes zuordnet: Die Gleichung der individuellen Nachfragefunktion muß offenbar lauten:

$$x_N = f(p_x, \bar{E}, \bar{p}_y) .$$

Die Funktion zeigt also an, welche Mengen des Gutes X ein Haushalt bei alternativen Preisen von X kaufen würde, und zwar bei konstantem Einkommen und konstantem p_y. Ihre graphische Darstellung ergibt die individuelle Nachfragekurve NN' von Abbildung 30.

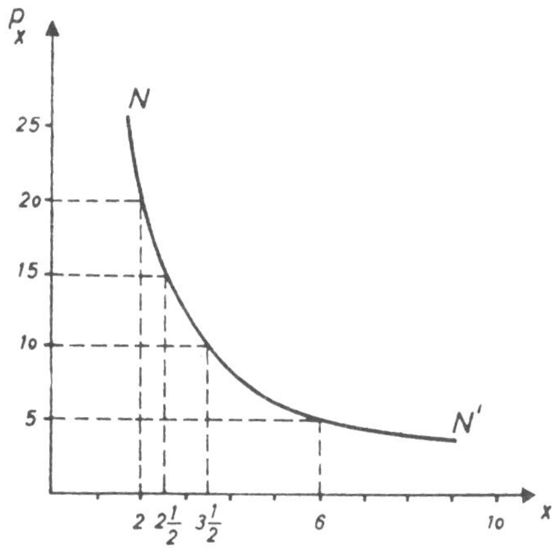

Abb. 30

Die individuelle Nachfragekurve ist grundsätzlich eine monoton fallende Kurve, d.h. bei hohen Preisen ist die mengenmäßige Nachfrage gering, bei niedrigen Preisen ist sie hoch. Die (hypothetischen) Variationen des Preises p_x ereignen sich bei konstantem p_y (und konstantem Einkommen), so daß man auch sagen kann, die *Preisrelation* p_x/p_y habe sich geändert. Auch bei der partiellen Gleichgewichtsanalyse, die hier vorgenommen wird, hat es die Preistheorie demnach immer mit den relativen Preisen zu tun[1]).

Werden die individuellen Nachfragefunktionen aller Haushalte nach einem bestimmten Gut gemäß dem hier vorgeführten Verfahren ermittelt, so gewinnt man durch Aggregation dieser individuellen Nachfragefunktionen die *Gesamtnachfragefunktion* für das betreffende Gut. Diese Aggregation wirft erhebliche theoretische Probleme auf, da es z.B. als durchaus zweifelhaft angesehen werden muß, ob während dieser Aggregation die ceteris paribus-Klausel weiterhin durchgehalten werden kann. Im Rahmen dieser „Grundzüge" müssen wir uns mit dem Hinweis auf dieses z.T. noch

---

[1]) Vgl. dazu M. FRIEDMAN, The Marshallian Demand Curve, The Journal of Political Economy, Vol. LVII (1949), S. 463—495, Nachdruck in: M. FRIEDMAN, Essays in Positive Economics, Chicago 1953, S. 47—99.

völlig offene Problem begnügen[1]). Wir arbeiten im weiteren mit dieser Gesamtnachfragefunktion nach einem bestimmten Gut, wohl wissend, daß ihre Ableitung über die Aggregation der Einzelnachfragekurven problematisch ist.

3. Kosten und Angebot

§ 1. Zur Theorie der Produktionsfunktionen

Im vorigen Kapitel hatten wir die Bestimmungsgründe für die individuelle Nachfrage nach einem Gut untersucht. Wir fragen jetzt nach den Bestimmungsgründen für das individuelle Angebot von Gütern durch eine Unternehmung. Dieses Angebot besteht in aller Regel aus produzierten Gütern (in der Terminologie der Klassiker: beliebig vermehrbaren Gütern), zu deren Herstellung also Produktionsanlagen gebaut und laufend Produktionsfaktoren eingesetzt werden müssen. Die Unternehmung als rechtlich finanzielle Einheit schafft sich einen Betrieb als technische Einheit, der nach einer plastischen Formulierung W. RIEGERS das „Vehikel der Unternehmung" darstellt. Die Produktionsfaktoren wie etwa Arbeitsleistungen, Roh-, Hilfs- und Betriebsstoffe etc. werden von dem Unternehmen auf den Beschaffungsmärkten eingekauft (Theorie der Nachfrage nach Produktionsmitteln, vgl. Kap. IV, 4); der Unternehmer kombiniert und koordiniert ihren Einsatz und bietet auf seinem Absatzmarkt bzw. seinen Absatzmärkten das Fertigprodukt an. Uns interessiert hier zunächst der Zusammenhang zwischen dem Produktionsmitteleinsatz und der Ausbringung, d. h. uns interessiert die sogenannte *Produktionsfunktion*.

Unter einer Produktionsfunktion versteht man eine Gleichung, die die quantitativen Beziehungen zwischen der Produktionsmenge (als abhängiger Variable) und den Mengen der eingesetzten Produktionsmittel (als unabhängigen Variablen) angibt:

$$x = x\,(v_1, v_2, \ldots, v_n).$$

(v_i = Einsatz des Produktionsmittels i, $i = 1, 2, \ldots, n$). Die Produktionsfunktion zeigt also, wie die mengenmäßige Ausbringung x vom mengenmäßigen Einsatz der verschiedenen Produktionsmittel $v_1, v_2, \ldots, v_n$ abhängt. Dabei ist das Folgende zu beachten: Kann ein bestimmtes Produkt durch die Kombination zweier Produktionsmittel 1 und 2 hergestellt werden, so kann man mit den festen Mengen v_1^0 und v_2^0 sicherlich mehrere Erträge erzielen. Es interessiert natürlich nur die maximale Produktionsmenge, die mit v_1^0 und v_2^0 erstellt werden kann, so daß die Produktionsfunktion jeweils

---

[1]) Vgl. dazu vor allem O. MORGENSTERN, Demand Theory Reconsidered, Quarterly Journal of Economics, Vol. LXII (1947/48), S. 165—201.

den maximalen Ertrag darstellt, der mit einem bestimmten Einsatz von Produktionsmitteln hergestellt werden kann.

Damit die Produktionsfunktion zu einem brauchbaren Instrument der Analyse wird, sind einige Annahmen erforderlich. So muß unterstellt werden, daß die einzelnen Produktionsmittel in sich homogen und — jedenfalls zum Teil — beliebig teilbar sind. Ferner wollen wir hier ausschließlich Einproduktunternehmungen unterstellen, obwohl diese Annahme angesichts der heutzutage vorherrschenden Mehrproduktunternehmungen als unrealistisch beanstandet werden kann. Die Mehrproduktunternehmung wirft aber so viele, z. T. äußerst komplizierte Probleme auf, daß es tunlich erschien, von ihrer Analyse hier abzusehen. Und schließlich setzen wir für unsere Zwecke voraus, die Produktionstechnik sei konstant, d. h. die Produktionsfunktion gilt für einen bestimmten Stand der Technik; technischer Fortschritt tritt nicht auf. Auch das ist selbstverständlich, wie man zu sagen pflegt, eine heroische Annahme, die aber für die kurzfristige preistheoretische Analyse als zulässig anzusehen ist.

Die Gestalt der Produktionsfunktion ist nun je nach dem zugrundegelegten Typ von Produktionsmitteln verschieden. Produktionsmittel können — das ist die wichtigste Unterscheidung — entweder *substitutiv* oder *komplementär* sein. Von substitutiven Produktionsmitteln soll dann gesprochen werden, wenn der Abgang einer Mengeneinheit bei einem Produktionsmittel durch den Zugang von einer oder mehreren Mengeneinheiten bei einem anderen Produktionsmittel so kompensiert werden kann, daß die Ausbringung konstant bleibt. Man nennt solche Produktionsmittel deshalb auch kompensatorische Produktionsmittel (GUTENBERG). Von komplementären Produktionsmitteln sprechen wir, wenn der Einsatz *beider* Produktionsmittel, ihr Zusammenwirken erforderlich ist, damit ein Ertrag zustandekommt.

Bei den substitutiven Produktionsmitteln ist nun eine weitere Unterteilung möglich, sie können nämlich *begrenzt* oder *unbegrenzt substitutiv* sein. Im ersten Fall kann ein bestimmtes Produktionsmittel *1* nur bis zu einer bestimmten Grenze durch das Produktionsmittel *2* ersetzt werden, d. h. die Erzeugung einer bestimmten Produktionsmenge $\bar{x}$ erfordert ein bestimmtes Minimum des Einsatzes von *1* (und natürlich auch umgekehrt von *2*). Bei unbegrenzt substitutiven Produktionsmitteln könnte *1* theoretisch ganz durch *2* ersetzt werden, indem etwa der Einsatz von *2* über alle Grenzen wächst.

Auch bei den komplementären Produktionsmitteln finden wir eine Unterteilung, nämlich in komplementäre Produktionsmittel *mit konstantem* und solche *mit variablem Einsatzverhältnis*. Der Unterschied zwischen diesen beiden Typen läßt sich sehr anschaulich anhand zweier Kochrezepte verdeutlichen: Die gewöhnlichen Kochrezepte verlangen ein konstantes Einsatzverhältnis der Zutaten, so wenn es etwa bei DAVIDIS-HOLLE heißt: Man nehme für eine Genfer Torte 1/2 kg Butter, 26 Eier, 1/2 kg Zucker, 1/2 kg

Mehl etc. An den Proportionen dieser Zutaten darf nicht gerüttelt werden, d.h. ihr Einsatzverhältnis ist konstant. Dagegen zeigt das folgende Rezept für einen Grog zwar auch Komplementarität, läßt aber doch Spielraum für das Einsatzverhältnis der Zutaten: „Rum muß, Zucker kann, Wasser braucht nicht“. Bei komplementären Produktionsmitteln mit konstantem Einsatzverhältnis muß demnach immer eine ganz bestimmte Menge von *1* mit einer ganz bestimmten Menge von *2* kooperieren; man bezeichnet solche Produktionsmittel auch als *limitationale* oder *streng komplementäre* Produktionsmittel. Bei komplementären Produktionsmitteln mit variablem Einsatzverhältnis ist nur vorgeschrieben, daß *1* und *2* zusammenwirken müssen; ihre Proportion kann dabei variieren.

Wie nun unschwer einzusehen ist, sind die begrenzt substitutiven Produktionsmittel identisch mit den komplementären Produktionsmitteln mit variablem Einsatzverhältnis. Betrachten wir dazu noch ein Beispiel aus der Kochkunst, und zwar die Herstellung von Milch-Kaffee. Dazu sind die beiden komplementären Produktionsmittel Kaffee und Milch erforderlich, deren Einsatzverhältnis aber innerhalb bestimmter Grenzen variieren kann. Legt man die Grenzen, innerhalb derer von Milch-Kaffee gesprochen werden kann, durch irgendwelche Proportionen fest (etwa $1:20 \leqq M:K \leqq 2:1$), so sind Kaffee und Milch innerhalb dieser Grenzen substituierbar. Die Substitutionsmöglichkeit findet dabei ihre Grenzen an der Komplementarität der beiden Produktionsmittel. Man gelangt demnach insgesamt zu der folgenden Systematik der Produktionsmittel:

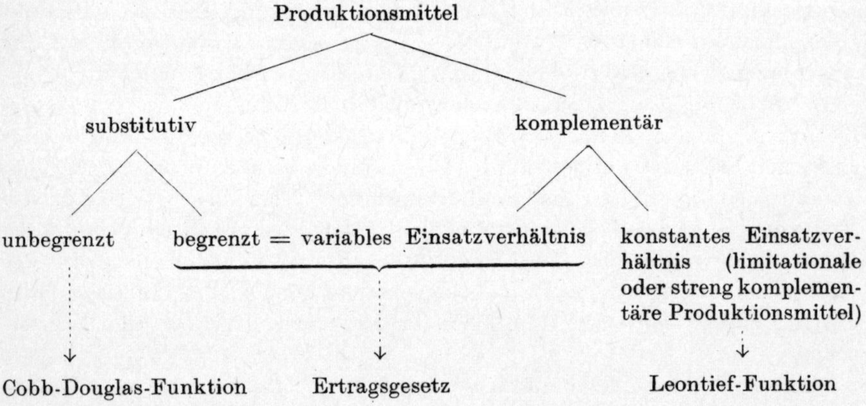

Den drei Typen von Produktionsmitteln entsprechen drei verschiedene Produktionsfunktionen, nämlich die *Cobb-Douglas-Funktion* (unbegrenzt substitutive Produktionsmittel), das *Ertragsgesetz* oder genauer *Gesetz vom abnehmenden Ertragszuwachs* (begrenzt substitutive = komplementäre Produktionsmittel mit variablem Einsatzverhältnis) und die *Leontief-Funktion*

(komplementäre Produktionsmittel mit konstantem Einsatzverhältnis)[1]). Für die Preistheorie ist die Cobb-Douglas-Funktion weniger bedeutsam, so daß im kommenden allein das Ertragsgesetz und die Leontief-Funktion zu behandeln sind.

Das Ertragsgesetz ist die in der nationalökonomischen Literatur am frühesten auftretende Produktionsfunktion: Ihre erste Analyse verdanken wir keinem geringeren als TURGOT (1727—1781), dem Finanzminister Ludwigs XVI. Von Th. BRINKMANN stammt die exaktere Bezeichnung „Gesetz vom abnehmenden Ertragszuwachs"; in der angloamerikanischen Literatur verwendet man z.T. die Bezeichnung „law of variable proportions". Sein Inhalt lautet: *Bei sukzessiver Vergrößerung des Einsatzes eines Produktionsmittels und Konstanz der übrigen Produktionsmittelmengen ergeben sich von einem bestimmten Einsatz des variierten Produktionsmittels an abnehmende Grenzerträge.* Um uns die Zusammenhänge zu verdeutlichen, nehmen wir an, zur Herstellung eines bestimmten Produktes X seien nur zwei Produktionsmittel *1* und *2* erforderlich. Die Abhängigkeit der Produktionsmenge x von den beiden Faktoreinsatzmengen v_1 und v_2 kann dann im dreidimensionalen Koordinatensystem als Ertragsgebirge dargestellt werden (Abb. 31). Das Ertragsgebirge ist demnach die graphische Darstellung der Produktionsfunktion $x = x\ (v_1, v_2)$.

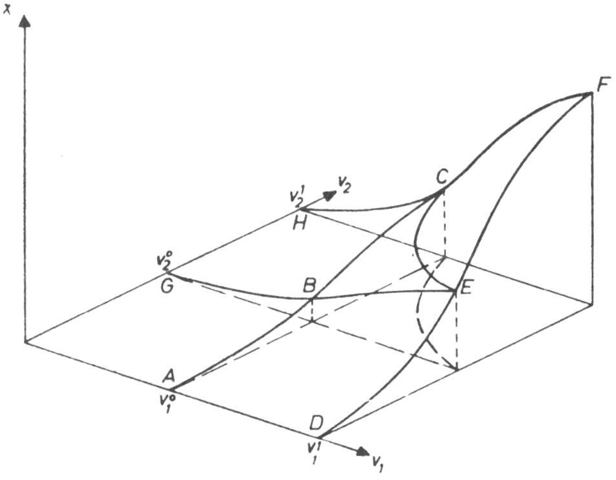

Abb. 31

[1]) In neuerer Zeit wurde als weitere Produktionsfunktion die sogenannte CES-Funktion entwickelt, d.i. eine Produktionsfunktion mit konstanter Substitutionselastizität zwischen den Faktoren (constant elasticity of substitution). Sowohl die Cobb-Douglas-Produktionsfunktion als auch die Leontief-Funktion sind Spezialfälle dieser CES-Funktion. Vgl. dazu K. J. ARROW, H. B. CHENERY, B. S. MINHAS, R. M. SOLOW, Capital — Labor Substitution and Economic Efficiency, The Review of Economics and Statistics, Vol. XLIII (1961), S. 225-250.

Von diesem Ertragsgebirge interessiert ausschließlich seine Oberfläche, die die maximalen Erträge anzeigt, die mit bestimmten Kombinationen von v_1 und v_2 hergestellt werden können (vgl. S. 104f). Das Gesetz vom abnehmenden Ertragszuwachs, so wie es oben formuliert worden war, macht nun Aussagen über den Verlauf der partiellen Ertrags- oder Produktionsfunktionen, d.h. über die Produktionsfunktionen, die sich bei Konstanz eines Faktors und Variation des anderen ergeben. Hält man z.B. die Menge v_1^0 des Faktors *1* konstant und variiert die Menge v_2, so ergibt sich die partielle Ertragsfunktion ABC; bei v_1^1 und variablem v_2 erhielte man DEF. Umgekehrt kann natürlich auch v_2 konstant gehalten und v_1 variiert werden, was zu den partiellen Ertragsfunktionen *GBE* bei v_2^0 und *HCF* bei v_2^1 führt. Geometrisch gewinnt man die partiellen Ertragsfunktionen mit Hilfe von Vertikalschnitten durch das Ertragsgebirge, und zwar entweder parallel zur v_2-Achse ($v_1 = \text{const.}$) oder parallel zur v_1-Achse ($v_2 = \text{const.}$). Nach dem Gesetz vom abnehmenden Ertragszuwachs verlaufen diese partiellen Ertragsfunktionen sämtlich zunächst konkav und dann konvex von oben (vgl. Abbildung 32a)[1]).

Um diese Zusammenhänge näher zu illustrieren, bedienen wir uns wieder eines numerischen Beispiels. Die totale Produktionsfunktion laute:

$$x = -\frac{1}{100\,000\,000}\, v_1^3 v_2^3 + \frac{15}{100\,000}\, v_1^2 v_2^2 .$$

Für den konstanten Einsatz $v_2 = 100$ ergibt sich daraus die partielle Produktions- oder Ertragsfunktion:

$$x = -\frac{1}{100}\, v_1^3 + \frac{3}{2}\, v_1^2 .$$

Aus ihr erhält man durch Differentiation die sogenannte Grenzertragsfunktion

$$\frac{dx}{dv_1} = -\frac{3}{100}\, v_1^2 + 3\, v_1$$

und bei nochmaliger Differentiation deren Steigung

$$\frac{d^2x}{dv_1^2} = -\frac{6}{100}\, v_1 + 3 .$$

Bei Division der partiellen Ertragsfunktion durch den variablen Faktoreinsatz v_1 ergibt sich die sogenannte Durchschnittsertragsfunktion:

$$\frac{x}{v_1} = -\frac{1}{100}\, v_1^2 + \frac{3}{2}\, v_1 .$$

[1]) Streng genommen besitzt das Ertragsgesetz nur den oben dargelegten Inhalt: Die Grenzerträge nehmen von einem bestimmten Einsatz des variierten Produktionsmittels an ab. Üblicherweise wird unterstellt, daß die Grenzerträge vorher zunehmen und nicht etwa konstant sind. Ferner setzt man in der Regel die Existenz eines Maximums der partiellen Ertragsfunktion im Endlichen voraus und damit ab diesem Maximum negative Grenzerträge.

Die Tabelle 12 enthält die numerischen Werte für den variablen Faktoreinsatz v_1, den Gesamtertrag x, den Durchschnittsertrag x/v_1, den Grenzertrag dx/dv_1 und dessen Steigung d^2x/dv_1^2.

Tabelle 12

Das Gesetz vom abnehmenden Ertragszuwachs

1	2	3	4	5
v_1	x	$\frac{x}{v_1}$	dx/dv_1	d^2x/dv_1^2
0	0	0	0	3
10	140	14	27	2,4
20	520	26	48	1,8
30	1080	36	63	1,2
40	1760	44	72	0,6
50	2500	50	75	0,0
60	3240	54	72	— 0,6
70	3920	56	63	— 1,2
75	4218,75	56,25	56,25	— 1,5
80	4480	56	48	— 1,8
90	4860	54	27	— 2,4
100	5000	50	0	— 3,0
110	4840	44	— 33	— 3,6

Die eingerahmten Felder kennzeichnen das Maximum der jeweiligen Funktion und ihren Schnittpunkt mit der Grenzertragskurve.

Betrachten wir anhand der Tabelle die einzelnen Kurvenverläufe noch etwas genauer. Die partielle Gesamtertragskurve (Spalte 1 und 2) verläuft zunächst progressiv und nach einem Wendepunkt degressiv steigend, um schließlich nach dem Faktoreinsatz $v_1' = 100$ sogar abzusinken. Von allen Kurven erreicht sie ihr Maximum am spätesten, nämlich mit $x = 5000$ bei $v_1 = 100$. Daß dieser Punkt ein Maximum der partiellen Ertragsfunktion darstellt, erkennt man auch daran, daß bei $v_1 = 100$ die erste Ableitung dx/dv_1 gleich Null und die zweite Ableitung d^2x/dv_1^2 negativ ist (= — 3,0). Die Durchschnittsertragskurve (Spalte 1 und 3) verläuft bis zum Faktoreinsatz $v_1 = 75$ steigend, um dann abzusinken. Sie erreicht also ihr Maximum von $x/v_1 = 56{,}25$ bei $v_1 = 75$. Die Kurve des Grenzertrags (Spalte 1 und 4) zeigt bis zum Faktoreinsatz $v_1 = 50$ einen ansteigenden Verlauf; hier liegt das Maximum des Grenzertrags mit $dx/dv_1 = 75$. Von diesem Faktoreinsatz an wirkt sich das Ertragsgesetz aus: Die Grenzerträge beginnen zu sinken. Nachdem der Gesamtertrag sein Maximum überschritten hat, werden die Grenzerträge sogar negativ. In der Steigung der Grenzertragskurve d^2x/dv_1^2 (Spalte 1 und 5) spiegelt sich der Verlauf der Grenzertragskurve wider: Zunächst besitzt die Grenzertragskurve eine positive, aber bis auf Null abnehmende Steigung; die Steigung wird dann negativ und nimmt (absolut gesehen) zu. Von Interesse ist schließlich noch ein bestimmter Zusammenhang zwischen der Durchschnitts- und der Grenzertragskurve, der einen Fall des *Prinzips des Durchschnittsextremums* (v. STACKELBERG) darstellt: Die Grenzertragskurve schneidet die Durchschnittsertragskurve in deren Maximum.

Die beiden folgenden Abbildungen 32a und 32b verdeutlichen die Zusammenhänge graphisch. Abbildung 32a zeigt die partielle Gesamtertragskurve, Abbildung 32b die Durchschnitts- und Grenzertragskurve und die Kurve der zweiten Ableitung d^2x/dv_1^2. In beiden Abbildungen ist der Abszissenmaßstab für v_1 derselbe, während die Ordinatenmaßstäbe zweckmäßigerweise voneinander abweichend gewählt werden.

Graphisch erhält man aus der Gesamtertragskurve den Durchschnittsertrag, indem man einen Fahrstrahl an den jeweiligen Punkt der Gesamtertragskurve zieht und den Tangens des so entstehenden Winkels (zwischen dem Fahrstrahl und der positiven Abszisse) mißt. Den Grenzertrag ermittelt man auf graphischem Wege, indem man an dem jeweiligen Punkt eine Tangente an die Gesamtertragskurve legt und den Tangens des so entstehenden Winkels zwischen der Tangente und der positiven Richtung der Abszisse, also die Steigung der Tangente mißt.

Die Darstellung der Gesamtertragskurve in Abbildung 32a weist drei ausgezeichnete Punkte auf, nämlich W, T und M, die sich in der zweiten Abbildung widerspiegeln. Es ist

W der Wendepunkt der Gesamtertragskurve.

Hier geht der (von oben) konkave Verlauf der Gesamtertragskurve in den konvexen Verlauf über. Eine gleichwertige Formulierung dieses Sachverhalts lautet: Die Tangente an die Gesamtertragskurve wechselt von rechts (oder unten) nach links (oder oben) über. Im Wendepunkt der Gesamtertragskurve ist der Grenzertrag maximal

$$(\text{und damit } d^2x/dv_1^2 = 0, \; d^3x/dv_1^3 < 0);$$

man spricht auch von der „Schwelle des Ertragsgesetzes“, weil ab dem Wendepunkt, ab dieser Schwelle die Ertragszuwächse abnehmen. Den nächsten ausgezeichneten Punkt nennen wir

T, den *Tangentialpunkt*.

In T fällt ein Fahrstrahl an die Gesamtertragskurve mit einer Tangente an die Gesamtertragskurve zusammen, d. h. bei diesem Gesamtertrag bzw.

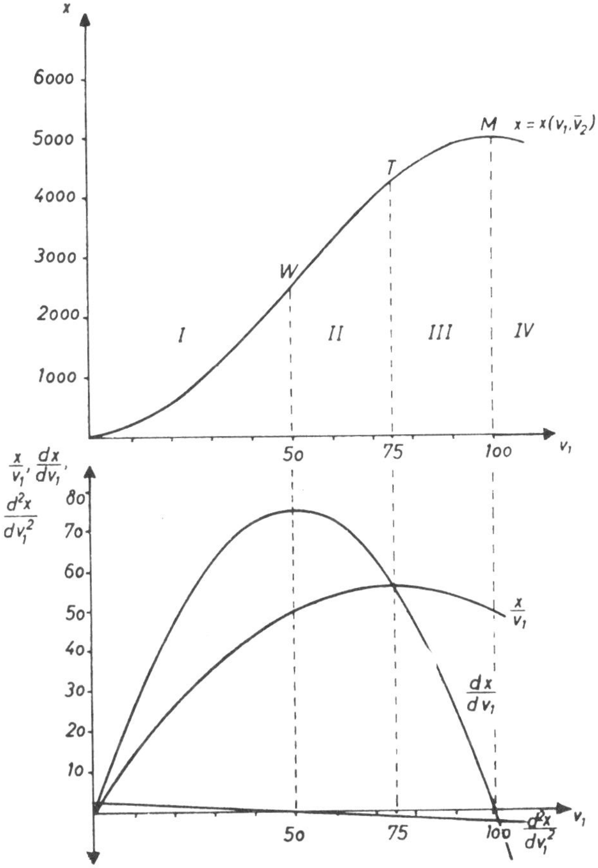

Abb. 32a und 32b

bei diesem Faktoreinsatz sind Durchschnitts- und Grenzertrag gleich (Prinzip des Durchschnittsextremums). Der Fahrstrahl ist außerdem der steilste, der an die Gesamtertragskurve gezogen werden kann, d. h. an dieser Stelle ist der Durchschnittsertrag maximal $\left(\text{und damit } d\left(\frac{x}{v_1}\right)\Big/ dv_1 = 0,\ d^2\left(\frac{x}{v_1}\right)\Big/ dv_1^2 < 0\right)$. Es bleibt noch der Punkt M:

Hier liegt das *Maximum des partiellen Gesamtertrages.*

An dieser Stelle gilt $dx/dv_1 = 0$ und $d^2x/dv_1^2 < 0$.

Nach dieser mehr formalen Analyse des Ertragsgesetzes wenden wir uns seiner ökonomischen Interpretation zu. Dabei erscheint es zweckmäßig, den gesamten Bereich des Ertragsgesetzes nach dem Vorbild Gutenbergs in vier Phasen zu unterteilen (vgl. Abbildung 32a) und diese Phasen jeweils gesondert zu betrachten. In der Phase I haben wir zunehmende Durchschnitts- und Grenzerträge, in der Phase II weiterhin zunehmende Durchschnittserträge bei schon abnehmenden Grenzerträgen. Man kann daraus folgern, daß in diesen ersten beiden Phasen das variable Produktionsmittel in zu geringem Maße im Vergleich zu dem konstanten Produktionsmittel eingesetzt ist, und zwar ist dieses Mißverhältnis in der Phase I krasser als in der Phase Phase II. Im Punkt T, der die zweite von der dritten Phase trennt, ist die Kombination der beiden Produktionsmittel in gewisser Hinsicht optimal, denn der Durchschnittsertrag des variablen Produktionsmittels erreicht in T sein Maximum. Allerdings ist zu bedenken, daß auch M, das Maximum der Gesamtertragskurve, mit einer gewissen Berechtigung als eine optimale Kombination der beiden Produktionsmittel bezeichnet werden kann, denn im Punkt M erreicht der Durchschnittsertrag des konstanten Produktionsmittels sein Maximum. Man kann daraus folgern, daß bei knappen Produktionsmitteln die Produktion immer zwischen diesen beiden Optima, also in der Phase III, bei sinkenden, aber noch positiven Grenzerträgen und ebenfalls sinkenden Durchschnittserträgen (in bezug auf das variable Produktionsmittel) stattfinden wird. Wäre das konstante Produktionsmittel ein freies Gut, so würde in T, dem Punkt des maximalen Durchschnittsertrages (in bezug auf das variable Produktionsmittel) produziert[1]). In der Phase IV dagegen ist das Einsatzverhältnis der beiden Produktionsmittel derart unharmonisch geworden, daß ein Mehreinsatz des variablen Produktionsmittels den Gesamtertrag vermindert. Diese Phase kommt also für eine Produktion ebensowenig in Betracht wie die ersten beiden Phasen, die man wegen des in ihnen stets ansteigenden Durchschnittsertrages zugunsten der Phase III (bzw. des Punktes T, falls der konstante Faktor kostenlos zur Verfügung steht) verlassen wird.

Damit können wir die Analyse des Ertragsgesetzes vorläufig beschließen und unsere Aufmerksamkeit jetzt der Leontief-Funktion, also der Produktionsfunktion bei limitationalen Produktionsmitteln zuwenden. In diesem Fall wird die Produktionsfunktion durch eine Reihe von *Verbrauchsfunktionen* wiedergegeben, die die Abhängigkeit des Einsatzes der einzelnen Produktionsmittel von der Ausbringung ausdrücken. Beschränken wir uns auf zwei limitationale Produktionsmittel, so können die Verbrauchsfunktionen etwa wie folgt angeschrieben werden:

$$v_1 = a_1 x \qquad v_2 = a_2 x.$$

---

[1]) Vgl. V. Zarnowitz, Die Theorie der Einkommensverteilung, Tübingen 1951, S. 235 ff.

Beide Gleichungen müssen simultan gelten und die Ausbringung x muß selbstverständlich in beiden Verbrauchsfunktionen die gleiche sein. Daraus folgt:

$$\frac{v_1}{v_2} = \frac{a_1}{a_2}.$$

Das konstante Einsatzverhältnis der beiden Faktoren wird also durch den Quotienten a_1/a_2 bestimmt. Was haben wir uns aber unter den Koeffizienten a_1 und a_2 vorzustellen? Löst man die beiden Verbrauchsfunktionen nach a_1 bzw. a_2 auf, so ergibt sich:

$$a_1 = \frac{v_1}{x};$$

$$a_2 = \frac{v_2}{x}.$$

Der Koeffizient a_1 gibt also den Faktorverbrauch des Produktionsmittels 1 pro Mengeneinheit des Endproduktes an, a_2 entsprechend den des Produktionsmittels 2. Die Koeffizienten a_1 und a_2 bezeichnet man daher als *Input-* oder *Produktionskoeffizienten*, und die Leontief-Funktion stellt demnach eine Produktionsfunktion mit konstanten Produktionskoeffizienten dar[1]).

Die graphische Darstellung der Leontief-Funktion für zwei Produktionsmittel im räumlichen Koordinatensystem führt zu einer recht einfachen Figur, nämlich zu einer Ertragspyramide bzw. genauer zu einem Pyramideneck (Abb. 33). Das technisch notwendige Einsatzverhältnis der beiden

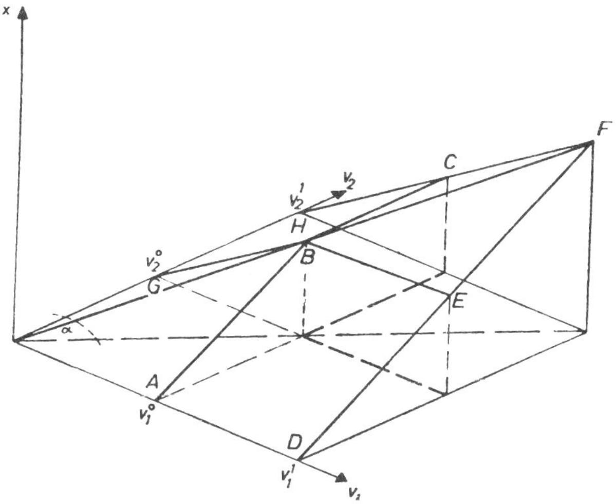

Abb. 33

[1]) W. Leontief, The Structure of the American Economy, 1919—1939, Second Edition, New York 1951.

Produktionsmittel wird durch $\operatorname{tg} \alpha = v_1/v_2 = a_1/a_2$ angegeben. Da die Zusammenhänge relativ leicht zu durchschauen sind, verzichten wir auf ein numerisches Beispiel für die Leontief-Funktion.

Den partiellen Ertragsfunktionen (*ABC*, *DEF*, *GBE*, *HCF* in Abb. 33) kommt bei der Leontief-Funktion keine spezifische Bedeutung zu, da es ökonomisch ja nur sinnvoll ist, beide Produktionsmittel unter Wahrung des Limitationalitätsverhältnisses zu vermehren. Wie man sich anhand der Abbildung 33 leicht klarmachen kann, verlaufen die partiellen Ertragsfunktionen solange steigend, bis das Limitationalitätsverhältnis erreicht ist; von diesem Punkt an (z.B. von *B* an bei der partiellen Ertragsfunktion *ABC*) ergibt sich bei weiterer Vermehrung des variablen Produktionsmittels kein Ertragsanstieg mehr, die partielle Ertragsfunktion verläuft parallel zur Achse des variierten Produktionsmittels.

Wir haben im Vorstehenden zwei verschiedene Produktionsfunktionen in den Grundzügen kennengelernt, die auf völlig unterschiedlichen Annahmen über die Eigenschaften der Produktionsmittel basieren, nämlich einmal begrenzte Substitutivität beim Gesetz vom abnehmenden Ertragszuwachs und das andere Mal strenge Komplementarität (Limitationalität) bei der Leontief-Funktion. Über die Frage, welche der beiden Funktionen als realistisch, insbesondere für die industrielle Produktion, angesehen werden kann, sind die Meinungen in der Literatur bis auf den heutigen Tag geteilt[1]). Wir können uns hier ein Eingehen auf diese Diskussion ersparen, da die Frage nach der relevanten Produktionsfunktion eher empirischer als theoretischer Natur ist. Bei dem gegenwärtigen Stand der Forschung empfiehlt sich auf alle Fälle ein vorsichtiges Prozedieren, d.h. ein sozusagen zweigleisiges Vorgehen: Den späteren preistheoretischen Analysen werden, jedenfalls zum Teil, einmal traditionelle Kostenfunktionen zugrundegelegt, die auf dem Gesetz vom abnehmenden Ertragszuwachs basieren, aber auch lineare Kostenfunktionen, die sich aus der Leontief-Produktionsfunktion ableiten lassen.

§ 2. Die Minimalkostenkombination

In dem letzten Satz ist das Stichwort gefallen, das die weitere Richtung unserer Überlegungen bestimmt, das Stichwort *Kostenfunktionen*. Unsere bisherigen Analysen hatten dem quantitativen Zusammenhang zwischen dem mengenmäßigen Produktionsmitteleinsatz und der mengenmäßigen Ausbringung gegolten, aber dieser Zusammenhang, dessen Ausdruck die jeweilige Produktionsfunktion ist, genügt offenbar nicht, um die Frage zu beantworten, ob sich die Produktion überhaupt lohnt. Dazu hat der Unter-

---

[1]) Vgl. dazu u.a. H. Jacob, Zur neueren Diskussion um das Ertragsgesetz, Zeitschrift für handelswissenschaftliche Forschung, NF 9. Jg. (1957), S. 598—618, sowie W. Wittmann, Über Faktoreigenschaften und Bedingungen beim Ertragsgesetz, Zeitschrift für die gesamte Staatswissenschaft, 118. Bd. (1962), S. 385—407.

nehmer seinen Umsatz, d.h. Preis des Produktes mal abgesetzte Menge, mit seinen Kosten, d.h. mit dem *bewerteten* Produktionsmitteleinsatz zu vergleichen. Kosten sind demnach der wertmäßige Güter- und Diensteverzehr zur Erstellung einer Leistung. Man kann also auch sagen, es müsse der Übergang vom Aufwand, dem mengenmäßigen Einsatz von Produktionsmitteln, zu den Kosten, dem wertmäßigen Einsatz von Produktionsmitteln, vollzogen werden, d.i. der Übergang von der Produktions- zur Kostenfunktion [1]). Dabei interessieren den Unternehmer selbstverständlich die jeweiligen Kosten, die bei den verschiedenen Produktionsniveaus, den verschiedenen Ausbringungsmengen anfallen, es interessieren also die Kosten in Abhängigkeit von der Produktionsmenge. Damit haben wir den Begriff der Kostenfunktion gefunden: *Man versteht unter einer Kostenfunktion eine Gleichung, die die Abhängigkeit des wertmäßigen Güter- und Diensteverzehrs von der erstellten Leistung angibt:*

$$K = K(x).$$

Bei substitutiven Produktionsmitteln tritt nun eine Schwierigkeit auf, die es verhindert, daß man die Kostenfunktion in der Regel ohne weiteres aus der Produktionsfunktion ableiten kann. Ist nämlich mehr als ein substitutives — im Falle des Ertragsgesetzes begrenzt substitutives — Produktionsmittel vorhanden, so haben wir bis jetzt keinen Anhaltspunkt dafür, in welchem Verhältnis diese substitutiven Produktionsmittel eingesetzt werden. Das sogenannte *Mengengerüst* der Kosten steht also zunächst nicht fest, und der Unternehmer steht offenbar vor der Aufgabe, dieses Mengengerüst, d.h. das Einsatzverhältnis mehrerer substitutiver Produktionsmittel, für jede Ausbringung festzulegen. Daß es sich dabei nicht um eine willkürliche Festlegung handeln wird, dürfte evident sein; man wird die substitutiven Produktionsmittel vielmehr in der Weise kombinieren, daß ihre Kosten bei jeder Produktionsmenge so gering wie möglich ausfallen. Bei substitutiven Produktionsmitteln — in unserem Falle begrenzt substitutiven Produktionsmitteln — tritt demnach das Problem der *Minimalkostenkombination* auf, d.h. das Problem, substitutive Faktoren so zu kombinieren, daß ihre jeweiligen Kosten bei jeder Produktionsmenge minimal sind.

Man löst dieses Minimierungsproblem in der Regel mit Hilfe der Indifferenzkurventechnik, so daß es unsere erste Aufgabe ist, den Verlauf der *Produktionsindifferenzkurven* (Pareto) oder *Isoquanten* bei begrenzt substitutiven Produktionsmitteln abzuleiten. Diese Indifferenzkurven sind jetzt in der Produktionstheorie Kurven gleichen Ertrages, eine einzelne Isoquante ist also der geometrische Ort aller Faktorkombinationen, die zu dem gleichen Ertrag führen. Aus dieser Definition läßt sich schon entnehmen, wie man

[1]) Man beachte, daß diese volkswirtschaftliche Definition des Aufwands mit der betriebswirtschaftlichen nicht übereinstimmt.

die Isoquanten aus dem Ertragsgebirge erhalten kann: Man muß offenbar einen Horizontalschnitt durch das Ertragsgebirge, parallel zur v_1-v_2-Ebene, legen, und zwar in Höhe des Ertrages x_0, für den die Isoquante gelten soll (vgl. Abb. 34). Die Projektion dieser Kurve AB in die v_1-v_2-Ebene $A'B'$

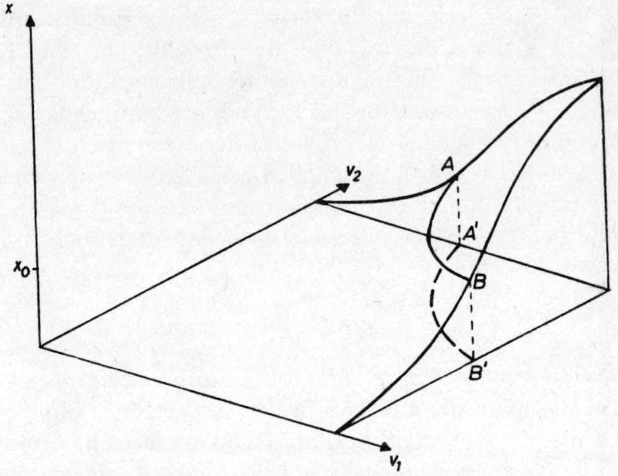

Abb. 34

stellt die Isoquante im zweidimensionalen Koordinatensystem dar (vgl. Abb. 35).

Da man das Ertragsgebirge nicht vollständig zu zeichnen pflegt, gestatten es die Abbildungen 34 bzw. 35 nicht, den gesamten Verlauf der Isoquanten abzuleiten. Im Gegensatz zu den Indifferenzkurven des Haushalts biegen sich nämlich die Isoquanten bei begrenzt substitutiven Produktionsmitteln wieder von den Achsen zurück, besitzen also nur innerhalb eines bestimmten Bereichs einen monoton fallenden Verlauf. Dies kann anhand einer hinsichtlich der beiden Produktionsmittel 1 und 2 symmetrischen totalen Produktionsfunktion wie folgt gezeigt werden: In Abbildung 36 werden in den vierten Quadranten die beiden partiellen Produktionsfunktionen

$$x = x(v_1, v_2^0) \text{ und } x = x(v_1, v_2^1)$$

eingezeichnet, wobei v_2^0 und v_2^1 zwei konstante Mengen des Produktionsmit-

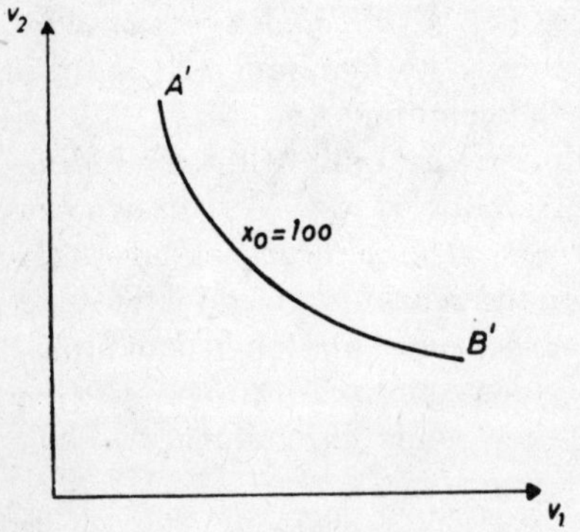

Abb. 35

tels 2 bedeuten und $v_2^0 < v_2^1$ gilt. Mit der konstanten Menge v_2^0 und dem variablen Faktor 1 kann ein maximaler Ertrag von $\bar{x}$ erzielt werden, der sich bei der Faktoreinsatzmenge v_1' ergibt. Dieser Ertrag $\bar{x}$ kann natürlich auch mit der größeren konstanten Menge v_2^1 erzielt werden, aber jetzt bei zwei Ein-

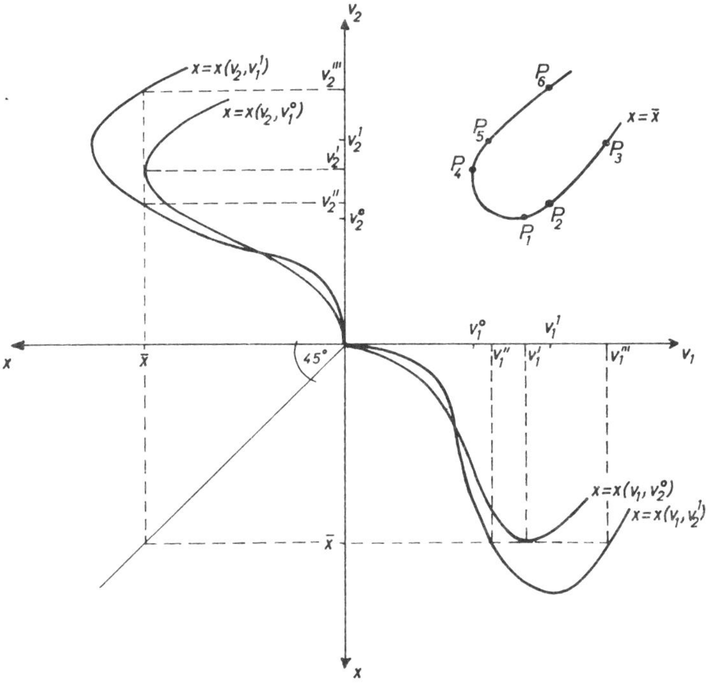

Abb. 36

satzmengen des variablen Faktors, nämlich v_1'' und v_1'''. Überträgt man die drei Faktorkombinationen v_1', v_2^0; v_1'', v_2^1 und v_1''', v_2^1, die zu demselben Ertrag $\bar{x}$ führen, in den ersten Quadranten des Koordinatensystems, so erhält man die Punkte P_1, P_5 und P_3. Diese drei Punkte liegen offenbar auf der Isoquanten für den Ertrag $\bar{x}$.

Dieselbe Konstruktion wird nun für konstante Einsatzmengen des ersten Produktionsmittels wiederholt, wobei die partiellen Ertragsfunktionen in den 2. Quadranten des Systems aufgenommen werden. Wählt man die konstanten Mengen des ersten Faktors so, daß sie den konstanten Mengen des zweiten Faktors im ersten Fall gleich sind, also $v_1^0 = v_2^0$ und $v_1^1 = v_2^1$, so sind die sich ergebenden partiellen Ertragsfunktionen $x = x(v_2, v_1^0)$ und $x = x(v_2, v_1^1)$ den früher verwendeten Funktionen $x = x(v_1, v_2^0)$ und $x = x(v_1, v_2^1)$ gleich, und zwar wegen der angenommenen Symmetrie der Produktionsfunktion.

Mit der konstanten Menge v_1^0 kann demnach maximal der Ertrag $\bar{x}$ produziert werden, und zwar mit der Menge v_2' des variablen Faktors. Dabei gilt jetzt – wiederum auf Grund der Symmetrie der totalen Produktionsfunktion – $v_2' = v_1'$. Entsprechend kann mit der größeren konstanten Einsatzmenge v_1^1 der Ertrag $\bar{x}$ mit den Mengen v_2'' und v_2''' erzielt werden, wobei $v_2'' = v_1''$ und $v_2''' = v_1'''$ gilt. Man gewinnt so, bei Übertragung der drei Faktorkombinationen v_2', v_1^0; v_2'', v_1^1 und v_2''', v_1^1, die zu demselben Ertrag $\bar{x}$ führen, in den ersten Quadranten des Koordinatensystems, drei weitere Punkte der Isoquante $x = \bar{x}$, nämlich P_4, P_2 und P_6.

Damit ist die graphische Konstruktion abgeschlossen, und wir können uns ihrer ökonomischen Interpretation zuwenden. Dabei gilt unser Augenmerk selbstverständlich vor allem den abgeleiteten sechs Punkten der Isoquante für $x = \bar{x}$ im ersten Quadranten, die wir durch entsprechend konstruierte Punkte ergänzen und durch einen stetigen Linienzug

$$P_6 P_5 P_4 P_1 P_2 P_3$$

verbinden. Die Isoquante hat danach ein höchst eigentümliches Aussehen: Sie biegt sich in P_1 und in P_4 zurück, besitzt also nur zwischen P_1 und P_4 eine negative Steigung. Im Punkte P_1 ist ihre Steigung, gemessen als dv_2/dv_1, gleich Null und rechts von P_1 ist sie positiv. Entsprechend ist ihre Steigung in P_4, jetzt aber gemessen als dv_1/dv_2, ebenfalls Null und oberhalb von P_4 positiv. Diese für eine Isoquante bei begrenzt substitutiven Produktionsmitteln charakteristischen Eigenschaften lassen sich wie folgt erklären: Wie aus der Abbildung 36 (2. und 4. Quadrant) hervorgeht, läßt sich der Ertrag $\bar{x}$ mit keinem kleineren Einsatz des jeweils konstanten Produktionsmittels als v_1^0 bzw. v_2^0 erzielen. Es ist also unmöglich, mit einer kleineren konstanten Menge als v_1^0 und variablem v_2 oder mit einer kleineren konstanten Menge als v_2^0 und variablem v_1 den Ertrag $\bar{x}$ herzustellen. Die Mengen v_1^0 und v_2^0 *begrenzen* demnach die Substituierbarkeit der beiden Produktionsmittel, nur zwischen den Faktormengenkombinationen v_1^0, v_2' und v_2^0, v_1' ist eine Substitution von v_1 durch v_2 oder von v_2 durch v_1 möglich. Die Substituierbarkeit stößt sozusagen an die Grenze der Komplementarität bzw. sogar der Limitationalität der beiden Faktoren: In P_1 wie in P_4 sind die beiden Produktionsmittel limitational, denn das Grenzprodukt jeweils eines Faktors ist in diesen Punkten gleich Null, nämlich $dx/dv_1 = 0$ in P_1 und $dx/dv_2 = 0$ in P_4. Auf den sich zurückbiegenden Ästen der Isoquante, also $P_1\,P_3$ und $P_4\,P_6$, ist das Grenzprodukt jeweils eines Faktors negativ, nämlich $dx/dv_1 < 0$ auf dem Teil $P_1\,P_3$ und $dx/dv_2 < 0$ auf dem Teil $P_4\,P_6$. Für die Produktion kommt infolgedessen sinnvollerweise nur der negativ geneigte Ast der Isoquante, also der Teil zwischen P_1 und P_4 in Frage, bei dem die Grenzprodukte beider Produktionsmittel positiv sind. Das gilt natürlich für sämtliche Isoquanten, so daß wir uns von jetzt an nur noch mit dem Verlauf der

Isoquanten innerhalb des Substitutionsgebietes, d.h. innerhalb der Linien *OA* und *OB* von Abbildung 37, zu beschäftigen haben.

Innerhalb des Substitutionsgebietes besitzen die Isoquanten begrenzt substitutiver Produktionsmittel dieselben Eigenschaften wie die Indifferenzkurven unvollkommen substitutiver Güter in der Theorie des Haushalts, d.h. sie sind negativ geneigt und besitzen eine zum Koordinatenursprung konvexe Krümmung[1]). Die Steigung einer Isoquante läßt sich aus der Gleichung einer Isoquante wie folgt ableiten: Die Isoquante ist eine Kurve gleichen Ertrages, erfüllt also die Gleichung

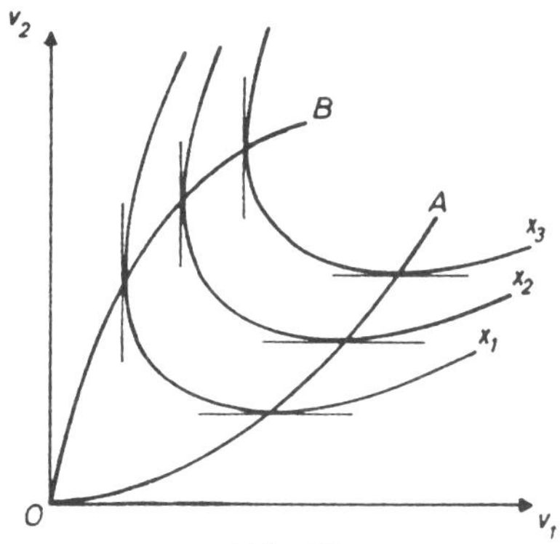

Abb. 37

$$x = x(v_1, v_2) = \text{const.}$$

Daraus ergibt sich für das totale Differential:

$$dx = \frac{\partial x}{\partial v_1} dv_1 + \frac{\partial x}{\partial v_2} dv_2 = 0,$$

d.h. die Ertragsänderung ist Null, wenn man sich auf ein und derselben Isoquante bewegt. Daraus folgt[2]):

$$-\frac{dv_2}{dv_1} = \frac{\dfrac{\partial x}{\partial v_1}}{\dfrac{\partial x}{\partial v_2}} = \frac{x_1'}{x_2'}.$$

Man bezeichnet den Bruch auf der linken Seite als die *Grenzrate der technischen Substitution* zwischen den beiden Produktionsmitteln 1 und 2. Die beiden partiellen Differentialquotienten in dem Doppelbruch rechts nennt man die *Grenzproduktivitäten* der beiden Produktionsmittel, $\partial x/\partial v_1$ ist also die Grenzproduktivität des Faktors 1 und $\partial x/\partial v_2$ die des Faktors 2. Die Grenzproduktivität eines Produktionsmittels gibt die Änderung der Ausbringung an, die sich bei einer infinitesimal kleinen Veränderung des Einsatzes dieses Produktionsmittels und Konstanz der übrigen Faktoreinsatz-

[1]) Wichtig ist der folgende Unterschied zwischen den Indifferenzkurven eines Haushalts und den Isoquanten: Während an eine Haushalts-Indifferenzkurve immer nur ein Nutzenindex geschrieben werden kann, repräsentiert eine Isoquante einen ganz bestimmten, meßbaren Ertrag.

[2]) Der Einfachheit halber schreiben wir x_i' anstelle der korrekten Bezeichnung x_{v_i}'.

mengen ergibt[1]). Die negative Steigung einer Isoquante ist also gemäß der letzten Gleichung gleich der Grenzrate der technischen Substitution zwischen den beiden Produktionsmitteln und außerdem gleich dem reziproken Verhältnis der Grenzproduktivitäten. (Analog zur Theorie des Haushalts kann natürlich auch die Durchschnittsrate der technischen Substitution abgeleitet werden.) Graphisch erhält man die Grenzrate der technischen Substitution als Steigung der Substitutionstangente an dem betreffenden Punkt der Isoquante (vgl. Abb. 38):

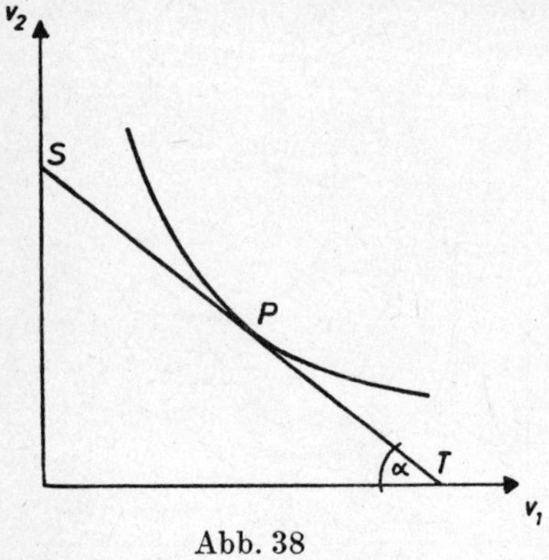

Abb. 38

$$-\operatorname{tg}\alpha = \frac{d\,v_2}{d\,v_1}.$$

Die konvexe Krümmung der Isoquante zum Koordinatenursprung läßt sich – wieder analog zur Theorie des Haushalts – durch das *Gesetz von der abnehmenden Grenzrate der technischen Substitution* ausdrücken: *Mit fortgesetzter Substitution des Produktionsmittels 2 durch das Produktionsmittel 1 nimmt die Grenzrate der technischen Substitution ständig ab.* Dieses Gesetz läßt sich dann relativ einfach begründen, wenn man sich vergegenwärtigt, daß die beiden Produktionsmittel nicht nur begrenzt, sondern auch unvollkommen substitutiv sind, und daß in dieser Hinsicht kein Unterschied zu den unvollkommen substitutiven Gütern in der Haushaltstheorie besteht: Steht das eine Produktionsmittel (Konsumgut) reichlich, das andere nur spärlich zur Verfügung, so ist die Grenzproduktivität (der Grenznutzen) des einen niedrig und die des anderen hoch. Bei fortgesetzter Substitution des reichlich vorhandenen Produktionsmittels (Konsumguts) durch das zunächst spärlich vorhandene verändert sich die relative Seltenheit der beiden Produktionsmittel (Konsumgüter) und zwar derart, daß das ursprünglich reichliche knapp und das ursprünglich knappe reichlich verfügbar ist. Mit dieser Umkehrung der relativen Seltenheit verändert sich auch das Grenzproduktivitäts- (bzw. Grenznutzen-)verhältnis: Die Grenzproduktivität des Faktors (der Grenznutzen des Konsumgutes), dessen Menge verringert wurde, ist gestiegen,

---

[1]) Am Rande ist darauf hinzuweisen, daß eigentlich zwischen Grenzproduktivität und Grenzprodukt unterschieden werden sollte. Es ist

$$\frac{\partial x}{\partial v_i} \text{ die Grenzproduktivität des Faktors } i \text{ und}$$

$$\frac{\partial x}{\partial v_i}\,dv_i \text{ das Grenzprodukt des Faktors } i.$$

Beide fallen zusammen, wenn $dv_i = 1$ gesetzt wird.

während die Grenzproduktivität des Faktors (der Grenznutzen des Konsumgutes), dessen Menge vergrößert wurde, gesunken ist.

Bevor wir uns der Minimalkostenkombination zuwenden können, ist noch eine letzte Vorfrage zu klären. Es sei ein Produktionsmodell mit zwei variablen Faktoren 1 und 2 und einem konstanten dritten Faktor unterstellt: $v_3 = \bar{v}_3$. Dann läßt sich offenbar in einem v_1-v_2-Koordinatensystem ein Isoquantensystem zeichnen, das nur die Beziehungen zwischen den beiden variablen Produktionsmitteln und dem Ertrag aufzeigt. Werden jetzt die beiden Produktionsmittel 1 und 2 proportional vermehrt, so muß sich, da ja noch ein drittes konstantes Produktionsmittel vorhanden ist und die Produktionsverhältnisse mitbestimmt, ein „ertragsgesetzmäßiges" Ansteigen der Ausbringung in Abhängigkeit von der proportionalen Vermehrung von v_1 und v_2 ergeben. Graphisch bedeutet das nichts anderes, als daß Isoquanten mit gleichem Ertragsabstand ($x_0 = 100$, $x_1 = 200$, $x_3 = 300$ usf.) nicht äquidistant sein dürfen. Sie müssen zunächst zunehmend dichter beieinanderliegen und dann allmählich vom Koordinatenursprung ausgehend wieder einen wachsenden Abstand voneinander einnehmen, wie es in Abb. 39 angedeutet wird.

Analysieren wir jetzt unser eigentliches Problem, die Minimalkostenkombination. In Analogie zur Theorie des Haushalts kann man die Problemstellung wie folgt formulieren: Der Unternehmer betrachtet die Produktionsfunktion seines Betriebes, ausgedrückt durch ein Isoquantensystem, als Datum. Er sieht ferner die Preise der beiden Produktionsmittel 1 und 2, bezeichnet mit q_1 und q_2, als gegeben an. Isoquantensystem und Faktorpreise werden also als bekannt vorausgesetzt; gesucht sind die minimalen Kosten und gleichzeitig das optimale Faktoreinsatzmengenverhältnis für eine feste Produktionsmenge. Die Kosten sollen demnach unter der Nebenbedingung einer konstanten Ausbringung minimiert werden.

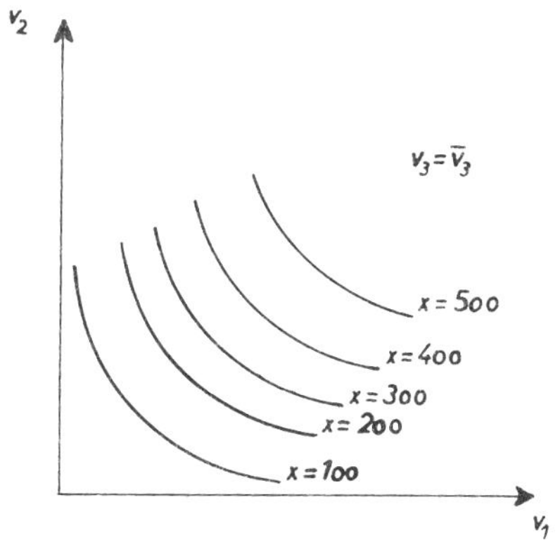

Abb. 39

Wenn wir von einer zunächst gegebenen Kostensumme K und konstanten Faktorpreisen q_1 und q_2 ausgehen, so wird die Kostengleichung durch die folgende Funktion angegeben:

$$K = q_1 v_1 + q_2 v_2$$

oder nach v_2 aufgelöst:

$$v_2 = -\frac{q_1}{q_2} v_1 + \frac{K}{q_2}.$$

Wie man leicht einsieht, handelt es sich um eine lineare Gleichung mit den Unbekannten v_1 und v_2. Ihre graphische Darstellung ergibt die sogenannte Isokostenlinie oder *Isotime* mit den Koordinatenabschnitten K/q_2 und K/q_1 und der Steigung $dv_2/dv_1 = - q_1/q_2$ (vgl. Abb. 40).

Die Isotime ist offensichtlich der geometrische Ort aller Faktormengenkombinationen (v_1, v_2), die eine Unternehmung bei gegebenem Kostenbetrag K und gegebenen Faktorpreisen q_1 und q_2 maximal kaufen kann. Für die Veränderung der Isotime bei einer Veränderung von K und/oder $q_1 (q_2)$ gelten analog die gleichen Überlegungen wie bei der Bilanzgeraden des Haushalts.

Kombiniert man ein System solcher Isotimen, die bei gleichen Faktorpreisen unterschiedliche Kostenbeträge repräsentieren, mit einer Isoquanten, so läßt sich das Problem der Minimalkostenkombination leicht lösen (vgl. Abb. 41).

Die günstigste Situation ist offenbar da erreicht, wo eine Isotime die Isoquante gerade tangiert (Punkt P). In diesem Punkt ist die Linie SS' (Isotime) gleichzeitig Substitutionstangente und besitzt als solche die Steigung:

$$\frac{d\,v_2}{d\,v_1} = - \frac{x_1'}{x_2'} .$$

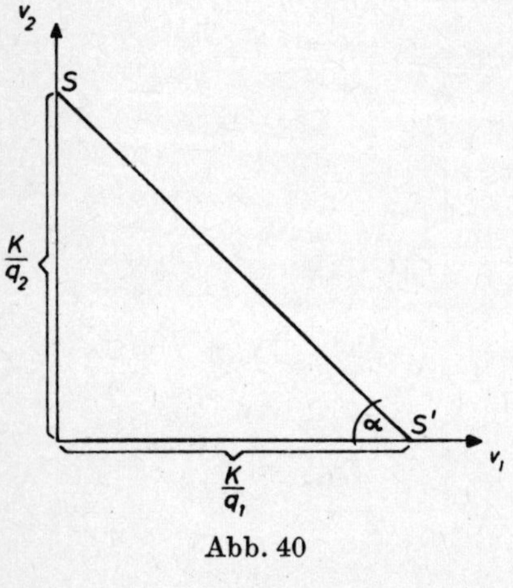

Abb. 40

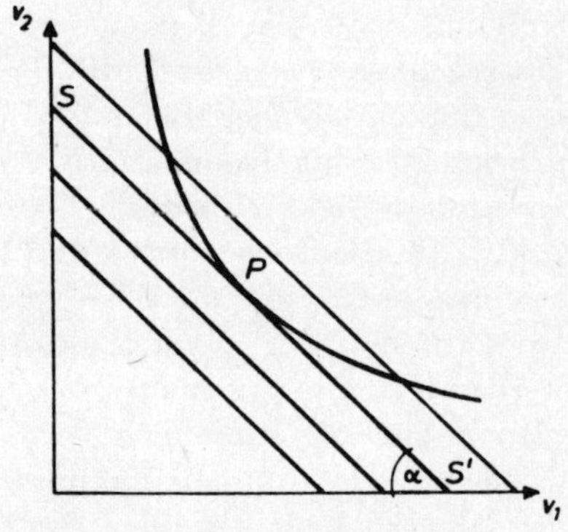

Abb. 41

Als Isotime interpretiert besitzt SS' die Steigung:

$$\frac{d\,v_2}{d\,v_1} = - \frac{q_1}{q_2} .$$

Daraus folgt das Gesetz der Minimalkostenkombination:

$$\frac{x_1'}{x_2'} = \frac{q_1}{q_2} \quad \text{oder} \quad \frac{x_1'}{q_1} = \frac{x_2'}{q_2} .$$

Die Minimalkostenkombination ist verwirklicht, wenn sich die Grenzproduktivitäten der eingesetzten Produktionsmittel wie deren Preise verhalten oder, anders formuliert, wenn der Grenzertrag des Geldes x_i'/q_i bei allen eingesetzten Produktionsmitteln gleich ist. Die Minimalkostenkombination ist also verwirklicht, wenn ein gegebener Ertrag mit den geringsten Kosten erstellt wird.

Um den Charakter des Minimierungsproblems noch schärfer hervortreten zu lassen, empfiehlt es sich, die exakte mathematische Ableitung hinzuzuziehen. Die Kosten

$$K = q_1 v_1 + q_2 v_2$$

sind unter der Nebenbedingung

$$x = x(v_1, v_2) = \bar{x}$$

zu minimieren. Man bildet die Lagrange-Funktion

$$K^* = q_1 v_1 + q_2 v_2 - \lambda [x(v_1, v_2) - \bar{x}],$$

die nach dem üblichen Verfahren minimiert wird. Die ersten partiellen Ableitungen nach v_1, v_2 und λ, gleich Null gesetzt, lauten:

$$\frac{\partial K^*}{\partial v_1} = q_1 - \lambda x_1' = 0,$$

$$\frac{\partial K^*}{\partial v_2} = q_2 - \lambda x_2' = 0,$$

$$\frac{\partial K^*}{\partial \lambda} = x(v_1, v_2) - \bar{x} = 0.$$

Aus den ersten beiden Gleichungen folgt $x_1'/x_2' = q_1/q_2$, das ist wieder die notwendige Bedingung für die Minimalkostenkombination[1]).

Es bleibt uns noch zu zeigen übrig, daß bei limitationalen Produktionsmitteln das Problem der Minimalkostenkombination nicht existiert. Die Isoquanten besitzen bei Limitationalität der beiden Produktionsmittel 1 und 2 die Gestalt von rechtwinkligen Linienzügen (vgl. Abb. 42). Die effiziente Kombination liegt jeweils in der Ecke einer solchen Isoquante; in dem horizontalen Ast gilt $x_1' = 0$, $x_2' > 0$ und in dem vertikalen Ast $x_1' > 0$, $x_2' = 0$, so daß diese beiden Teile der Isoquante für die Produktion nicht in Frage kommen.

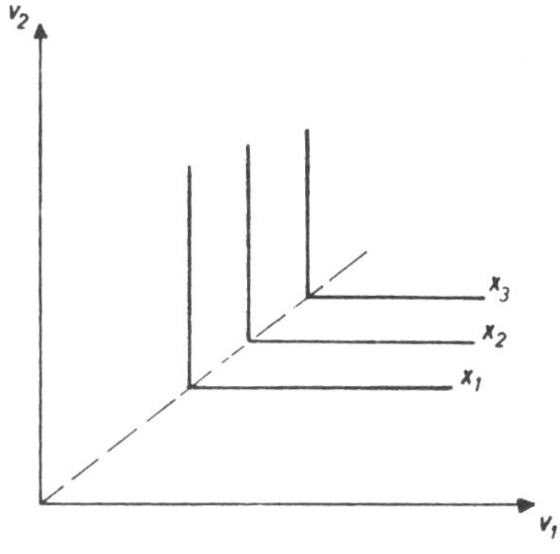

Abb. 42

1) Auf die Ableitung der hinreichenden Bedingung wird wieder verzichtet.

Wie man leicht einsieht, wird ein Unternehmer stets die effiziente Kombination der beiden limitationalen Produktionsmittel verwirklichen, ganz gleichgültig, wie die Faktorpreisrelation beschaffen ist, vorausgesetzt natürlich, daß $q_1 > 0$ und $q_2 > 0$ gilt. Das bedeutet graphisch, daß durch einen effizienten Punkt (P_1 in Abb. 43) beliebig viele Isotimen gezogen werden können. Der Einsatz limitationaler Produktionsmittel ist demnach für eine feste Ausbringung von der Faktorpreisrelation wie der Kostensumme unabhängig.

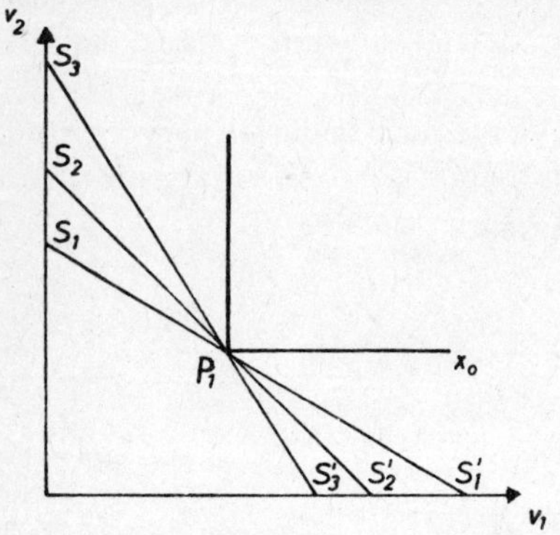

Abb. 43

§ 3. *Die Kostenfunktionen*

In dem folgenden Abschnitt ist es unsere Aufgabe, die Kostenfunktionen abzuleiten und zwar einmal bei begrenzt substitutiven und zum anderen bei limitationalen Produktionsmitteln. Anschließend sind die Kostenfunktionen selbst zu analysieren.

Wir beginnen mit dem ertragsgesetzlichen oder traditionellen Kostenverlauf, wie er sich bei begrenzt substitutiven Produktionsmitteln ergibt, und betrachten als erstes ein sehr einfaches Produktionsmodell mit nur zwei Produktionsmitteln. Von diesen beiden Produktionsmitteln soll das eine konstant sein ($v_2 = \bar{v}_2$), das andere variabel. Bei dieser Modellkonstruktion spielt offenbar die Minimalkostenkombination keine Rolle, es erübrigt sich also die Frage nach dem optimalen Einsatzverhältnis der beiden Faktoren. Der konstante Faktor verursacht Kosten, die von der Produktionsmenge unabhängig sind und als fixe Kosten bezeichnet werden. Man erhält diese fixen Kosten, indem man den konstanten Faktoreinsatz $\bar{v}_2$ mit dem (ebenfalls als konstant angenommenen) Faktorpreis q_2 multipliziert: $K_f = \bar{v}_2 q_2$. Der variable Faktor verursacht variable Kosten, also Kosten, die mit der Ausbringung variieren, und es gilt, die Art dieser Abhängigkeit herauszufinden.

Zu diesem Zweck geht man am besten von der partiellen Ertragsfunktion $x = x(v_1, \bar{v}_2)$ aus, die in Abb. 44 im ersten Quadranten enthalten ist. Wie wir wissen, kommt für die Produktion nur der Bereich zwischen $v_1 = 0$ und $v_1 = v_1'$ in Frage, d.h. der Bereich vor dem maximalen Ertrag, der bei konstantem $v_2 = \bar{v}_2$ erzielt werden kann. Man kann also den in Abb. 44 gestrichelten, fallenden Teil der partiellen Ertragskurve vernachlässigen.

Diese Ertragsfunktion wird jetzt um die v_1-Achse nach unten gespiegelt. so daß man im vierten Quadranten eine spiegelbildlich verlaufende Ertragsfunktion erhält. Faßt man jetzt die untere Koordinaten-Halbachse als

Abszisse und die bisherige Abszisse als Ordinate auf (dreht also die Abbildung um 90° im entgegengesetzten Uhrzeigersinn), so kann die Ausbringung x als die unabhängige und die Menge des variablen Faktors v_1 als die abhängige Variable aufgefaßt werden.

Aus der partiellen Ertragsfunktion ist damit eine partielle Aufwandsfunktion geworden, die die Abhängigkeit des mengenmäßigen Einsatzes (des Aufwands) des variablen Produktionsmittels von der Ausbringung angibt. Die Spiegelung um die v_1-Achse bedeutet also mathematisch nichts anderes als die *Auflösung* der partiellen Ertragsfunktion nach der unabhängigen Variablen v_1[1]).

Aus der Ertragsfunktion $x = x(v_1, \bar{v}_2)$ wird also durch Auflösung nach v_1 die Aufwandsfunktion $v_1 = v_1(x, \bar{v}_2)$. Auch bei ihr kann selbstverständlich der gestrichelte Ast außer Betracht bleiben: Kein Unternehmer wird einen Punkt auf dem gestrichelten Ast der Aufwandsfunktion realisieren, denn dies hieße, eine bestimmte Ausbringung mit einem höheren Aufwand an v_1 als notwendig, also unwirtschaftlich zu produzieren.

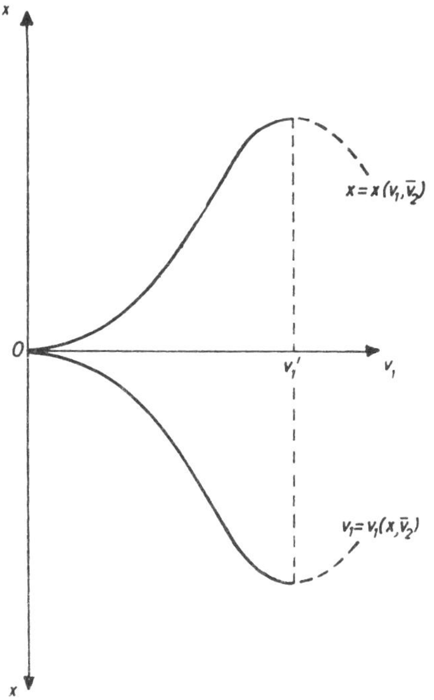

Abb. 44

Um von der partiellen Aufwandsfunktion zur Kostenfunktion zu gelangen, sind nunmehr nur noch zwei Schritte erforderlich. Einmal ist der jeweilige mengenmäßige Einsatz von v_1 mit dem (konstanten) Faktorpreis q_1 zu multiplizieren. Dadurch erhält man die variablen Kosten $K_v = v_1 q_1 = K_v(x)$. Die Kurve der variablen Kosten hat demnach dieselbe Gestalt wie die Aufwandsfunktion, zeigt also ebenfalls den zirkumflex-förmigen, kubisch-parabolischen Verlauf. Als letztes sind dann die fixen Kosten $K_f = \bar{v}_2 q_2$ zu berücksichtigen, graphisch durch eine Verschiebung der Kurve der variablen Kosten um K_f nach oben. Die sich ergebende Kurve ist die Gesamtkostenkurve $K = K_v(x) + K_f$ (Abb. 45).

Wesentlich komplizierter gestaltet sich die Ableitung der Kostenkurve aus der Ertragskurve bei mehr als einem variablen, begrenzt substitutiven

---

[1]) In der Literatur findet sich gelegentlich die Behauptung, es handele sich um die inverse Funktion der Ertragsfunktion. Davon kann natürlich keine Rede sein.

Produktionsmittel, denn jetzt muß das Problem der Minimalkostenkombination berücksichtigt werden. Nehmen wir den dann einfachsten Fall zweier variabler und eines konstanten Produktionsmittels an. Das konstante Produktionsmittel $v_3 = \bar{v}_3$ verursacht wieder fixe Kosten $K_f = \bar{v}_3\, q_3$. Bezüglich der beiden variablen Faktormengen v_1 und v_2 taucht das Problem der Minimalkostenkombination auf, es muß also für jede Ausbringung die kostenminimale Kombination der beiden Faktoren bestimmt werden. Man erhält auf diese Weise eine ganze Anzahl von Punkten (T_1, T_2, T_3, T_4 in Abb. 46), in denen die Minimalkostenkombination realisiert ist. Die Verbindungslinie dieser optimalen Positionen nennt man die *Faktoranpassungskurve*, den sich ergebenden Pfad den *Expansionspfad* (Abb. 46).

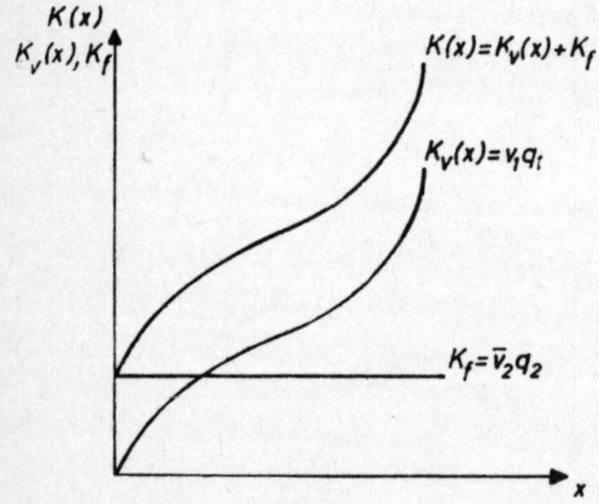

Abb. 45

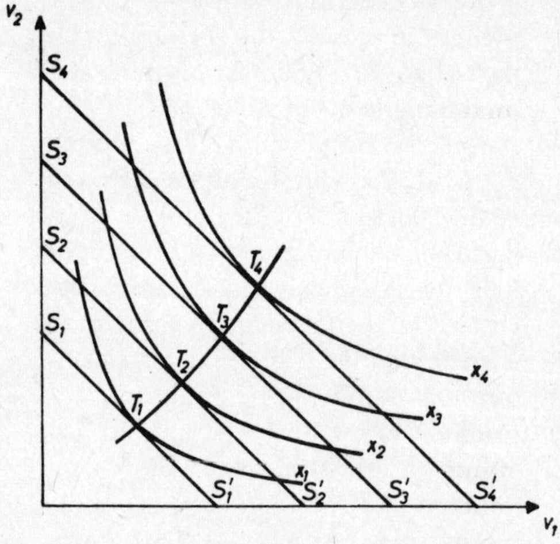

Abb. 46

Nun kommt der springende Punkt. Es bedarf wohl keines Beweises, daß die äquidistanten Isotimen von Abb. 46 auch gleiche Unterschiede in den Kosten, gleiche Kostendifferenzen repräsentieren. Stellt die Isotime S_1S_1 z.B. den Kostenbetrag 100, die Isotime S_2S_2' den Betrag 120 dar, so gilt für S_3S_3' der Wert 140 und für S_4S_4' der Wert 160. Wie steht es aber mit den Isoquanten, die – jedenfalls in den Tangentialpunkten mit den Isotimen – ebenfalls äquidistant sind? Wenn diesen äquidistanten Isoquanten auch gleiche Ertragsunterschiede entsprächen, wenn etwa die Isoquanten (von unten nach oben) die Erträge 100, 200, 300 und 400 repräsentierten, so ergäbe sich eine lineare Beziehung zwischen Kosten und Ausbringung, d.h. eine lineare Kostenfunktion. Bei Gültigkeit des Ertragsgesetzes entsprechen dagegen, wie im vorigen Abschnitt gezeigt wurde, äquidistanten Isoquanten keine gleichen Ertragsunterschiede, und daraus folgt auch bei mehr als einem variablen (begrenzt substitutiven) Produktionsmittel der traditionelle kubisch-parabolische Kostenverlauf. Die vier Isoquanten der Abb. 46 müßten also z.B. die folgenden Erträge repräsentieren: 200, 250, 325, 350; die Zuordnung der jeweiligen Kosten (100, 120, 140, 160) zu diesen Erträgen ergibt dann den für das Ertragsgesetz typischen zirkumflex-förmigen Kostenverlauf.

Nach dieser Ableitung der Kostenfunktion aus der Ertragsfunktion können wir uns der Betrachtung der ertragsgesetzlichen Kostenfunktion im einzelnen zuwenden. Aus der Gesamtkostenfunktion

$$K = K_v(x) + K_f \tag{1}$$

lassen sich die folgenden Funktionen gewinnen:

die Funktion der durchschnittlichen Fixkosten $\frac{K_f}{x}$; (2)

die Funktion der durchschnittlichen variablen Kosten $\frac{K_v(x)}{x}$; (3)

die Funktion der durchschnittlichen Gesamtkosten (Stückkosten) $\frac{K}{x} = \frac{K_v(x)}{x} + \frac{K_f}{x}$; (4)

die Funktion der Grenzkosten $\frac{dK}{dx} = \frac{dK_v(x)}{dx}$. (5)

Die Kurve der durchschnittlichen Fixkosten ist eine gleichseitige Hyperbel; die übrigen Kurven (3)—(5) sind bei zirkumflex-förmigem Verlauf der Kurve der variablen Kosten (und damit auch der Gesamtkosten) u-förmig. Die Zusammenhänge werden in der Tabelle 13 verdeutlicht, der die folgenden numerischen Funktionen zugrundeliegen:

Gesamtkostenfunktion: $K = \frac{1}{100} x^3 - x^2 + 50x + 720$; (1)

Funktion der durchschnittlichen Fixkosten: $\frac{K_f}{x} = \frac{720}{x}$; (2)

Funktion der durchschnittlichen variablen Kosten:

$$\frac{K_v}{x} = \frac{1}{100} x^2 - x + 50; \tag{3}$$

Funktion der durchschnittlichen Gesamtkosten:

$$\frac{K}{x} = \frac{1}{100} x^2 - x + 50 + \frac{720}{x}; \tag{4}$$

Funktion der Grenzkosten: $\frac{dK}{dx} = \frac{3}{100} x^2 - 2x + 50$. (5)

Tabelle 13

Kostenverläufe nach dem Ertragsgesetz

x	K_f	K_v	K	K_f/x	K_v/x	K/x	$\frac{dK}{dx}$
0	720	0	720	∞	50	∞	50
10	720	410	1130	72	41	113	33
20	720	680	1400	36	34	70	22
30	720	870	1590	24	29	53	17
40	720	1040	1760	18	26	44	18
50	720	1250	1970	14,4	25	39,4	25
60	720	1560	2280	12	26	38	38
70	720	2030	2750	10,3	29	39,3	57
80	720	2720	3440	9	34	43	82
90	720	3690	4410	8	41	49	113
100	720	5000	5720	7,2	50	57,2	150

Die eingerahmten Felder in der Tabelle 13 kennzeichnen das Minimum der jeweiligen Funktion und ihren Schnittpunkt mit der Grenzkostenkurve. Es bestehen die folgenden Zusammenhänge zwischen den einzelnen Funktionen:

Im Wendepunkt W der Gesamtkostenkurve (und natürlich auch der Kurve der variablen Kosten) besitzt die Grenzkostenkurve ihr Minimum (im numerischen Beispiel bei $x = 30$). Man bezeichnet das Grenzkostenminimum auch als die *Schwelle des Ertragsgesetzes*, und zwar weil sie – bei nur einem variablen Faktor – dem Maximum des Grenzertrages entspricht.

Als nächste Kurve erreicht die Kurve der durchschnittlichen variablen Kosten ihr Minimum, und zwar bei der Ausbringung, bei der ein Fahrstrahl an die Kurve der variablen Kosten mit einer Tangente an diese Kurve zusammenfällt (im Beispiel bei $x = 50$, Punkt T in Abb. 47a). Im Minimum der durchschnittlichen variablen Kosten sind diese den Grenzkosten gleich (Prinzip des Durchschnittsextremums). Man bezeichnet dieses Minimum auch als *Betriebsminimum* oder *Produktionsschwelle*, zwei Termini, deren Erklärung erst später erfolgen kann (vgl. S.165).

Als letzte Kurve erreicht die Stückkostenkurve K/x ihr Minimum, und zwar dort, wo ein Fahrstrahl an die Gesamtkostenkurve mit einer Tangente an diese Kurve zusammenfällt (im Beispiel bei $x = 60$, Punkt S in Abb. 47a). Im Minimum der Stückkosten sind diese den Grenzkosten gleich (Prinzip des Durchschnittsextremums). Man bezeichnet dieses Minimum auch als

Betriebsoptimum oder *Gewinnschwelle*, wobei die Erklärung dieser Termini wieder erst später erfolgen kann (vgl. S. 165).

Die Zusammenhänge werden aus den Abb. 47a und 47b ersichtlich, die auf den in Tabelle 13 enthaltenen Werten beruhen.

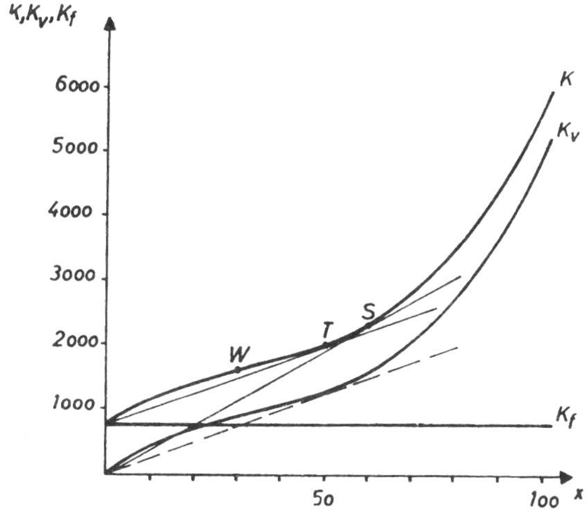

Abb. 47a

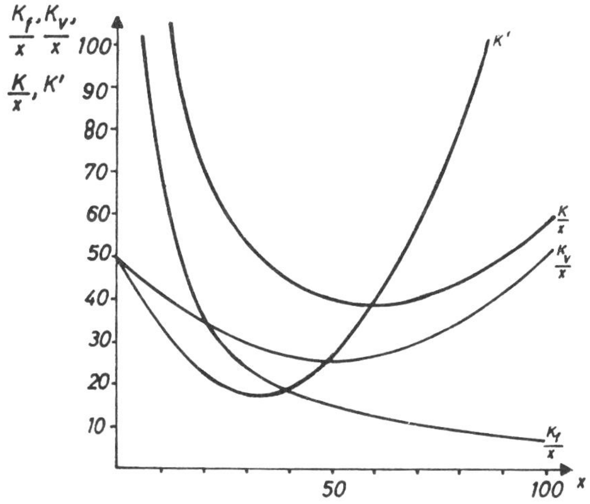

Abb. 47b

Bevor wir den ertragsgesetzlichen Kostenverlauf verlassen und uns den Kostenverläufen bei limitationalen Faktoren zuwenden, erscheint es angebracht, noch einige Bemerkungen zu dem Begriff der Fixkosten und dem der Grenzkosten anzufügen. Wir hatten die Fixkosten als Kosten des konstanten Faktors bezeichnet und haben uns jetzt zu fragen, was man sich unter dem konstanten Faktor bzw. konstanten Faktoren in der Wirklichkeit vorzustellen hat. Dabei ist insbesondere an Grundstücke, Gebäude und große, langlebige Aggregate zu denken, die unabhängig von ihrer Auslastung Kosten verursachen, z.B. Mieten, Pachten oder Hypothekenzinsen bei den Grundstücken und Gebäuden, Instandhaltungskosten und nicht-verbrauchsbedingte Abschreibungen bei den Gebäuden und den maschinellen Anlagen. Wichtig erscheint es vor allem, auf zwei Umstände hinzuweisen, die besonders zur Entstehung fixer Kosten beitragen, erstens einmal die *Unteilbarkeit* (indivisibility) bestimmter Anlagen und zweitens die *Langlebigkeit* bestimmter Anlagen und die *Langfristigkeit* von Verträgen. Das Zeitmoment führt z.B. dazu, daß ein Angestellter mit dreimonatlicher Kündigungsfrist „fixere" Kosten verursacht als ein Arbeiter mit monatlicher Kündigungsfrist. Der Charakter einer bestimmten Kostenart – fix oder variabel – kann demnach nur bei Festlegung des Betrachtungszeitraums bestimmt werden. Bei sehr langfristiger Betrachtung sind alle Kosten variabel[1]).

Lassen wir es bei diesen wenigen Bemerkungen zu den Fixkosten und wenden uns noch kurz den Grenzkosten zu. Die Grenzkosten sind der erste Differentialquotient der Gesamtkostenfunktion und gleichzeitig der Funktion der variablen Kosten; die Fixkosten haben also auf sie keinen Einfluß. Die Grenzkosten geben die Kostenänderung an, die bei einer (infinitesimal) kleinen Änderung der Ausbringung entsteht. Von Wichtigkeit ist die Tatsache, daß die Kostenänderung hier auf die Ausbringungsänderung bezogen wird:

$$\frac{dK}{dx} = \frac{\text{Kostenänderung}}{\text{Ausbringungsänderung}}.$$

Man kann nämlich auch fragen, wie die Kosten bei Änderung des Einsatzes eines Produktionsmittels variieren, also die Kostenänderung auf die Änderung des Faktoreinsatzes beziehen. Zur Ableitung dieser Grenzkosten, bezogen auf die Änderung des Faktoreinsatzes, gehen wir von der folgenden Kostengleichung aus (zur Vereinfachung nehmen wir nur zwei variable und ein konstantes Produktionsmittel $v_3 = \bar{v}_3$ an):

$$K = q_1 v_1 + q_2 v_2 + q_3 \bar{v}_3.$$

Für die Kostenänderung bei konstanten Faktorpreisen erhält man:

$$dK = q_1 \, dv_1 + q_2 \, dv_2.$$

Die Grenzkosten, bezogen auf die Änderung des Einsatzes des ersten Pro-

---

[1]) Die Auffassung SCHNEIDERS, alle Kosten seien dispositionsbestimmt, trägt dem Zeitmoment wohl doch zu wenig Rechnung.

duktionsmittels sind dann:

$$\frac{dK}{dv_1} = q_1 + q_2 \frac{dv_2}{dv_1},$$

wobei dv_2/dv_1 die Veränderung des Einsatzes von v_2 angibt, die durch die Veränderung von v_1 bewirkt wird. Für die Grenzkosten, bezogen auf die Ausbringungsänderung, läßt sich schreiben

$$\frac{dK}{dx} = q_1 \frac{dv_1}{dx} + q_2 \frac{dv_2}{dx}.$$

Dieser Ausdruck läßt sich durch Multiplikation mit dem Grenzprodukt des Faktors 1, d.i. dx/dv_1, leicht in die obere Beziehung für dK/dv_1 überführen. Bei nur einem variablen Produktionsmittel vereinfachen sich die obenstehenden Ausdrücke. Die Grenzkosten, bezogen auf die Änderung des Faktoreinsatzes, sind hier

$$\frac{dK}{dv_1} = \frac{dK}{dx}\frac{dx}{dv_1} = q_1,$$

bezogen auf die Ausbringungsänderung

$$\frac{dK}{dx} = q_1 \frac{dv_1}{dx} = \frac{q_1}{\frac{dx}{dv_1}}.$$

Es besteht also die folgende wichtige Beziehung zwischen den einzelnen Größen:

Grenzkosten, bez. auf die Änderung des Faktoreinsatzes	=	Grenzkosten, bez. auf die Ausbringungsänderung	×	Grenzprodukt des Faktors	=	Faktorpreis

oder

$$\text{Grenzkosten, bez. auf die Ausbringungsänderung} = \frac{\text{Faktorpreis}}{\text{Grenzprodukt des Faktors}}.$$

Wir werden später Gelegenheit finden, auf diese Beziehung wieder zurückzugreifen (Vgl. § 2, Kap. IV, 4).

Untersuchen wir nach diesen eingeschobenen Bemerkungen, wie man bei limitationalen Produktionsmitteln von der (Leontief-)Produktionsfunktion zu den Kostenfunktionen gelangt. Wie früher sollen zwei variable, jetzt aber limitationale Produktionsmittel 1 und 2 und ein dritter konstanter Faktor $v_3 = \bar{v}_3$ angenommen werden. Die Produktionsfunktion wird dann durch zwei Verbrauchsfunktionen und die zuletzt angegebene Gleichung dargestellt. Dabei ist anzunehmen, daß der konstante Faktor eine Höchstgrenze für die

Produktion, also eine *Kapazitätsgrenze* festsetzt:

$$v_1 = a_1 x$$

$$v_2 = a_2 x \qquad \text{Verbrauchsfunktionen}$$

$$v_3 = \bar{v}_3$$

$$0 \leqq x \leqq x_{\max}.$$

Aus dieser Produktionsfunktion erhält man durch Multiplikation der Faktormengen mit den jeweiligen Faktorpreisen unmittelbar die Kosten der einzelnen Faktoren:

$$\left.\begin{aligned} q_1 v_1 &= a_1 q_1 x \\ q_2 v_2 &= a_2 q_2 x \end{aligned}\right\} \text{Variable Kosten}$$

$$q_3 v_3 = q_3 \bar{v}_3. \qquad \text{Fixkosten}$$

Die Addition führt zu der Gesamtkostenfunktion

$$K = (a_1 q_1 + a_2 q_2) x + q_3 \bar{v}_3, \tag{1}$$

d.i. eine in der Ausbringung x lineare Funktion. Die Begrenzung für die Ausbringung $0 \leqq x \leqq x_{\max}$ gilt selbstverständlich weiter. Aus der Gesamtkostenfunktion ergeben sich die weiteren Kostenfunktionen, nämlich:

die durchschnittlichen Fixkosten $\frac{K_f}{x} = \frac{q_3 \bar{v}_3}{x}$; (2)

die durchschnittlichen variablen Kosten $\frac{K_v}{x} = a_1 q_1 + a_2 q_2$; (3)

die durchschnittlichen Gesamtkosten (Stückkosten)

$$\frac{K}{x} = a_1 q_1 + a_2 q_2 + \frac{q_3 \bar{v}_3}{x}; \tag{4}$$

die Grenzkosten $\frac{dK}{dx} = a_1 q_1 + a_2 q_2$. (5)

Die Kurve der durchschnittlichen Fixkosten ist natürlich wie früher eine gleichseitige Hyperbel. Die durchschnittlichen variablen Kosten sind konstant und fallen mit den Grenzkosten zusammen. Die Stückkostenkurve schließlich ist eine um $a_1 q_1 + a_2 q_2$, d.s. die durchschnittlichen variablen Kosten, nach oben verschobene Hyperbel. Die Tabelle 14, der die Gesamtkostenfunktion $K = 30\,x + 720$ zugrundeliegt, informiert über die Zusammenhänge.

Tabelle 14

Kostenverläufe bei einer Leontief-Produktionsfunktion

x	K_f	K_v	K	K_f/x	K_v/x	K/x	$\frac{dK}{dx}$
0	720	0	720	∞	30	∞	30
10	720	300	1020	72	30	102	30
20	720	600	1320	36	30	66	30
30	720	900	1620	24	30	54	30
40	720	1200	1920	18	30	48	30
50	720	1500	2220	14,4	30	44.4	30
60	720	1800	2520	12	30	42	30
70	720	2100	2820	10,3	30	40,3	30
80	720	2400	3120	9	30	39	30
90	720	2700	3420	8	30	38	30
100	720	3000	3720	7,2	30	37,2	30

Wie die Tabelle erkennen läßt, sind die einzelnen Kostenkurven und die Beziehungen zwischen ihnen wesentlich einfacher als beim Ertragsgesetz. Keine der Kostenkurven weist ein Minimum auf, Betriebsminimum und -optimum fehlen. Die Stückkostenkurve nähert sich asymptotisch der Kurve der durchschnittlichen variablen Kosten. Den Verlauf der einzelnen Kurven zeigen die Abb. 48a und 48b.

Wir beschließen dieses Kapitel mit der folgenden Frage: In der Theorie der Haushaltsnachfrage hatten wir am Ende unserer Überlegungen die individuelle Nachfragekurve aus dem Indifferenzkurvensystem abgeleitet. Können wir nicht aus den voranstehenden Analysen analog eine *individuelle Angebotskurve der Unternehmung* für das betreffende Gut ableiten, die in irgendeinem Zusammenhang mit den Kosten stehen muß? Dabei ist die individuelle Angebotskurve analog der individuellen Nachfragekurve als eine Funktion zu definieren, die alternativen hypothetischen Preisen hypothetische Angebotsmengen zuordnet. Begnügen wir uns hier mit einer Andeutung: Wenn ein Anbieter die Gewinnmaximierung anstrebt und den Marktpreis als Datum anzusehen hat, also die Marktform des Polypols auf dem vollkommenen Markt vorliegt, so stellt der ansteigende Ast der Grenzkostenkurve die individuelle Angebotskurve des Anbieters dar. Der Beweis dieses Satzes und seine exakte Fassung muß dem Kap. III, 1 vorbehalten bleiben.

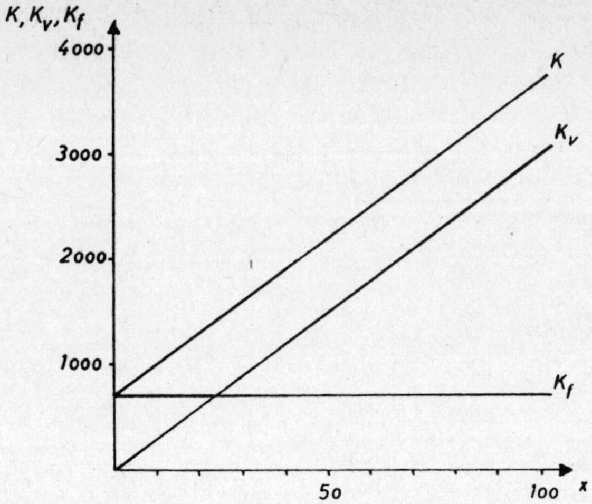

Abb. 48 a

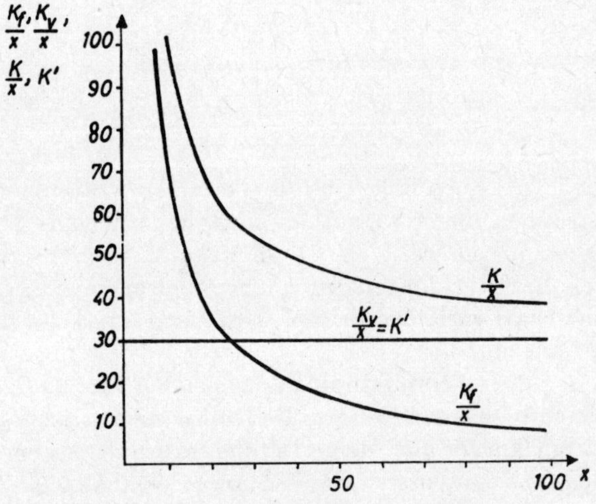

Abb. 48 b

4. Die Elastizitäten der Nachfrage und des Angebots

§ 1. Die Nachfrageelastizitäten

Zur genauen Präzisierung der Beziehungen zwischen Preis und nachgefragter Menge sowie Einkommen und nachgefragter Menge hat man das analytische Instrument der *Elastizitäten* entwickelt (Preis- und Einkommenselastizität der Nachfrage). Das Verdienst um die Entwicklung dieser Instrumente kommt MARSHALL zu.

Wir beginnen unsere Überlegungen mit der direkten Preiselastizität der Nachfrage. Den Ausgangspunkt bildet eine Nachfragekurve, sei es die Einzelnachfragekurve eines Haushalts oder die Gesamtnachfragekurve eines Marktes. Eine solche Nachfragekurve besitzt eine negative Steigung, d. h. hohen hypothetischen Preisen sind niedrige hypothetische Nachfragemengen zugeordnet und umgekehrt – *Gesetz der Nachfrage* (COURNOT). So besitzt die einfache lineare Nachfragekurve der Abb. 49 mit der Gleichung $p = -x + 100$ (bzw. nach x aufgelöst $x = -p + 100$) die konstante Steigung $\frac{dp}{dx} = -1$ bzw. $\frac{dx}{dp} = -1$ (vgl. Abb. 49).

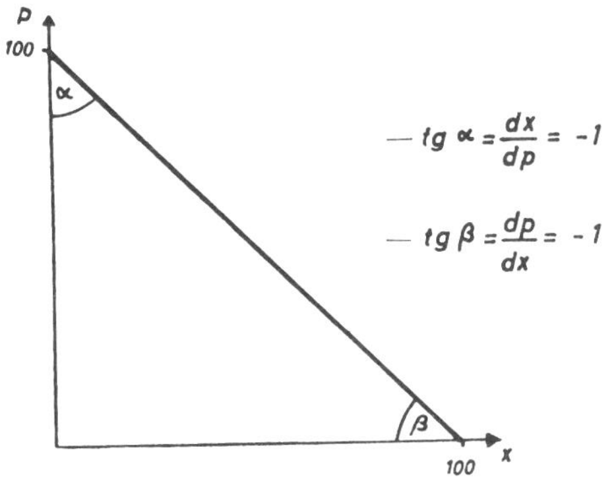

Abb. 49

Die Steigung einer Kurve mißt offenbar das Verhältnis der absoluten Veränderung der abhängigen Variablen zu der absoluten Veränderung der unabhängigen Variablen.

Für viele theoretische Analysen hat es sich jedoch als zweckmäßig erwiesen, nicht das Verhältnis der absoluten Veränderungen, sondern das der relativen (prozentualen) Veränderungen zu betrachten. So kann die Elastizität generell definiert werden:

$$\text{Elastizität} = \frac{\text{prozentuale Veränderung der abhängigen Variablen}}{\text{prozentuale Veränderung der unabhängigen Variablen}}$$

Als direkte Preiselastizität der Nachfrage bezeichnet man den Ausdruck:

$$\text{Direkte Preiselastizität der Nachfrage} = \frac{\text{prozentuale Veränderung der nachgefragten Menge}}{\text{prozentuale Veränderung des Preises}}$$

Als auslösende, unabhängige Variable fungiert also der Preis, als abhängige Variable die nachgefragte Menge[1]). Bezeichnet man die Elastizität mit dem Symbol ε, die nachgefragte Menge mit x_N und den Preis mit p, so erhält man:

$$\varepsilon = \frac{\frac{dx_N}{x_N} \cdot 100}{\frac{dp}{p} \cdot 100} = \frac{dx_N}{dp} \cdot \frac{p}{x_N}.$$

[1]) Man beachte, daß die Ökonomen bei graphischen Darstellungen üblicherweise p auf der Ordinate, x auf der Abszisse auftragen und zwar ohne Rücksicht darauf, ob p oder x als unabhängige Variable angesehen wird.

Da die Steigung der Nachfragekurve dx_N/dp negativ ist, hat man, um zu einem positiven Wert für ε zu gelangen, ε mit einem negativen Vorzeichen versehen, also

$$\varepsilon = -\frac{d\,x_N}{dp}\,\frac{p}{x_N}.$$

Diesem Vorgehen werden wir uns im kommenden anschließen.

Die direkte Preiselastizität der Nachfrage beantwortet offenbar die folgende Frage: Wie verändert sich die nachgefragte Menge prozentual bei einer einprozentigen Preisänderung? Man spricht von einer elastischen Nachfrage, wenn die Elastizität größer als eins ist, also die prozentuale Nachfrageänderung (absolut) größer ist als die Preisveränderung. Ist die Elastizität kleiner als eins, so spricht man von unelastischer Nachfrage. Wie leicht einzusehen ist, besitzt die Elastizität den Charakter einer *Punktelastizität*, d.h. sie gilt für einen bestimmten Punkt der Nachfragekurve. Dies zeigt die Tabelle 15, in der die Preiselastizitäten für zehn Punkte der in Abb. 49 enthaltenen Nachfragekurve errechnet wurden. Für p wurde dabei jeweils das einfache arithmetische Mittel aus dem größeren und dem kleineren Preis genommen und entsprechend bei der nachgefragten Menge. Die Elastizität ist, wie aus Tabelle 15 hervorgeht, bei hohen Preisen und niedrigen nachgefragten Mengen hoch und bei niedrigen Preisen und großen Nachfragemengen niedrig.

Tabelle 15

Die direkte Preiselastizität der Nachfrage

p	$\frac{p_1+p_2}{2}$	Δp	x	$\frac{x_1+x_2}{2}$	Δx	ε
100			0			
	95	10		5	10	19
90			10			
	85	10		15	10	5,7
80			20			
	75	10		25	10	3
70			30			
	65	10		35	10	1,9
60			40			
	55	10		45	10	1,2
50			50			
	45	10		55	10	0,8
40			60			
	35	10		65	10	0,5
30			70			
	25	10		75	10	0,3
20			80			
	15	10		85	10	0,2
10			90			
	5	10		95	10	0,05
0			100			

Die direkte Preiselastizität der Nachfrage kann auch mit Hilfe eines graphischen Verfahrens gemessen werden, das anhand der Abb. 50 verdeutlicht werden soll. Zu bestimmen sei ε im Punkte L.

Es ist:

$$\operatorname{tg}\alpha = \frac{dx_N}{dp} = \frac{OE}{OA} = \frac{EB}{BL};$$

$$\operatorname{tg}\gamma = \frac{p}{x_N} = \frac{BL}{OB}.$$

Demnach ist:

$$\varepsilon = \operatorname{tg}\alpha \cdot \operatorname{tg}\gamma = \frac{EB}{BL}\frac{BL}{OB} = \frac{EB}{OB} = \frac{EL}{LA}.$$

Man mißt also die Preiselastizität der Nachfrage durch das Streckenverhältnis EL/LA, d.i. die Strecke vom Abszissenschnittpunkt bis zum Punkt L dividiert durch die Strecke von L bis zum Ordinatenschnittpunkt. Bei nichtlinearen Nachfragekurven (strichpunktierte Kurve in Abb. 50) ist an dem Punkt, an dem die Elastizität gemessen werden soll (L), eine Tangente an die Nachfragekurve zu legen und dann das beschriebene Verfahren anzuwenden. Aus diesem Vorgehen läßt sich ferner ersehen, daß die Preiselastizität der Nachfrage bei einer normal verlaufenden Nachfragekurve in der Regel alle Werte zwischen Null und unendlich annimmt (Abb. 51).

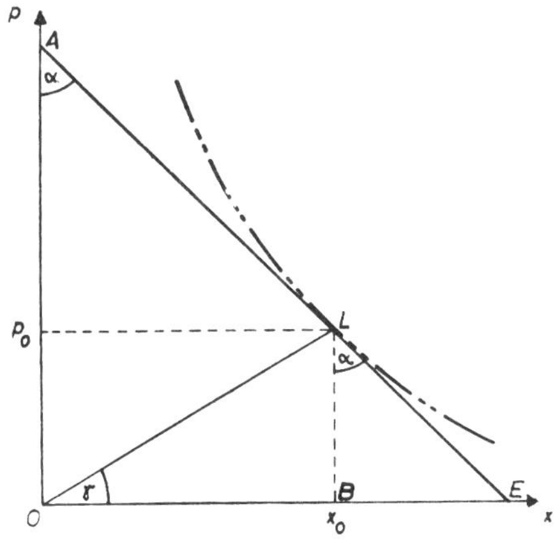

Abb. 50

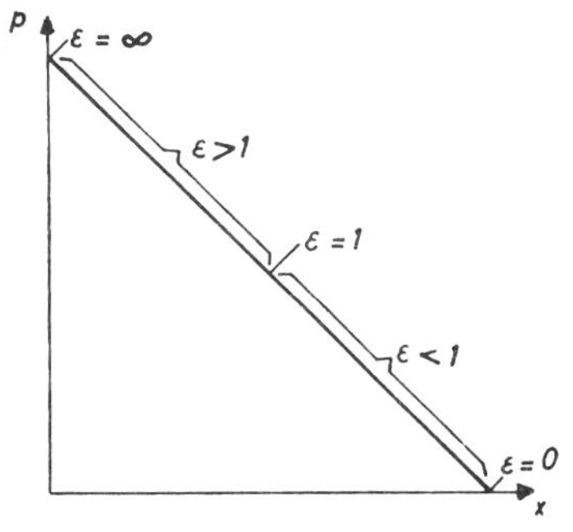

Abb. 51

Nachfragekurven können allerdings auch überall, d.h. an jedem Punkt, dieselbe Elastizität aufweisen, wie z.B. eine Parallele zur Ordinate, bei der überall $\varepsilon = 0$ ist, eine Parallele zur Abszisse, bei der $\varepsilon = \infty$, und schließlich gleichseitige Hyperbeln, bei denen an jedem Punkt $\varepsilon = 1$ erfüllt ist (constant outlay curve nach MARSHALL). Ein elegantes Verfahren zur Bestimmung von isoelastischen Nachfragekurven knüpft an die Tatsache an, daß das Verhältnis der prozentualen Veränderungen zweier Größen dem Differentialquotienten der Logarithmen dieser Größen gleich ist. Es gilt also

$$\varepsilon = -\frac{\frac{d\,x_N}{x_N}}{\frac{d\,p}{p}} = -\frac{d \log x_N}{d \log p}.$$

Soll also eine isoelastische Nachfragekurve, z.B. mit $\varepsilon = -b$ an jedem Punkt, bestimmt werden, so ist auszugehen von

$$\frac{d \log x_N}{d \log p} = -b.$$

Nach Integration und Entlogarithmierung ergibt sich für die Nachfragefunktion mit der Elastizität $\varepsilon = -b$ an jedem Punkt:

$$x_N = \frac{a}{p^b}.$$

Dabei stellt der Parameter a eine Integrationskonstante dar.

Es lassen sich demnach nicht nur für $\varepsilon = 0$, $= \infty$ und $= 1$, sondern für alle möglichen Werte von ε isoelastische Nachfragefunktionen finden.

Von größter Bedeutung für die Preistheorie ist der Zusammenhang zwischen der direkten Preiselastizität der Nachfrage und den Ausgaben der Nachfrager bzw. dem Umsatz der Anbieter. Um diesen Zusammenhang zu entwickeln, gehen wir zunächst von der in Abb. 49 enthaltenen Nachfragekurve aus, die wir jetzt als Gesamtnachfragekurve eines Marktes interpretieren. Aus dieser Gesamtnachfragefunktion mit der Gleichung $p = -x + 100$ entsteht durch Multiplikation mit der Menge x die Gleichung

$$p \cdot x = -x^2 + 100x,$$

die vom Standpunkt der Nachfrager als *Ausgabenfunktion* ($p \cdot x$ ist die Ausgabe für das betreffende Gut), vom Standpunkt der Anbieter als *Umsatzfunktion* ($p \cdot x$ ist der Umsatz in dem betreffenden Gut) anzusehen ist. Ihre graphische Darstellung ist in Abb. 52 enthalten.

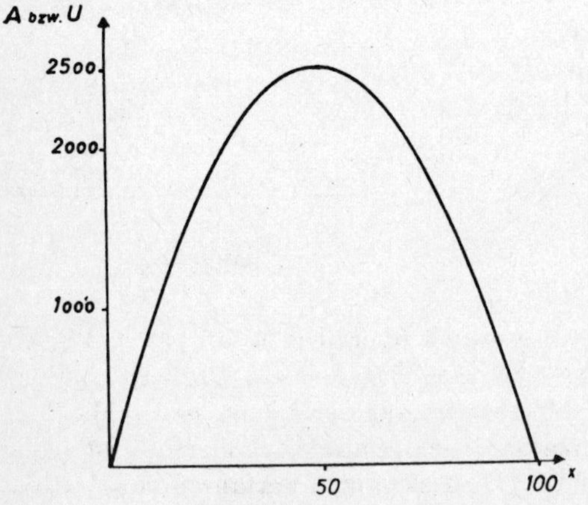

Abb. 52

Für die Ausgaben- oder Umsatzänderung erhält man durch totale Differentiation der Gleichung

$$A = U = p \cdot x$$

den Ausdruck:

$$dA = dU = dxp + dpx.$$

In diesem totalen Differential ist entweder $dx < 0$ und $dp > 0$ oder $dx > 0$ und $dp < 0$. Bei Division durch dx erhält man die *Grenzausgabe der Nachfrager* oder den *Grenzumsatz der Anbieter:*

$$\frac{dA}{dx} = \frac{dU}{dx} = p + \frac{dp}{dx} x .$$

Dieser Ausdruck (wir interpretieren ihn nur als Grenzumsatz dU/dx) gibt die Veränderung des Umsatzes der Anbieter bei einer infinitesimal kleinen Änderung der Absatzmenge an. Aus der Kombination dieses Ausdruckes für den Grenzumsatz $\frac{dU}{dx} = U' = p + \frac{dp}{dx}\, x$ und der Elastizitätsformel $\varepsilon = -\frac{dx}{dp}\,\frac{p}{x}$ gewinnt man die Amoroso-Robinson-Relation[1]):

$$U' = p - \frac{p}{\varepsilon} = p\left(1 - \frac{1}{\varepsilon}\right),$$

d.i. eine Beziehung zwischen Grenzumsatz, Preis und Preiselastizität der Nachfrage. Nach dieser Relation stimmen Preis und Grenzumsatz nur bei $\varepsilon = \infty$ überein; bei allen Elastizitätswerten $\varepsilon < \infty$ ist der Grenzumsatz kleiner als der Preis, und zwar um p/ε. Ferner gilt: Der Grenzumsatz ist positiv, d.h. der Umsatz steigt bei einer Vergrößerung der Absatzmenge, wenn ε größer als eins ist. Der Grenzumsatz ist Null, d.h. der Umsatz bleibt bei einer Vergrößerung der Absatzmenge konstant, bei $\varepsilon = 1$. Nimmt die Elastizität der Nachfragekurve schließlich kleinere Werte als 1 an, so wird der Grenzumsatz negativ, d.h. der Umsatz sinkt bei einer Vergrößerung der Absatzmenge.

Wie man sich an Hand der Amoroso-Robinson-Relation leicht klar machen kann, verläuft die Grenzumsatzkurve unterhalb der Nachfragekurve, wobei der vertikale Abstand zwischen beiden Kurven p/ε beträgt und die Steigung der Grenzumsatzkurve doppelt so groß ist wie die der Nachfragekurve. In unserem numerischen Beispiel ergibt sich aus der Umsatzfunktion

$$U = -x^2 + 100x$$

durch Differentiation die Grenzumsatzfunktion $\frac{dU}{dx} = U' = -2x + 100$, die die doppelte Steigung wie die Nachfragefunktion $p = -x + 100$ aufweist (Abb. 53).

[1]) Diese Bezeichnung verdankt ihren Namen den Theoretikern L. Amoroso und J. Robinson, die sie als erste abgeleitet haben.

Beschließen wir diese Behandlung der direkten Preiselastizität der Nachfrage mit einer allgemeinen Formulierung der Zusammenhänge. Die Nachfragefunktion genüge der Gleichung

$$p = f(x)$$

mit $$\frac{dp}{dx} = f'(x) < 0.$$

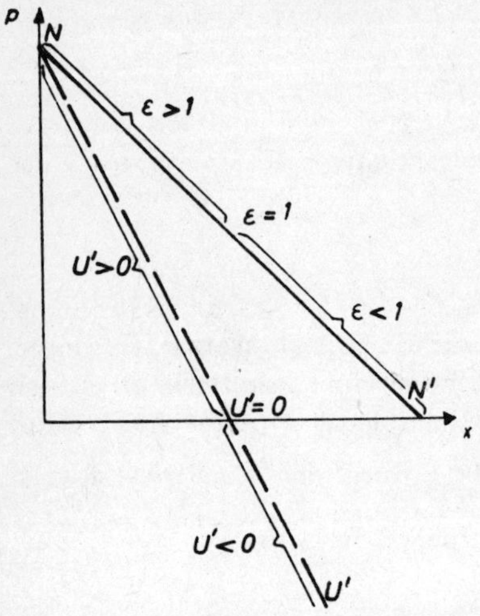

Abb. 53

Für die Elastizität ergibt sich dann

$$\varepsilon = -\frac{f(x)}{x f'(x)}.$$

Die Umsatzfunktion lautet

$$U = x\, f(x)$$

und die Grenzumsatzfunktion

$$\frac{dU}{dx} = U' = f(x) + x f'(x).$$

Wie man leicht nachprüft, läßt sich durch Umformung wieder die Amoroso-Robinson-Relation gewinnen, d.h. es besteht zwischen Grenzumsatz, Preis und Preiselastizität der Nachfrage die Beziehung $U' = p - \frac{p}{\varepsilon}$.

Neben der direkten Preiselastizität der Nachfrage hat man eine Reihe von weiteren Nachfrageelastizitäten entwickelt, von denen nur die *Kreuz-Preiselastizität* und die *Einkommenselastizität* kurz behandelt werden sollen. Bei der Kreuz-Preiselastizität wird die Nachfrageänderung bei einem Gut i zu der Preisänderung eines anderen Gutes j in Beziehung gesetzt:

$$\varepsilon_{x_i, p_j} = \frac{\frac{d x_i}{x_i}}{\frac{d p_j}{p_j}} = \frac{d x_i}{d p_j} \frac{p_j}{x_i}.$$

Hierbei empfiehlt es sich nicht wie bei der direkten Preiselastizität, ε_{x_i, p_j} negativ zu definieren, denn es ist keineswegs immer zu erwarten, daß die Nachfrageänderung bei dem Gut i das entgegengesetzte Vorzeichen wie die Preisänderung bei dem Gut j aufweist. Betrachten wir dazu zwei Beispiele. Im ersten Fall soll Heizöl das Gut i und Kohle das Gut j sein. Eine Preiserhöhung bei Kohle wird ceteris paribus vermutlich den Übergang zum Heizöl fördern, d.h. die Nachfrage nach Heizöl nimmt zu, und die Kreuz-Preis-Elastizität besitzt ein positives Vorzeichen. Im zweiten Fall soll wiederum Heizöl das Gut i sein, während wir jetzt annehmen, das Gut j seien Ölöfen oder Ölheizungen. Eine Preissenkung von Ölöfen bzw. -heizungen wird ceteris paribus die Nachfrage nach Ölöfen bzw. -heizungen beleben und demnach auch die Nachfrage nach Heizöl vergrößern. Einer Preissenkung (-erhöhung) bei dem Gut j steht jetzt also eine Nachfrageerhöhung (-senkung) bei dem streng komplementären Gut i gegenüber, die Kreuz-Preiselastizität der Nachfrage ist negativ. Als Resultat ergibt sich demnach ein positives Vorzeichen der Kreuz-Preiselastizität der Nachfrage bei streng substitutiven und ein negatives Vorzeichen bei streng komplementären Gütern.

Man kann die Kreuz-Preiselastizität auch so fassen, daß es sich bei dem Gut i um die Nachfrage nach dem Produkt eines bestimmten Anbieters und bei p_j um den Preis eines seiner Konkurrenten j handelt. Die Kreuz-Preiselastizität der Nachfrage wird dann zu einer „firm to firm-elasticity" (FELLNER) und kann zur Messung der Konkurrenzintensität zwischen verschiedenen Anbietern und schließlich zur Abgrenzung der Marktformen herangezogen werden[1]).

Nun zu der Einkommenselastizität der Nachfrage, die als das Verhältnis der relativen Nachfrageänderung zu einer relativen Änderung des Einkommens definiert wird:

$$\varepsilon_{x_i, E} = \frac{\frac{d x_i}{x_i}}{\frac{d E}{E}} = \frac{d x_i}{d E} \frac{E}{x_i}.$$

Die Einkommenselastizität gibt also an, wie sich die mengenmäßige Nachfrage nach einem Gut i bei einer einprozentigen Einkommensänderung prozentual ändert. Da der Preis des betreffenden Gutes p_i konstant gehalten werden muß, damit sich der Einfluß der Einkommensänderung nicht mit dem Einfluß von Preisänderungen mischt und nicht mehr isoliert werden kann, gibt die Einkommenselastizität gleichzeitig an, wie sich die Ausgabe für das Gut mit dem Einkommen ändert[2]). Die Einkommenselastizität ist regelmäßig positiv und nimmt nur bei inferioren Gütern (ab dem kritischen Einkommen) negative Werte an.

---

[1]) Aus der reichhaltigen Literatur seien genannt: R. TRIFFIN, Monopolistic Competition, a.a.O.; F. J. DE JONG, Het Systeem van de Marktvormen, Leyden 1951; A. E. OTT, Les Systèmes de Classification des Marchés et l'Oligopole, Economie appliquée, Vol. XV (1962), S. 543—600.

[2]) Es gilt also

$$\varepsilon_{x_i, E} = \frac{d x_i}{d E} \frac{E}{x_i} = \frac{d x_i \bar{p}_i}{d E} \frac{E}{x_i \bar{p}_i},$$

wobei $\bar{p}_i$ den konstanten Preis des Gutes, $x_i \bar{p}_i$ also die Ausgabe für das Gut und $d x_i \bar{p}_i$ die Ausgabenänderung bezeichnen.

§ 2. Die Angebotselastizitäten

Auch bei den Angebotselastizitäten kommt der direkten Preiselastizität des Angebots die weitaus größte Bedeutung im Rahmen der Preistheorie zu. Sie wird analog zu der direkten Preiselastizität der Nachfrage definiert als

$$\eta = \frac{\text{prozentuale Veränderung der angebotenen Menge}}{\text{prozentuale Veränderung des Preises}}$$

oder in Symbolen:

$$\eta = \frac{\frac{d\,x_A}{x_A}}{\frac{d\,p}{p}} = \frac{d\,x_A}{d\,p}\,\frac{p}{x_A}.$$

Die Angebotselastizität beantwortet demnach die Frage, wie sich das mengenmäßige Angebot bei einer einprozentigen Preisänderung prozentual ändert. Bei dem Angebot kann es sich um das Angebot einer einzelnen Unternehmung oder um das einer ganzen Branche handeln; der Elastizitätsbestimmung kann also eine individuelle Angebotsfunktion einer Unternehmung oder die Gesamtangebotsfunktion des Marktes bzw. der Branche zugrundeliegen. Man spricht von einem elastischen Angebot, wenn die Mengenänderung mehr als ein Prozent beträgt, also η größer als eins ist, von einem unelastischen Angebot, wenn η kleiner als eins ist, also die Mengenänderung weniger als ein Prozent beträgt. Da die Angebotsmengen im Regelfall umso höher (niedriger) sind, je höher (niedriger) der Preis ist, da also $d\,x_A$ und dp entweder beide positiv oder negativ sind, treten im Gegensatz zu der Nachfrageelastizität bei der Angebotselastizität keine Vorzeichen-Schwierigkeiten auf.

Während wir auf die Errechnung von Angebotselastizitäten nach dem Muster der Tabelle 15 wohl verzichten können, soll das graphische Verfahren zur Messung der direkten Preiselastizität des Angebots erläutert werden (vgl. Abb. 54).

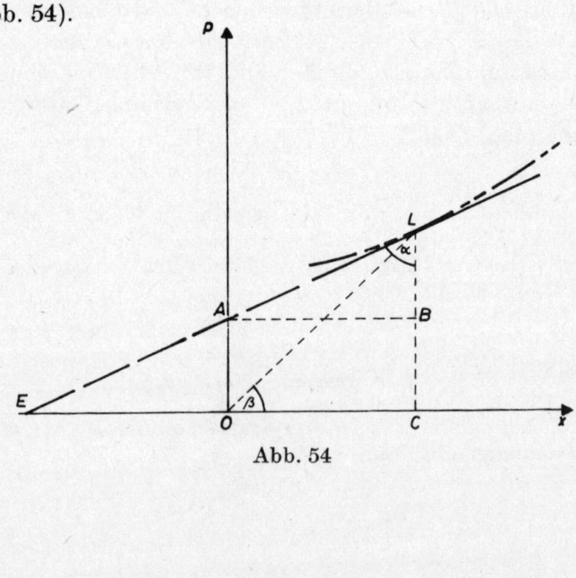

Abb. 54

In Abb. 54 wurde ein Stück einer (linearen) Angebotskurve eingezeichnet, deren Elastizität im Punkte L gemessen werden soll. Es gilt offenbar:

$$\operatorname{tg}\alpha = \frac{d\,x_A}{d\,p} = \frac{A\,B}{L\,B} = \frac{O\,C}{L\,B};$$

$$\operatorname{tg}\beta = \frac{p}{x_A} = \frac{L\,C}{O\,C};$$

$$\eta = \operatorname{tg}\alpha \cdot \operatorname{tg}\beta = \frac{d\,x_A}{d\,p}\,\frac{p}{x_A} = \frac{O\,C}{L\,B}\cdot\frac{L\,C}{O\,C} = \frac{L\,C}{L\,B} = \frac{E\,L}{L\,A}.$$

Man mißt die Preiselastizität des Angebots demnach geometrisch wie folgt: Man verlängert die Angebotskurve, bis die Verlängerung auf die negative Abszisse — oder auch negative Ordinatenachse — auftrifft. Die Elastizität des Angebots wird dann durch das folgende Streckenverhältnis gegeben: Strecke von der negativen Abszissenachse bis zu dem Punkt, in dem η gemessen werden soll, zu der Strecke von der positiven Ordinatenachse bis zu diesem Punkt, bzw. Strecke von der positiven Abszissenachse bis zu dem Punkt, in dem η gemessen werden soll, zu der Strecke von der negativen Ordinatenachse bis zu diesem Punkt (vgl. Abb. 55).

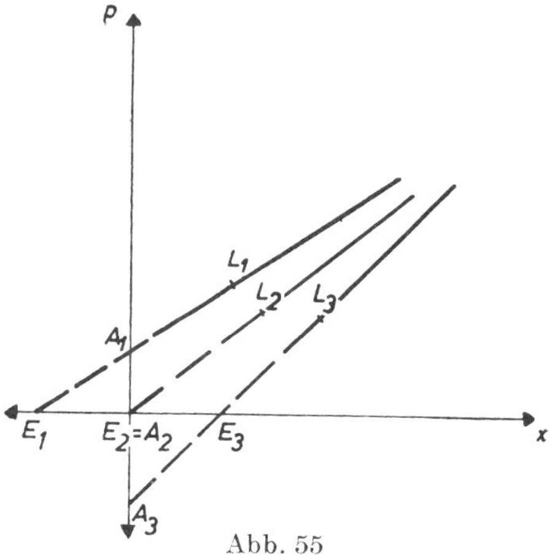

Abb. 55

Es ist also jeweils das Streckenverhältnis $EL:LA$ maßgebend, wobei der Punkt E immer auf der Abszisse, der Punkt A immer auf der Ordinate liegt. Wie daraus unmittelbar hervorgeht, ist $\eta > 1$, wenn die Verlängerung der Angebotskurve die negative Abszisse schneidet, und $\eta < 1$, wenn sie auf die negative Ordinate trifft. Die Angebotselastizität ist schließlich gleich eins, wenn die Verlängerung der Angebotskurve durch den Nullpunkt geht. Bei nicht-linearen Angebotskurven (strichpunktierte Kurve in Abb. 54) ist an dem Punkt, an dem die Elastizität gemessen werden soll, eine Tangente an die Angebotskurve zu legen und dann das beschriebene Verfahren anzuwenden.

Wie die Nachfrageelastizität ist auch die des Angebots eine Punktelastizität, d.h. sie ist grundsätzlich für jeden Punkt der Angebotskurve zu berechnen. Von den isoelastischen Angebotskurven sind einmal erwähnenswert alle Vektoren (Fahrstrahlen) durch den Koordinatenursprung mit $\eta = 1$, ferner parallel zur Ordinate verlaufende Angebotskurven mit $\eta = 0$ und parallel zur Abszisse verlaufende mit $\eta = \infty$.

Von erheblicher Bedeutung für die Preistheorie ist der Zusammenhang zwischen der Preiselastizität des Angebots und dem Umsatz der Anbieter bzw. den Ausgaben der Nachfrager. Geht man von einer Gesamtangebotsfunktion aus, z. B. von der Funktion $p = x$, so erhält man bei Multiplikation mit x die Umsatzkurve der Anbieter bzw. die Ausgabenkurve der Nachfrager, im numerischen Beispiel $U = A = p \cdot x = x^2$ (vgl. Abb. 56 und 57).

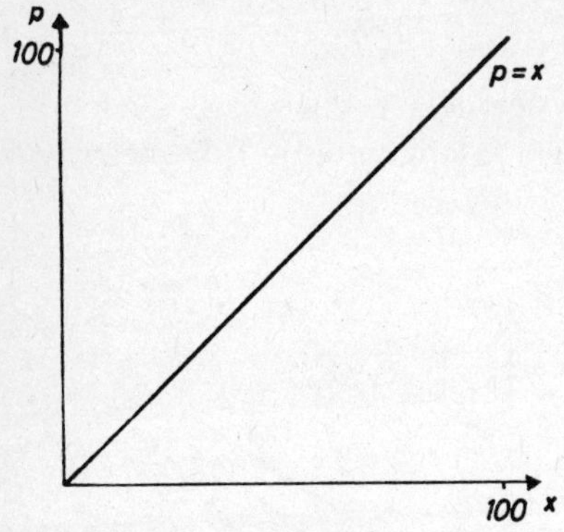

Abb. 56

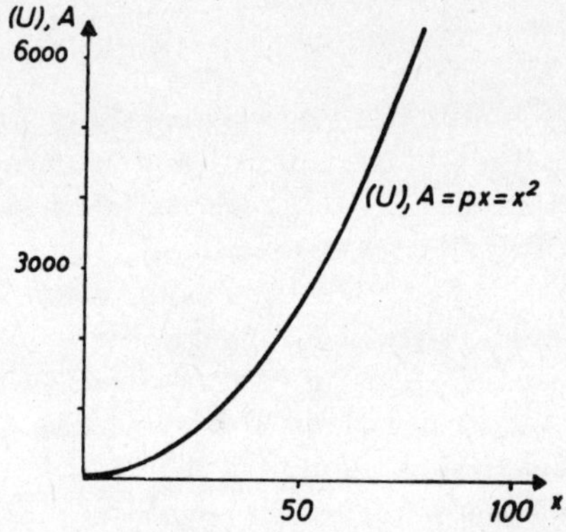

Abb. 57

Für die Umsatz- bzw. Ausgabenänderung läßt sich durch totale Differentiation der Gleichung $U = A = p \cdot x$ entwickeln:

$$dU = dA = dx\,p + dp\,x\,,$$

wobei dx und dp beide positiv oder beide negativ sind. Bei Division durch dx ergibt sich der Grenzumsatz der Anbieter bzw. die Grenzausgabe der Nachfrager:

$$\frac{dU}{dx} = \frac{dA}{dx} = p + \frac{dp}{dx}x\,.$$

Dieser Ausdruck $\left(\text{wir interpretieren ihn nur als } \frac{dA}{dx}\right)$ gibt die Veränderung der Ausgabe der Nachfrager bei einer infinitesimal kleinen Veränderung der Bezugsmenge an. Aus der Kombination dieses Ausdrucks für die Grenzausgabe $\frac{dA}{dx} = A' = p + \frac{dp}{dx}x$ und der Elastizitätsformel $\eta = \frac{dx}{dp}\,\frac{p}{x}$ gewinnt man wieder die Amoroso-Robinson-Relation, jetzt aber in der Form:

$$A' = p + \frac{p}{\eta} = p\left(1 + \frac{1}{\eta}\right).$$

Die Grenzausgabe der Nachfrager ist also um p/η höher als der Preis und stimmt nur bei $\eta = \infty$ mit dem Preis überein. Ferner gilt: Die Grenzausgabe ist (stets) positiv, d. h. bei einer Erhöhung der Bezugsmenge steigt die Ausgabensumme der Nachfrager an. Die Grenzausgabenkurve verläuft, wie aus der neuen Form der Amoroso-Robinson-Relation ersichtlich wird, über der Angebotskurve; der vertikale Abstand zwischen beiden Kurven beträgt p/η, die Steigung der Grenzausgabenkurve ist doppelt so groß wie die der Angebotskurve (im numerischen Beispiel erhält man für die Grenzausgabenfunktion $A' = 2x$; vgl. Abb. 58).

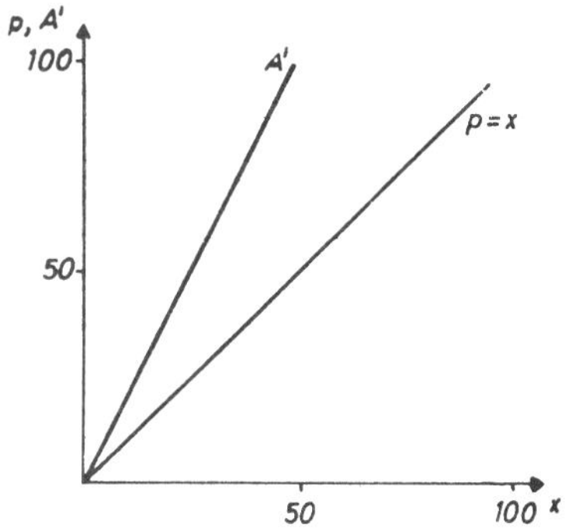

Abb. 58

Zum Abschluß dieser Überlegungen ist noch ein Problem zu klären, das einige Widersprüche zu enthalten scheint. Im 1. Abschnitt dieses Kapitels war die in Abb. 52 gezeichnete parabolische Kurve als Ausgabenkurve der Nachfrager und Umsatzkurve der Anbieter bezeichnet worden; dieselbe Bezeichnung hatte jedoch auch die in Abb. 57 enthaltene monoton ansteigende Kurve erhalten. Wie ist dieser Widerspruch zu klären? Ferner hatten wir für den Grenzumsatz und die Grenzausgabe (als totales Differential) zweimal den Ausdruck $dU = dA = dxp + dpx$ entwickelt, aber einmal behauptet, wenn dx positiv sei, dann sei dp negativ und umgekehrt (Abschnitt 1), später aber, dx und dp seien entweder beide positiv oder beide negativ. Auch hier demnach ein Widerspruch, der der Auflösung bedarf.

Am leichtesten dürften sich diese Widersprüche lösen lassen, wenn man die Positionen eines Monopolisten und eines Monopsonisten betrachtet. Der Monopolist sieht sich einer Gesamtnachfragefunktion gegenüber, die von seinem Standpunkt aus eine *Preis-Absatzfunktion* ist. Vom Standpunkt der Nachfrager aus betrachtet entsteht aus der Multiplikation der Gesamtnachfragefunktion mit der Menge die Ausgabenfunktion der Nachfrager, aus der sich durch Differentiation die Grenzausgabenfunktion gewinnen läßt. Vom Monopolisten aus gesehen führt die Multiplikation der Gesamtnachfragefunktion als *Preis-Absatzfunktion* zur Umsatzkurve des Monopolisten, aus der man durch Differentiation die Grenzumsatzkurve des Monopolisten erhält. Für die Preisbildung beim Monopol ist diese Grenzkurve als Grenzumsatzkurve des Monopolisten von Bedeutung, obwohl sie natürlich mit der Grenzausgabenkurve der (vielen) Nachfrager übereinstimmt. Deshalb war die erste Amoroso-Robinson-Relation nur als eine Beziehung zwischen Grenz*umsatz*, Preis und Nachfrageelastizität interpretiert worden. In dem Fall des Monopolisten interessiert die Nachfragefunktion in ihrer Eigenschaft als Preis-Absatzfunktion oder als *Durchschnitts*-Umsatzkurve für den Monopolisten.

Der Monopsonist sieht sich einer Gesamtangebotsfunktion gegenüber, die für ihn eine *Preis-Bezugsfunktion* ist. Aus der Gesamtangebotsfunktion entsteht durch Multiplikation mit der Menge die Umsatzfunktion der (kleinen)

Anbieter, und aus ihr durch Differentiation die Grenzumsatzfunktion. Vom Monopsonisten aus gesehen führt diese Multiplikation der Angebotsfunktion als *Preis-Bezugsfunktion* zur Ausgabenkurve des Monopsonisten, aus der man durch Differentiation die Grenzausgabenkurve des Monopsonisten erhält. Für die Preisbildung beim Monopson ist die Grenzkurve als Grenzausgabenkurve des Monopsonisten von Bedeutung, obwohl sie natürlich mit der Grenzumsatzkurve der vielen kleinen Anbieter übereinstimmt. Aus diesem Grunde war die zweite Amoroso-Robinson-Relation nur als eine Beziehung zwischen Grenz*ausgabe*, Preis und Angebotselastizität interpretiert worden. Im Falle des Monopsonisten interessiert die Angebotsfunktion in ihrer Eigenschaft als Preis-Bezugsfunktion oder als *Durchschnitts*-Ausgabenkurve für den Monopsonisten.

Die Widersprüche lösen sich demnach, wenn man beachtet, daß die entsprechenden Funktionen einmal von der Nachfrageseite her, das andere Mal von der Angebotsseite her betrachtet werden können, und daß es entscheidend darauf ankommt, von welcher Marktseite die Preise fixiert werden bzw. genauer welche Marktseite Strategie betreibt und welche sich nur anpaßt.

Nach dieser notwendigen Einschiebung kehren wir zu der Angebotselastizität zurück, um als eine weitere Elastizität die Kreuz-Preiselastizität des Angebots zu betrachten. Sie wird analog zu der Kreuz-Preiselastizität der Nachfrage wie folgt definiert:

$$\eta_{x_i, p_j} = \frac{\frac{d x_i}{x_i}}{\frac{d p_j}{p_j}} = \frac{d x_i}{d p_j} \frac{p_j}{x_i}.$$

x_i bedeutet jetzt die Angebotsmenge des Gutes i. Die Kreuz-Preiselastizität des Angebots beantwortet danach die Frage, wie sich das Angebot eines Gutes i bei einer einprozentigen Änderung des Preises eines anderen Gutes j prozentual ändert. Eine wichtige Anwendungsmöglichkeit für die Kreuz-Preiselastizität ergibt sich bei der sogenannten verbundenen Produktion, also der Erscheinung, daß die Produktion mehrerer Güter miteinander zusammenhängt. Sind i und j zwei Güter bei verbundener Produktion, so deuten positive Werte der Kreuz-Preiselastizität darauf hin, daß es sich um kumulative Produktion, im Grenzfall um Kuppelproduktion handelt. Bei der kumulativen Produktion führt die Ausdehnung der Produktion des einen Gutes auch zu einer Ausdehnung der Produktion des anderen Gutes, bei der Kuppelproduktion (z. B. Gas—Koks) sogar in einem konstanten Verhältnis. Steigt also etwa der Preis des einen Gutes j, so wird das Angebot dieses Gutes ausgedehnt, womit aber auch das Angebot des anderen Gutes i zunimmt. Die Kreuz-Preiselastizität des Angebots ist also positiv. Anders liegen die Dinge bei der sogenannten alternativen Produktion, bei der die Ausweitung der Produktion bei einem Gut eine Einschränkung bei dem anderen Gut erforderlich macht, also auf Kosten des anderen Gutes geht. In diesem Fall nimmt die Kreuz-Preiselastizität des Angebots negative Werte an, wie wohl nicht näher bewiesen zu werden braucht.

III. Die Preisbildung bei den elementaren Marktformen

1. Die Preisbildung beim Polypol auf dem vollkommenen Markt

§ 1. Der Gesamtmarkt

Beim Polypol auf dem vollkommenen Markt stehen viele kleine Nachfrager vielen kleinen Anbietern gegenüber. Die von den Käufern nachgefragten Mengen sind vom Preis abhängig gemäß der Gesamtnachfragefunktion, die sich durch Aggregation der Einzelnachfragefunktionen ergibt (vgl. Kap. II, 2). Entsprechend sind die von den Verkäufern angebotenen Mengen vom Preis abhängig gemäß der Gesamtangebotsfunktion, die aus der Aggregation der Einzelangebotsfunktionen resultiert (vgl. dazu §3 dieses Kapitels). Gesamtnachfrage- und Gesamtangebotsfunktion sollen grundsätzlich derart interpretiert werden, daß die nachgefragte bzw. angebotene Menge (abhängige Variable) vom Preis abhängt (unabhängige Variable).

Aus dem Zusammenspiel von Angebot und Nachfrage ergeben sich der *Gleichgewichtspreis* p_0 und die *Gleichgewichtsmenge* x_0. Der Ausdruck Gleichgewicht soll besagen, daß der betreffende Markt unter den gegebenen Bedingungen keinerlei Tendenzen zu irgendwelchen Veränderungen zeigt. Die Gleichgewichtsbedingung lautet also, wenn die Gesamtnachfrage- und -angebotsfunktion in der obenstehenden Weise interpretiert werden, offenbar: angebotene = nachgefragte Menge. Bezeichnet man die Nachfragefunktion mit $x_N = x_N(p)$ und die Angebotsfunktion mit $x_A = x_A(p)$, so heißt die Gleichgewichtsbedingung $x_N(p) = x_A(p)$, d.h. das Konkurrenzgleichgewicht liegt im Schnittpunkt von Angebots- und Nachfragekurve (vgl. Abb. 59)[1]).

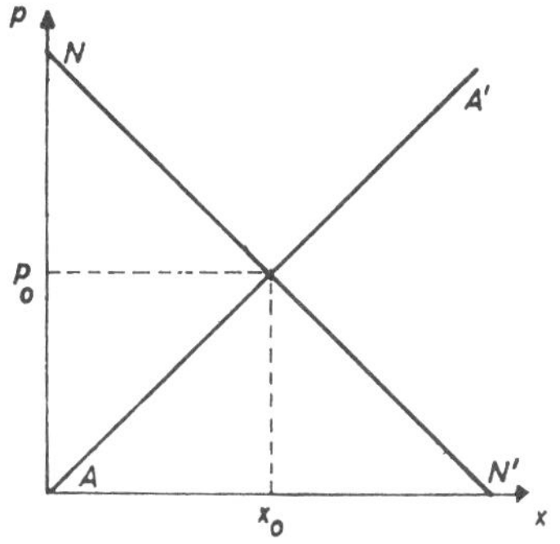

Abb. 59

Angebot und Nachfrage im Kurvensinn bestimmen demnach den Gleichgewichtspreis (und die Gleichgewichtsmenge), und

[1]) Zu der Frage, wie der Gleichgewichtspreis und die Gleichgewichtsmenge praktisch gefunden werden, vgl. E. Liefmann-Keil, Organisierte Konkurrenzpreisbildung, a.a.O., S. 72ff.

man beachte, daß zwischen den folgenden Sätzen kein Widerspruch besteht:

Angebot und Nachfrage sind Funktionen des Preises.

Der Preis ist eine Funktion von Angebot und Nachfrage.

Bei der ersten Aussage meint man die Angebots- und Nachfrage*mengen*, meint also nichts anderes als die Funktionen $x_A = x_A(p)$ und $x_N = x_N(p)$, bei der zweiten Aussage denkt man dagegen an die ganze Angebots- und die ganze Nachfrage*kurve*, deren Schnittpunkt den Gleichgewichtspreis p_0 bestimmt: $p_0 = f\,[x_A(p), x_N(p)]$.

Die Gleichgewichtsbedingung angebotene = nachgefragte Menge kann offenbar alternativ wie folgt formuliert werden:

$$x_A - x_N = 0, \text{ d.h. Angebotsmengenüberschuß} = 0,$$

$$x_N - x_A = 0, \text{ d.h. Nachfragemengenüberschuß} = 0.$$

Im Gleichgewicht darf demnach weder ein Angebots- noch ein Nachfragemengenüberschuß auftreten („der freie Preis räumt den Markt"). Bei normalem Verlauf der beiden Marktfunktionen treten bei Preisen oberhalb des Gleichgewichtspreises Angebotsmengenüberschüsse, bei Preisen unterhalb des Gleichgewichtspreises Nachfragemengenüberschüsse auf, wie aus Abb. 60 ersichtlich wird.

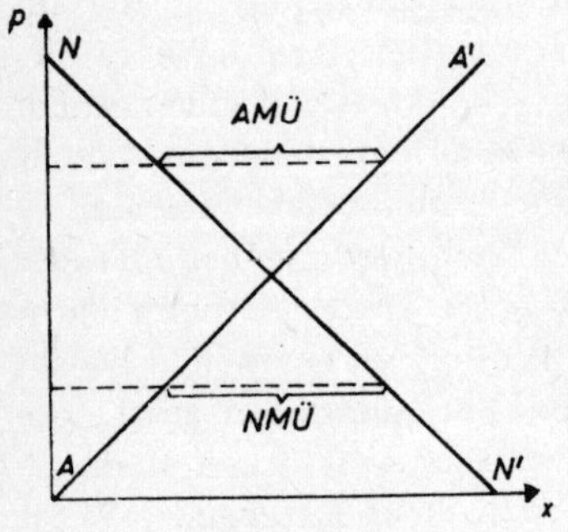

Abb. 60

Existiert ein Angebotsmengenüberschuß, so werden sich die Anbieter unterbieten, es wird also zur Konkurrenz der Anbieter kommen, wobei die Angebotsmengenüberschüsse immer geringer werden und im Gleichgewicht schließlich verschwinden. Treten umgekehrt Nachfragemengenüberschüsse auf, so werden sich die Nachfrager gegenseitig überbieten, wobei die Nachfragemengenüberschüsse immer geringer und schließlich im Gleichgewicht gleich Null werden. Das Konkurrenz-Gleichgewicht ist demnach auf einem vollkommenen Polypolmarkt stabil gegenüber Preisabweichungen nach oben und unten. Bei Abweichungen vom Gleichgewichtspreis werden also Kräfte ausgelöst, die auf eine Wiederherstellung des ursprünglichen Zustandes hintendieren[1]).

Die Gesamtangebots- und die Gesamtnachfragefunktion lassen nun auch die Interpretation zu, daß man den Angebotspreis bzw. Nachfragepreis als

[1]) Die Auswirkungen, die von der Festsetzung von Höchst- oder Mindestpreisen durch den Staat ausgehen, dürfte der Leser jetzt selbst zu analysieren in der Lage sein.

von der Menge abhängig ansieht. Bei den sich so ergebenden Funktionen $p_A = p_A(x)$ und $p_N = p_N(x)$ muß die Gleichgewichtsbedingung offenbar als $p_A = p_N$ gefaßt werden, d.h. der Angebotspreis, die Preisforderung der Anbieter, muß gleich dem Nachfragepreis, dem Preisgebot der Nachfrager sein. Alternativ kann diese Bedingung auch wie folgt formuliert werden:

$$p_A - p_N = 0, \text{ d.h. Angebotspreisüberschuß} = 0,$$

$$p_N - p_A = 0, \text{ d.h. Nachfragepreisüberschuß} = 0.$$

Gleichgewicht herrscht demnach, wenn die Preisforderungen der Anbieter mit den Preisgeboten der Nachfrager übereinstimmen. Bei Mengen, die größer sind als die Gleichgewichtsmenge, treten Angebotspreisüberschüsse auf, bei Mengen, die kleiner sind als x_0, Nachfragepreisüberschüsse (vgl. Abb. 61). Bei normalem Verlauf der beiden Marktfunktionen kommt es infolge von Preisüberschüssen zu Mengenbewegungen in Richtung auf die Gleichgewichtsmenge, so daß das Konkurrenz-Gleichgewicht auf einem vollkommenen Polypolmarkt auch stabil gegenüber Mengenabweichungen nach oben und unten ist.

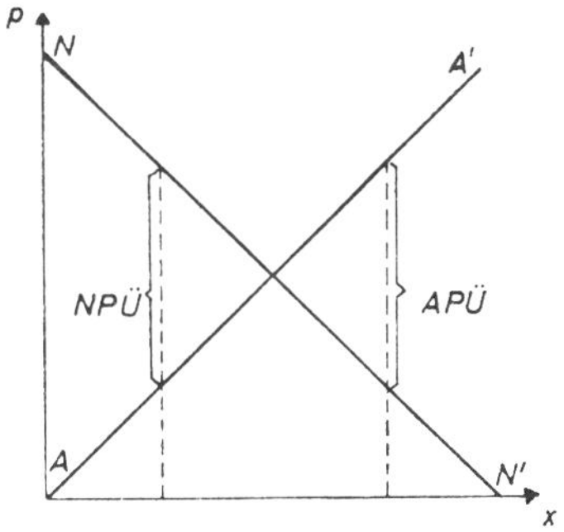

Abb. 61

Die beiden möglichen Interpretationen der Angebots- und Nachfragefunktion bilden den Ausgangspunkt für eine Kontroverse über die Stabilität des Gleichgewichts bei anomalem Kurvenverlauf zwischen WALRAS/HICKS auf der einen und MARSHALL auf der anderen Seite. WALRAS/HICKS gehen von einem bestimmten Preis aus und erhalten die folgenden Stabilitätsbedingungen: Oberhalb vom Gleichgewichtspreis muß die Angebotskurve rechts von der Nachfragekurve liegen, unterhalb vom Gleichgewichtspreis links von ihr. MARSHALL geht von einer bestimmten Menge aus und stellt die folgenden Stabilitätsbedingungen auf: Links von der Gleichgewichtsmenge muß die Nachfragekurve über der Angebotskurve liegen, rechts von der Gleichgewichtsmenge unter ihr. Die WALRAS/HICKS- und die MARSHALLschen Stabilitätsbedingungen schließen sich bei anomalem Verlauf einer Marktfunktion aus, wie man sich leicht anhand einer anomal verlaufenden Angebotskurve, die eine Angebotskurve mit negativer Steigung ist, klar macht. Diese Diskussion über die Stabilitätsbedingungen bei anomalem Verlauf einer Marktfunktion ist nicht ganz so akademisch, wie es den Anschein haben mag; so ist eine inverse Angebotsreaktion etwa beim Angebot landwirtschaftlicher Produkte oder beim Arbeitsangebot keineswegs ausgeschlossen[1]).

Kehren wir jetzt wieder zu normalen Marktfunktionen zurück und betrachten nochmals die Abbildung 59. Wie man der Abbildung 59 entnehmen

[1]) Vgl. dazu W. A. JÖHR, Die Konjunkturschwankungen, Tübingen Zürich 1952, S. 319ff., 368f.

kann, werden die Nachfrager beliefert, deren Nachfragepreis höher als der tatsächlich realisierte Marktpreis oder ihm gerade gleich ist. Dagegen gehen diejenigen Nachfrager leer aus, deren Nachfragepreis geringer als der Marktpreis ist. Wenn nun ein Nachfrager mehr zu zahlen bereit ist als er de facto zahlen muß, so behält er offenbar einen bestimmten Geldbetrag, den man als seine *Konsumentenrente* bezeichnet. Ein Nachfrager sei z. B. bereit, 85 Geldeinheiten für eine Einheit eines bestimmten Gutes auszugeben. Beträgt der Marktpreis 50 Geldeinheiten, so behält der Nachfrager 35 Geldeinheiten, die seine Konsumentenrente darstellen. Für alle Nachfrager, die zum Zuge kommen, deren Nachfragepreis also höher als der Marktpreis oder ihm gerade gleich ist, erhält man die Konsumentenrente wie folgt: Man faßt die Nachfragekurve als eine „Grenzvorteilskurve" auf (v. STACKELBERG), deren Integral den Gesamtvorteil der Nachfrager angibt. Subtrahiert man von diesem Integral, diesem Gesamtvorteil, die Ausgabe der Nachfrager, so bleibt die Konsumentenrente übrig. Die Zusammenhänge werden aus Abb. 62 deutlich, in der für die Gesamtnachfragefunktion die Gleichung $p = -x + 100$ und für die Gesamtangebotsfunktion $p = x$ angenommen wurde.

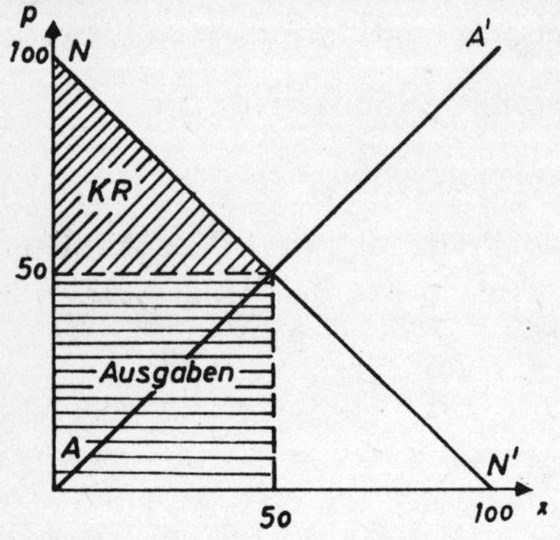

Abb. 62

Die Konsumentenrente errechnet sich dann wie folgt:

$$\text{Konsumentenrente} = \int_{x=0}^{x=x_0} (-x + 100)\, dx - p_0 x_0$$

$$= 3750 - 2500 = 1250.$$

Die vorstehende Ableitung der Konsumentenrente ist nicht unumstritten, da sie einen konstanten Grenznutzen des Geldes bzw. des Einkommens voraussetzt[1]). Entsprechende Überlegungen können wir jetzt auch für die Angebotsseite anstellen, wobei die Dinge hier einfacher liegen und keine Zweifel an der Richtigkeit der Ableitung auftauchen können. Von den polypolistischen Anbietern kommen offenbar die zum Zuge, deren Angebotspreis kleiner als der realisierte Marktpreis oder gerade ihm gleich ist. Dagegen sind die Anbieter vom Marktgeschehen ausgeschlossen, die nur zu höheren Preisen als der Marktpreis liefern können bzw. wollen. Analog der Nachfrage-

---

[1]) Zur neueren Theorie der Konsumentenrente vgl. vor allem J. R. HICKS, The Rehabilitation of Consumers' Surplus, The Review of Economic Studies, Vol. VIII (1940/41), S. 108—116.

seite kommen jetzt alle Anbieter, deren Angebotspreis unter dem realisierten Marktpreis liegt, in den Genuß einer sogenannten *Produzentenrente*, die (pro Mengeneinheit) gleich der Differenz zwischen Marktpreis und Angebotspreis ist. Im Gegensatz zur Konsumentenrente ist die Produzentenrente kein Betrag, den man behält, sondern ein Betrag, den man erhält. Für alle Anbieter, die zum Zuge kommen, errechnet sich die Produzentenrente wie folgt: Vom Umsatz der Anbieter ist das Integral der Angebotskurve abzuziehen, also bei Verwendung der obigen numerischen Funktionen:

$$\text{Produzentenrente} = p_0 x_0 - \int_{x=0}^{x=x_0} x\,dx$$

$$= 2500 - 1250 = 1250.$$

Zur Illustration des Vorgehens dient die Abb. 63.

Wie später (vgl. §3 dieses Kapitels) noch zu zeigen sein wird, ist die Angebotskurve beim vollkommenen Polypol nichts anderes als die aggregierte Grenzkostenkurve der Anbieter. Integriert man also die Angebots- = Grenzkostenkurve, so erhält man offenbar die variablen Kosten der Anbieter, und die Produzentenrente ist demnach — als Differenz zwischen Umsatz und variablen Kosten — ein Bruttogewinn, aus dem noch die fixen Kosten abgegolten werden müssen.

Ein anderes Verfahren, die Gewinne (und zwar die Nettogewinne) der Anbieter ersichtlich zu machen, hat E. Barone vorgeschlagen. Es ist das Verfahren der sog. „unechten Angebotskurve" oder nach Marshall „particular expenses curve". Auf der Abszisse eines p-x-Koordinatensystems werden die Produktions- = Absatzmengen der einzelnen Anbieter aufgetragen und darüber die jeweiligen Durchschnittskosten der Anbieter, geordnet von den niedrigsten zu den höchsten Durchschnittskosten (vgl. Abb. 64). Man kann also durch Multiplikation der Absatzmenge mit den jeweiligen Stück-

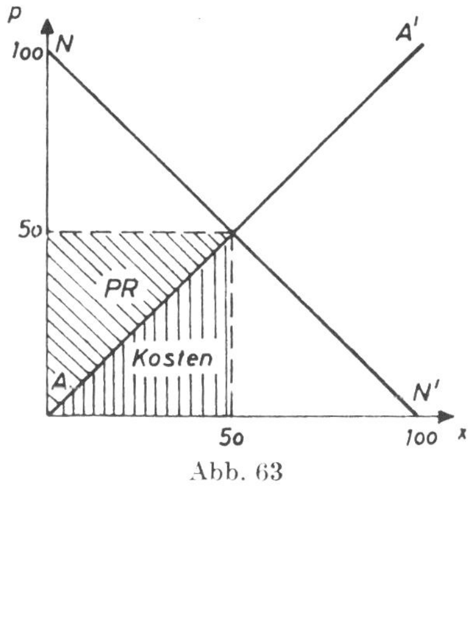

Abb. 63

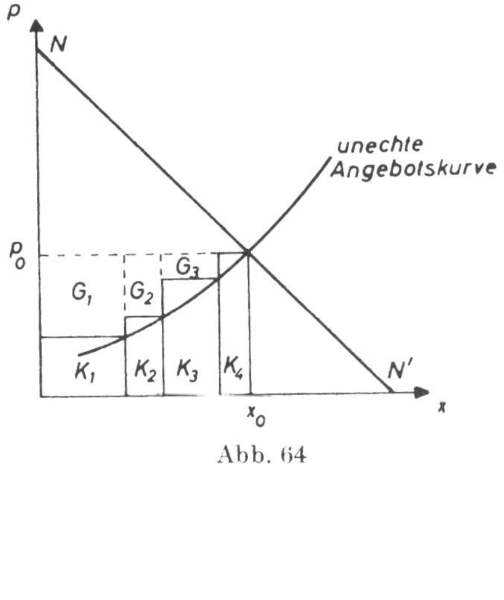

Abb. 64

kosten die Gesamtkosten der einzelnen Anbieter (K_1, K_2, K_3 usw.) ersichtlich machen. Ferner werden, wenn man die Nachfragefunktion hinzugefügt und somit der Gleichgewichtspreis und die Gleichgewichtsmenge bestimmt sind, die Umsätze und Gewinne der einzelnen Firmen erkennbar[1]).

Wenn man auch diese Darstellung sicher als außerordentlich anschaulich bezeichnen muß, so hat sie doch den einen Nachteil, daß es eben eine unechte Angebotskurve ist, mit der man hier arbeitet. Die echte Angebotskurve ist die aggregierte Grenzkostenkurve.

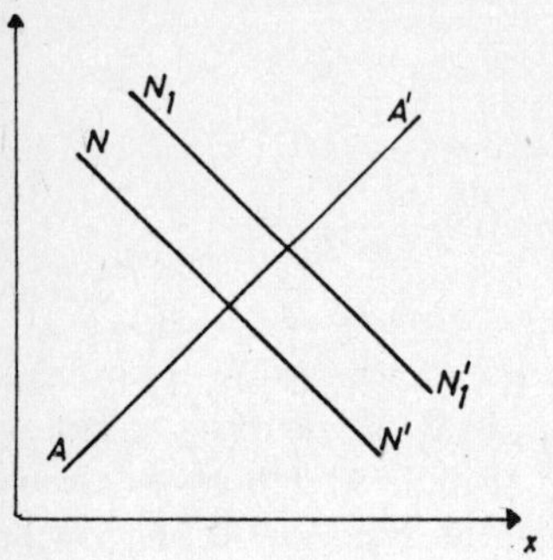

Abb. 65

Wenden wir uns jetzt dem wichtigen Problem der Veränderungen der Nachfrage und/oder des Angebots im Zeitablauf zu, also der Verschiebung (shifting) der Nachfrage- und/oder Angebotskurve. Dabei existieren vier elementare Fälle, aus deren Kombination sich alle weiteren Möglichkeiten ableiten lassen, nämlich steigende und sinkende Nachfrage sowie steigendes und sinkendes Angebot. Aus Abb. 65 geht hervor: Steigt die Nachfrage, so steigt ceteris paribus der Preis.

Entsprechend gilt für die anderen drei Möglichkeiten:

Sinkt die Nachfrage, so sinkt ceteris paribus der Preis;
steigt das Angebot, so sinkt ceteris paribus der Preis;
sinkt das Angebot, so steigt ceteris paribus der Preis.

Die ceteris-paribus-Klausel bedeutet natürlich in den beiden ersten Fällen konstantes Angebot oder besser unveränderte Angebotskurve, in den beiden letzten Fällen unveränderte Nachfragekurve. Man erhält demnach einen gleichläufigen Zusammenhang zwischen der Verschiebung der Nachfragekurve und der dadurch bewirkten Veränderung des Gleichgewichtspreises, und einen gegenläufigen Zusammenhang zwischen der Veränderung der

---

[1]) Um die Abb. 64 übersichtlich zu halten, wurden nur wenige Firmen eingezeichnet, obwohl wir uns in der Theorie des Polypols befinden. — Die unechte Angebotskurve hat eine ebenso bemerkenswerte, wie auch angreifbare makroökonomische Anwendung gefunden in dem Föhl-Rüstowschen Erlös-Kosten-Diagramm. Vgl. H. J. Rüstow, Theorie der Vollbeschäftigung in der freien Marktwirtschaft, Tübingen 1951, 5. Kapitel, S. 72ff.; C. Föhl, M. Wegner, L. Kowalski, Kreislaufanalytische Untersuchung der Vermögensbildung in der Bundesrepublik und der Beeinflußbarkeit ihrer Verteilung, Schriftenreihe des Instituts für angewandte Wirtschaftsforschung Tübingen, Bd. 2, Tübingen 1964; E. Scheele, Die Föhlsche E-N-Tafel, Jahrbuch für Sozialwissenschaft, Bd. 11 (1960), S. 94—102; M. Bolle, H. Brekenfeld u.a., Zum Erlös-Kosten-Diagramm, in: Wirtschaftskreislauf und Wirtschaftswachstum. Carl Föhl zum 65. Geburtstag, hrsg. von E. Schneider, Tübingen 1966, S. 183—222.

Angebotskurve und der dadurch bewirkten Veränderung des Preises. Es ist deshalb scharf zu unterscheiden zwischen:

a) dem *simultanen* Zusammenhang zwischen dem Preis und der nachgefragten bzw. der angebotenen Menge, wie er sich in der Nachfragefunktion und der Angebotsfunktion ausdrückt. Dieser Zusammenhang ist gegenläufig zwischen p und x_N und gleichläufig zwischen p und x_A;

b) dem *intertemporalen* Zusammenhang zwischen Nachfrage bzw. Angebot (im Kurvensinn) und dem Gleichgewichtspreis, oder genauer zwischen Nachfrage- bzw. Angebotsänderung und der Veränderung des Gleichgewichtspreises. Dieser Zusammenhang ist zwischen Nachfrageänderung und Preis gleichläufig, zwischen Angebotsänderung und Preis gegenläufig.

Im Zusammenhang mit den Verschiebungen der Marktfunktionen taucht die Frage auf, wie der neue Gleichgewichtspreis und die neue Gleichgewichtsmenge erreicht werden. Hierbei lassen sich zwei Möglichkeiten unterscheiden, die am Beispiel einer Vergrößerung der Nachfrage illustriert werden sollen. Wenn sich die Nachfrage bei konstantem Angebot vergrößert, so kann man entweder annehmen, die alte Menge werde zunächst einmal weiterhin angeboten, und zwar weil die ganz kurzfristige Angebotskurve völlig starr, völlig unelastisch verläuft. Dann tritt bei dieser alten Angebotsmenge ein Nachfragepreisüberschuß auf, der zur Ausdehnung der Angebotsmenge führt. Man erkennt, daß es sich hierbei um einen Anpassungsvorgang à la MARSHALL handelt. Es ist aber auch vorstellbar, daß bei der Vergrößerung der Nachfrage und unverändertem Angebot der alte Preis zunächst einmal weiter gilt; dann existiert bei diesem alten Preis, aber der neuen Nachfrage ein Nachfragemengenüberschuß. Die Nachfrager werden sich wegen dieses Nachfragemengenüberschusses so lange überbieten, bis der neue, höhere Gleichgewichtspreis erreicht ist. In diesem Falle liegt ein Anpassungsprozeß à la WALRAS/HICKS vor.

Die vorstehenden Überlegungen können uns dazu verhelfen, zwei Begriffe exakt zu definieren, die in der wirtschaftspolitischen Diskussion häufig verwendet, aber selten genau definiert werden, nämlich die Begriffe *Verkäufermarkt* und *Käufermarkt*.

Ein Verkäufermarkt entsteht,

wenn sich c.p. die Nachfrage erhöht; bei der ursprünglichen Menge ergibt sich dann ein Nachfragepreisüberschuß mit der Folge einer tendenziell steigenden Menge; beim ursprünglichen Preis entsteht ein Nachfragemengenüberschuß mit der Folge eines tendenziell steigenden Preises;

wenn sich c.p. das Angebot verringert; bei der ursprünglichen Menge ergibt sich ein Angebotspreisüberschuß mit sinkender Mengentendenz; bei dem ursprünglichen Preis entsteht ein Nachfragemengenüberschuß mit steigender Preistendenz.

Ein Käufermarkt entsteht,

wenn sich c.p. die Nachfrage verringert; bei der ursprünglichen Menge ergibt sich ein Angebotspreisüberschuß mit sinkender Mengentendenz; bei dem ursprünglichen Preis entsteht ein Angebotsüberschuß mit sinkender Preistendenz;

wenn sich c.p. das Angebot erhöht; bei der ursprünglichen Menge ergibt sich ein Nachfragepreisüberschuß mit steigender Mengentendenz; bei dem ursprünglichen Preis entsteht ein Angebotsmengenüberschuß mit sinkender Preistendenz.

Käufer- und Verkäufermarkt werden zweckmäßigerweise *Marktlagen* genannt; sie können nicht nur beim Polypol auf dem vollkommenen Markt, sondern auch bei anderen Marktformen vorkommen[1]).

In der voranstehenden Analyse hatten wir einmal den Begriff der ganz kurzfristigen Angebotskurve verwendet, und es erscheint nützlich, bei diesem Thema der Angebotskurven, unterschieden nach ihrer Fristigkeit, noch einen Augenblick zu verweilen. Man kann grundsätzlich drei Typen von Angebotskurven unterscheiden, nämlich

1. die ganz kurzfristige Angebotskurve bei konstanter Ausbringung;
2. die kurz- und mittelfristige Angebotskurve bei variabler Ausbringung, aber konstanter Kapazität;
3. die langfristige Angebotskurve bei variabler Kapazität (und natürlich variabler Ausbringung).

Im ersten Fall ist die betrachtete Zeitperiode so kurz, daß die laufende Produktion nicht vergrößert werden kann. Die Angebotskurve ist dann völlig unelastisch, sie ist eine Parallele zur Ordinate. Bei dem zweiten Typ ist der Produktionsapparat der einzelnen Unternehmungen gegeben, und die Produktion kann nur insoweit ausgedehnt werden, als eine höhere Kapazitätsauslastung möglich ist. Diese kurz- und mittelfristige Angebotskurve wird durch die Grenzkostenkurve dargestellt (vgl. §3 dieses Kapitels). Im dritten Fall schließlich sind Veränderungen der Kapazitäten, also Betriebserweiterungen zugelassen. Die Angebotskurve wird dann durch die langfristige Grenzkostenkurve dargestellt, über deren Verlauf allerdings kaum exakte Aussagen möglich erscheinen. Man kann nur sagen, daß die langfristige Angebotskurve mit Sicherheit (auf Grund des technischen Fortschritts und bestimmter Vorteile der Massenproduktion) flacher verlaufen wird als die kurzfristigen Angebotskurven. Ob sie aber ansteigt, parallel zur Mengenachse verläuft oder sogar sinkt, hängt von so vielen Faktoren ab, nämlich

---

[1]) Eine andere Möglichkeit zur Definition von Marktlagen ergibt sich mit Hilfe von Elastizitätsbegriffen. Vgl. dazu E. Preiser, Besitz und Macht in der Distributionstheorie, in: Synopsis, Festgabe für Alfred Weber, Heidelberg 1948, S. 333ff., neu erschienen in: E. Preiser, Bildung und Verteilung des Volkseinkommens, 9. Aufl., Göttingen 1963, S. 227—246; L. J. Zimmermann, The Propensity to Monopolize, (Contributions to Economic Analysis II) Amsterdam 1952, sowie den Aufsatz von A. E. Ott, Zur dynamischen Theorie der Marktformen, Jahrbücher für Nationalökonomie und Statistik, Bd. 167 (1955), S. 1—32.

den externen und internen Vor- und Nachteilen der großbetrieblichen Produktion, daß eine allgemeingültige Aussage nicht möglich sein dürfte[1]).

Mit diesen komparativ-statischen Betrachtungen wurde der Bereich der streng statischen Preistheorie bereits verlassen. Die Analyse der verzögerten Angebots- und Nachfrageanpassung fällt in das Gebiet der dynamischen Theorie, die hier nicht behandelt werden soll.

§ 2. Die Nachfragesituation für den einzelnen Anbieter

Um die Situation, in der sich der einzelne Anbieter beim Polypol auf dem vollkommenen Markt befindet, genau zu beschreiben, ist es offenbar notwendig, die beiden folgenden Teilfragen zu klären:

1. Wie sieht die Nachfragesituation für den einzelnen Anbieter, vom einzelnen Anbieter her gesehen aus (demand as seen by the seller)?
2. Wie maximiert der einzelne Anbieter in dieser (unter 1 abgeleiteten) Nachfragesituation seinen Gewinn?

In diesem Abschnitt behandeln wir nur die erste Teilfrage.

Für die Gesamtnachfragefunktion unterstellen wir der Einfachheit halber eine lineare Funktion, nämlich

$$p = -ax + b \text{ mit dem Wertebereich } 0 \leqq x \leqq \frac{b}{a}$$

$$\text{bzw.} \quad x = -\frac{1}{a}p + \frac{b}{a} \qquad \text{mit } 0 \leqq p \leqq b.$$

Als numerisches Beispiel wählen wir die Gleichung

$$p = -x + 100 \qquad \text{mit } 0 \leqq x \leqq 100$$

$$\text{bzw.} \quad x = -p + 100 \qquad \text{mit } 0 \leqq p \leqq 100,$$

d.i. die schon früher mehrfach verwendete „Standardnachfragefunktion" (vgl. Abb. 49). Wir unterstellen ferner die Symmetrieannahme, nehmen also gleich große Anbieter an. Die Zahl der Anbieter betrage m, im numerischen Beispiel gilt $m = 50$. Es habe sich ein Marktpreis p_0 bzw. $p_0 = 50$ gebildet, zu dem die Absatzmenge der Anbieter = Bezugsmenge der Nachfrager x_0 bzw. $x_0 = 50$ gehört. Eine genaue Festlegung der Angebotskurve erübrigt sich für unsere Zwecke; sie muß nur eine Bedingung erfüllen, nämlich durch den Punkt p_0, x_0 der Nachfragekurve gehen.

Um nun die Nachfragesituation abzuleiten, wie sie sich vom einzelwirtschaftlichen Aspekt eines Anbieters aus darstellt, sind zunächst die beiden

---

[1]) Vgl. dazu die grundlegende Arbeit von J. VINER, Cost Curves and Supply Curves, Zeitschrift für Nationalökonomie, Bd. III (1932), S. 23—46, deutsche Übersetzung in: Preistheorie, hrsg. von ALFRED E. OTT, a.a.O., S. 195—221.

folgenden Möglichkeiten zu unterscheiden: Ein Anbieter kann sich entweder des Preises oder der Absatzmenge als Aktionsparameter bedienen. Der Einwand, den etwa v. STACKELBERG erhoben hat, auf dem vollkommenen Markt sei nur Mengenvariation möglich, muß zunächst völlig unbeachtet bleiben; seine Berücksichtigung würde die folgende Analyse auf die Mengenvariation einengen und uns die Beantwortung der Frage, wie die Preis-Absatzfunktion bei Preisvariation aussieht, somit niemals gestatten. Ein Anbieter kann sich also in unserem Modell des vollkommenen Marktes zunächst einmal entweder für Mengenfixierung bzw. -variation oder für Preisfixierung bzw. -variation entscheiden.

Von grundlegender Bedeutung ist ferner die Frage, ob alle Anbieter gleichzeitig handeln und das Gleiche tun, oder ob ein Anbieter allein handelt, also eine isolierte Aktion unter der ceteris paribus-Klausel durchführt. Die erste Möglichkeit kann man auch als Handeln aller Anbieter „im Gleichschritt" bezeichnen[1]), während im zweiten Fall die Konkurrentenpreise, d. h. auf dem vollkommenen Markt der Marktpreis bzw. die Konkurrentenmenge als eingefroren gedacht werden, und der Einzelne autonom *vor*geht.

Kombiniert man nun die vier aufgezeigten Möglichkeiten, so erhält man die folgenden vier zu untersuchenden Fälle:

1a) Preisvariation; alle Anbieter führen gleichzeitig dieselben Aktionen durch (Gleichschritt);

1b) Preisvariation; autonome Aktion eines Anbieters ceteris paribus;

2a) Mengenvariation; alle Anbieter führen gleichzeitig dieselben Aktionen durch (Gleichschritt);

2b) Mengenvariation; autonome Aktion eines Anbieters ceteris paribus.

Dabei können die Fälle 1a) und 2a), also die Gleichschrittsfälle, zusammen analysiert werden, da sie zu demselben Ergebnis führen.

Wenn alle Anbieter gleichzeitig und gleich handeln, also stets den gleichen Preis fordern und ihn stets in der gleichen Richtung und in demselben Umfang variieren (Fall 1a) bzw. stets die gleiche Menge anbieten und diese stets in der gleichen Richtung und in demselben Umfang variieren (Fall 2a), so ergibt sich das Folgende: Der einzelne Anbieter sieht sich einer Nachfragekurve gegenüber, die ein Teil der Gesamtnachfragekurve ist. Bei m Anbietern ist diese *Teilnachfragekurve* der m-te Teil der Gesamtnachfragekurve. Diese Teilnachfragefunktion ergibt sich bei Preisvariation (Fall 1a) in recht einfacher Weise aus der Gesamtnachfragefunktion[2])

$$x = -\frac{1}{a} p + \frac{b}{a}.$$

[1]) Vgl. dazu auch W. STÜTZEL, Volkswirtschaftliche Saldenmechanik. Ein Beitrag zur Geldtheorie, Tübingen 1958, S. 20ff.

[2]) Die Gesamtnachfragefunktion muß bei Preisfixierung bzw. -variation nach x aufgelöst werden.

Da alle Anbieter stets den gleichen Preis fordern, ist p für alle Anbieter stets gleich. Die Käufer verteilen sich dann völlig gleichmäßig auf alle Verkäufer, der Absatz des einzelnen Anbieters x_i ist demnach der m-te Teil des Gesamtabsatzes x, also $x_i = \frac{1}{m} x$ oder $m x_i = x$. Wird $m x_i$ für x in die Gesamtnachfragefunktion eingesetzt und diese durch m dividiert, so ergibt sich als Gleichung für die Teilnachfragefunktion

$$x_i = -\frac{1}{a\,m} p + \frac{b}{a\,m}.$$

Im numerischen Beispiel resultiert aus der Gesamtnachfragefunktion

$$x = -p + 100,$$

nach Einsetzen von $50\,x_i = x$ und Division durch $m = 50$ die Teilnachfragefunktion

$$x_i = -\frac{1}{50} p + 2.$$

Bei gleichzeitiger und gleicher Mengenvariation durch alle Anbieter (Fall 2a) ist davon auszugehen, daß die Angebotsmengen aller Anbieter stets gleich sind: $x_1 = x_2 = \ldots = x_m$. Also gilt für jeden Anbieter i $(i = 1, 2, \ldots, m)$ wiederum $x_i = \frac{1}{m} x$ oder umgeformt $m x_i = x$. Der Ausdruck $m x_i$ ist in die Gesamtnachfragefunktion

$$p = -ax + b$$

einzusetzen und führt unmittelbar zu der Teilnachfragefunktion

$$p = -amx_i + b$$

bzw.

$$p = -50x_i + 100$$

im numerischen Beispiel. Wie man sofort erkennt, stimmen die Teilnachfragefunktionen bei Preis- und Mengenvariation überein. Die graphische Darstellung (Abb. 66) zeigt deutlich, daß es sich bei der Preis-Absatzfunktion bei stets gleichen Preisen (Mengen) aller Anbieter, d.i. die Teilnachfragefunktion, um den m-ten Teil der Gesamtnachfragefunktion von Abb. 49 handelt.

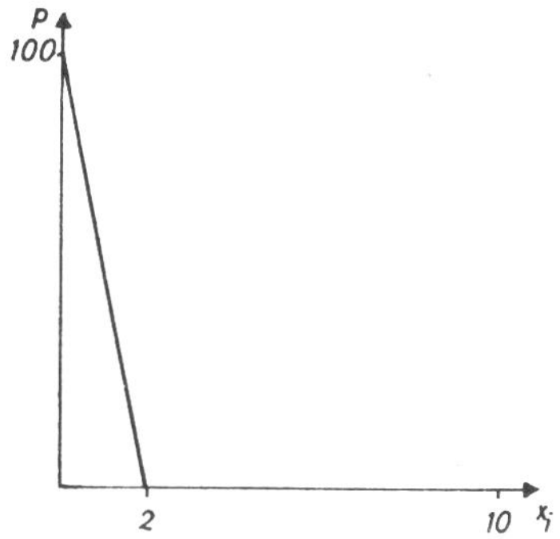

Abb. 66

Gehen wir jetzt zu dem interessanten Fall der autonomen Preisvariation durch einen einzelnen Anbieter (Fall 1b) über. Würde ein polypolistischer Anbieter auf dem vollkommenen Markt seinen Preis p_i

über den geltenden Marktpreis p_0 heraufsetzen, so verlöre er wegen der Vollkommenheit des Marktes sofort seinen gesamten ursprünglichen Absatz x_{i_0}. Dabei genügt schon eine sehr, sehr kleine Preiserhöhung Δp_i, die aber aus mathematischen Gründen nicht infinitesimal klein sein darf. (Wir werden später auf diese Frage zurückkommen.) Senkt der Anbieter seinen Preis um den sehr kleinen Betrag Δp_i unter den Marktpreis, so verlieren seine Konkurrenten (die „Komplementärgruppe" in der Terminologie STÜTZELS) sofort ihren gesamten Absatz, und alle Käufer wenden sich dem „Preisbrecher" zu. Er gewinnt also die gesamte Nachfrage des Marktes, und das bedeutet nichts anderes, als daß seine Nachfragekurve bei autonomer Preisvariation für $p_i < p_0$ mit der Gesamtnachfragekurve zusammenfällt. Daß der Anbieter auf Grund seiner im Vergleich zum Gesamtmarkt im Polypolmodell zu geringen Kapazität diese auf ihn zukommende Gesamtnachfrage gar nicht befriedigen kann, ändert an den Zusammenhängen überhaupt nichts. Wir betrachten sozusagen nur die *reinen* Reaktionen der Nachfrageseite, wie sie sich aus der Vollkommenheit des Marktes zwingend ergeben. Das Problem der vermutlich zu geringen Kapazität eines Anbieters kommt erst dann ins Spiel, wenn wir danach fragen, ob die autonome Preisvariation auf dem vollkommenen Markt eine realistische Verhaltensannahme ist oder nicht.

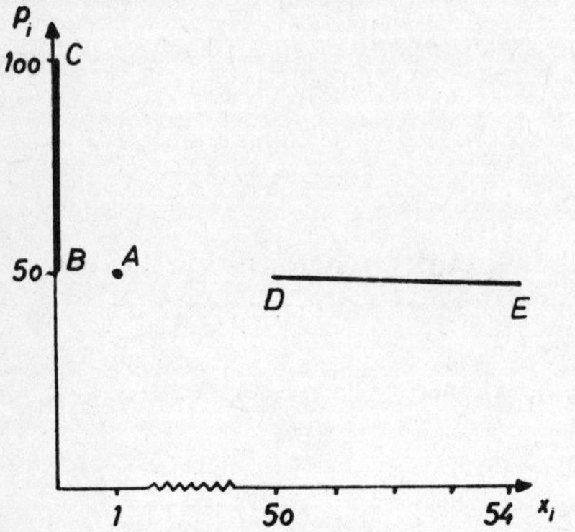

Abb. 67

Die Nachfragesituation, wie sie sich bei autonomer Preisvariation durch einen Anbieter ergibt, wird deutlich aus Abbildung 67. Der Punkt A stellt die Ausgangslage dar, in der der Preis des Anbieters mit dem Marktpreis übereinstimmt ($p_{i_0} = p_0$), und die Absatzmenge des Anbieters der m-te Teil der gesamten Absatzmenge ist $\left(x_{i_0} = \frac{1}{m}\, x_0\right)$.

Erhöht der Anbieter seinen Preis um Δp_i über den Marktpreis, so verliert er seinen gesamten Absatz, d.h. seine Preis-Absatzfunktion bei isolierter Preisvariation wird für $p_i > p_0$ durch die vertikale Strecke BC angegeben. Unterbietet der Anbieter den Marktpreis und zwar um Δp_i, so fällt ihm die Gesamtnachfrage des Marktes zu, d.h. der untere Ast seiner Preis-Absatzfunktion wird durch den Ast der Gesamtnachfragefunktion DE wiedergegeben[1]). Der Abschnitt DE liegt um Δp_i darunter. Die ganze Preis-Absatzfunktion des Anbieters bei autonomer Preisvariation ist eine unstetige,

[1]) Wegen des Abszissenmaßstabes verläuft dieser Ast der Gesamtnachfragekurve in Abb. 67 natürlich sehr flach.

aus den drei Teilen BC, A und DE bestehende Kurve, und in ihrer Unstetigkeit liegt auch der Grund dafür, daß zwar sehr kleine, aber keine unendlich kleinen Preisänderungen zugelassen sind[1]). Analytisch läßt sich die Preis-Absatzfunktion bei autonomer Preisvariation wie folgt darstellen:

$$x_i = 0 \qquad \text{für } p_i > p_0;$$

$$x_i = x_{i_0} = \frac{1}{m} x_0 \qquad \text{für } p_i = p_{i_0} = p_0;$$

$$x_i = -\frac{1}{a} p_i + \frac{b}{a} \qquad \text{für } p_i < p_0.$$

Im numerischen Beispiel lauten diese Beziehungen

$$x_i = 0 \qquad \text{für } p_i > 50;$$

$$x_i = x_{i_0} = \frac{1}{50} 50 = 1 \qquad \text{für } p_i = 50;$$

$$x_i = - p_i + 100 \qquad \text{für } p_i < 50.$$

Man erkennt, daß die in der letzten Zeile stehende, für den Anbieter i bei $p_i < p_0$ geltende Gesamtnachfragefunktion nach der Menge aufgelöst wurde, da der Preis p_i den Aktions- und die Absatzmenge x_i den Erwartungsparameter darstellt.

Wenden wir uns schließlich der autonomen Mengenvariation durch einen Anbieter zu. Die Ausgangslage mit dem Marktpreis p_0, der Gesamtabsatzmenge x_0 und den individuellen Absatzmengen $\frac{1}{m} x_0$ sei auch hier als gegeben angenommen. Die Absatzmengen der $m-1$ Konkurrenten bleiben nun, da es sich per definitionem um die isolierte Mengenvariation *eines* Anbieters handelt, konstant, d.h. $\frac{1}{m} x_0 (m-1) = \frac{m-1}{m} x_0$ geht als konstante Größe in die Überlegungen eines allein agierenden Anbieters ein. Aus der Gesamtnachfragefunktion

$$p = - ax + b$$

wird somit

$$p = - a\left(x_i + \frac{m-1}{m} x_0\right) + b$$

und weiter

$$p = - ax_i + \left(b - a\frac{m-1}{m} x_0\right).$$

wobei der Ausdruck in der Klammer konstant ist. Dies ist die Preis-Absatzfunktion eines Anbieters i bei autonomer Mengenvariation. Im numerischen

[1]) Vgl. F. J. de Jong, Het Systeem van de Marktvormen, a.a.O., S. 106 und passim.

Beispiel beträgt der Absatz der Konkurrenten $\frac{m-1}{m} x_0 = \frac{49}{50} 50 = 49$, und man erhält

$$p = - x_i + 51$$

als Preis-Absatzfunktion eines Anbieters i bei autonomer Mengenvariation.

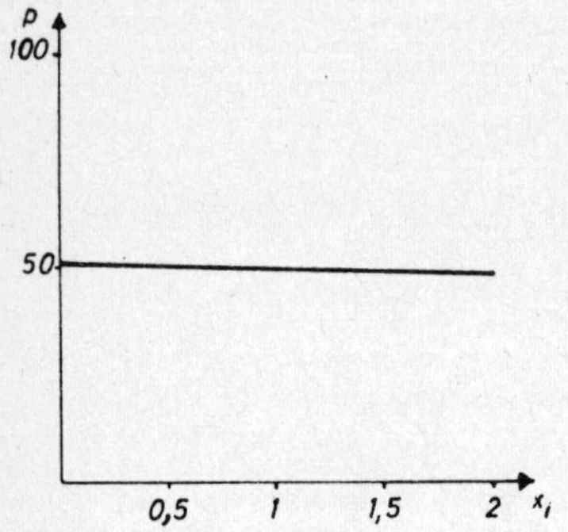

Abb. 68

Die graphische Darstellung dieser Funktion (Abb. 68) ergibt eine sehr flach verlaufende Kurve, die bei sehr großer Anbieterzahl, also einem sehr kleinen Marktanteil des Einzelnen, praktisch zu einer Preisgeraden wird.

Die bisher gewonnenen Ergebnisse sollen in einer Tabelle zusammengefaßt werden, die eine Übersicht über die verschiedenen Nachfrage- bzw. Preis-Absatzfunktionen vermittelt. Zur Verdeutlichung wurden die für die einzelnen Fälle abgeleiteten algebraischen Funktionen mit in die Tabelle aufgenommen.

Tabelle 16

*Elementare Preis-Absatzfunktionen auf dem vollkommenen Markt**

Preisfixierung bzw. -variation		Mengenfixierung bzw. -variation
$\left[x = -\frac{1}{a} p + \frac{b}{a}\right]$	Gesamtnachfragefunktion	$[p = - ax + b]$
1a) Preis-Absatzfunktion bei stets gleichen Preisen aller Anbieter $\left[x_i = -\frac{1}{am} p + \frac{b}{am}\right]$	Teilnachfragefunktion	2a) Preis-Absatzfunktion bei stets gleichen Mengen aller Anbieter $[p = - am\, x_i + b]$
1b) Preis-Absatzfunktion bei autonomer Preisvariation eines Anbieters $\left[\begin{array}{ll} x_i = 0 & \text{für } p_i > p_0 \\ x_i = x_{i_0} = \frac{1}{m} x_0 & \text{für } p_i = p_{i_0} = p_0 \\ x_i = -\frac{1}{a} p_i + \frac{b}{a} & \text{für } p_i < p_0 \end{array}\right]$		2b) Preis-Absatzfunktion bei autonomer Mengenvariation eines Anbieters $\left[p = - a x_i + \left(b - a \frac{m-1}{m} x_0\right)\right]$

*) Für alle jeweils in den Klammern angegebenen Funktionen wurde wie im Text der Einfachheit halber ein linearer Ansatz gewählt.

Man erkennt aus Tabelle 16 sofort, daß die Situation eines einzelnen Anbieters bei Preisvariation wie bei Mengenvariation jeweils durch zwei Kurven vollständig beschrieben wird, von denen die eine die Lage bei gleichzeitiger und gleicher Aktion aller Anbieter, die andere die bei isoliertem Vorgehen des einzelnen Anbieters angibt. Der Vollständigkeit halber sei angemerkt, daß die Kurven bei autonomer Aktion des einzelnen Anbieters von der Ausgangslage mitbestimmt werden, während dies bei der Teilnachfragekurve nicht der Fall ist.

Versuchen wir, aus den vorstehenden Analysen das Fazit zu ziehen, d.h. die Frage zu beantworten, welche Verhaltensweise bei einem Polypolisten auf dem vollkommenen Markt zu erwarten ist. Die dreiteilige, unstetige Kurve von Abb. 67 zeigt deutlich, daß der einzelne Anbieter keine Preisfixierung und keine isolierte Preisvariation treiben wird. Erhöht er seinen Preis über den Marktpreis, so verliert er ja seinen gesamten Absatz, weshalb er eine solche Maßnahme stets unterlassen wird. Senkt er seinen Preis unter den Marktpreis, so fällt ihm zwar die gesamte Nachfrage zu, und man könnte deshalb vermuten, daß er an autonomen Preissenkungen interessiert wäre. Aber seine Kapazität kann niemals ausreichen, um die auf ihn zukommende Gesamtnachfrage zu befriedigen. In unserem Zahlenbeispiel etwa müßte der Anbieter bei einer Preissenkung seine Angebotsmenge mehr als verfünfzigfachen, um die Gesamtnachfrage decken zu können. Bei größerer Anbieterzahl, etwa einhundert, wäre eine Angebotsvermehrung um mehr als das Hundertfache notwendig, so daß man diese Möglichkeit als absolut unrealistisch bezeichnen kann. Der einzelne Anbieter beim Polypol auf dem vollkommenen Markt wird demnach keine isolierte Preisvariation durchführen, da er bei einer Preiserhöhung über den Marktpreis seinen gesamten Absatz verliert, während er bei einer Preissenkung unter den Marktpreis die auf ihn sich konzentrierende Gesamtnachfrage auf Grund seiner geringen Angebotskapazität nie und nimmer befriedigen kann.

Der Anbieter wird vielmehr autonome Mengenvariation bzw. autonome Mengenanpassung betreiben, wobei er nicht damit rechnen muß, daß er durch seine Angebotsvariationen den Marktpreis *spürbar* beeinflußt. Der Polypolist auf dem vollkommenen Markt sieht den Marktpreis als Datum an und sieht sich der Preisgeraden gegenüber; er wird zum Preisnehmer und *autonomen Mengenanpasser*.

§ 3. Die Gewinnmaximierung des einzelnen Anbieters

Nachdem unsere erste Frage nach der Nachfragesituation, wie sie sich für den einzelnen Polypolisten darstellt, beantwortet worden ist, gehen wir zu der zweiten Frage nach der Gewinnmaximierung des einzelnen Anbieters über. Wie abgeleitet wurde, sieht der einzelne Polypolist den Marktpreis als Datum an: $p = \bar{p}$. Sein Umsatz ist somit $U_i = \bar{p} x_i$, und seine Gewinnfunktion lautet

$$G_i = \bar{p} x_i - K_i(x_i),$$

wobei $K_i(x_i)$ die Kostenfunktion des Anbieters bedeutet. Der Gewinn ist dann offensichtlich maximal, wenn die folgenden Bedingungen erfüllt sind:

$$G_i' = \bar{p} - K_i'(x_i) = 0$$

bzw. $$\bar{p} = K_i'(x_i);$$

$$G_i'' = 0 - K_i''(x_i) < 0$$

bzw. $$0 < K_i''(x_i).$$

Ein Polypolist auf dem vollkommenen Markt maximiert demnach seinen Gewinn, indem er die Menge ausbringt, bei der die Grenzkosten gleich dem Preis sind ($\bar{p} = K_i'(x_i)$). Wir nennen dies mit v. STACKELBERG das *Gesetz des erwerbswirtschaftlichen Konkurrenzangebots*. Diese Gleichheit von Grenzkosten und Preis muß im ansteigenden Teil der Grenzkostenkurve herbeigeführt werden ($0 < K_i''(x_i)$), damit ein Maximum des Gewinns vorliegt.

Für die graphische Darstellung der Gewinnmaximierung durch den einzelnen Anbieter stehen zwei Möglichkeiten offen, nämlich einmal die Darstellung mit Hilfe der Umsatz- und Kostenfunktion (und der daraus abzuleitenden Gewinnfunktion) und zweitens mit Hilfe der Durchschnitts- und Grenzkurven. In Abb. 69a wurden die Umsatzkurve, die gemäß $U_i = \bar{p} x_i$ eine ansteigende Gerade mit der Steigung $\frac{dU_i}{dx_i} = \bar{p}$ ist, und eine (ertragsgesetzliche) Kostenkurve eingezeichnet. Nach einer Verlustzone von 0 bis x_2 wird bei der Menge x_2 ein Kostendeckungspunkt (break even point) er-

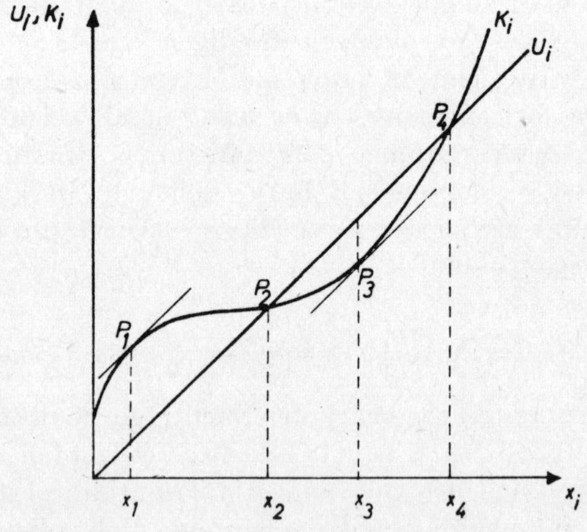

Abb. 69a

reicht; es folgt eine Gewinnzone von x_2 bis x_4 mit einem zweiten Deckungspunkt in x_4. Ab x_4 übersteigen die Kosten erneut den Umsatz, d.h. der Anbieter gerät in eine zweite Verlustzone. Die notwendige Gewinnmaximierungsbedingung $\bar{p} = K_i'(x_i)$ ist sowohl in P_1 als auch in P_3 erfüllt: Eine Tangente an die Kostenkurve besitzt dieselbe Steigung — $K_i'(x_i)$ — wie die Umsatzkurve $\left(\frac{dU_i}{dx_i} = \bar{p}\right)$. Aber nur in P_3 ist auch die hinreichende Bedingung $0 < K_i''(x_i)$ erfüllt, d.h. x_1 ist die verlustmaximale und x_3 die gesuchte gewinnmaximale Ausbringung. Dies geht deutlich aus der Gewinnfunktion von Abb. 69b hervor, die man durch vertikale Subtraktion der Kosten vom Umsatz aus Abb. 69a erhält.

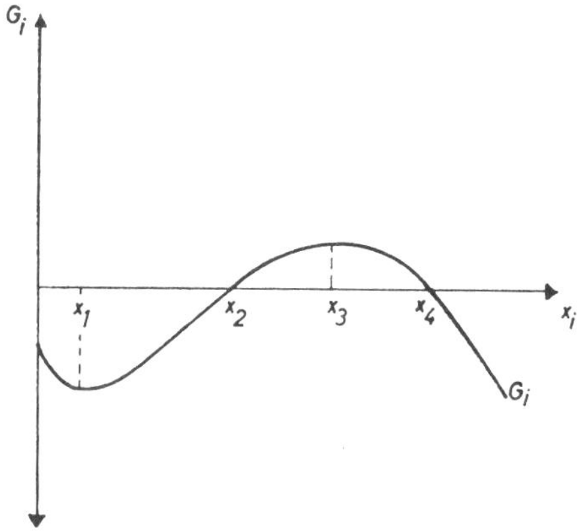

Abb. 69b

Die Abbildungen 70a und 70b zeigen dieselben Zusammenhänge mit Hilfe von Durchschnitts- und Grenzkurven. In Abb. 70a wurde einmal die Preisgerade eingezeichnet, die sowohl Durchschnitts- als auch Grenzumsatzkurve ist $\left(\frac{U_i}{x_i} = \frac{dU_i}{dx_i} = \bar{p}\right)$.

Ferner enthält Abb. 70a die Grenzkostenkurve $K_i'(x_i)$ und die Durchschnittskostenkurve $\frac{K_i}{x_i}$, mit deren Hilfe der Gewinn graphisch ermittelt wird. Die Abb. 70b zeigt die Kurve des Durchschnitts- und Grenzgewinns $\left(\frac{G_i}{x_i} \text{ und } G_i'\right)$ und ferner $G_i'' = 0 - K_i''(x_i)$ sowie $K_i''(x_i)$, d.i. die Steigung der Grenzkostenkurve. Wie früher ist die notwendige Bedingung Grenzkosten = Preis in den Punkten P_1 und P_3 erfüllt, die hinreichende Bedingung $0 < K_i''(x_i)$ dagegen nur in P_3. Dies wird aus Abb. 70b ohne weiteres deutlich. x_3 ist demnach wie oben die gewinnmaximale Ausbringung für den betreffenden Polypolisten. Der Gewinn (schraffierte Fläche in 70a) wird mit Hilfe der Durchschnittskostenkurve ermittelt.

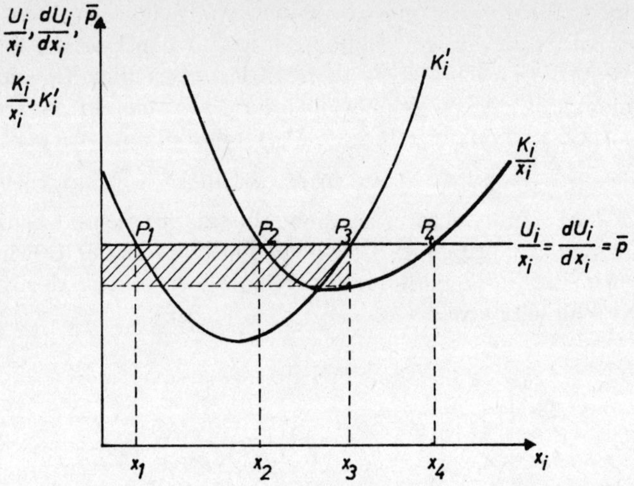

Abb. 70a

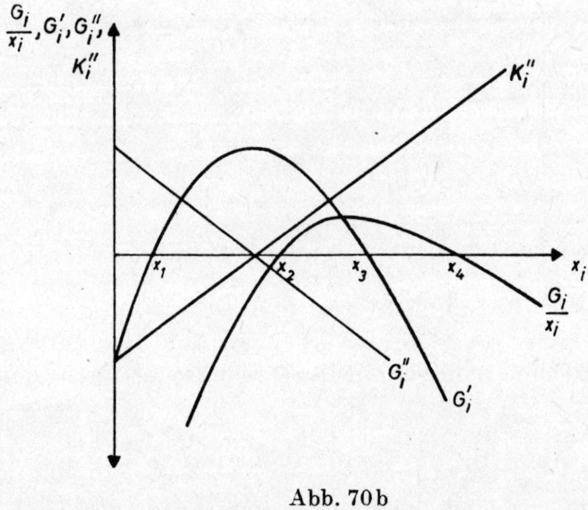

Abb. 70b

Je nach der Preishöhe lassen sich nunmehr leicht fünf typische Gewinn- bzw. Verlustsituationen für den einzelnen Anbieter unterscheiden, nämlich

1. Der Preis ist höher als die durchschnittlichen Gesamtkosten in ihrem Minimum (p_1 in Abb. 71): Der Anbieter erzielt einen Gewinn.
2. Der Preis ist gleich den durchschnittlichen Gesamtkosten in ihrem Minimum (p_2 in Abb. 71): Der Anbieter arbeitet ohne Gewinn und ohne Verlust: ni bénéfice ni perte (Walras).

3. Der Preis ist niedriger als die durchschnittlichen Gesamtkosten in ihrem Minimum, aber höher als die durchschnittlichen variablen Kosten in ihrem Minimum (p_3 in Abb. 71): Der Anbieter erleidet einen Verlust, der geringer ist als seine fixen Kosten.
4. Der Preis ist gleich den durchschnittlichen variablen Kosten in ihrem Minimum (p_4 in Abb. 71): Der Anbieter erleidet einen Verlust in Höhe der fixen Kosten.
5. Der Preis ist niedriger als die durchschnittlichen variablen Kosten in ihrem Minimum (p_5 in Abb. 71): Der Anbieter würde einen Verlust erleiden, der die fixen Kosten überstiege; das Angebot muß daher unterbleiben, da nicht einmal mehr die variablen Kosten voll gedeckt werden. Die Firma scheidet aus dem Markt aus.

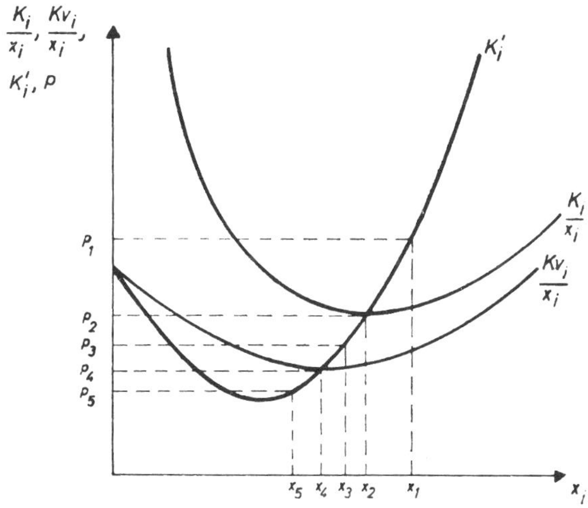

Abb. 71

Wie ohne weiteres einzusehen ist, sind auf die Dauer für die einzelne Unternehmung nur die ersten beiden Situationen möglich, d.h. die beiden Verlustsituationen 3 und 4 sind nur vorübergehend tragbar. Kurzfristig kann auf den Ersatz der fixen Kosten verzichtet werden, mittelfristig dagegen nicht. Man bezeichnet daher das Minimum der variablen Durchschnittskosten, wie schon erwähnt, auch als *Betriebsminimum* oder *Produktionsschwelle*, das Minimum der durchschnittlichen Gesamtkosten als *Betriebsoptimum* oder *Gewinnschwelle*. (Das Betriebsoptimum darf nicht als optimal für die Unternehmung angesehen werden. Selbstverständlich geht es der Unternehmung am besten, wenn sie zu einem hohen Preis möglichst weit rechts vom Betriebsoptimum produziert und dabei hohe Gewinne erzielt. Die Situation des Betriebsoptimums ist demgegenüber vom gesamtwirtschaftlichen Standpunkt aus optimal: Das betreffende Gut wird mit den geringsten Durchschnittskosten, also am wirtschaftlichsten produziert.)

Aus Abb. 71 läßt sich noch ein weiteres Resultat entnehmen. Der Polypolist bestimmt seine Angebotsmenge bei alternativen hypothetischen Preisen stets mit Hilfe der Bedingung Grenzkosten = Preis. Die Grenzkostenkurve verbindet demnach hypothetische Preise mit hypothetischen Angebotsmengen und ist somit die Angebotskurve eines polypolistischen Anbieters auf dem vollkommenen Markt. Dabei ist noch die folgende Präzisierung möglich: Die kurzfristige Angebotskurve eines Polypolisten auf dem vollkommenen Markt ist gleich dem aufsteigenden Ast der Grenzkostenkurve ab Betriebsminimum, die mittelfristige Angebotskurve ist gleich dem aufsteigenden Ast der Grenzkostenkurve ab Betriebsoptimum[1]).

Wenden wir uns jetzt der Gewinnsituation eines Anbieters bei linearem Kostenverlauf zu. Die dabei auftretenden Schwierigkeiten zeigen sich ohne weiteres, wenn man für die Kosten die entsprechende Funktion

$$K_i = a x_i + K_i^f$$

annimmt und die Gewinnmaximierungsregeln abzuleiten versucht. Der Gewinn des Anbieters i ist offenbar

$$G_i = \bar{p} x_i - a x_i - K_i^f$$

mit der ersten, gleich Null gesetzten Ableitung

$$G_i' = \bar{p} - a \overset{!}{=} 0$$

und der zweiten Ableitung, die negativ sein muß,

$$G_i'' = 0 - 0 \overset{!}{<} 0 .$$

Die erste Bedingung — Grenzkosten gleich Preis — ist demnach nur bei einem und nur einem ganz bestimmten Preis erfüllbar, d. h. aber, daß sie in der Regel nicht erfüllbar ist. Die zweite hinreichende Gewinnmaximierungsbedingung ist überhaupt nicht zu erfüllen, so daß auch der Ausnahmefall $\bar{p} = a$ nichts nützt, da es dann noch immer an der hinreichenden Bedingung hapert. M. a. W.: Das Gesetz des erwerbswirtschaftlichen Konkurrenzangebots verliert bei linearem Kostenverlauf seine Gültigkeit. Die Angebotsmenge muß in diesem Falle mit Hilfe anderer Kriterien bestimmt werden.

Betrachten wir dazu Abb. 72a und 72b, die die Darstellung der Gewinnsituation mittels der Umsatz-, Kosten- und Gewinnfunktion enthält. Der Anbieter kann die Gleichheit von Grenzkosten und Preis offenbar nicht verwirklichen, denn der Preis $\left(\bar{p} = \frac{d U_i}{d x_i} !\right)$ ist überall größer als die Grenzkosten.

[1]) Vgl. dazu J. Aubert, La courbe d'offre, Paris 1949.

Wie man aus beiden Abbildungen erkennt, ist es für den Polypolisten am günstigsten, an der Kapazitätsgrenze anzubieten. Diese Regel gilt bei linearem Kostenverlauf grundsätzlich, d.h. ein Anbieter beim vollkommenen

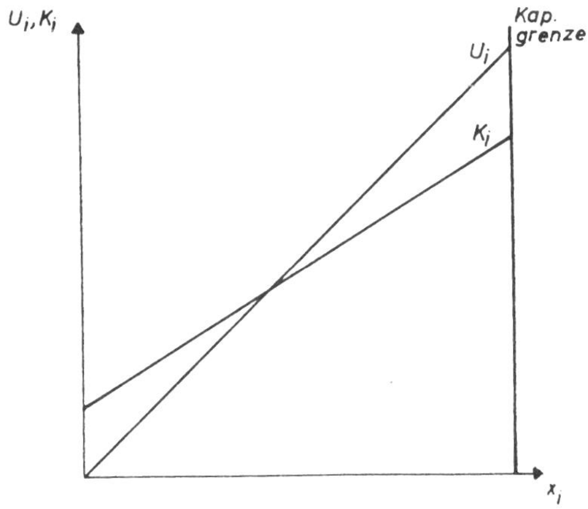

Abb. 72a

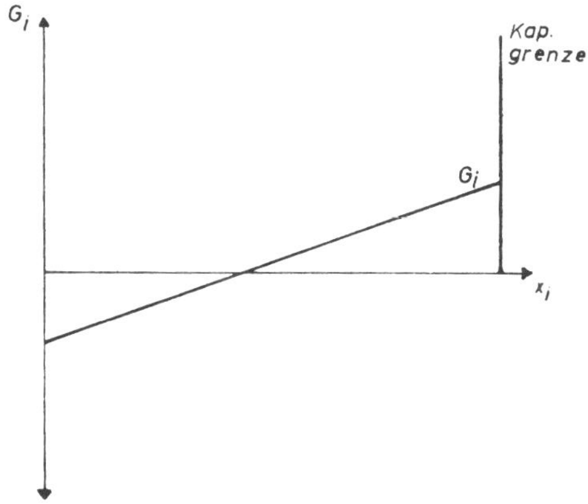

Abb. 72b

Polypol bestimmt bei linearem Kostenverlauf seine gewinnmaximale Ausbringung grundsätzlich im Punkt der vollständigen Kapazitätsauslastung. Auf die einzige Ausnahme von dieser Regel werden wir gleich zurückkommen.

Die Abb. 73a und 73b zeigen die Situation des Anbieters anhand der Durchschnitts- und Grenzkurven. Auch hier wird deutlich, daß sich das

Gesetz des erwerbswirtschaftlichen Konkurrenzangebots nicht verwirklichen läßt und die gewinnmaximale Position an der Kapazitätsgrenze erreicht wird.

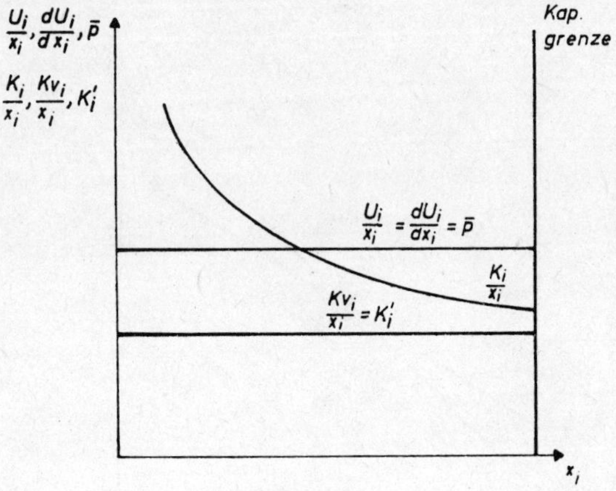

Abb. 73a

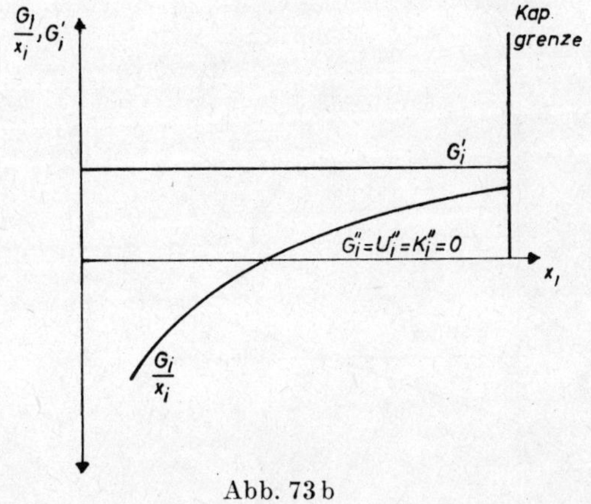

Abb. 73b

Wie bei ertragsgesetzlichem Kostenverlauf, so lassen sich auch bei linearem Kostenverlauf fünf Gewinn- bzw. Verlustsituationen je nach der Preishöhe unterscheiden:

1. Der Preis ist höher als der tiefste Punkt der Kurve der durchschnittlichen Gesamtkosten (p_1 in Abb. 74): Die Unternehmung arbeitet mit Gewinn und produziert an der Kapazitätsgrenze.
2. Der Preis ist gleich dem niedrigsten Wert der durchschnittlichen Gesamtkosten (p_2 in Abb. 74): Die Unternehmung arbeitet ohne Gewinn und Verlust und produziert an der Kapazitätsgrenze.

3. Der Preis ist niedriger als der niedrigste Wert der durchschnittlichen Gesamtkosten, aber höher als die durchschnittlichen variablen Kosten (p_3 in Abb. 74): Die Unternehmung erleidet einen Verlust, der kleiner ist als die fixen Kosten, und produziert an der Kapazitätsgrenze.
4. Der Preis ist gleich den durchschnittlichen variablen Kosten und damit auch gleich den Grenzkosten (p_4 in Abb. 74): Die Unternehmung erleidet einen Verlust in Höhe der fixen Kosten; die Produktionsmenge ist unbestimmt.
5. Der Preis ist niedriger als die durchschnittlichen variablen Kosten (p_5 in Abb. 74): Es erfolgt kein Angebot, da der entstehende Verlust die fixen Kosten übersteigt, also auch die variablen Kosten nicht mehr voll gedeckt werden können.

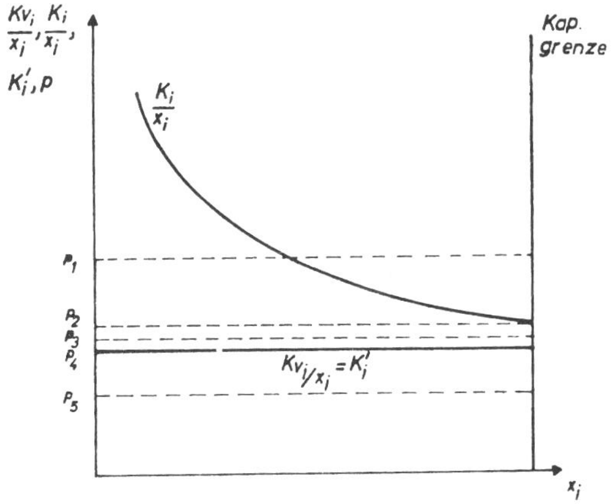

Abb. 74

Wie früher sind die Fälle 3 und 4 nur kurzfristig möglich, da mittelfristig auf die Erstattung der fixen Kosten nicht verzichtet werden kann. Der Fall 4 stellt die oben erwähnte Ausnahme von der Regel dar, daß ein Polypolist bei linearem Kostenverlauf grundsätzlich an der Kapazitätsgrenze anbietet. Wenn die Preisgerade mit den konstanten Grenzkosten zusammenfällt, so ist die Gewinnmaximierungsregel Grenzkosten gleich Preis bei jeder Ausbringung erfüllt, d.h. die gewinnmaximale Ausbringung ist unbestimmt. (Dies ist mathematisch natürlich darauf zurückzuführen, daß die hinreichende Bedingung $G_i'' < 0$ nicht erfüllt ist.)

Beschließen wir diese Überlegungen mit einem Blick auf die Angebotskurve eines Polypolisten bei linearem Kostenverlauf. Die Angebotskurve wird kurzfristig offenbar durch die konstanten Grenzkosten und die Kapazitätsgrenze gebildet, langfristig durch die Linie der Kapazitätsgrenze von dem Punkt an, an dem die Kurve der durchschnittlichen Gesamtkosten auf sie auftrifft. Die Angebotsmenge variiert demnach langfristig überhaupt nicht mit dem Preis, sondern ist konstant und gleich der maximalen Ausbringung.

Als letztes gilt es, die Anpassungsvorgänge zu untersuchen, die sich bei unbeschränktem Zugang zum Markt ergeben, und so die Situation des einzelnen Anbieters wieder mit dem Geschehen auf dem Gesamtmarkt zu verknüpfen. Die Ausgangslage sei durch eine derartige Preishöhe gekennzeichnet, daß alle polypolistischen Anbieter Gewinne erzielen, also bei ertragsgesetzlichem Kostenverlauf rechts vom Betriebsoptimum produzieren. Bei unbeschränktem Zugang zum Markt werden durch diese Gewinne neue Anbieter angelockt, durch deren Auftreten das Angebot vergrößert und der Preis gesenkt wird. Bei annähernd gleicher Größe der Anbieter kann damit gerechnet werden, daß sich ein Zustand einspielt, bei dem nicht nur für jeden Anbieter die Gleichheit von Grenzkosten und Preis verwirklicht ist, sondern auch die Gleichheit von Preis und Durchschnittskosten. Jeder Anbieter bietet also im Betriebsoptimum an und erzielt weder Gewinn noch Verlust. Es herrscht dann auf dem betreffenden Markt ein sog. langfristiges Gruppengleichgewicht als langfristig stabiler Zustand, dieses Gruppengleichgewicht ist charakterisiert durch die Gleichheit von Preis, Grenz- und Durchschnittskosten, während das kurzfristige Marktgleichgewicht nur Preis gleich Grenzkosten erfordert. (Diesem Begriffspaar — kurzfristiges Marktgleichgewicht, langfristiges Gruppengleichgewicht — entspricht die alte Unterscheidung der nationalökonomischen Klassiker von Marktpreis und natürlichem Preis „auf die Dauer und im Durchschnitt".) Bei beschränktem Zugang zum Markt kann die *Einschaltefunktion des Preises* (deren Korrelat natürlich eine *Ausschaltefunktion* bei einer Ausgangslage mit Verlusten der Anbieter ist) nicht wirksam werden. Die Gewinne verschwinden langfristig nicht, sondern bleiben auf Grund der Zugangsbeschränkungen zum Markt, also auf Grund eines monopolistischen Elements bestehen.

2. Die Preisbildung beim Polypol auf dem unvollkommenen Markt

§ 1. Die Lösung Chamberlins

Das Gegenstück zu dem Polypol auf dem vollkommenen Markt, der atomistischen Konkurrenz, bildet das Polypol auf dem unvollkommenen Markt, die monopolistische Konkurrenz. Zusammen mit dem Oligopol auf dem unvollkommenen Markt stellt sie die in der Wirklichkeit am häufigsten anzutreffende Marktform dar.

Der Polypolist auf dem unvollkommenen Markt ist in seinem Aktionsradius nicht mehr so eingeschränkt wie auf dem vollkommenen Markt. Er kann Preispolitik betreiben, braucht also nicht mehr den Marktpreis als

Datum anzusehen. Ferner tritt die Produktvariation als weitere strategische Möglichkeit auf den Plan, und zwar Produktvariation im weitesten Sinne, also inklusive der Werbung. Der einzelne polypolistische Anbieter hat mit den Aktionen und Reaktionen eines einzelnen seiner Konkurrenten nicht zu rechnen (dies unterscheidet ihn vom Oligopolisten), sondern kann deren Parameter als Konstanten in seine Planungen einsetzen. Allerdings unterliegt der einzelne Anbieter dem Einfluß, der von *allen* seinen Konkurrenten auf ihn ausgeht.

Die bekannteste Lösung für das Preisbildungsproblem auf dem unvollkommenen Markt verdanken wir CHAMBERLIN[1]; in neuerer Zeit haben MACHLUP und GUTENBERG eine originelle Lösung vorgeschlagen, die im 2. Abschnitt dieses Kapitels behandelt werden soll[2].

Wenden wir uns zunächst der Lösung von CHAMBERLIN zu. Wir unterstellen eine relativ große Anzahl von m Anbietern auf einem unvollkommenen Markt. Die Anbieter seien gleich groß; ihre Zielsetzung sei die Maximierung des Periodengewinns, wobei sie den Preis als Aktionsparameter verwenden. Ein Anbieter i sehe sich der allgemeinen, als linear angenommenen Absatzfunktion

$$x_i = -a_{ii}\, p_i + b_{ij}\, p_j + \ldots + b_{im}\, p_m + c_i \qquad (i = 1,2, \ldots, m)$$

gegenüber, in der $-a_{ii}$ die Abhängigkeit seiner Absatzmenge von seinem eigenen Preis und die Koeffizienten $b_{ij}, \ldots, b_{im}$ die Abhängigkeit von den Preisen seiner Konkurrenten angeben. Auf Grund der Symmetrieannahme kann unterstellt werden, daß alle a_{ii}-Koeffizienten gleich sind und ebenfalls alle b_{ij}-Koeffizienten, so daß die allgemeine Absatzfunktion wie folgt geschrieben werden kann:

$$x_i = -a_{ii}\, p_i + b \sum_{\substack{j=1 \\ j \neq i}}^{m} p_j + c_i \qquad (i = 1, 2, \ldots, m)\,.$$

CHAMBERLIN führt nun spezielle Typen von Absatz- bzw. Nachfragekurven in die Analyse ein, die sich durch die Annahmen über die Konkurrentenpreise unterscheiden. Sind die Preise aller Anbieter (einschließlich des Anbieters i) stets gleich, so wird aus der allgemeinen Absatzfunktion die DD'-Kurve CHAMBERLINS, d.i. die Absatzkurve bei stets gleichen Preisen aller Anbieter. (Wie man leicht sieht, entspricht diese Kurve der Teilnachfragekurve, die bei der Analyse des Polypols auf dem vollkommenen Markt verwendet wurde.) Formelmäßig ergibt sich offenbar für diese DD'-Kurve

$$x_i = [-a_{ii} + b(m-1)]\, p_i + c_i\,.$$

[1]) E. H. CHAMBERLIN, The Theory . . . , a.a.O., vor allem Kap. IV und V.

[2]) F. MACHLUP, Wettbewerb im Verkauf. Modellanalyse des Anbieterverhaltens (Übers. aus dem Amerikanischen [1956]), Göttingen 1966, S. 542; E. GUTENBERG, Grundlagen . . ., 2. Bd. Der Absatz a.a.O., zweiter Teil III B.

Eine zweite Absatz- bzw. Nachfragefunktion erhält man aus der allgemeinen Absatzfunktion durch die Annahme, die Konkurrentenpreise seien eingefroren, also konstant. Diese Kurve heißt bei CHAMBERLIN *dd'*-Kurve, wir können sie Absatzkurve bei isolierter Preisvariation des Anbieters i nennen und damit erneut die Parallele zum Polypol auf dem vollkommenen Markt herstellen. Formelmäßig ergibt sich

$$x_i = - a_{ii} p_i + \left[b \sum_{\substack{j=1 \\ j \neq i}}^{m} \bar{p}_j + c_i \right],$$

wobei $\bar{p}_j$ die Konstanz der Konkurrentenpreise bezeichnet und der Klammerausdruck somit eine Konstante darstellt.

Für die Gewinnmaximierung des Anbieters i ist an dieser Absatzkurve bei isolierter Preisvariation (*dd'*-Kurve) anzuknüpfen, denn der Anbieter betrachtet ja die Konkurrentenpreise als Konstanten, die durch seine Preisfixierung nicht tangiert werden. Aus der Gewinnfunktion

$$G_i = - a_{ii} p_i^2 + \left[b \sum_{\substack{j=1 \\ j \neq i}}^{m} \bar{p}_j + c_i \right] p_i - K_i(x_i)$$

ergibt sich als notwendige Bedingung für das Gewinnmaximum

$$\frac{dG_i}{dp_i} = - 2 a_{ii} p_i + \left[b \sum_{\substack{j=1 \\ j \neq i}}^{m} \bar{p}_j + c_i \right] - \frac{dK_i(x_i)}{dx_i} \frac{\partial x_i}{\partial p_i} = 0,$$

d.i. nichts anderes als die Gleichheit von Grenzumsatz und Grenzkosten, wobei allerdings nach dem Preis p_i und nicht wie üblich nach der Menge differenziert wurde. (Die hinreichende Bedingung lautet selbstverständlich, daß die Steigung der Grenzumsatzkurve kleiner sein muß als die der Grenzkostenkurve, wobei es sich beide Male um die Steigung in bezug auf p_i handelt.) Da für jeden polypolistischen Anbieter diese Bedingung Grenzumsatz = Grenzkosten erfüllt sein muß, stehen m Gleichungen von der zuletzt angeschriebenen Form für die Bestimmung der m Preise zur Verfügung. Wird dieses Gleichungssystem gelöst, so garantieren die Symmetrieannahme und die Gleichheit der Kostenfunktionen, daß die Preise aller Anbieter gleich sind. Setzt man in der Gleichung des Grenzgewinns p_i für $\bar{p}_j$ ein, so ergibt sich

$$p_i = \frac{\frac{dK_i(x_i)}{dx_i} \frac{\partial xi}{\partial pi} - c_i}{b(m-1) - 2a_{ii}}.$$

Die Preise und damit auch die Absatzmengen sind demnach bestimmt, und damit ist das Problem gelöst.

Die Gleichheit aller Preise hat nun aber noch eine weitere wichtige Konsequenz. Der Preis des Anbieters i liegt nicht nur auf der dd'-Kurve, die die Grundlage für seine Preiskalkulation bildet, sondern auch auf der DD'-Kurve. Wenn sich der Preis aber sowohl auf der dd'- als auch auf der DD'-Kurve befindet, so liegt er offenbar im Schnittpunkt dieser beiden Kurven. Man erhält damit für das kurzfristige Gruppengleichgewicht eines unvollkommenen Polypolmarktes zwei Kriterien:

1. Die Grenzkosten müssen gleich dem Grenzumsatz sein, wobei die Grenzumsatzkurve auf der dd'-Kurve basiert, und
2. Der Preis liegt im Schnittpunkt der dd'-Kurve mit der DD'-Kurve.

Diese beiden Kriterien werden aus Abb. 75 ersichtlich, in der abweichend von CHAMBERLIN konstante Grenzkosten unterstellt wurden und wie üblich die Ableitungen nach der Menge vorgenommen wurden.

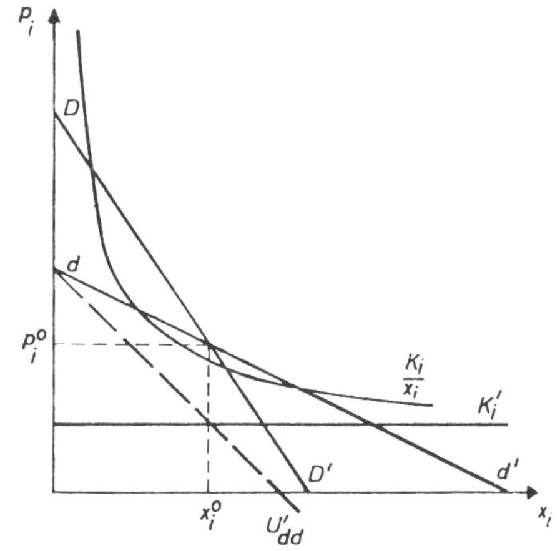

Abb. 75

Diese etwas abstrakten Überlegungen seien anhand eines numerischen Beispiels erläutert, das außerdem zur Demonstration des langfristigen Gruppengleichgewichts, der sogenannten *Tangentenlösung*, dienen soll. Ferner kann anhand dieses Beispiels eine elegante Methode zur Ermittlung der relevanten Größen vorgeführt werden.

In der Ausgangssituation betrage die Zahl der Anbieter 61; jeder Anbieter sei der folgenden allgemeinen Absatzfunktion konfrontiert:

$$x_i = -2\,p_i + \frac{1}{45}\sum_{\substack{j=1\\ j\neq i}}^{61} p_j + 113\,\frac{1}{3}\,.$$

Die Kosten eines jeden Anbieters seien linear gemäß der Gleichung

$$K_i = 30\,x_i + 1800\,.$$

Nach der oben für p_i abgeleiteten Formel beträgt dann $p_i = 65$, und die weiteren Größen besitzen die Werte $x_i = 70$, $U_i = 4550$, $K_i = 3900$ und $G_i = 650$. Die DD'-Funktion für den einzelnen Anbieter lautet $x_i = -\frac{2}{3}\,p_i + 113\frac{1}{3}$, die dd'-Funktion $x_i = -2\,p_i + 200$.

Auf eine andere Art, mit Hilfe einer zunächst unbestimmten Konstanten, lassen sich diese Ergebnisse wie folgt ableiten. Man geht aus von der Gleichung aller *dd'*-Kurven

$$x_i = -2\,p_i + \left[\frac{1}{45}\sum_{\substack{j=1\\ j\neq i}}^{61} \bar{p}_j + 113\frac{1}{3}\right],$$

die zunächst nach p_i aufgelöst wird:

$$p_i = -\frac{1}{2}\,x_i + \left[\frac{1}{90}\sum_{\substack{j=1\\ j\neq i}}^{61} \bar{p}_j + 56\frac{2}{3}\right].$$

Der (konstante) Klammerausdruck wird durch die zunächst unbestimmte Konstante V ersetzt:

$$p_i = -\frac{1}{2}\,x_i + V$$

und danach die Gewinngleichung des Anbieters aufgestellt:

$$G_i = -\frac{1}{2}\,x_i^2 + V x_i - 30\,x_i - 1800\,.$$

Das erste Kriterium für das Gruppengleichgewicht erfordert

$$G_i' = -x_i + V - 30 = 0$$

oder

$$x_i = V - 30\,.$$

Dieser Ausdruck für x_i wird in die dd'-Funktion $p_i = -\frac{1}{2}x_i + V$ und in die DD'-Funktion $x_i = -\frac{2}{3}\,p_i + 113\frac{1}{3}$ bzw. $p_i = -\frac{3}{2}\,x_i + 170$ eingesetzt:

dd'-Funktion	DD'-Funktion
$p_i = -\frac{1}{2}(V - 30) + V$	$p_i = -\frac{3}{2}(V - 30) + 170$
$p_i = \frac{1}{2}V + 15$	$p_i = -\frac{3}{2}V + 215$

Setzt man die so gewonnenen Ausdrücke für p_i gemäß dem zweiten Kriterium für das Gruppengleichgewicht (Schnittpunkt von DD'- und dd'-Kurve im realisierten Preis) gleich, so erhält man für $V = 100$ und unter Berücksichtigung von $x_i = V - 30$ für $x_i = 70$. Die übrigen Werte lassen sich dann ohne weiteres ermitteln.

In der beschriebenen Situation, dem kurzfristigen Gruppengleichgewicht, erzielt jeder der polypolistischen Anbieter einen Gewinn von 650 Geldeinheiten. Diese Gewinne müssen bei unbeschränktem Zugang zum Markt dazu führen, daß neue Anbieter auftreten und sich am Markt beteiligen. Die *dd'*-Kurve und auch die *DD'*-Kurve verschieben sich durch das Auftreten der neuen Anbieter für die alten Anbieter nach links, d. h. ihre Absatzmöglichkeiten schrumpfen. Dieser Prozeß muß offenbar dann zu Ende kommen, wenn kein Anbieter mehr einen Gewinn erzielt, aber auch keiner einen Verlust erleidet. Graphisch ist das dort der Fall, wo die Durchschnittskostenkurve die *dd'*-Kurve eines Anbieters gerade tangiert. Dann ist das langfristige Gruppengleichgewicht erreicht (Tangentenlösung), für das als dritte Bedingung demnach die Gleichheit von Preis und Durchschnittskosten genannt werden kann.

Im numerischen Beispiel sei ein Anwachsen der Anbieterzahl von 61 auf 81 angenommen. Gleichzeitig sollen sich auch die *b*-Koeffizienten in der allgemeinen Absatzfunktion ändern, nämlich kleiner werden, da der Einfluß des einzelnen Anbieters auf seinen Konkurrenten mit größer werdender Anbieterzahl sicher schwächer wird. Außerdem soll sich die Konstante c_i infolge eines geänderten Verhaltens der Nachfrager von $113\frac{1}{3}$ auf 100 verringern. Die neue allgemeine Absatzfunktion laute

$$x_i = -2\,p_i + \frac{1}{60}\sum_{\substack{j=1\\ j \neq i}}^{81} p_j + 100\,.$$

Aus ihr lassen sich in Verbindung mit der (unveränderten) Kostenfunktion und dem Gewinnmaximierungspostulat nach den zwei geschilderten Verfahren die folgenden Werte errechnen: $x_i = 60$, $p_i = 60$, $U_i = 3600$, $K_i = 3600$, $G_i = 0$. Die relevanten Funktionen lauten jetzt $x_i = -\frac{2}{3}p_i + 100$ für *DD'* und $x_i = -2p_i + 180$ für *dd'*. Die *dd'*-Kurve tangiert die Durchschnittskostenkurve $\frac{K_i}{x_i} = 30 + \frac{1800}{x_i}$ in den Koordinaten $p_i = 60$, $x_i = 60$ (vgl. Abb. 76).

Chamberlin selbst unterstellte keinen linearen, sondern einen ertragsgesetzlichen Kostenverlauf. Die langfristige Tangentenlösung führt dann dazu, daß jeder Anbieter links vom Betriebsoptimum, also im sinkenden Ast der Durchschnittskostenkurve, produziert. Daraus hat man die Folgerung gezogen, die monopolistische Konkurrenz führe zur Unwirtschaftlichkeit, da eben die Kapazitäten nicht ausgelastet seien und der für die Gesamtwirtschaft optimale Punkt, das Betriebsoptimum, nicht erreicht werde. Das Ausmaß dieser Abweichung kann jedoch bei sehr flachem Verlauf der *dd'*-Kurve recht geringfügig sein, und ferner kann man die Unwirtschaftlichkeit als den Preis ansehen, den wir für ein differenziertes Güterangebot bezahlen müssen.

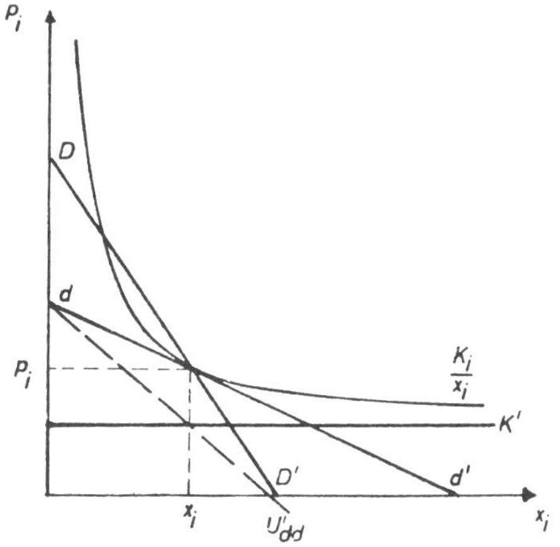

Abb. 76

§ 2. Die Machlup-Gutenberg-Lösung

Die Machlup-Gutenberg-Lösung für das Preisbildungsproblem auf unvollkommenen Polypolmärkten stellen wir im Anschluß an die ausführlichere Behandlung bei GUTENBERG dar. Als Ausgangspunkt seiner Analyse wählt GUTENBERG den Begriff der „*Preislage*" oder „*Preisklasse*", worunter man etwa das Folgende zu verstehen hat: In der Vorstellung der Käufer existiert eine „qualitative Norm", d. h. eine bestimmte Produktqualität, die einen Mindestpreis von x DM erfordert und einen Höchstpreis von y DM gerade noch rechtfertigt. Für einen Herrenanzug einer bestimmten Stoffqualität, Ausstattung usw. hat man z. B. mindestens 144,– DM, höchstens 178,– DM zu bezahlen. Wird der Anzug mit einem höheren Preis ausgezeichnet, so verläßt er damit die Preisklasse, die der Produktqualität entspricht: Der Absatz wird vermutlich sehr stark schrumpfen. Wird der Anzug umgekehrt mit einem niedrigeren Preis als 144,– DM ausgezeichnet, so nimmt der Absatz außerordentlich stark zu, da Anzüge dieser Qualität eben üblicherweise nicht unter 144,– DM zu erhalten sind. Die Preis-Absatzfunktion, die Nachfragekurve, der sich der einzelne polypolistische Anbieter gegenübersieht, weist demnach gemäß GUTENBERG die Gestalt von Abb. 77 auf, wobei an die Stelle der zwei Knicke natürlich auch jeweils ein stetiger Übergang treten kann.

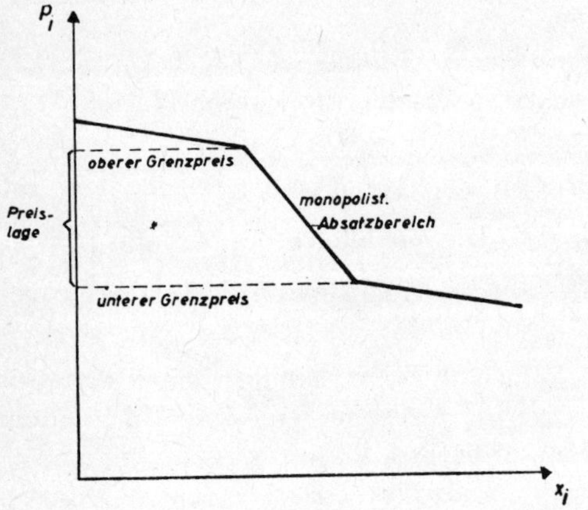

Abb. 77

Man kann diese Absatzkurve auch wie folgt interpretieren: Innerhalb des monopolistischen Bereichs führt eine Preissenkung zur Mobilisierung latenter Nachfrage, unterhalb des unteren Grenzpreises außerdem zu einem Abzug von Kunden von anderen Firmen. Entsprechend führt eine Erhöhung des Preises über den oberen Grenzpreis hinaus zu einem Abwandern von Kunden zu anderen Firmen und zu definitivem Nachfrageausfall.

Die Umsatzkurve kann nun sehr verschiedene Formen annehmen, je nachdem in welchem Teil der polypolistischen Absatzkurve die Nachfrageelastizität den Wert eins aufweist. Auf jeden Fall aber ist die Grenzumsatzkurve bei Zugrundelegung der doppelt geknickten Absatzkurve unstetig, und zwar besteht sie aus drei Teilen. Um dies zu verdeutlichen, seien für die drei Teile der Absatzkurve die folgenden Gleichungen angenommen:

Für $0 \leqq x \leqq 3$: $\qquad p = -\frac{1}{3}x + 8;$

für $3 \leqq x \leqq 6$: $p = -x + 10$;

für $6 \leqq x$: $p = -\frac{1}{4}x + 5{,}5$.

Die Absatzkurve zeigt dann die Gestalt von Abb. 78. Für die drei Teilstücke der Grenzumsatzkurve gilt:

Für $0 \leqq x \leqq 3$: $U' = -\frac{2}{3}x + 8$;

für $3 \leqq x \leqq 6$: $U' = -2x + 10$;

für $6 \leqq x$: $U' = -\frac{1}{2}x + 5{,}5$.

Legt man wie GUTENBERG stets einen linearen Gesamtkostenverlauf zugrunde, also konstante Grenzkosten, so kann es zu mehreren Schnittpunkten der Grenzkostenkurve mit der unstetigen Grenzumsatzkurve kommen. Für das numerische Beispiel wurde die Grenzkostenkurve $K' = 2$ angenommen, so daß bei $x = 4$ und bei $x = 7$ Schnittpunkte von Grenzumsatz- und Grenzkostenkurve existieren. Da auch die hinreichende Gewinnmaximierungsbedingung, Steigung der Grenzumsatzkurve < Steigung der Grenzkostenkurve, bei beiden Absatzmengen erfüllt ist, muß das maximum maximorum auf andere Weise gefunden werden. Die „banale" Methode besteht darin, sich anhand einer Tabelle Klarheit zu verschaffen (vgl. Tabelle 17).

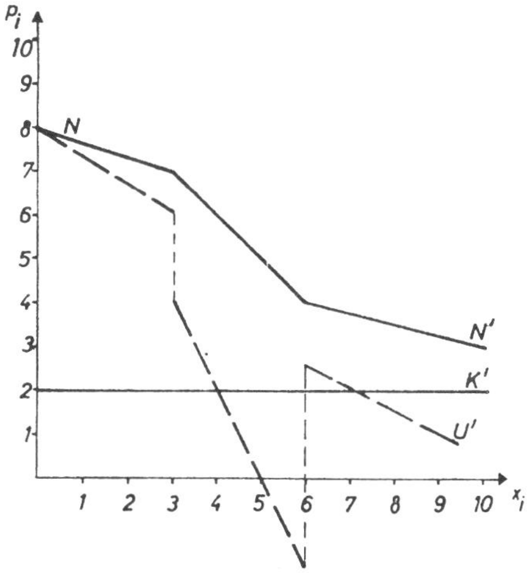

Abb. 78

Der maximale Gewinn liegt demnach bei der Menge 4 mit dem Preis 6, dem Umsatz 24, den Kosten 8 und $G_{br} = 16$.

Ein elegantes Verfahren zur Bestimmung des absolut größten Gewinns hat GUTENBERG im Anschluß an J. ROBINSON vorgeschlagen. Es beruht auf der folgenden Überlegung: Das Integral der Grenzumsatzkurve liefert den Umsatz, das Integral der Grenzkostenkurve die variablen Kosten, die Differenz beider ist demnach gleich dem Bruttogewinn:

$$\int U'\,dx - \int K'\,dx = G_{br}.$$

Man hat, wie in Abb. 79 (a, b, c) gezeigt, abzulesen, ob die Gewinnfläche (bzw. genauer: die beiden Gewinnflächen) zwischen der Menge $x = 4$ und der Menge

Tabelle 17

x	p	U'	K'	G'	U	K_v	G_{br}
0	8,0	8,0	2	6,0	0	0	—
1	7,67	7,33	2	5,33	7,67	2	5,67
2	7,33	6,67	2	4,67	14,67	4	10,67
3	7,0; 7,0	6,0; 4,0	2	4,0; 2,0	21,0; 21,0	6	15,0; 15,0
4	6,0	2,0	2	0,0	24,0	8	16,0
5	5,0	0,0	2	— 2,0	25,0	10	15,0
6	4,0; 4,0	— 2,0; + 2,5	2	— 4,0; + 0,5	24,0; 24,0	12	12,0; 12,0
7	3,75	2,0	2	0,0	26,25	14	12,25
8	3,5	1,5	2	— 0,5	28,0	16	12,0
9	3,25	1,0	2	— 1,0	29,25	18	11,25
10	3,0	0,5	2	— 1,5	30,0	20	10,0

Anm.: Der Gewinn ist ein Bruttogewinn, von dem noch die fixen Kosten abgehen. Bei den Größen p, U', G', U und G_{br} wurde durch Einrücken der Beginn einer neuen Funktion angedeutet.

$x = 7$ positiv oder negativ ist. Ist diese Gewinnfläche positiv, so stellt die größere Absatzmenge die absolut gewinnmaximale Menge dar, ist sie wie in unserem Beispiel negativ (= — 3,75), so ist der Gewinn bei der kleineren Absatzmenge größer, und zwar um genau diesen Betrag von 3,75 Geldeinheiten.

Die Machlup-Gutenberg-Lösung stellt einen der wenigen bedeutenden Beiträge zur Theorie der monopolistischen Konkurrenz dar, der nicht in den eingefahrenen Bahnen der Chamberlinschen Analyse verläuft. Darin liegt die Stärke dieser Lösung, gleichzeitig aber auch ihre Schwäche, denn ganz zweifellos ist die Verflechtung der einzelnen Polypolisten bei Machlup und Gutenberg, die Ableitung des Preisbildungsprozesses aus der all-

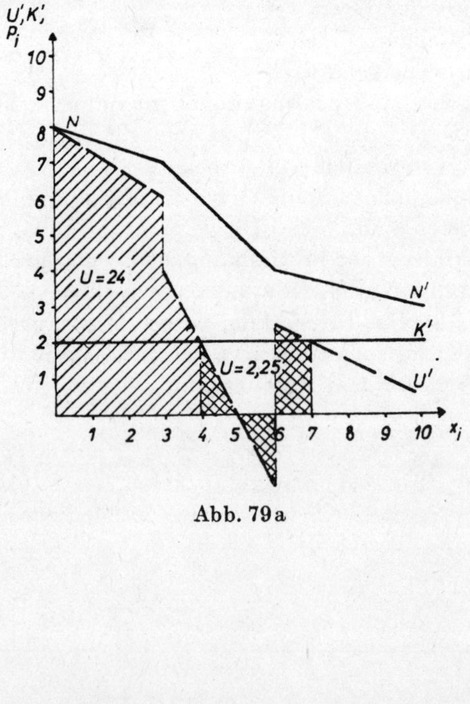

Abb. 79a

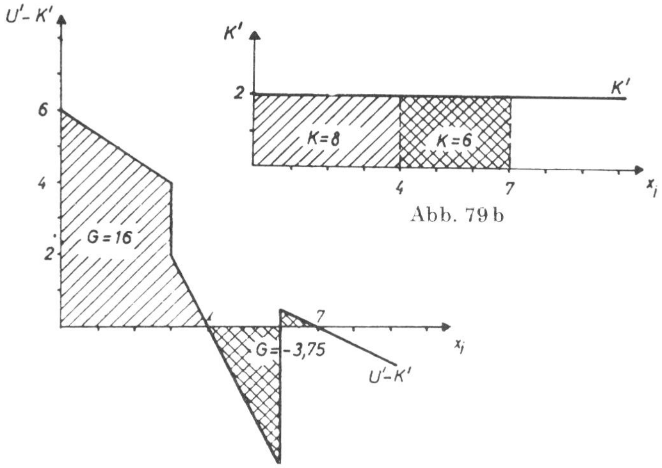

Abb. 79 b

Abb. 79 c

gemeinen Absatzfunktion nicht so ausgearbeitet wie bei CHAMBERLIN. Der Charakter der doppelt geknickten Gutenbergschen Absatzfunktion ist nicht ganz unproblematisch. Allerdings zeigen die neueren Beiträge von W. KILGER und GUTENBERG einen Weg, wie die theoretischen Schwierigkeiten ausgeräumt werden können[1]).

3. Die monopolistische Preisbildung

§ 1. Die Preisbildung beim Monopol

Wir beginnen mit einem von COURNOT untersuchten Modell, nämlich dem Modell eines Monopols ohne Produktionskosten (Eigentümer einer Mineralquelle bei COURNOT). Obwohl es sich dabei ganz offensichtlich um einen ziemlich unrealistischen Fall handelt, soll er wegen seines didaktischen Werts für die Oligopolpreistheorie (vgl. Kap. III, 4) behandelt werden.

Der Monopolist sieht sich der Gesamtnachfragefunktion des Marktes als seiner Preis-Absatzfunktion gegenüber. Da die Kosten des Monopolisten voraussetzungsgemäß Null sind, ist der Umsatz des Monopolisten gleich dem Gewinn, und Gewinnmaximierung ist mit Umsatzmaximierung identisch.

[1]) Vgl. W. KILGER, Die quantitative Ableitung polypolistischer Preisabsatzfunktionen aus den Heterogenitätsbedingungen atomistischer Märkte, in: Zur Theorie der Unternehmung, Festschrift zum 65. Geburtstag von Erich Gutenberg, Wiesbaden 1963, S. 269—309, sowie E. GUTENBERG, Zur Diskussion der polypolistischen Absatzkurve, Jahrbücher für Nationalökonomie und Statistik, Bd. 177, Heft 4 (1965), S. 289—303.

Ist $p = f(x)$ die Nachfragefunktion, so ist

$$G = U = xf(x)$$

der Gewinn = Umsatz des Monopolisten, und die Gewinnmaximierungsregeln lauten:

$$G' = U' = f(x) + xf'(x) = 0$$

sowie

$$G'' = U'' = 2f'(x) + xf''(x) < 0.$$

Die erste, notwendige Bedingung besagt, daß der Monopolist die Ausbringung wählen bzw. den Preis fixieren muß, bei der bzw. bei dem der Grenzumsatz gleich Null ist. Damit gleichbedeutend ist die Forderung, der Monopolist müsse dort anbieten, wo die direkte Preiselastizität der Nachfrage

$$\varepsilon = -\frac{f(x)}{xf'(x)}$$

gleich eins ist. Die hinreichende Bedingung für das Gewinnmaximum ist eine negative Steigung der Grenzumsatzfunktion.

Bei Zugrundelegung einer linearen Gesamtnachfragefunktion stoßen wir auf das für die Oligopoltheorie wichtige Ergebnis. Lautet die Gesamtnachfragefunktion $p = -ax + b$, so erhält man für den Gewinn = Umsatz:

$$G = U = -ax^2 + bx$$

und daraus

$$G' = U' = -2ax + b = 0$$

mit

$$x = \frac{1}{2}\,\frac{b}{a}.$$

Der Monopolist ohne Produktionskosten bietet demnach bei einer linearen Gesamtnachfragefunktion die Hälfte der Sättigungsmenge $\left(\frac{b}{a}\right)$ an, der Menge nämlich, die beim Preise Null abgesetzt werden kann (vgl. Abb. 80).

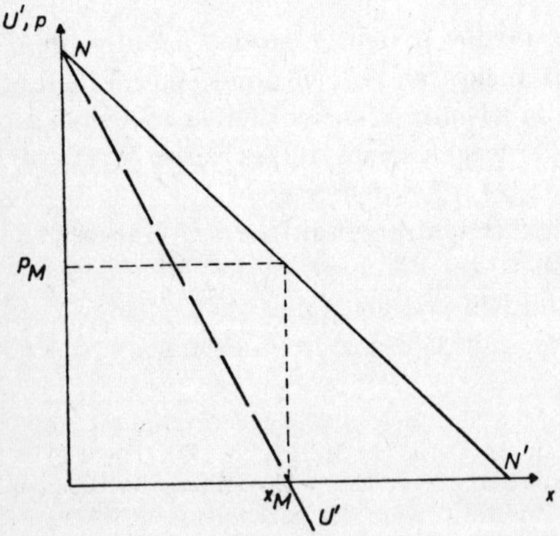

Abb. 80

Betrachten wir nach dieser Vorstudie jetzt einen Monopolisten mit Produktionskosten. Der Monopolist sieht sich wieder der Gesamtnachfragefunktion $p = f(x)$ als seiner Preis-Absatzfunktion gegenüber; seine Kostenfunktion werde durch $K(x)$ wiedergegeben. Der Gewinn des Monopolisten beträgt dann

$$G = xf(x) - K(x),$$

und die Gewinnmaximierungsbedingungen lauten

$$G' = f(x) + xf'(x) - K'(x) = 0$$

bzw.

$$f(x) + xf'(x) = K'(x);$$

$$G'' = 2f'(x) + xf''(x) - K''(x) < 0$$

bzw.

$$2f'(x) + xf''(x) < K''(x).$$

Die erste Gewinnmaximierungsbedingung erfordert die Gleichheit von Grenzumsatz $U' = f(x) + xf'(x)$ und Grenzkosten $K'(x)$. Wir bezeichnen diese Regel mit STACKELBERG als das *Gesetz des erwerbswirtschaftlichen Angebots*. In diesem Gesetz ist das im Kapitel III abgeleitete Gesetz des erwerbswirtschaftlichen Konkurrenzangebots als Spezial- oder Grenzfall enthalten, als derjenige Grenzfall nämlich, der sich bei konstantem, von der Absatzmenge unabhängigem Preis ergibt. Von diesem Gesichtspunkt aus kann demnach die atomistische Konkurrenz als „Grenzfall des Monopols" bezeichnet werden. Die zweite hinreichende Bedingung erfordert, daß die Steigung der Grenzumsatzkurve, d.i. $U'' = 2f'(x) + xf''(x)$, kleiner sein muß als die Steigung der Grenzkostenkurve $K''(x)$.

Dem Gesetz des erwerbswirtschaftlichen Angebots, Grenzkosten gleich Grenzumsatz, kommt eine zentrale Bedeutung innerhalb der Preistheorie zu, denn dieses Gesetz gilt nicht nur für die Marktform des Monopols, sondern stellt die *allgemeine Gewinnmaximierungsregel* für alle Marktformen dar, bei denen die Anbieter die aktive Marktpartei sind. Alle Anbieter handeln demnach grundsätzlich nach dieser Regel, die mit Hilfe der Amoroso-Robinson-Relation auch wie folgt umgeformt werden kann:

$$f(x)\left[1 - \frac{1}{-\frac{f(x)}{xf'(x)}}\right] = p\left[1 - \frac{1}{\varepsilon}\right] = K'(x)\,.$$

Da die Grenzkosten stets als positiv angenommen werden können, folgt aus der so umgeformten Gewinnmaximierungsbedingung, daß ein Anbieter immer in dem Teil seiner Preis-Absatzfunktion operiert, in dem die direkte Preiselastizität der Nachfrage größer als eins ist.

Nach der zweiten, hinreichenden Gewinnmaximierungsbedingung muß die Steigung der Grenzumsatzkurve kleiner sein als die Steigung der Grenzkostenkurve. Die Steigung der Grenzumsatzkurve kann in aller Regel gemäß dem Gesetz der Nachfrage als negativ angenommen werden. Die hinreichende Bedingung ist somit mit Sicherheit erfüllt, wenn der Schnittpunkt von Grenzkosten- und Grenzumsatzkurve im ansteigenden Teil der Grenzkostenkurve liegt. Aber auch ein Schnittpunkt des fallenden Teils der Grenzkostenkurve mit der Grenzumsatzkurve ist mit der Gewinnmaximierung vereinbar, dann nämlich, wenn die Grenzumsatzkurve links vom Schnittpunkt über der Grenzkostenkurve liegt.

Nunmehr sind wir in der Lage, die Monopolpreisbildung graphisch darzustellen, wobei zunächst ertragsgesetzlicher, später linearer Kostenverlauf vorausgesetzt werden soll. Abb. 81 a enthält die aus der Preis-Absatzfunktion abgeleitete Umsatzfunktion und eine traditionelle Kostenkurve. Die erste Gewinnmaximierungsbedingung, d.i. das Gesetz des erwerbswirtschaftlichen Angebots, ist dort erfüllt, wo die Tangenten an beiden Kurven parallel verlaufen (x_1 und x_3). Da die Steigung dieser Tangenten den Grenzumsatz bzw. die Grenzkosten mißt, ist dann $\frac{dU}{dx} = \frac{dK}{dx}$ erfüllt. Wie Abb. 81 b zeigt, liegt bei der Ausbringung x_1 ein Verlustmaximum, bei x_3 dagegen das gesuchte Gewinnmaximum vor.

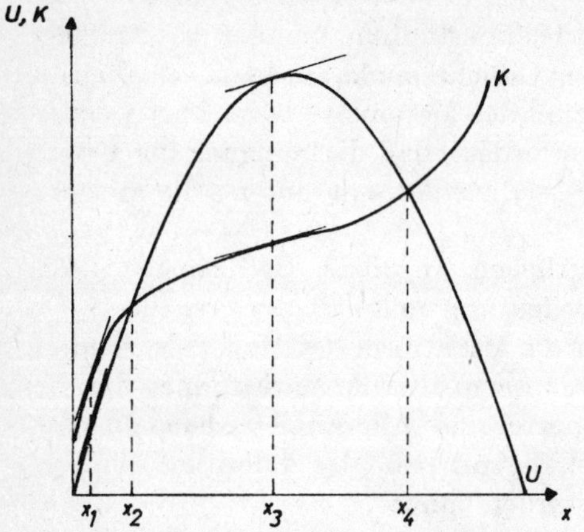

Abb. 81 a

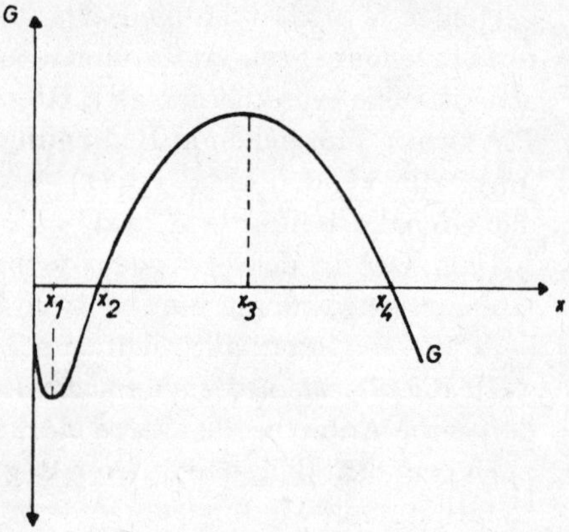

Abb. 81 b

Die Abbildungen 82 a und 82 b, die den Verlauf der entsprechenden Grenz- und Durchschnittskurven zeigen, wurden so konstruiert, daß beide Schnittpunkte von Grenzumsatz und Grenzkosten im fallenden Bereich der Grenzkostenkurve liegen, sie erläutern also den oben geschilderten Fall. Der relevante Schnittpunkt von Grenzumsatz- und Grenzkostenkurve ist C'; der darüberliegende Punkt C auf der Preis-Absatzfunktion wird als der *Cournotsche Punkt* bezeichnet. Im Punkt C' sind beide Gewinnmaximierungsregeln erfüllt, also Grenzumsatz = Grenzkosten und ferner Steigung der Grenzumsatzkurve $<$ Steigung der Grenzkostenkurve. Der zweite Schnittpunkt von U' und K' erfüllt zwar die notwendige, nicht aber die hinreichende Bedingung, wie sich aus Abb. 82 b ablesen läßt.

Im Gegensatz zum Polypol auf dem vollkommenen Markt wirft der lineare Kostenverlauf beim Monopol keine Schwierigkeiten auf; er ist mit den Gewinnmaximierungsregeln vereinbar. Legt man die lineare Kostenfunktion

$K = ax + K_f$ zugrunde, so ergibt sich für den Gewinn des Monopolisten und die beiden Ableitungen:

$$G = xf(x) - ax - K_f,$$
$$G' = f(x) + xf'(x) - a = 0,$$
$$G'' = 2f'(x) + xf''(x) < 0.$$

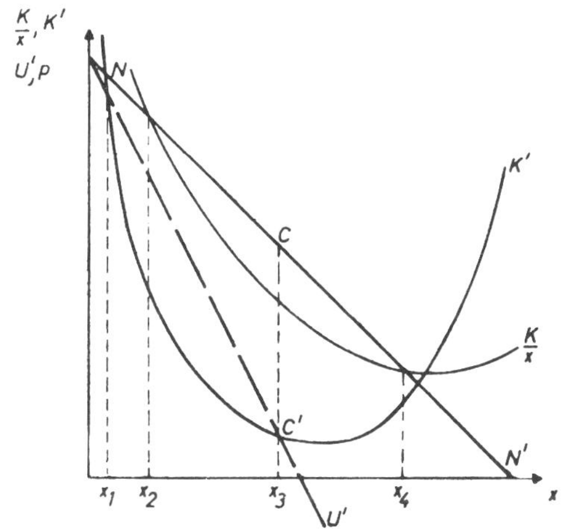

Abb. 82a

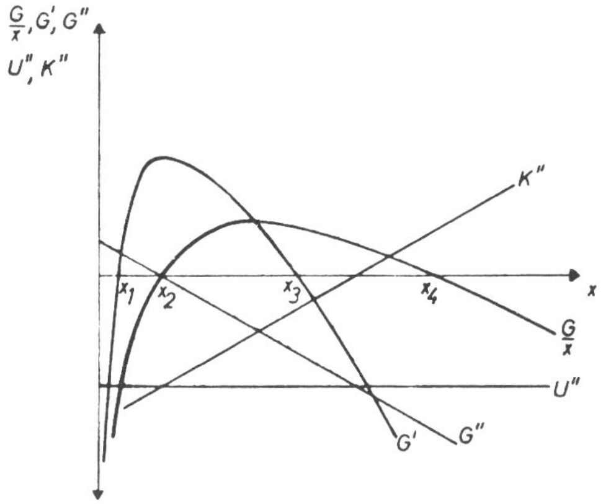

Abb. 82b

Es kommt demnach in der Regel zu einem eindeutigen Schnittpunkt von Grenzumsatz- und Grenzkostenkurve (1. Bedingung), und die zweite Bedingung — negative Steigung der Grenzumsatzkurve — ist ebenfalls gewährleistet. Abb. 83 zeigt den Preisbildungsprozeß, wobei wir uns auf die Darstellung mit Hilfe der Grenz- und Durchschnittskurven beschränken können.

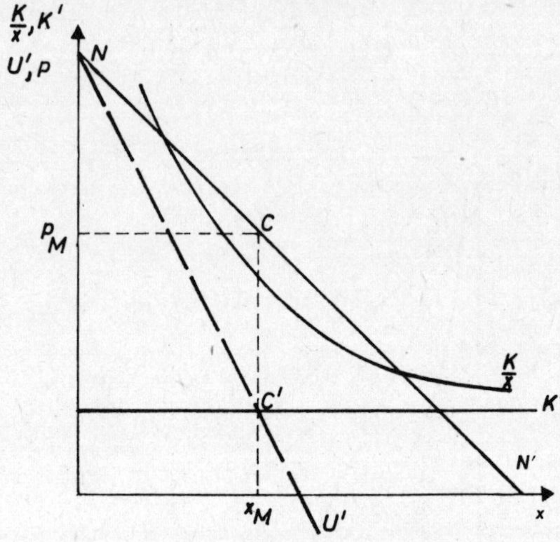

Abb. 83

Komplikationen können nur auftreten, wenn es zu keinem Schnittpunkt von Grenzumsatz- und Grenzkostenkurve kommt, d. h. wenn dieser virtuelle Schnittpunkt hinter die Kapazitätsgrenze des Monopolisten fiele. In diesem Falle würde der Monopolist an der Kapazitätsgrenze anbieten.

Wie leicht einzusehen ist, kann der Monopolist wahlweise die Menge oder den Preis als Aktionsparameter verwenden, also entweder die Menge fixieren und den Nachfragern die Preissetzung überlassen oder den Preis fixieren und den Nachfragern die Festsetzung der Absatzmenge überlassen. Der Monopolist ist demnach *autonomer Mengen-* oder *Preisfixierer*, er treibt *isoliert autonome Strategie*. Aus der Ableitung der Gewinnmaximierungsregeln — Differentiation jeweils nach der Menge — darf keinesfalls der Schluß gezogen werden, ein Monopolist werde in der Regel Mengenfixierung vornehmen; das Gegenteil dürfte richtig sein. Die Ableitung mit Hilfe der Differentiation nach der Menge empfiehlt sich allein wegen ihrer Einfachheit, da die Kosten eine Funktion der Menge und keine direkte Funktion des Preises sind.

Zur Verdeutlichung sei die erste Gewinnmaximierungsregel durch Differentiation nach dem Preis p abgeleitet. Von der definitorischen Beziehung $G = U - K$ ausgehend bildet man die erste Ableitung nach p und setzt sie gleich Null

$$\frac{dG}{dp} = \frac{dU}{dp} - \frac{dK}{dx}\frac{dx}{dp} = 0 .$$

Da $dU = xdp + pdx$, ist $\frac{dU}{dp} = x + \frac{dx}{dp} p$ und in Verbindung mit der Elastizität der Nachfrage $\frac{dU}{dp} = x\,(1 - \varepsilon)$. Ferner ist $\frac{dx}{dp} = -\,\varepsilon\,\frac{x}{p}$, so daß man erhält:

$$x\,(1 - \varepsilon) = -\frac{dK}{dx}\,\varepsilon\,\frac{x}{p}$$

oder nach einigen Umformungen

$$p = \frac{\frac{dK}{dx}}{1 - \frac{1}{\varepsilon}} \quad \text{bzw.} \quad p\left(1 - \frac{1}{\varepsilon}\right) = \frac{dK}{dx}.$$

Man erhält demnach bei der Differentiation nach p kein anderes Resultat als bei der Differentiation nach x, nämlich das Gesetz des erwerbswirtschaftlichen Angebots.

In diesen Zusammenhang gehört auch das Problem, ob es eine monopolistische Angebotskurve gebe und, wenn diese Frage bejaht werden kann, welche Gestalt diese Kurve aufweise. Zunächst steht fest, daß nicht wie beim Polypol auf dem vollkommenen Markt die Grenzkostenkurve als Angebotskurve angesprochen werden kann. Der Monopolist handelt ja nicht nach der Maxime Preis = Grenzkosten, sondern nach der Maxime Grenzumsatz = Grenzkosten. Wie nun die Abbildungen 82a und 83 zeigen, erhält man durch die Kombination einer Nachfragekurve und der dazugehörigen Grenzumsatzkurve mit der Grenzkostenkurve des Monopolisten nur einen einzigen Punkt, der die Bedingung $U' = K'$ (und gleichzeitig $U'' < K''$) erfüllt (Punkt C'), und natürlich auch nur einen Cournotschen Punkt C. Der Cournotsche Punkt kann als ein Punkt der monopolistischen Angebotskurve gedeutet werden, denn er gibt an, welche Menge der Monopolist bei einem bestimmten Preis, nämlich dem gewinnmaximalen Preis $p = \frac{K'}{1 - \frac{1}{\varepsilon}}$, anbietet. Daraus folgt dreierlei, nämlich:

1. Die monopolistische Angebotskurve ist eine um $\frac{K'}{\varepsilon - 1}$ über der Grenzkostenkurve des Monopolisten liegende Kurve[1]).

[1]) Für den vertikalen Abstand zwischen der Angebotskurve und der Grenzkostenkurve des Monopolisten erhält man unter Beachtung der Amoroso-Robinson-Relation:

$$p - K' = \frac{K'}{1 - \frac{1}{\varepsilon}} - K'$$

und nach einigen Umformungen

$$p - K' = \frac{K'}{\varepsilon - 1}.$$

2. Die monopolistische Angebotskurve läßt sich nur konstruieren, wenn man mehrere Nachfragefunktionen annimmt.
3. Da verschiedene Verschiebungen der Nachfragefunktion bzw. verschiedene Nachfragekurvenscharen angenommen werden können, variiert die monopolistische Angebotskurve mit der jeweils angenommenen Art der Verschiebung der Nachfragefunktion.

Die einfachste Art der Verschiebung von Nachfragefunktionen ist die Parallelverschiebung, die man auch als Variation im Sinne MARSHALLS bezeichnet. Wird diese Verschiebung zugrundegelegt, so erhält man die in Abb. 84 enthaltene Verbindungslinie aller Cournotschen Punkte (Cournotsche Kurve) als Angebotskurve des Monopolisten. Es bedarf keines Beweises, daß die Angebotskurve eine etwas andere Gestalt annimmt, wenn man von Variationen der Nachfragekurve im Sinne LEONTIEFS oder im Sinne SCHNEIDERS ausgeht[1]).

Von erheblichem wirtschaftspolitischen Interesse ist der immer wieder unternommene Versuch, die Monopolpreisbildung mit der Konkurrenzpreisbildung (Polypol auf dem vollkommenen Markt) zu vergleichen. Man setzt dabei in der Regel voraus, die Gesamtnachfragekurve des Monopolmarktes sei die Gesamtnachfrage des hypothetischen Polypolmarktes, die Grenzkostenkurve des Monopolisten soll dann als aggregierte Grenzkostenkurve der polypolistischen Anbieter gedeutet werden. Unter diesen Annahmen ist der Monopolpreis höher als der Polypolpreis, d.h. eine Umwandlung der monopolistischen Marktform in ein Polypol verspräche Vorteile für die Nachfrager (vgl. Abb. 85).

Dieser Vergleich des Monopols mit einem fiktiven Polypol ist jedoch nicht allzu aussagekräftig, denn die vielen polypolistischen Anbieter müssen ja zusammen denselben Kostenverlauf aufweisen wie der Monopolist allein. Es ist jedoch sehr zweifelhaft, ob z.B. 100 oder 200 Automobilfirmen zusammen denselben Kostenverlauf haben können wie eine große monopolistische Firma.

Man könnte versucht sein, als Ausweg das folgende Modell zu konstruieren: Der Übergang vom Monopol zum Polypol wird mit Hilfe der Fiktion vollzogen, jeder polypolistische Anbieter weise denselben Kostenverlauf wie der Monopolist auf. Während im ersten Fall die Grenzkostenkurve des Monopolisten sozusagen durch die Zahl der Polypolisten dividiert wurde, muß jetzt die Nachfragekurve des monopolistischen Marktes mit der Zahl der polypolistischen Anbieter multipliziert werden. Das Resultat ist offenbar reichlich grotesk, wenn man als plastisches Beispiel wieder die Automobil-

---

[1]) Man versteht unter einer Variation im Sinne LEONTIEFS Verschiebungen der Nachfragekurve bei konstantem Maximalpreis, unter einer Variation im Sinne SCHNEIDERS Verschiebungen bei konstanter Sättigungsmenge. Vgl. E. SCHNEIDER, Kostentheoretisches zum Monopolproblem, Zschr. f. Nationalökonomie, Bd. 3 (1932), S.19.

branche nimmt, so daß wir die Analyse nicht weiterzutreiben brauchen. Man ersieht jedoch: Der Vergleich eines existierenden Monopols mit einem fiktiven Polypol ist nur sehr bedingt sinnvoll. Eine Überführung monopolisti-

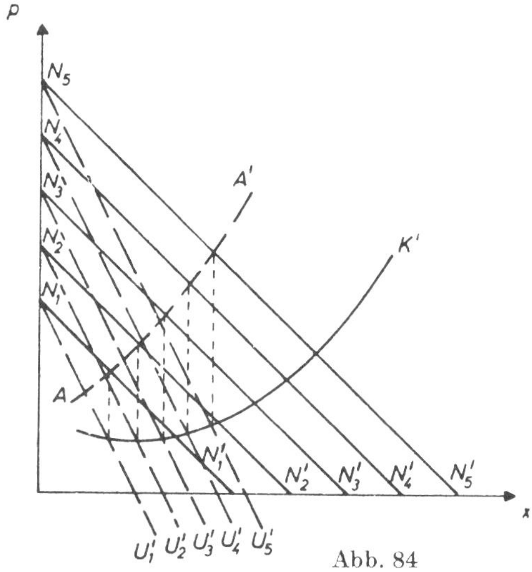

Abb. 84

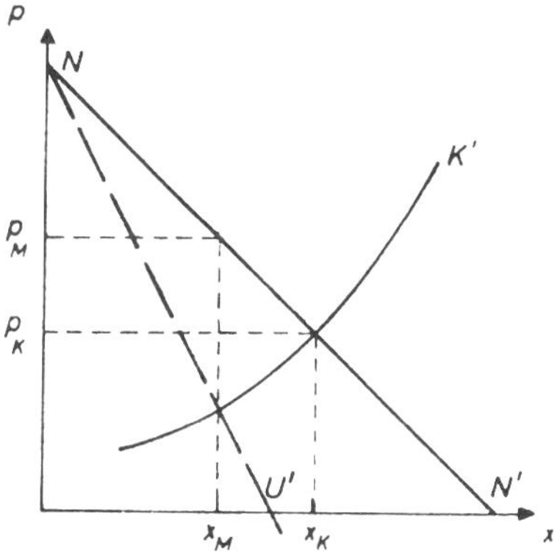

Abb. 85

scher Märkte in die Marktform des Polypols ist außerordentlich problematisch, weshalb eine Kontrolle, eine *Mißbrauchsaufsicht* bei Monopolen und marktbeherrschenden Unternehmungen zweckmäßiger erscheint.

Kann, wie gezeigt wurde, der Vergleich eines existierenden Monopols mit einem fiktiven Polypol nur mit größter Vorsicht angestellt werden, so lassen sich dagegen eindeutige Aussagen über die Mengen- und Preisveränderungen machen, die bei der Umwandlung eines bestehenden Polypols in ein Kollektivmonopol z. B. durch Kartellierung eintreten werden. Der Übergang vom Polypol zum Kollektivmonopol führt eindeutig zur Drosselung der Produktion und zur Preiserhöhung. Die richtige wettbewerbspolitische Maßnahme ist in diesem Falle das *Verbot des Zusammenschlusses.*

§ 2. Die Preisbildung beim Teilmonopol

Von einem Teilmonopol spricht man, um dies zunächst in die Erinnerung zurückzurufen, wenn neben einem großen Anbieter, dem Teilmonopolisten, ein kleiner oder mehrere kleine Anbieter auftreten. Während die kleinen den von dem Teilmonopolisten fixierten Preis als Datum ansehen und sich als autonome Mengenanpasser verhalten, wird der Teilmonopolist Überlegenheitsstrategie betreiben. Er berücksichtigt also bei seiner Preisfixierung das voraussichtliche Angebot der kleinen Anbieter.

Im einzelnen wird der Teilmonopolist wie folgt vorgehen: Von der Gesamtnachfrage subtrahiert er die zum jeweiligen Preis hypothetisch von den kleinen Anbietern auf den Markt gebrachten Mengen, die sich aus deren aggregierter Grenzkostenkurve ergeben. Er erhält so eine korrigierte Nachfragekurve, deren Grenzumsatzkurve zusammen mit der Grenzkostenkurve des Teilmonopolisten die gewinnmaximale Ausbringung und den Preis des Teilmonopolisten bestimmt. Lautet z.B. die Gesamtnachfragefunktion $p = -x + 100$ und die aggregierte Grenzkostenkurve der Kleinen $K'_{Kl} = 4x$, so erhält man für die korrigierte Nachfragekurve

$$p = -\frac{4}{5}x + 80$$

und für die (korrigierte) Grenzumsatzkurve $U' = -\frac{8}{5}x + 80$. Ist $K'_{TM} = \frac{8}{5}x$ die Grenzkostenkurve des Teilmonopolisten, so ergibt sich aus der Bedingung Grenzumsatz gleich Grenzkosten die Absatzmenge des Teilmonopolisten $x_{TM} = 25$. Der dazugehörige Preis beträgt gemäß der korrigierten Nachfragekurve $p = 60$. Diesen Preis betrachten die kleinen Anbieter als Datum und bieten gemäß ihrer Grenzkostenkurve 15 Mengeneinheiten an: $x_{Kl} = 15$. Setzt man das Gesamtangebot $x_{TM} + x_{Kl} = 40$ in die ursprüngliche Nachfragefunktion ein, so ersieht man, daß diese Menge gerade beim Preis 60 abgesetzt werden kann.

Tabelle 18

Preis- und Mengenbestimmung beim Teilmonopol

Gesamtnachfragekurve		Grenzkostenkurve der Kleinen		Korrigierte Nachfragekurve		Korrigierte Grenzumsatzkurve		Grenzkostenkurve des Teilmonopols	
p	x	K'_{Kl}	x_{Kl}	p	x	U'	x	K'_{TM}	x_{TM}
100	0	100	25	100	(— 25)	100	(— 12,5)	100	62,5
90	10	90	22,5	90	(— 12,5)	90	(— 6,25)	90	56,25
80	20	80	20	80	0	80	0	80	50
70	30	70	17,5	70	12,5	70	6,25	70	43,75
60	40	60	15	60	25	60	12,5	60	37,5
50	50	50	12,5	50	37,5	50	18,75	50	31,25
40	60	40	10	40	50	40	25	40	25
30	70	30	7,5	30	62,5	30	31,25	30	18,75
20	80	20	5	20	75	20	37,5	20	12,5
10	90	10	2,5	10	87,5	10	43,75	10	6,25
0	100	0	0	0	100	0	50	0	0

Die Zusammenhänge zeigt die Tabelle 18, in der die eingerahmten Zeilen die von dem Teilmonopolisten und den kleinen Anbietern realisierten Größen angeben.

Die Überlegenheitsstrategie des Teilmonopolisten garantiert demnach, daß es zu keinen Angebotsüberschüssen auf dem teilmonopolistischen Markt kommt. Die Vorgänge, wie sie oben anhand von Gleichungen und der Tabelle dargestellt wurden, werden durch Abb. 86 verdeutlicht.

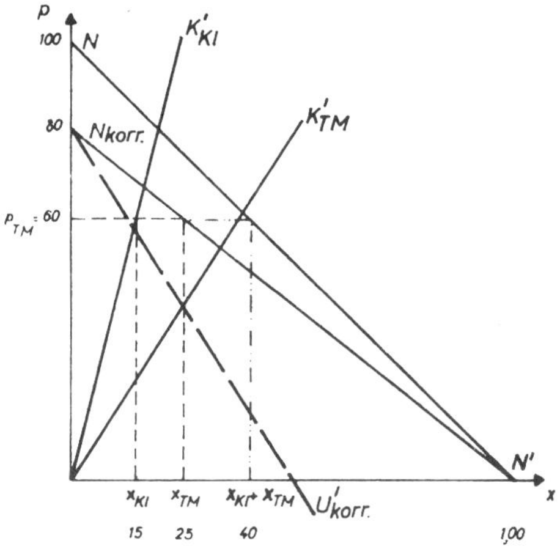

Abb. 86

§ 3. *Die monopolistische Preisdifferenzierung*

Unter *Preisdifferenzierung* versteht man grundsätzlich den Verkauf der *gleichen* Ware an *verschiedene* Käufer- oder Absatzschichten zu *verschiedenen* Preisen, und zwar strenggenommen zum *gleichen* Zeitpunkt und am *gleichen* Ort.

Nach dieser Definition liegt keine Preisdifferenzierung vor, wenn z. B. verschiedene Güter zu verschiedenen Preisen angeboten oder wenn den Käufern je nach ihrem Standort unterschiedliche Preise in Rechnung gestellt werden. Ferner liegt auch dann keine Preisdifferenzierung vor, wenn zwar ein und dasselbe Gut zu verschiedenen Preisen verkauft wird, aber in verschiedenen Zeitpunkten; in diesem Fall kann es ja z. B. sein, daß die (Grenz-)Kosten inzwischen gestiegen sind und das betreffende Gut aus diesem Grund heute teurer ist als gestern. Preisdifferenzierung setzt demnach, um es nochmals zu wiederholen, die gleiche Ware, den gleichen Zeitpunkt, den gleichen Ort und verschiedene Preise voraus. Das immer wieder angeführte Standardbeispiel für eine (personelle) Preisdifferenzierung ist das eines Chirurgen, der für dieselbe Operation dem Generaldirektor einige Tausender, dem kleinen Angestellten einige Hunderter abverlangt[1]).

[1]) In diesem Beispiel wird die Gleichheit der beiden Blinddarmoperationen vorausgesetzt, wogegen die Mediziner vermutlich Einwendungen erheben würden. Schwieriger liegen die Dinge mit der Gleichzeitigkeit, die an sich bei der Preisdifferenzierung notwendig, aber natürlich in dem Chirurgenbeispiel unmöglich zu verwirklichen ist. Entscheidend ist offenbar für die Preisdifferenzierung, daß die Preise zu zwei Zeitpunkten nicht einfach deshalb differieren, weil die Überbrückung des Zeitraumes zwischen den beiden Zeitpunkten Kosten verursacht hat.

Damit sind wir schon auf eine Art der Preisdifferenzierung gestoßen. Üblicherweise unterscheidet man:

1. die *personelle* Preisdifferenzierung; sie liegt vor, wenn nach personellen Gesichtspunkten, z.B. nach dem Einkommen wie in dem Chirurgenbeispiel, differenziert wird.
2. die *räumliche* Preisdifferenzierung; von ihr wird dann gesprochen, wenn räumliche Gesichtspunkte die Differenzierung bestimmen, wobei aber die Preisunterschiede zwischen zwei Orten nicht auf den unterschiedlichen Transportkosten (eigentlich Translokationskosten) bzw. genauer nicht allein auf den unterschiedlichen Transportkosten beruhen dürfen. Als Beispiel sei etwa der Verkauf von Personenkraftwagen im In- und Ausland genannt, bei dem z.T. Preisdifferenzen aufzutreten pflegen, die nicht zur Gänze auf die Transportkosten- und Zollbelastung zurückgeführt werden können. Zur räumlichen Preisdifferenzierung gehört auch das Dumping.
3. die *zeitliche* Preisdifferenzierung; hier wird ein und dasselbe Gut zu zwei verschiedenen Zeitpunkten zu verschiedenen Preisen verkauft, ohne daß sich der Preisunterschied auf den Zeitablauf (Lagerkosten oder im Zeitablauf gestiegene bzw. gesunkene Produktionskosten) zurückführen läßt. Als Beispiele können hier der Verkauf von Pelzen zu Sommer- und Winterpreisen und die Vor-, Haupt- und Nachsaisonpreise im Fremdenverkehrsgewerbe genannt werden.
4. die *quantitative* Preisdifferenzierung besteht in der unterschiedlichen Preissetzung je nach der gekauften Menge, also in der Gewährung von Mengenrabatten („im Dutzend billiger"). Um auch hier ein Beispiel zu bringen, sei an die Großpackungen bei Waschmitteln oder an die unterschiedlichen Heizölpreise je nach der bezogenen Menge erinnert.
5. die *qualitative* Preisdifferenzierung schließlich besteht in der unterschiedlichen Preissetzung je nach dem Verwendungszweck, z.B. bei Mineralöl für Heizzwecke und für den Betrieb eines Diesel-Kraftwagens oder bei Viehsalz und Kochsalz etc.

Von besonderer Bedeutung ist das sog. Dumping, bei dem wir deshalb noch einen Augenblick verweilen müssen. Man versteht unter Dumping im allgemeinen den Verkauf im Ausland zu geringeren Preisen als im Inland. Das amerikanische Anti-Dumping-Gesetz allerdings und das GATT benützen eine etwas engere Definition; nach ihr liegt Dumping erst dann vor, wenn die Ware im Ausland unter den Herstellungskosten, zuzüglich einer angemessenen Spanne für Veräußerungskosten und Gewinn verkauft wird[1]). Ganz gleichgültig, wie man auch immer das Dumping definieren mag: Offenbar tritt beim Dumping stets die Gefahr auf, daß die betreffenden Güter aus dem Ausland reimportiert werden und der eigentliche Zweck des Dumping so

---

[1]) GATT, Art. VI, 1. b, ii.

durchkreuzt wird. Die in Frage stehenden Firmen werden deshalb versuchen, Schutzzölle für ihre Produkte zu erreichen. Und ferner ist eine Kartellierung der betreffenden Unternehmungen wahrscheinlich, da sie nur so eine monopolistische Beherrschung des Inlandsmarktes erreichen können. Als Fazit, das sich wirtschaftshistorisch immer wieder gezeigt hat, läßt sich demnach festhalten: Kartelle, Dumping und Schutzzölle gehören zusammen.

Für unsere kommende Analyse ist es wesentlich, eine Unterscheidung der Preisdifferenzierung — unabhängig von dieser an praktischen Gesichtspunkten orientierten — nach einem theoretischen Kriterium vorzunehmen. Wir trennen in:

1. deglomerative Preisdifferenzierung und
2. agglomerative Preisdifferenzierung.

Diese Untergliederung kann natürlich mit der früheren kombiniert werden. Bei der deglomerativen Preisdifferenzierung zerlegt der Monopolist[1]) den Gesamtmarkt in einzelne Teilmärkte, in einzelne Absatzschichten, die dann voneinander zu isolieren sind. Bei der agglomerativen Preisdifferenzierung dagegen findet der Monopolist einzelne Teilmärkte schon vor (z.B. Inlands- und Auslandsmarkt), die gedanklich zu einem Gesamtmarkt zusammengefaßt werden können. Auch hier muß der Monopolist natürlich bemüht sein, die schon bestehende Isolierung der einzelnen Teilmärkte voneinander möglichst zu verstärken (z.B. durch Schutzzölle).

Die Theorie der agglomerativen Preisdifferenzierung ist seit Th.O. Yntema und J. Robinson weit mehr geklärt als die der deglomerativen Preisdifferenzierung, deren Analyse wir vor allem v. Stackelberg verdanken[2]). Die Ursache dafür mag vielleicht darin liegen, daß die agglomerative Preisdifferenzierung eher eine eindeutige Lösung erlaubt als die deglomerative. Um es an einem Beispiel zu erläutern: Man kann die Zahlen 2 und 4 eindeutig zu 6 „agglomerieren", während sich die Summe 6 willkürlich in die Summanden 1 und 5, 2 und 4 oder 3 und 3 etc. „deglomerieren" läßt. Wir beginnen im folgenden mit der deglomerativen Preisdifferenzierung.

Als Grundprinzip der *deglomerativen* Preisdifferenzierung kann man die Aufspaltung der Gesamtnachfragekurve eines Marktes in mehrere Absatzschichten ansehen. Das dabei verfolgte Ziel ist die möglichst weitgehende Abschöpfung der Konsumentenrente.

Beginnen wir mit einer einfachen Überlegung über das Ausmaß, in dem ein preisdifferenzierender Anbieter bei 2 bis n gesetzten Preisen die Konsu-

---

[1]) Streng genommen setzt die Preisdifferenzierung keine Monopolstellung, sondern nur einen monopolistischen Bereich der Preis-Absatzfunktion voraus.

[2]) Th. O. Yntema, The Influence of Dumping on Monopoly Price, The Journal of Political Economy, Vol. XXXVI (1928), S. 686ff.; J. Robinson, The Economics..., a.a.O., S. 179ff.; v. Stackelberg, Preisdiskrimination bei willkürlicher Teilung des Marktes, Archiv für mathematische Wirtschafts- und Sozialforschung, Bd. 5 (1939), S. 1ff.; wieder abgedruckt in: Preistheorie hrsg. v. A. E. Ott, a.a.O., S. 379ff.

mentenrente an sich ziehen kann. Wir unterstellen dabei stets Linearität der Nachfragekurve ($NN' = f(x)$ in Abb. 87 a und 87 b) und gehen von einer frei angenommenen Absatzmenge $\bar{x}$ aus. Verkauft der Unternehmer diese Ab-

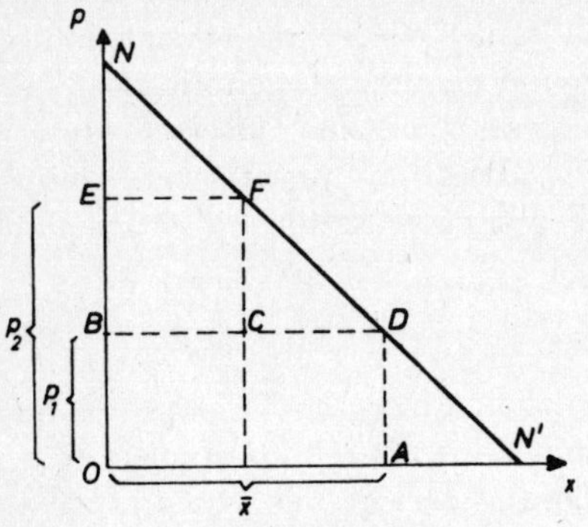

Abb. 87 a

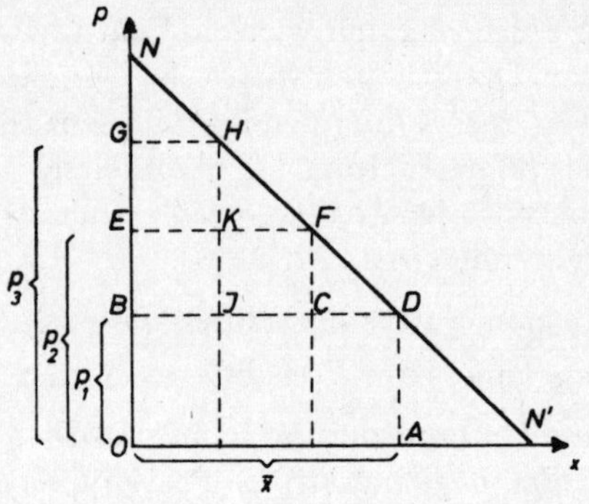

Abb. 87 b

satzmenge $\bar{x}$ zu einem einheitlichen Preis, nämlich p_1, so beläuft sich sein Umsatz auf $OADB$, die Konsumentenrente auf BDN. Kann der Anbieter dagegen durch Zerlegung des Gesamtmarktes in zwei Absatzschichten neben dem Preis p_1 einen zweiten Preis p_2 fixieren (zweifache Preisdifferenzierung, Abb. 87 a), so erzielt er maximal einen Mehrumsatz von $BCFE$. Nun ist dieser zusätzliche Umsatz $BCFE$ gleich der Hälfte der Konsumentenrente BDN, so daß wir als erstes Ergebnis festhalten können: Bei der Fixierung von zwei Preisen kann der Unternehmer maximal die Hälfte der Konsumentenrente abschöpfen.

Abb. 87 b verdeutlicht die entsprechende Überlegung für den Fall, daß außer p_1 zwei weitere Preise p_2 und p_3 gesetzt werden können. Wie der Abb. 87 b ohne weiteres zu entnehmen ist, gelingt eine Abschöpfung der Konsumentenrente zu zwei Dritteln, denn der zusätzliche Umsatz bei dreifacher Preisdifferenzierung ($BJHG + JCFK$) ist gleich 2/3 von BDN. Man gelangt bei Weiterführung dieser Analyse zu dem allgemeinen Resultat: Bei der Fixierung von n Preisen, also n-facher Preisdifferenzierung, ist eine Abschöpfung der Konsumentenrente zu $\frac{n-1}{n}$ Teilen möglich.

Führen wir diesen Gedanken jetzt in die Gewinnmaximierungsregel für den preisdifferenzierenden Anbieter ein. Der preisdifferenzierende Unternehmer erstrebt den Umsatz

$$U^* = U + R,$$

wobei U den Umsatz ohne Preisdifferenzierung und R die Konsumentenrente bedeutet. Bei der Fixierung von n Preisen (n-facher Preisdifferenzierung) kann ein Anbieter maximal mit einem Umsatz rechnen von

$$U_n^* = U + \frac{n-1}{n} R.$$

(Der Index n bei U^* gibt die Zahl der fixierten Preise an.) Ist $f(x)$ die Nachfragefunktion, so ergibt sich:

$$U_n^* = x f(x) + \frac{n-1}{n} \left[\int f(x)\,dx - x f(x)\right]$$

$$= \frac{1}{n} x f(x) + \frac{n-1}{n} \int f(x)\,dx\,.$$

Die Grenzumsatzfunktion lautet dann:

$$U_n^{*\prime} = f(x) + \frac{1}{n} x f'(x)$$

und die Durchschnittspreisfunktion:

$$p_d = \frac{U_n^*}{x} = \frac{1}{n} f(x) + \frac{n-1}{n} \cdot \frac{\int f(x)\,dx}{x}\,.$$

Die gewinnmaximale Ausbringung bei n Preisen wird bestimmt durch die Gleichheit von Grenzumsatz $U_n^{*\prime}$ und den Grenzkosten der Gesamtproduktion K':

$$U_n^{*\prime} - K' = 0.$$

Betrachten wir dazu ein Zahlenbeispiel. Die lineare Nachfragekurve genüge der Gleichung $p = -x + 10$, die Grenzkosten seien konstant und gleich 4. Die bei dreifacher Preisdifferenzierung relevanten Funktionen lauten dann:

$$U_3^* = -\frac{2}{3} x^2 + 10x;$$

$$U_3^{*\prime} = -\frac{4}{3} x + 10;$$

$$p_d = \frac{U_3^*}{x} = -\frac{2}{3} x + 10\,.$$

Die gewinnmaximale Ausbringung ergibt sich im Schnittpunkt der Grenzkostenkurve $K' = 4$ mit der jetzt relevanten Grenzumsatzkurve

$$U_3^{*\prime} = -\frac{4}{3} x + 10$$

und beträgt 4,5 (vgl. Abb. 88a). Den Preis der dritten Absatzschicht erhält man unmittelbar auf der Nachfragekurve: $p_3 = 5{,}5$. Die beiden anderen Preise p_2 und p_1 sowie die Verteilung des Gesamtabsatzes auf die drei Absatzschichten gewinnt man mit Hilfe einer von STACKELBERG abgeleiteten Regel, die allgemein wie folgt lautet:

$$U_1' = p_2,\ U_2' = p_3, \ldots, U_{n-1}' = p_n,\ U_n' = K'\,.$$

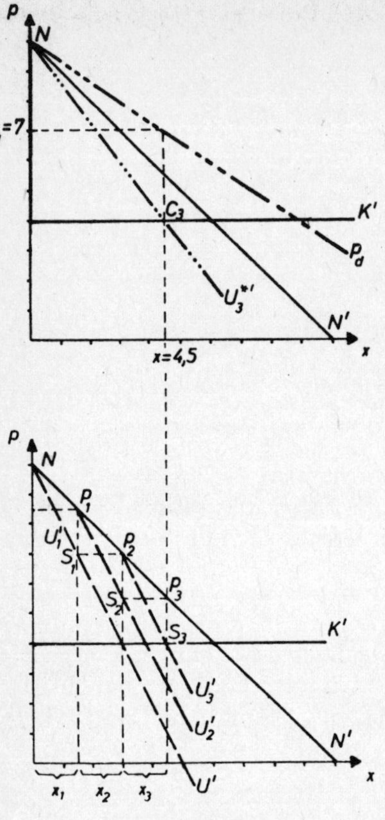

Abb. 88a und 88b

Dabei bedeutet U_i' den Grenzumsatz der i-ten Absatzschicht. Für drei Preise ergibt sich:

$$U_1' = p_2,\ U_2' = p_3,\ U_3' = K'.$$

Dabei verlaufen die Grenzumsatzkurven der zweiten und dritten Absatzschicht U_2' und U_3' parallel zu der Grenzumsatzkurve U', der gewöhnlichen Grenzumsatzkurve ohne Preisdifferenzierung; die Grenzumsatzkurve der ersten Absatzschicht U_1' ist ein Abschnitt dieser Grenzumsatzkurve U'. Die Ermittlung der Preise p_2 und p_1 geht dann wie folgt vor sich (vgl. Abb. 88b).

Durch den Punkt S_3, in dem $U_3' = K'$ erfüllt sein muß, zieht man eine Parallele zu U'. Diese Parallele ist nichts anderes als U_3'; ihr Schnittpunkt mit der Nachfragekurve NN' liefert den Preis der zweiten und die Absatzmenge der dritten Absatzschicht (p_2, x_3). Der nächste relevante Punkt ist S_2, nämlich der Punkt, in dem $U_2' = p_3$ erfüllt sein muß. Eine Parallele zu U' durch S_2 liefert im Schnittpunkt mit der Nachfragekurve den Preis der ersten Absatzschicht und die Absatzmengen x_2 und x_1.

Man erhält für die einzelnen Variablen die folgenden Werte:

$$x_1 = 1{,}5;\ p_1 = 8{,}5;\ U_1 = 12{,}75$$

$$x_2 = 1{,}5;\ p_2 = 7{,}0;\ U_2 = 10{,}50$$

$$x_3 = 1{,}5;\ p_3 = 5{,}5;\ U_3 = 8{,}25$$

$$x = 4{,}5;\ p_d = 7{,}0;\ U = 31{,}50;\ K_v = 18{,}0;$$

$$G_{br} = 13{,}50.$$

Kehren wir jetzt wieder zurück zu der allgemeinen Formulierung der Gewinnmaximierungsbedingung bei n-facher deglomerativer Preisdifferenzierung. Die gewinnmaximale Absatzmenge wird bestimmt, um es noch einmal zu wiederholen, durch die Gleichheit von Grenzumsatz $U_n^{*\prime}$ und Grenzkosten K'; die Höhe der einzelnen Preise wird festgelegt durch das Kriterium STACKELBERGS $U_1' = p_2$, $U_2' = p_3, \ldots, U_{n-1}' = p_n$, $U_n' = K'$. Wird nun n eine sehr große Zahl und geht schließlich gegen unendlich, so ist

$$\lim_{n \to \infty} \frac{n-1}{n} = 1\,,$$

und aus den Formeln $U_n^* = \frac{1}{n} x f(x) + \frac{n-1}{n} \int f(x)\, dx$

und $$U_n^{*\prime} = f(x) + \frac{1}{n} x f'(x)$$

sowie $$p_d = \frac{U_n^*}{x} = \frac{1}{n} f(x) + \frac{n-1}{n} \frac{\int f(x)\, dx}{x}$$

wird $$U_\infty^* = \int f(x)\, dx$$

und $$U_\infty^{*\prime} = f(x)$$

sowie $$p_d = \frac{U_\infty^*}{x} = \frac{\int f(x)\, dx}{x}\,.$$

Das bedeutet: Die Grenzumsatzkurve bei der sogenannten vollkommenen Preisdifferenzierung (perfect price discrimination oder Preisdifferenzierung 1. Grades nach A. C. PIGOU) ist gleich der Nachfragekurve $U_\infty^{*\prime} = f(x)$, und die gewinnmaximale Ausbringung ergibt sich im Schnittpunkt von Nachfragekurve und Grenzkostenkurve (vgl. Abb. 89).
(OA = Absatzmenge, AD = Preis bei monopolistischer Preisbildung ohne Preisdifferenzierung; OB = Absatzmenge, BE = Durchschnittspreis bei vollkommener Preisdifferenzierung.)

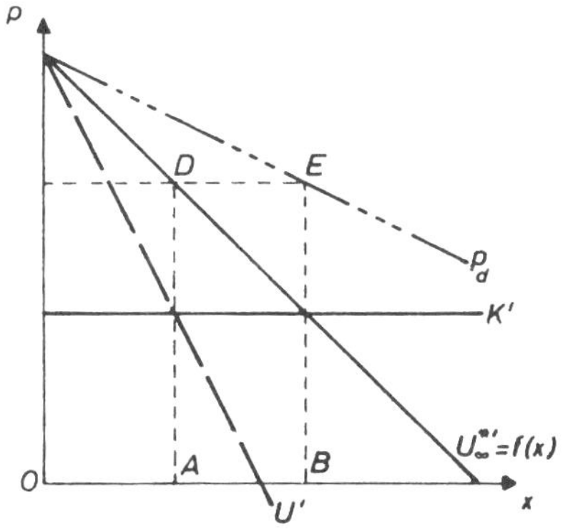

Abb. 89

Der Durchschnittspreis des preisdifferenzierenden Anbieters liegt auf der Durchschnittspreiskurve $p_d = \frac{U_\infty^*}{x} = \frac{\int f(x)\, dx}{x}$, d. i. die Durchschnittsvorteils- oder Null-Gewinnkurve der Nachfrager, die man auch als Ausbeutungskurve des Anbieters bezeichnet (vgl. dazu §5 dieses Kapitels).

Hatten wir oben für n den Wert unendlich in die Gleichung für U_n^* und $U_n^{*\prime}$ eingesetzt und waren so zu dem Grenzfall der vollkommenen Preisdifferenzierung gekommen, so versuchen wir es jetzt mit dem Wert $n = 1$. Aus den Formeln

$$U_n^* = \frac{1}{n}\, x f(x) + \frac{n-1}{n} \int f(x)\, dx \quad \text{und} \quad U_n^{*\prime} = f(x) + \frac{1}{n}\, x f'(x)$$

sowie
$$p_d = \frac{U_n^*}{x} = \frac{1}{n} f(x) + \frac{n-1}{n} \frac{\int f(x)\, dx}{x}$$

wird dann
$$U_1^* = x f(x) = U$$

und
$$U_1^{*\prime} = f(x) + x f'(x) = U'$$

sowie
$$p_d = \frac{U_1^*}{x} = f(x) = p\,.$$

Man erhält also die Umsatzfunktionen für den Fall normaler monopolistischer Preisbildung ohne Preisdifferenzierung. Mit anderen Worten: Die normale Monopolpreisbildung kann als Grenzfall monopolistischer Preisdifferenzierung aufgefaßt werden, der Grenzfall nämlich, bei dem *nicht* differenziert wird ($n = 1$).

Einen Einblick in die bis jetzt analysierten Zusammenhänge vermittelt Abb. 90, aus der die Absatzmengen für $n = 1, 2, 3, 4$ und ∞ sowie die relevanten Kurven ersichtlich werden.

In Abb. 90 ist NN' die Nachfragekurve, U' die gewöhnliche Grenzumsatzkurve für den Fall einer einheitlichen Preisstellung; K' ist die Grenzkostenkurve. Bei normaler Monopolpreisbildung ergibt sich C_1' als Schnittpunkt von U' und K' mit der Absatzmenge x_1. Die Grenzumsatzkurven bei 2-,

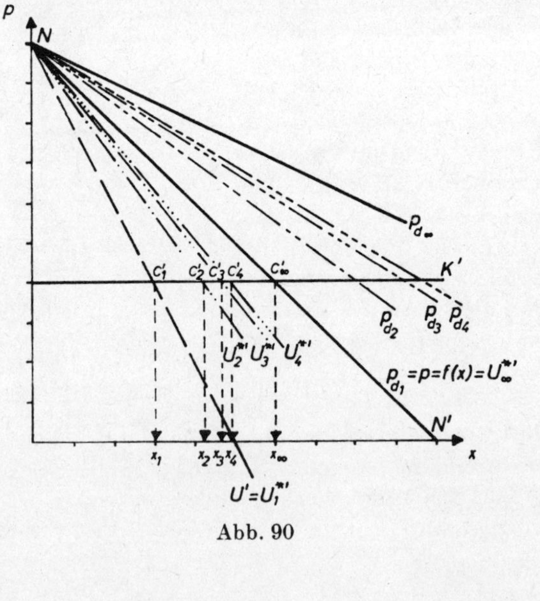

Abb. 90

3-, 4-facher und vollkommener Preisdifferenzierung werden dargestellt durch $U_2^{*\prime}$, $U_3^{*\prime}$, $U_4^{*\prime}$ und $U_\infty^{*\prime}$. Dabei fällt $U_\infty^{*\prime}$ mit der Nachfragekurve zusammen. C_2', C_3', C_4' und C_∞' sind die bei deglomerativer Preisdifferenzierung relevanten Schnittpunkte von $U_n^{*\prime}$ und K'; sie liefern die gewinnmaximalen Absatzmengen x_2, x_3, x_4 und x_∞. Die Absatzmenge bei vollkommener Preisdifferenzierung (x_∞) ist gleichzeitig die Absatzmenge, die sich bei der Marktform des vollkommenen Polypols ergäbe[1]). p_{d_2}, p_{d_3}, p_{d_4} und p_{d_∞} sind die Durchschnittspreiskurven; p_{d_∞} fällt mit der Durchschnittsvorteils- oder Null-Gewinnkurve der Nachfrager = Ausbeutungskurve des Anbieters zusammen.

Wie Abb. 90 ohne weiteres erkennen läßt, liegt die gewinnmaximale Absatzmenge bei n-facher Preisdifferenzierung umso näher bei der Monopolmenge, je niedriger n ist, umso näher bei der Konkurrenzmenge, je größer n ist. Die Absatzmenge bei normaler Monopolpreisbildung und die Absatzmenge bei Konkurrenzpreisbildung geben die Grenzen an, innerhalb derer die Absatzmengen bei n-facher deglomerativer Preisdifferenzierung liegen.

Kehren wir jetzt noch einmal zu der Stackelbergschen Regel, also

$$U_1' = p_2\,, \; U_2' = p_3\,, \; \ldots, \; U_{n-1}' = p_n\,, \; U_n' = K'\,,$$

zurück und fragen uns, ob man sich vielleicht diese Bedingung für die Preise der einzelnen Absatzschichten auch klar machen kann, ohne die etwas komplizierte mathematische Beweisführung STACKELBERGS nachvollziehen zu müssen. Bedienen wir uns dazu nochmals unseres numerischen Beispiels, in dem wir für die Absatzmengen $x_1 = x_2 = x_3 = 1{,}5$ und für die Preise $p_1 = 8{,}5$, $p_2 = 7$ und $p_3 = 5{,}5$ gefunden hatten. Nehmen wir einmal an, wir wüßten nur die Gesamtmenge $x = 4{,}5$, aber nicht ihre Aufteilung auf die drei Absatzschichten, und wir wüßten ferner den Preis der dritten Absatzschicht $p_3 = 5{,}5$, verfügten also nur über die Informationen, die die Gewinnmaximierung für $n = 3$ liefert (vgl. Abb. 91).

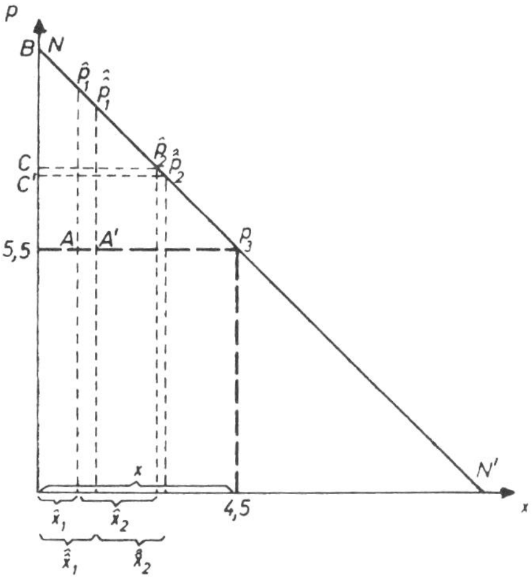

Abb. 91

Wir nehmen jetzt einmal an, $\hat{p}_1$ sei der Preis der ersten Absatzschicht

[1]) Hier ist allerdings darauf hinzuweisen, daß eine zur Mengenachse parallele Angebotskurve beim Polypol auf dem vollkommenen Markt problematisch wäre, weil dadurch die Stabilität der Marktform verloren ginge.

und $\hat{x}_1$ die dazugehörige Menge. Wenn man dann das Dreieck $\hat{p}_1 A\, p_3$ betrachtet, so folgt aus der für den Monopolisten ohne Produktionskosten her bekannten Regel, daß $\hat{p}_2$ der gewinnmaximale Preis ist. Jetzt nimmt man $\hat{p}_2$ und die dazugehörige Menge $\hat{x}_2$ zum Ausgangspunkt und sucht anhand des Dreiecks $BC\hat{p}_2$ nach dem gewinnmaximalen Preis, d.i. $\hat{\hat{p}}_1$. Der so gefundene Preis $\hat{\hat{p}}_1$ stimmt mit dem Ausgangspreis $\hat{p}_1$ nicht überein, man hat also die gewinnmaximalen Preise der ersten und zweiten Absatzschicht noch nicht ermittelt. Man muß also das Näherungsverfahren mit $\hat{\hat{p}}_1$ als Ausgangspunkt wiederholen, und zwar solange, bis p_2 bei vorgegebenem p_1 und p_1 bei vorgegebenem p_2 gewinnmaximal sind. Diese Situation ist offenbar dann erreicht, wenn die Bedingung v. STACKELBERGS erfüllt ist. Man hat sich also die Zerlegung der Gesamtnachfrage in Absatzschichten so vorzustellen, wie es in den Abb. 92a, b und c dargestellt ist.

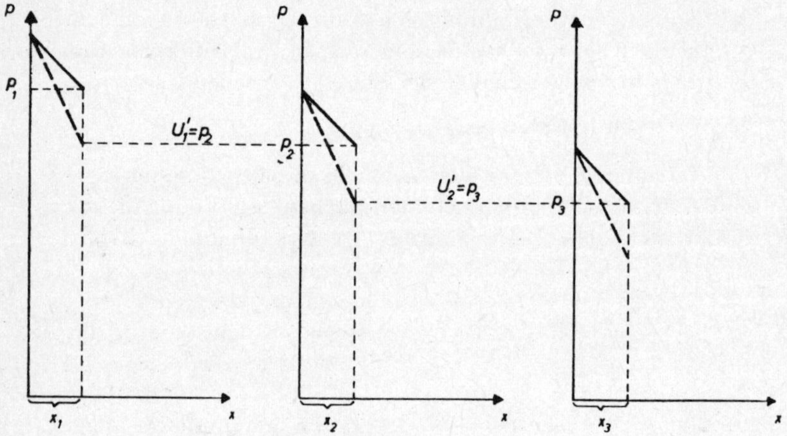

Abb. 92a, 92b und 92c

Jetzt enthüllt sich der Sinn der Stackelbergschen Regel vollends: Der Umsatz am letzten verkauften Stück einer Absatzschicht (U_i') muß gleich dem Umsatz am ersten verkauften Stück der folgenden Absatzschicht (p_{i+1}) sein. Für die letzte Absatzschicht gilt die normale Gewinnmaximierungsbedingung Grenzumsatz gleich Grenzkosten.

Beschließen wir die Betrachtung der deglomerativen Preisdifferenzierung mit einer letzten Überlegung. Wie wir gesehen haben, läßt sich aus der Gewinnmaximierungsregel für den preisdifferenzierenden Anbieter eines nicht ermitteln, nämlich die *Zahl* der Preise, die der Anbieter setzen soll. In dem unwahrscheinlichen Fall, daß keine Kosten für die Isolierung der einzelnen Absatzschichten anfallen, ist selbstverständlich die vollkommene Preisdifferenzierung der gewinnmaximale Grad der Preisdifferenzierung. Dies wird sofort anders, wenn man Kosten für die Isolierung der einzelnen Absatzschichten annimmt, und damit haben wir auch den Faktor gefunden, der den gewinnmaximalen Grad der Preisdifferenzierung bestimmt, die Isolierungskosten. In Abbildung 93 wurde der Einfachheit halber ein linearer Verlauf der Isolierungskostenkurve angenommen, und zwar sollen beim Übergang von der m-ten zur $(m + 1)$-ten Absatzschicht Kosten in Höhe von 2 Geldeinheiten entstehen.

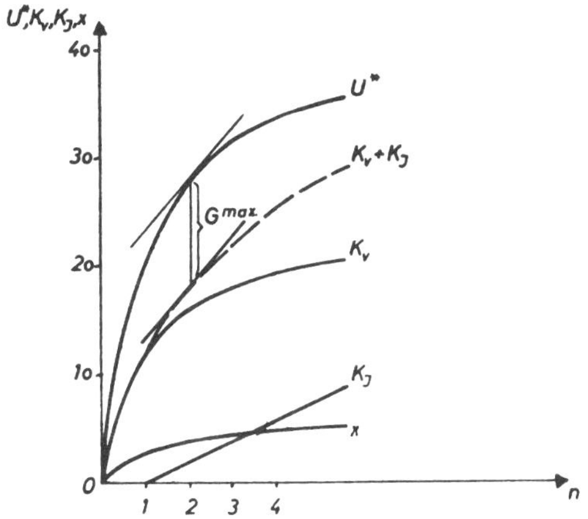

Abb. 93

Da der Umsatz in Abhängigkeit von der Zahl der gesetzten Preise degressiv steigt, ergibt sich ein eindeutiges Gewinnmaximum (Gewinn = Umsatz ./. Produktions- und Isolierungskosten) und damit eine eindeutige Bestimmung der gewinnmaximalen Anzahl der zu setzenden Preise. Der gewinnmaximale Grad der Preisdifferenzierung ist in unserem Beispiel bei zwei Absatzschichten, also zweifacher Preisdifferenzierung erreicht, da dort, wie Abb. 93 zeigt, die Umsatzkurve und die Kurve der Produktions- plus Isolierungskosten dieselbe Steigung in bezug auf n haben.

Wenden wir uns jetzt der *agglomerativen* Preisdifferenzierung zu, bei der der Monopolist mehrere Teilmärkte bereits vorfindet, die gedanklich zu einem Gesamtmarkt zusammengefaßt werden können. Nehmen wir an, der Anbieter sehe sich zwei Teilmärkten gegenüber, für die die folgenden linearen Nachfragekurven gelten sollen:

$$p_1 = -2x_1 + 16 \qquad \text{für den Teilmarkt I,}$$

$$p_2 = -x_2 + 10 \qquad \text{für den Teilmarkt II.}$$

Die Nachfragekurven zeigen den in Abb. 94a und 94b gezeichneten Verlauf. Werden die Teilmärkte „agglomeriert", so ergibt sich die geknickte Gesamtnachfragefunktion von Abb. 94c mit den Formeln:

$$p = -2x + 16 \qquad \text{für } 0 \leq x \leq 3,$$

$$p = -\frac{2}{3}x + 12 \qquad \text{für } 3 \leq x \leq 18.$$

Die Grenzkosten des Anbieters sollen $K' = 2$ betragen.

Der Anbieter kann nun der Ansicht sein, er verwirkliche sein Gewinnmaximum dadurch, daß er auf dem Gesamtmarkt nach dem Gesetz des erwerbswirtschaftlichen Angebots verfährt, also auf dem Gesamtmarkt die

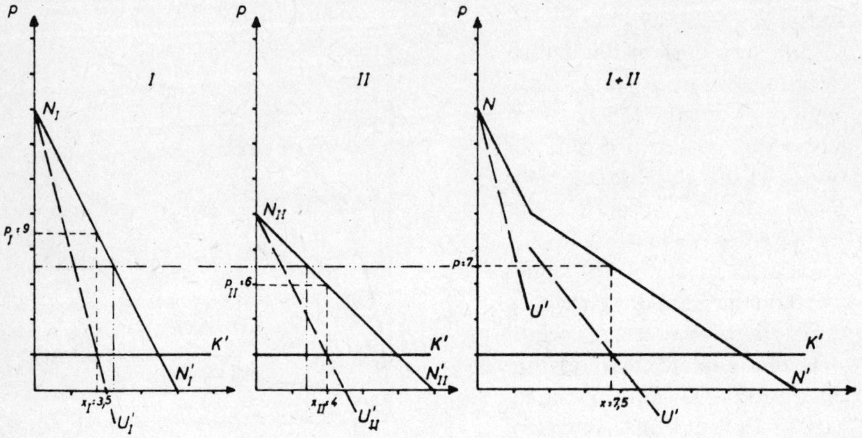

Abb. 94a, 94b und 94c

Gleichheit von Grenzkosten und Grenzumsatz verwirklicht. In diesem Fall ergeben sich für die einzelnen Variablen die folgenden Werte:

$$x = 7{,}5;\ p = 7;\ U = 52{,}5;\ K_v = 15;\ G_{br} = 37{,}5.$$

Wie aus den Abb. 94a und 94b aber hervorgeht, ist dann auf dem ersten Teilmarkt bei der dem Preise $p = 7$ entsprechenden Menge der Grenzumsatz kleiner als die Grenzkosten ($U_1' < K'$), auf dem zweiten Teilmarkt dagegen größer als die Grenzkosten ($U_2' > K'$). Das bedeutet, der Anbieter stellt sich besser, wenn er auf dem Teilmarkt I die Menge einschränkt und auf dem Teilmarkt II ausdehnt. M.a.W.: Anstatt auf dem fiktiven Gesamtmarkt muß der Anbieter auf jedem Teilmarkt nach dem Gesetz des erwerbswirtschaftlichen Angebots verfahren, d.h. die Gleichheit von U_1' und K' sowie von U_2' und K' verwirklichen[1]). Dies führt zu den folgenden Werten der Variablen:

Teilmarkt I:	$x_1 = 3{,}5$;	$p_1 = 9$;	$U_1 = 31{,}5$;	$K_1 = 7{,}0$;	$G_1 = 24{,}5$.
Teilmarkt II:	$x_2 = 4{,}0$;	$p_2 = 6$;	$U_2 = 24{,}0$;	$K_2 = 8{,}0$;	$G_2 = 16{,}0$.
Summen (bzw. Durchschnitt bei p):	$x = 7{,}5$;	$p_d = 7{,}4$;	$U = 55{,}5$;	$K_v = 15{,}0$;	$G_{br} = 40{,}5$.

[1]) Diese Bedingung zeigt, daß es eigentlich irreführend ist, von agglomerativer Preisdifferenzierung zu sprechen, denn die Teilmärkte werden ja gerade nicht agglomeriert!

Der Gewinn ist demnach höher als bei einheitlicher Preisgestaltung auf beiden Märkten.

Die Gewinnmaximierungsregel für die agglomerative Preisdifferenzierung lautet demnach allgemein:

$$U_1' = K', \quad U_2' = K', \ldots, \quad U_n' = K'.$$

Für jeweils zwei Preise läßt sich mit Hilfe der Amoroso-Robinson-Relation für das Preisverhältnis die folgende Beziehung errechnen:

$$\frac{p_1}{p_2} = \frac{1 - \frac{1}{\varepsilon_2}}{1 - \frac{1}{\varepsilon_1}}.$$

Der Preis auf dem Teilmarkt I ist demnach im Vergleich zu dem Preis auf dem Teilmarkt II umso höher, je größer die Preiselastizität der Nachfrage des Teilmarktes II im Vergleich zu der des Teilmarktes I ist.

Faßt man etwa in unserem numerischen Beispiel den ersten Teilmarkt als Inlands- und den zweiten als Auslandsmarkt auf, so haben wir ein Beispiel für das Dumping vor uns. Die Differenz zwischen Inlands- und Auslandspreis beträgt 3, d. h. die (zweifach) gerechneten Frachtkosten zuzüglich dem Schutzzoll müssen mindestens 3 betragen, damit kein Reimport der betreffenden Ware aus dem Ausland stattfindet.

§ 4. Die Preisbildung beim Monopson

Obwohl das Auftreten eines Monopsons auf einem Konsumgütermarkt relativ selten sein dürfte, wollen wir ein solches Modell betrachten und nicht den Konsumgüter- mit einem Produktionsmittelmarkt vertauschen, bei dem die monopsonistische Stellung eines Nachfragers viel eher denkbar ist. Immerhin können wir ja den Staat als Beispiel nehmen, der als Nachfrager nach dem „Konsumgut" Panzerwagen oder anderen Rüstungsgütern durchaus eine Monopsonstellung innehat.

Der Monopsonist sehe sich einer großen Anzahl kleiner Anbieter gegenüber, die sich als Preisnehmer und Mengenanpasser verhalten. Die individuellen Grenzkostenkurven sind die Angebotskurven der einzelnen Anbieter, die aggregierte Grenzkostenkurve ist demnach die Gesamtangebotskurve, der sich der Monopsonist gegenübersieht. Für ihn ist diese, im kommenden stets als positiv steigend angenommene Gesamtangebotskurve gleichzeitig seine Preis-Bezugsfunktion, die ihm also anzeigt, welche hypothetischen Bezugsmengen welchen hypothetischen Preisen zugeordnet sind. Gleichzeitig ist die Preis-Bezugsfunktion für den Monopsonisten seine Durchschnittsausgabenkurve, so daß wir insgesamt über die folgenden Benennungen verfügen:

Gesamtangebotskurve = Aggregation der individuellen Angebotskurven (Grenzkostenkurven) = Preis-Bezugsfunktion = Durchschnittsausgabenkurve.

Aus der Durchschnittsausgabenkurve läßt sich durch Multiplikation mit der Bezugsmenge die Gesamtausgabenkurve und aus ihr durch Differentiation die Grenzausgabenkurve ableiten. Nehmen wir für die Durchschnittsausgabenkurve die Standard-Kurve $p = x$ an, so lautet die Gesamtausgabenfunktion $A = x^2$ und die Grenzausgabenfunktion $A' = 2x$ (vgl. S. 144f.).

Um die Gewinnmaximierung durch den Monopsonisten darzustellen, muß man eine Konstruktion zu Hilfe nehmen, die wir schon früher bei der Analyse des Polypols auf dem vollkommenen Markt und eben erst bei der deglomerativen Preisdifferenzierung benützt hatten, die Konstruktion der Konsumentenrente. Wir können sagen: Der Monopsonist sucht die Differenz zwischen der potentiellen und der tatsächlichen Ausgabe, d. h. die Konsumentenrente zu maximieren. Die potentielle Ausgabe wird gegeben durch das Integral der Nachfragekurve $p = f(x)$ des Monopsonisten bei Preisunabhängigkeit, d. i. diejenige Kurve, die die Nachfragekurve des Monopsonisten wäre, wenn er den Preis als Datum anzusehen hätte. Die tatsächliche Ausgabe ergibt sich aus der Ausgabenkurve, und man erhält somit

$$(R =)\, G = \int f(x)\, dx - A\,.$$

(R = Konsumentenrente = G = Gewinn des Monopsonisten, A = tatsächliche Ausgabe.) Diese Gewinnfunktion wird nach dem üblichen Verfahren auf ein Maximum untersucht:

$$G' = f(x) - A' = 0$$

$$G'' = f'(x) - A'' < 0.$$

Aus dem ersten, gleich Null gesetzten Differentialquotienten ergibt sich die monopsonistische Gewinnmaximierungsregel, nämlich

$$f(x) = A'$$

Grenzvorteil = Grenzausgabe

Wir nennen sie das *Gesetz der erwerbswirtschaftlichen Nachfrage*. Nach der zweiten, hinreichenden Bedingung muß die Steigung der Grenzvorteilskurve (Nachfragekurve) $f'(x)$ kleiner als die Steigung der Grenzausgabenkurve sein.

Bei der graphischen Darstellung der Monopson-Preisbildung kann man wieder entweder auf die Gesamtkurven oder auf die Grenz- und Durchschnittskurven zurückgreifen. Die Gesamtkurven sind die Kurve der potentiellen Ausgabe $\int f(x)$ (Gesamtvorteilskurve) und die Gesamtausgabenkurve. Es ergibt sich die Situation von Abb. 95a und 95b, wobei für $f(x)$ die Funktion $p = -x + 100$, also $\int f(x)\, dx = -\frac{1}{2} x^2 + 100x$, und für die Gesamtausgabenkurve wieder $A = x^2$ zugrundegelegt wurde.

In die Darstellung mit Hilfe von Grenz- und Durchschnittskurven gehen die folgenden Kurven ein (Abb. 96a und b):

Grenzvorteilskurve = Nachfragekurve bei Preisunabhängigkeit	$p = -x + 100$
Durchschnittsvorteilskurve	$p = -\frac{1}{2} x + 100$
Preis-Bezugsfunktion = Durchschnittsausgabenkurve	$p = x$
Grenzausgabenkurve	$A' = 2x$

Der Schnittpunkt der Grenzvorteilskurve mit der Grenzausgabenkurve C' bestimmt die gewinnmaximale Bezugsmenge des Monopsonisten. Der vom

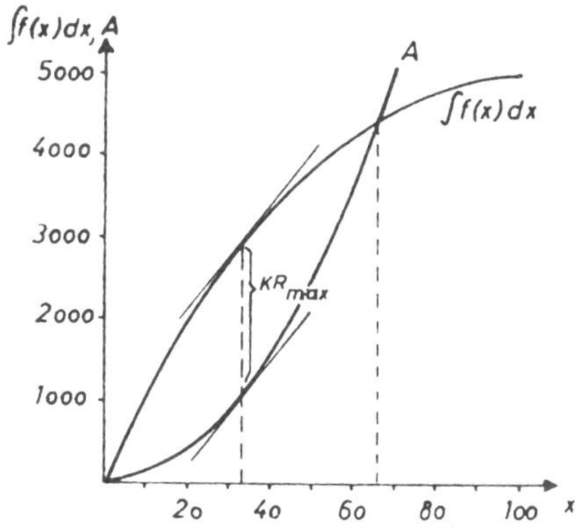

Abb. 95a

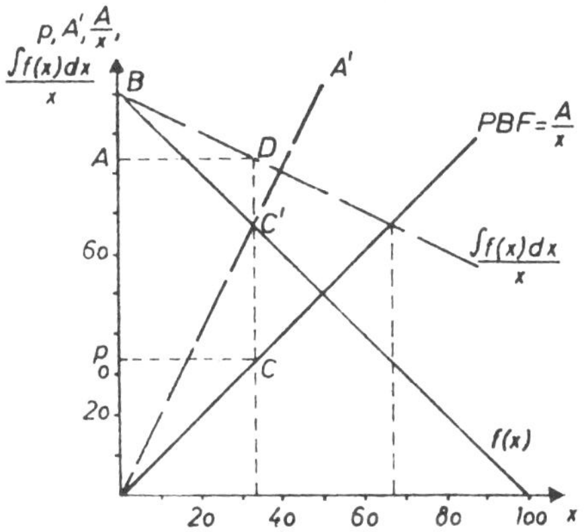

Abb. 96a

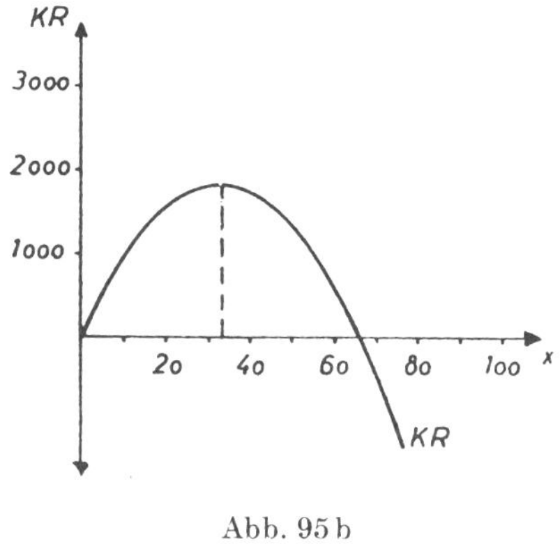

Abb. 95b

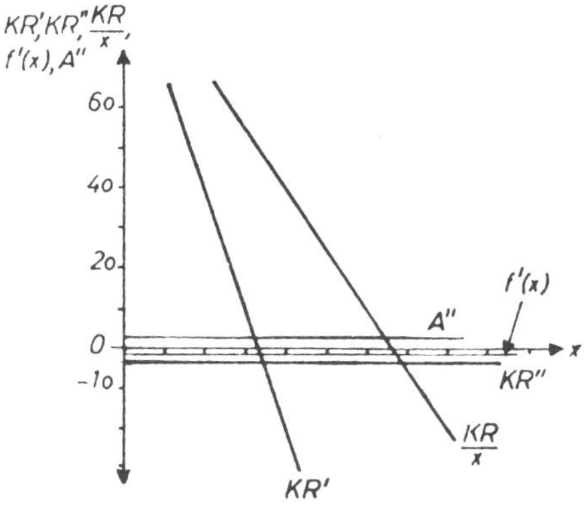

Abb. 96b

Monopsonisten gezahlte Preis liegt vertikal unter C' auf der Durchschnittsausgabenkurve (Punkt C). Dieser Punkt C ist der Cournotsche Monopsonpunkt und entspricht völlig dem Cournotschen Monopolpunkt. Der Monopsongewinn wird durch das Trapez $p_0BC'C$ oder bei Benützung der Durchschnittsvorteilskurve durch das Rechteck p_0ADC angegeben.

Da wir bei der Analyse des Monopsons mehrfach auf die Entsprechung zum Monopol gestoßen sind, erscheint es zweckmäßig, in einer Tabelle die sich beim Monopol und Monopson entsprechenden Größen und Zusammenhänge aufzunehmen, um so einen Vergleich zu ermöglichen (vgl. Tabelle 19).

§ 5. Die Preisbildung beim bilateralen Monopol

Beim bilateralen Monopol, einer der interessantesten Marktformen, stehen sich auf einem Markt ein Anbieter und ein Nachfrager gegenüber wie z. B. auf dem Arbeitsmarkt Gewerkschaft und Arbeitgeberverband. Aber auch auf sonstigen Märkten kommt diese Konstellation vor, so etwa, wenn sich ein Kartell und ein Gegenkartell (ein Absatz- und ein Bezugskartell) gegenüberstehen, oder wenn sich Nachfrager (Anbieter) gegen einen marktbeherrschenden Monopolisten (Monopsonisten) zusammenschließen. Aus der Kartellgeschichte sei als Beispiel nur das Kartell der deutschen Schienenwalzwerke gegen die Reichsbahn (1879) erwähnt.

Das Charakteristikum der Preisbildung sei diesmal vorweggenommen: *Der Preis ist beim bilateralen Monopol innerhalb bestimmter, ableitbarer Grenzen indeterminiert.* Die Ursachen für dieses äußerst wichtige Phänomen, das jedem von den Berichten über Tarifverhandlungen hinreichend vertraut ist, gilt es im folgenden zu analysieren:

Das bilaterale Monopol entsteht aus einem Zusammentreffen eines Monopols und eines Monopsons, so daß sich schon daraus zwei mögliche Situationen ableiten lassen, nämlich:

1. Der Anbieter fixiert den Monopolpreis und der Nachfrager nimmt die Monopolmenge ab: Cournotsche Monopollösung.
2. Der Nachfrager fixiert den Monopsonpreis und der Anbieter verkauft die Monopsonmenge: Cournotsche Monopsonlösung.

Aber damit nicht genug. Bei hinreichend starker Marktstellung kann der Anbieter oder Nachfrager die sog. *Ausbeutungsposition* beziehen, d. h. einen solchen Preis *und* eine solche Menge fixieren, die dem Marktpartner keinen Gewinn mehr belassen, sondern ihn in die *Nullgewinnposition* drängen. Der Anbieter (bzw. Nachfrager) tritt also als *Optionsfixierer* auf, d. h. er bestimmt Preis *und* Menge, und stellt den *Optionsempfänger* vor die Alternative, das Geschäft entweder zu diesen Bedingungen anzunehmen oder abzulehnen. Schließlich ist noch eine weitere Möglichkeit denkbar, nämlich daß beide Marktpartner sich als Mengenanpasser verhalten. In diesem Falle kommt ein

Tabelle 19

Marktfunktionen und Gewinnmaximierungsbedingungen beim Monopol und Monopson

Monopol	Monopson
Nachfragefunktion = Preis-Absatzfunktion = Durchschnittsumsatzkurve	Angebotsfunktion = Preis-Bezugsfunktion = Durchschnittsausgabenkurve
Daraus durch Multiplikation mit der Menge:	
Gesamtumsatzkurve	Gesamtausgabenkurve
Daraus durch Differentiation:	
Grenzumsatzkurve	Grenzausgabenkurve
Grenzkostenkurve (= Angebotskurve bei Preisunabhängigkeit)	Grenzvorteilskurve (= Nachfragekurve bei Preisunabhängigkeit)
1. Gewinnmaximierungsbedingung:	
Grenzumsatz = Grenzkosten Gesetz des erwerbswirtschaftlichen Angebots	Grenzausgabe = Grenzvorteil Gesetz der erwerbswirtschaftlichen Nachfrage
2. Gewinnmaximierungsbedingung:	
Steigung der Grenzumsatzkurve < Steigung der Grenzkostenkurve	Steigung der Grenzvorteilskurve < Steigung der Grenzausgabenkurve

Gleichgewichtspunkt zustande, der dem beim Polypol auf dem vollkommenen Markt entspricht.

Insgesamt sind also fünf Lösungen möglich, nämlich:

1. Der Anbieter handelt als Monopolist, der Nachfrager als Mengenanpasser: Monopollösung.
2. Der Nachfrager handelt als Monopsonist, der Anbieter als Mengenanpasser: Monopsonlösung.
3. Der Anbieter handelt als Optionsfixierer, der Nachfrager als Optionsempfänger: Ausbeutungsposition des Anbieters.
4. Der Nachfrager handelt als Optionsfixierer, der Anbieter als Optionsempfänger: Ausbeutungsposition des Nachfragers.
5. Anbieter und Nachfrager handeln als Mengenanpasser: Polypollösung.

Um die graphische Darstellung dieser fünf Möglichkeiten und dabei vor allem der Ausbeutungspositionen 3 und 4 zu verstehen, erscheinen die folgenden Überlegungen zweckmäßig. Von der bei der Behandlung des Monopsons gegebenen Übersicht her ist bekannt, daß für die Monopol- wie für die Monopsonlösung jeweils zwei Kurven relevant sind, nämlich die Durchschnitts- und Grenzumsatzkurve beim Monopol, die Durchschnitts- und Grenzausgabenkurve beim Monopson. Die Durchschnittsumsatzkurve beim Monopol kann nun aber auch als Grenzvorteilskurve des Nachfragers interpretiert werden und die Durchschnittsausgabenkurve beim Monopson als Grenzkostenkurve des Anbieters. Zu der Grenzvorteilskurve des Nachfragers gehört dann eine Durchschnittsvorteilskurve, die über ihr liegt; zur Grenzkostenkurve des Anbieters gehört die Kurve der durchschnittlichen variablen Kosten, die unter ihr liegt. Man erhält also jeweils drei Kurven für die Nachfrage- wie für die Angebotsseite, über deren Zusammenhänge die Tabelle 20 und die Abbildungen 97a und 97b informieren.

Die Kurve II (bzw. 2) ist also Grenzkurve in bezug auf I (bzw. 1), die Kurve III (bzw. 3) ist Grenzkurve in bezug auf II (bzw. 2).

Nunmehr sind wir auch in der Lage, die Mengen bei den beiden Ausbeutungspositionen 3 und 4 und dem Fall beiderseitiger Mengenanpassung (Fall 5) zu bestimmen. Die Grenzvorteilskurve $f(x)$ des Nachfragers wäre bei Preisunabhängigkeit, also Mengenanpassung, seine Nachfragekurve, und entsprechend wäre die Grenzkostenkurve $K'(x)$ des Anbieters bei Preisunabhängigkeit, also Mengenanpassung, seine Angebotskurve. Wenn beide Marktteilnehmer also als Mengenanpasser handeln, bestimmt sich die Menge im Schnittpunkt von Nachfrage- und Angebotskurve: $f(x) = K'(x)$. Im Fall 5 kommen wir demnach zur Polypolmenge. Nun zu den Fällen 3 und 4. Ist $f(x)$ die Grenzvorteilskurve des Monopsonisten, so beträgt sein Gewinn offenbar:

$$G_{MS} = \int f(x)\, dx - px,$$

Tabelle 20

Kurvenübersicht für das bilaterale Monopol

	Vom Nachfrager aus gesehen heißt die Kurve:	Vom Anbieter aus gesehen heißt die Kurve:
Nachfrage-seite	(I) *Durchschnitts*vorteilskurve ↓ (II) *Grenz*vorteilskurve = Nachfragekurve (bei Preisunabhängigkeit)	Ausbeutungskurve des Anbieters Preis-Absatzfunktion = *Durchschnitts*umsatzkurve ↓ (III) *Grenz*umsatzkurve
Angebots-seite	*Grenz*ausgabenkurve (3) ↑ *Durchschnitts*ausgabenkurve = Preisbezugsfunktion	Angebotskurve (bei Preisunabhängigkeit) = *Grenz*kostenkurve (2) ↑ Kurve der variablen *Durchschnitts*kosten (1)

Anm.: Die Ziffern in Tabelle 20 beziehen sich auf die Abbildungen 97a und 97b.

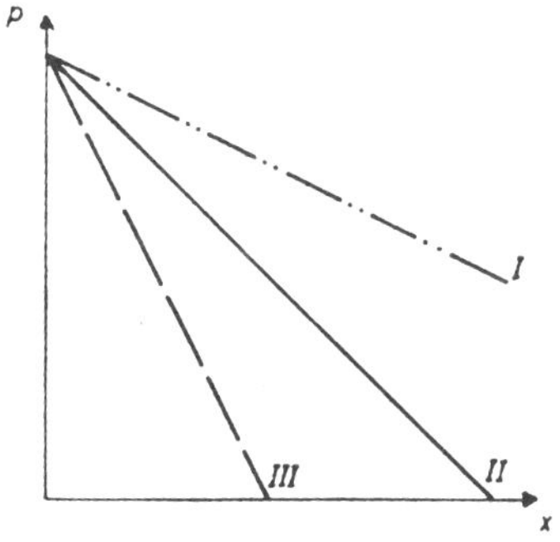

Abb. 97a

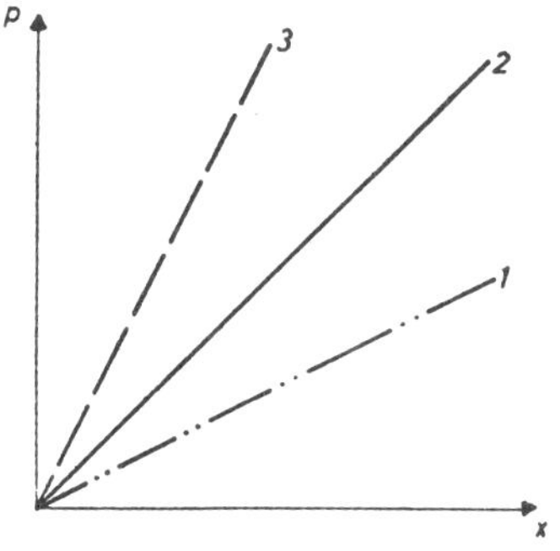

Abb. 97b

wobei px die Ausgabe des Nachfragers darstellt. Ist $K'(x)$ die Grenzkostenkurve des Monopolisten, so beträgt sein (Brutto-)Gewinn

$$G_M = px - \int K'(x)\, dx.$$

Der Gesamtgewinn, um dessen Verteilung es beim bilateralen Monopol geht, beläuft sich dann auf

$$G_{MS} + G_M = G = \int f(x)\, dx - \int K'(x)\, dx.$$

Bezieht der Anbieter oder der Nachfrager die Ausbeutungsposition, so will er den maximalen Gesamtgewinn an sich ziehen und damit gleichzeitig den Gewinn des Kontrahenten auf Null reduzieren. Der Gesamtgewinn ist offenbar maximal, wenn folgende Bedingung erfüllt ist (wir verzichten auf die Anführung der hinreichenden Bedingung):

$$G' = f(x) - K'(x) = 0.$$

Das ist aber nichts anderes als die oben abgeleitete Bedingung für die Polypolmenge, d. h. die beiden Ausbeutungspositionen führen zur Polypolmenge. Der Ausbeutungspreis des Anbieters liegt auf der Durchschnittsvorteilskurve, genau über der Polypolmenge; der Ausbeutungspreis des Nachfragers liegt auf der Kurve der variablen Durchschnittskosten ebenfalls bei der Polypolmenge. Dies läßt sich leicht nachprüfen, indem man die obenstehenden Ausdrücke für den Monopsongewinn und den Monopolgewinn gleich Null setzt und nach p auflöst.

Die Gesamtsituation beim bilateralen Monopol wird aus Abb. 98 ersichtlich.

Der maximale Gesamtgewinn ist gleich dem Rechteck $p_M^A A_M A_{MS} p_{MS}^A$. Die Punkte C_M, C_{MS}, A_M, A_{MS} und P stellen die fünf Lösungsmöglichkeiten in der oben genannten Reihenfolge dar, d. h. C_M ist der Cournotsche Monopolpunkt, A_M die Ausbeutungsposition des Monopolisten usw. Die Preisbildung ist demnach innerhalb des Bereiches C_M P, A_M P, C_{MS} P, A_{MS} P unbestimmt. Welcher Preis durch *allgemeine Verhandlung* (Frisch) und korrespektive Strategie zustandekommt, hängt von der Verteilung der relativen Machtpositionen und damit auch von außerökonomischen Faktoren ab.

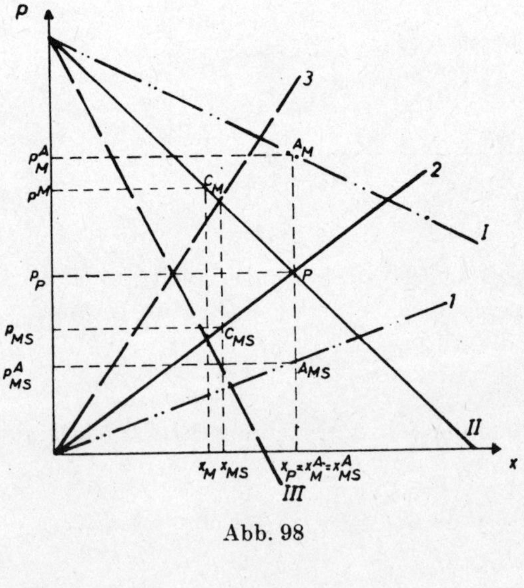

Abb. 98

4. Die Preisbildung beim Oligopol auf dem vollkommenen Markt

§ 1. Einführung in die Problematik der oligopolistischen Preisbildung

Die Marktform des Oligopols gehört zweifellos zu den in der Wirklichkeit am häufigsten vorkommenden Marktformen, und es ist deshalb vollauf berechtigt, wenn sich die preistheoretische Forschung diesem Zentralproblem immer und immer wieder zuwendet. Zugleich gehört die Oligopolpreistheorie zu den schwierigsten Kapiteln der Preistheorie, wenn nicht sogar der Wirtschaftstheorie überhaupt, so daß auch unter diesem Aspekt die große Intensität der Forschung gerechtfertigt erscheint.

Woher stammen nun diese Schwierigkeiten? Ein Oligopolist hat bei seinen Planungen offensichtlich nicht nur die Aktionen und Reaktionen der Marktgegenseite, der Nachfrager zu beachten, sondern er muß auch mit den Aktionen und Reaktionen seiner Konkurrenten rechnen. Ihre Handlungen sind nicht mehr wie beim Polypol für ihn unwichtig, sondern im Oligopol übt jeder Anbieter auf jeden anderen Anbieter einen starken Einfluß aus und unterliegt damit seinerseits den Wirkungen, die von dem Handeln eines jeden seiner Konkurrenten auf ihn ausgehen. Typisch für das Oligopol ist demnach die *Interdependenz-Situation*, in der sich jeder Anbieter befindet, typisch ist der „Bumerang-Charakter" der oligopolistischen Konkurrenzbeziehungen. Es kommt deshalb beim Oligopol auch darauf an, die Absichten der Konkurrenten so schnell wie möglich zu erfahren, sie womöglich vorauszuahnen, andererseits aber die Rivalen über die eigenen Absichten und Maßnahmen im Dunkeln zu lassen, sie womöglich sogar zu täuschen und zu zu bluffen.

Noch deutlicher werden die Schwierigkeiten der Oligopolpreistheorie, wenn man einmal versucht, die Gewinnmaximierungsbedingungen für einen Oligopolisten abzuleiten. Nehmen wir den einfachsten Fall eines Oligopols, ein *Dyopol*, und zwar auf dem vollkommenen Markt. Der für beide Dyopolisten geltende Preis hängt offenbar von den Absatzmengen beider Dyopolisten ab, so daß für die Gesamtnachfragefunktion geschrieben werden kann:

$$p = p\,(x_1 + x_2).$$

Die Gewinngleichung für den Dyopolisten 1 lautet dann offenbar

$$G_1 = p\,(x_1 + x_2)\,x_1 - K_1\,(x_1)$$

oder allgemein formuliert

$$G_1 = G_1\,(x_1, x_2).$$

Der Gewinn des Dyopolisten 1 hängt demnach von seiner eigenen Absatzmenge und der seines Konkurrenten 2 ab. Die erste Gewinnmaximierungsbedingung kann dann wie folgt geschrieben werden:

$$\frac{d\,G_1}{d\,x_1} = \frac{\partial\,G_1}{\partial\,x_1} + \frac{\partial\,G_1}{\partial\,x_2}\,\frac{d\,x_2}{d\,x_1} = 0\,.$$

In dieser Beziehung taucht die Größe dx_2/dx_1 auf, die man als *Reaktionskoeffizienten* bezeichnet. Dieser Koeffizient gibt an, welche Mengenreaktion der Dyopolist 2 auf eine Mengenänderung des Dyopolisten 1 durchführt, aber – und das ist das Entscheidende – der Wert, die Größe dieses Reaktionskoeffizienten, ist nicht bekannt. In den zur Verfügung stehenden Informationen, d.s. die Nachfragefunktion und die beiden Kostenfunktionen, ist nichts über den bzw. die Reaktionskoeffizienten enthalten mit der Folge, daß das Gewinnmaximierungsproblem zunächst einmal unlösbar ist. Erst wenn man eine sinnvolle *Reaktionshypothese* aufgestellt und damit den Reaktionskoeffizienten plausible Werte beigelegt hat, wird das Preisbildungsproblem im Oligopol lösbar. Man kann ohne Übertreibung dieses Auffinden oder Aufstellen sinnvoller Reaktionshypothesen mit der damit verbundenen Konkretisierung der Reaktionskoeffizienten als das Kernproblem innerhalb der Oligopolpreistheorie bezeichnen.

§ 2. Die Oligopollösungen für den vollkommenen Markt bei Mengenstrategie

Die erste und auch schon klassische Behandlung des Oligopolproblems verdanken wir COURNOT, mit dessen Lösung deshalb auch begonnen werden soll. COURNOT vereinfacht das Problem zunächst einmal dadurch, daß er zwei Anbieter voraussetzt, also ein Dyopol. Ferner unterstellt COURNOT einen vollkommenen Markt, so daß nur ein einheitlicher Dyopolpreis zustandekommt, kostenlose Produktion (zwei Mineralquellen) sowie *autonome Mengenstrategie*. Diese letzte Voraussetzung bedeutet: Der einzelne Dyopolist nimmt an, daß er durch Veränderungen seiner Angebotsmenge keine Reaktion seines Rivalen hervorruft, d.h. für die beiden Reaktionskoeffizienten dx_2/dx_1 und dx_1/dx_2 wird der Wert Null unterstellt. Wir ergänzen die Voraussetzungen COURNOTS durch die Annahme einer linearen Gesamtnachfragefunktion, für die $p = -(x_1 + x_2) + 100$ gewählt werden soll.

In der Periode $t = 0$ soll allein der Anbieter 1 auftreten, der also in dieser Periode Monopolist ist und gemäß der in Kap. III, 3, § 1 abgeleiteten Gewinnmaximierungsregel (Gewinn = Umsatz, infolge kostenloser Produktion) die Hälfte der insgesamt absetzbaren Menge, also 50 ME zum Preise von 50 *GE* anbietet. In $t = 1$ tritt der Dyopolist 2 auf, der die Angebotsmenge des ersten Dyopolisten als Datum ansieht und sich auf dem ihm verbleibenden Raum einrichtet. Der Dyopolist 2 bietet die Hälfte der ihm noch von der Sättigungsmenge verbleibenden Hälfte von 50, also 25 *ME* an; der für beide geltende Preis sinkt auf 25 *GE*. Der erste Dyopolist registriert nun, daß sein möglicher Absatz durch das Auftreten des 2 von 100 auf 75 *ME* zurückgegangen ist und reduziert sein Angebot auf die Hälfte von 75, also 37,5 *ME*, so daß der Preis auf 37,5 *GE* steigt. Der Prozeß verläuft nach diesem Schema weiter und erreicht ein Ende, wenn jeder der beiden Dyopolisten 1/3 der Sättigungsmenge anbietet, also $33^1/_3$ *ME* (vgl. Tabelle 21).

Tabelle 21
*Die Cournotsche Dyopollösung**

Zeit	x_1^m	x_1^r	x_2^m	x_2^r	p	$U_1 = G_1$	$U_2 = G_2$
0	100	50	—	—	50	2500	—
1	(100)	50	50	25	25	1250	625
2	75	37,5	(50)	25	37,5	1406,25	937,5
3	(75)	37,5	62,5	31,25	31,25	1171,87	976,5625
4	68,75	34,375	(62,5)	31,25	34,375	1181,645	1074,22
.							
.							
.							
∞	$66,\overline{66}$	$33,\overline{33}$	$66,\overline{66}$	$33,\overline{33}$	$33,\overline{33}$	$1111,\overline{11}$	$1111,\overline{11}$

*) x^r = realisierter, x^m = möglicher Absatz. Die Klammern bei den x^m-Werten sollen andeuten, daß sich der mögliche Absatz des betreffenden Dyopolisten in der betreffenden Periode schon geändert hat.

Sehr einfach kann die Cournot-Lösung mit Hilfe der folgenden Gleichungen abgeleitet werden. Für jeden Dyopolisten gilt, daß er stets die Hälfte seines möglichen Absatzes anbietet, also

$$x_1^r = \frac{1}{2}\, x_1^m\,, \tag{1}$$

$$x_2^r = \frac{1}{2}\, x_2^m\,. \tag{2}$$

Der mögliche Absatz eines jeden Dyopolisten ist gleich dem insgesamt möglichen Absatz x^m abzüglich des tatsächlichen Absatzes des Konkurrenten:

$$x_1^m = x^m - x_2^r\,, \tag{3}$$

$$x_2^m = x^m - x_1^r\,. \tag{4}$$

Aus diesen vier Gleichungen resultiert durch Substitution zunächst

$$x_1^r = \frac{1}{2}\left(x^m - x_2^r\right), \tag{5}$$

$$x_2^r = \frac{1}{2}\left(x^m - x_1^r\right) \tag{6}$$

und ferner

$$x_1^r = \frac{1}{3}\, x^m\,, \tag{7}$$

$$x_2^r = \frac{1}{3}\, x^m\,. \tag{8}$$

In unserem Zahlenbeispiel beträgt $x^m = 100$, so daß sich die tatsächliche Angebotsmenge, wie bereits erwähnt, jeweils auf $33^1/_3$ *ME* beläuft. Wegen des Endgleichgewichts mit $x_1^r + x_2^r = \frac{2}{3}\, x^m$ nennt man die Cournotsche-Lösung auch *Zwei-Drittel-Lösung.*

Die Abb. 99 stellt den in der Tabelle 21 enthaltenen Anpassungsprozeß dar und zeigt insbesondere auch die Veränderungen der für jeden Dyopolisten geltenden Nachfragekurve von Periode zu Periode.

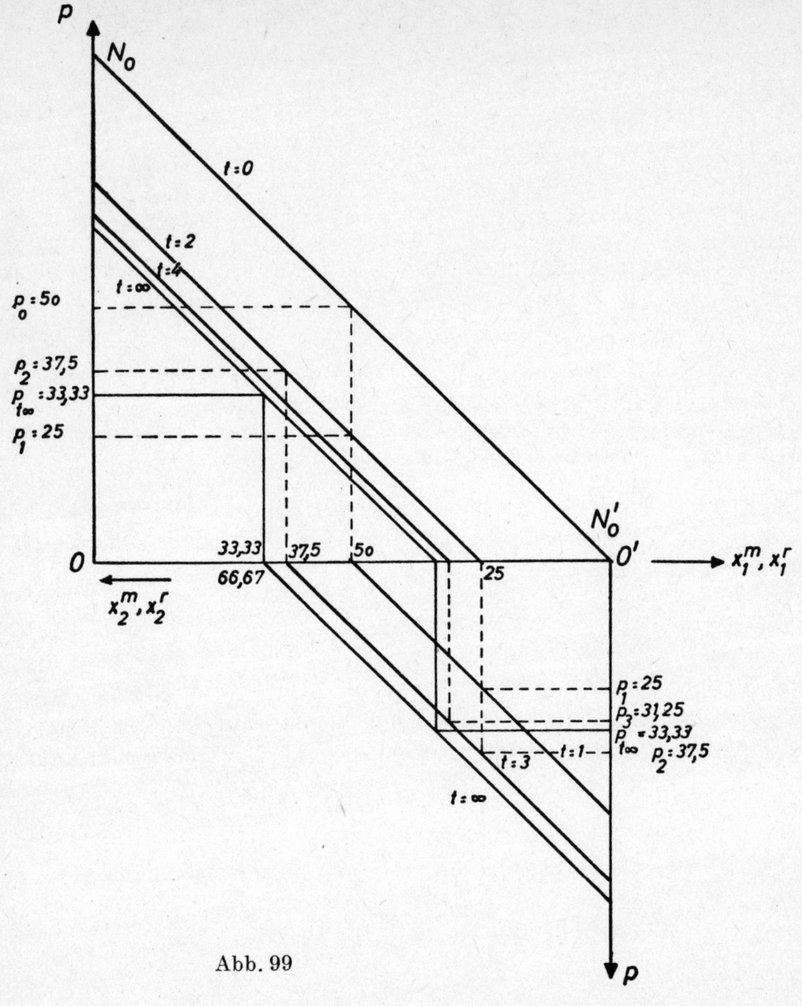

Abb. 99

Wir tragen zunächst wie gewohnt in der positiven Richtung der Abszisse den möglichen und tatsächlichen Absatz des Dyopolisten 1 auf. Die Ordinate ist wie üblich die Preis-Achse, wobei daran zu erinnern ist, daß der Preis für beide Dyopolisten stets gleich ist (vollkommener Markt). In der Periode $t = 0$ sei der Dyopolist 1 allein auf dem Plan, so daß er sich der Gesamtnachfragefunktion $N_0 N_0'$ gegenübersieht. Von der Sättigungsmenge, dem insgesamt möglichen Absatz x^m aus, wird nun von rechts nach links der Absatz des zweiten Dyopolisten aufgetragen (Punkt 0′), dazu gehört die nach unten verlaufende Preis-Achse. Die für jeden der beiden Dyopolisten in jedem Zeitpunkt geltende Nachfragefunktion kann dann leicht wie folgt konstruiert werden: Insgesamt möglicher Absatz (für den Dyopolisten 1 von links nach rechts, den Dyopolisten 2 von rechts nach links gemessen) minus tatsächlichem Absatz des anderen (für 1 von 0′ aus, für 2 von 0 aus gemessen) ergibt den möglichen Absatz des 1 bzw. des 2. Die Nachfragekurven besitzen alle dieselbe Steigung wie die Gesamtnachfragekurve, können jetzt also ohne weiteres konstruiert werden. Der Anpassungsprozeß findet ein Ende, wenn die Gleichungen (5) und (6) bzw. (7) und (8) erfüllt sind.

Wenden wir uns jetzt einer weiteren Oligopollösung zu, nämlich der *Asymmetrielösung* STACKELBERGS. Dabei ist von den folgenden Überlegungen auszugehen: Wenn einer der beiden Dyopolisten, sagen wir der 1, merkt, daß sich sein Rivale stets auf dem ihm verbleibenden Raum à la COURNOT einrichtet, dann kann sich der erste Dyopolist diese starre, unelastische Verhaltensweise seines Rivalen zunütze machen, indem er sein *Unabhängigkeitsangebot* auf den Markt wirft, an das sich der zweite Dyopolist dann anpaßt. Der erste Dyopolist ermittelt also den Gewinn, der nach erfolgter Anpassung des zweiten Dyopolisten ein Maximum darstellt.

Bei dieser Asymmetrielösung treibt also der eine Dyopolist autonome Strategie oder — in der Terminologie STACKELBERGS — bezieht die *Abhängigkeitsposition*. Der andere treibt Überlegenheitsstrategie oder verwirklicht die Unabhängigkeitsposition. Das Vorgehen des unabhängigen Dyopolisten hat man sich etwa folgendermaßen vorzustellen: Der Dyopolist 1 probiert (in Gedanken!) sämtliche möglichen Kombinationen von x_1^r und x_2^r durch, wobei er seine eigene Angebotsmenge frei, unabhängig vom Dyopolisten 2 variiert, während der zweite Dyopolist in diesem Planspiel des 1 seine Menge gemäß der Gleichung (6) $x_2^r = \frac{1}{2}\,(x^m - x_1^r)$, also von ihm, dem 1 abhängig festsetzt. Bei Zugrundelegen der oben verwendeten Gesamtnachfrage erhält man für den ersten Dyopolisten die Werte der Tabelle 22.

Tabelle 22

Die Asymmetrielösung Stackelbergs

x_1^r	x_2^r	$x_1^r + x_2^r$	p	$G_1 = U_1$	$G_2 = U_2$
0	50	50	50	0	2500
10	45	55	45	450	2025
20	40	60	40	800	1600
30	35	65	35	1050	1225
40	30	70	30	1200	900
50	25	75	25	1250	625
60	20	80	20	1200	400
70	15	85	15	1050	225
80	10	90	10	800	100
90	5	95	5	450	25
100	0	100	0	0	0

Die eingerahmte Zeile in Tabelle 22 zeigt die für den Dyopolisten 1 gewinnmaximale Situation mit $x_1^r = 50$, $x_2^r = 25$, $p = 25$, $G_1 = 1250$ und $G_2 = 625$.

Ohne hier die streng mathematische Ableitung der Lösung nach STACKELBERG wiederzugeben, läßt sich der analytische Lösungsweg einfach wie folgt angeben: In die Gesamtnachfragefunktion $p = -(x_1^r + x_2^r) + 100$ wird die *Reaktionsfunktion* (6) des zweiten Dyopolisten, d.i. $x_2^r = \frac{1}{2}(x^m - x_1^r)$, eingesetzt, wobei für die Sättigungsmenge x^m sofort der Wert 100 geschrieben wird.

Dies führt zu

$$p = -\left(x_1^r + 50 - \frac{1}{2} x_1^r\right) + 100\,;$$

$$p = -\frac{1}{2} x_1^r + 50\,.$$

Die Umsatz- = Gewinnfunktion des ersten Dyopolisten ist dann

$$G_1 = U_1 = -\frac{1}{2} x_1^{r2} + 50\, x_1^r$$

mit

$$G_1' = U_1' = -x_1^r + 50 = 0$$

und der Absatzmenge $x_1^r = 50$. Die Menge des zweiten Dyopolisten ergibt sich aus seiner Reaktionsfunktion, der Preis aus der Gesamtnachfragekurve.

Die Asymmetrielösung STACKELBERGS ist demnach durch die Überlegenheitsstrategie des einen und die autonome Strategie des anderen Dyopolisten charakterisiert. Man kann auch sagen, der eine Dyopolist sei Mengenführer, der andere Mengenfolger.

Nun kann natürlich der in der Abhängigkeitsposition befindliche Dyopolist, dessen Gewinn ja zu wünschen übrig läßt, versuchen, den Spieß herumzudrehen, also den Rivalen in die Abhängigkeitsposition zu drängen und selbst die Unabhängigkeitsposition einzunehmen. Gelingt dieser Wechsel von Abhängigkeits- und Unabhängigkeitsposition nicht, so kann es zu dem kommen, was man seit STACKELBERG die *Bowleysche Oligopollösung* nennt.

Die Bowleysche Lösung ist dadurch gekennzeichnet, daß jeder der beiden Dyopolisten Überlegenheitsstrategie treibt, daß jeder sein Unabhängigkeitsangebot auf den Markt wirft. In unserem Zahlenbeispiel beträgt das Gesamtangebot dann 100 ME, der Preis würde auf Null absinken. Offensichtlich haben wir in dem Bowleyschen Fall einen Machtkampf vor uns und auch der Ausdruck „ruinöse Konkurrenz“ wäre hier am Platze. Erst durch das Nachgeben eines der beiden Dyopolisten, durch sein Ausscheiden infolge Bankrotts oder aber auch durch Verständigung, durch Zusammenarbeit der beiden Dyopolisten kann dieser Zustand ein Ende finden. Der letzten Möglichkeit, auf die schon COURNOT hingewiesen hatte, wollen wir uns nunmehr zuwenden.

Die beiden Dyopolisten treffen also eine Übereinkunft, z.B. durch Kartellierung, und erstreben die *Maximierung des Gesamtgewinns* (*joint profit maximization*, CHAMBERLIN, FELLNER). Sie verwirklichen also den Monopolpunkt mit dem Gesamtangebot $x_1^r + x_2^r = 50$, dem Preis $p = 50$ und dem Gesamtgewinn $G_1 + G_2 = 2500$. Wie wohl nicht bewiesen zu werden braucht, führt die gemeinsame Gewinnmaximierung nur zur Bestimmung der Gesamtgrößen (Gesamtangebot, Gesamtgewinn); die Aufteilung der Produktionsmenge und damit des Gewinns ist ein Spezialproblem für sich.

Bevor wir die einzelnen Lösungen des Oligopolproblems auf dem vollkommenen Markt einer kritischen Betrachtung unterziehen, sollen diese zunächst durch die nachstehende Übersicht zusammengefaßt und durch zwei graphische Darstellungen veranschaulicht werden:

1. Cournotsche Zwei-Drittel-Lösung:	Beide Dyopolisten treiben autonome Strategie (bzw. verwirklichen die Abhängigkeitsposition).
2. Stackelbergsche Asymmetrie-Lösung:	Ein Dyopolist treibt Überlegenheitsstrategie (Unabhängigkeitsposition), der andere autonome Strategie (Abhängigkeitsposition).
3. Bowleysche Lösung:	Beide Dyopolisten treiben Überlegenheitsstrategie (Unabhängigkeitsposition).
4. Gemeinsame Gewinnmaximierung.	

Ausgehend von der Nachfragekurve läßt Abb. 100 die den einzelnen Lösungen entsprechenden Mengen und Preise sichtbar werden.

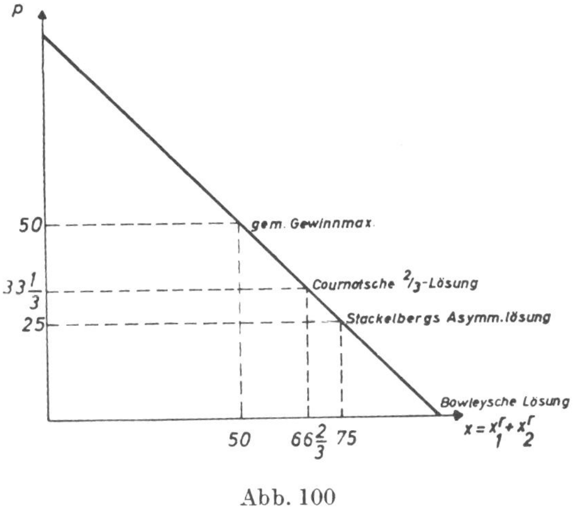

Abb. 100

Eine andere Art der Darstellung geht bereits auf COURNOT zurück. Bei ihr bedient man sich der sog. *Reaktionskurven,* das sind die Abbildungen der Reaktionsgleichungen (5) und (6) in Abb. 101.

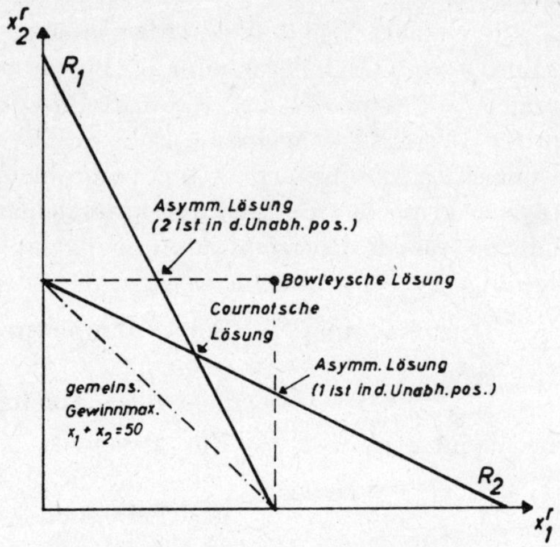

Abb. 101

Schließlich ist noch die Reihenfolge der Gewinne bei den einzelnen Lösungen von Interesse. Man erhält die folgende Ungleichung:

$$G_{\text{Bowley}} < G_{\text{Stackelbg., Abh.}} < G_{\text{Cournot}} < G_{\text{Stackelbg., Unabh.}}$$

An dieser Reihenfolge ändert sich nichts, wenn die unrealistische Voraussetzung kostenloser Produktion aufgegeben wird, so daß wir uns mit der voranstehenden Analyse begnügen können.

Bei einer kritischen Prüfung der vorgeführten Oligopollösungen interessieren offenbar vor allem die folgenden Fragen:

1. Welche der Lösungen setzen ein *konsistentes Verhalten* der Dyopolisten voraus, und bei welchen Lösungen kann man wegen Inkonsistenz von Irrtumslösungen sprechen?

2. Welche Lösungen sind als *stabile* Lösungen zu bezeichnen und welche nicht?

3. Welche Lösungen werden von einer oder mehreren anderen Lösungen *dominiert*?

4. Welche *zusätzlichen Faktoren* sind bei der Preisbildung zu berücksichtigen?

Ad 1): Auf den ersten Blick scheint die Cournotsche Lösung der Prototyp einer Irrtumslösung zu sein, nimmt doch jeder Dyopolist an, der Konkurrent reagiere auf eigene Mengenveränderungen nicht, während er de facto doch wieder und wieder reagiert. Ein solches Urteil wäre jedoch voreilig, denn nur in der dynamischen Version des Cournotschen Modells, wie sie in Tabelle 4 enthalten ist, kann der Widerspruch zwischen Erwartungen und Tatsachen sichtbar werden. Die statische Cournot-Lösung ist keine Irrtumslösung, denn der Widerspruch zwischen der Beeinflussung der Aktionsparameter, die tatsächlich eintritt, und der Nicht-Beeinflussung, mit der der einzelne Dyopolist rechnet, kann nicht sichtbar werden. Die Dyopolisten sind, um mit FELLNER zu sprechen, „right for the wrong reason".

Ähnliche Überlegungen gelten für das asymmetrische Dyopol STACKELBERGS, das in seiner statischen Version unbedingt eine konsistente Lösung darstellt. Wenn der *Mengenführer* dagegen in einem dynamischen Prozeß die Unabhängigkeitsposition zu erreichen versucht, so bestehen zwei Möglichkeiten. Gelingt es dem *Mengenführer*, jede Mengenfixierung, die er zur Erreichung der Unabhängigkeitsposition durchführt, dem *Mengenfolger* als neue *Aktion* erscheinen zu lassen, so ist die Asymmetrie-Lösung wiederum eine konsistente Lösung. Interpretiert der Mengenfolger dagegen diese einzelnen Schritte als *Reaktionen*, so entzieht er durch diese Interpretation seiner Ausgangshypothese, der Konkurrent reagiere auf eigene Mengenvariationen nicht, selbst die Grundlage. In der dynamischen Version besteht demnach auch die Möglichkeit, daß sich die Stackelberg-Lösung als Irrtumslösung erweist, die nicht von Dauer sein kann.

Eindeutig als Irrtumslösung zu bezeichnen ist die Lösung A. L. BOWLEYS, bei der sich jeder Dyopolist über das Verhalten seines Konkurrenten irrt. Jeder der beiden Dyopolisten stellt ja die im Zusammenhang mit Tabelle 22 dargelegten Überlegungen an, indem er autonome Strategie seines Rivalen voraussetzt und selbst Überlegenheitsstrategie treibt. Keiner handelt mehr richtig, und dies stellt sich diesmal auch schon bei statischer Betrachtung eindeutig heraus; um mit FELLNER zu sprechen: „They cannot be right for the right reasons." Jeder versucht, um ein Beispiel AMOROSOS zu verwenden, sich zum Herren des anderen aufzuschwingen, und daß dies beide erreichen können, ist offenbar eine Unmöglichkeit.

Ad 2): Die Frage nach der Stabilität der Lösungen läßt sich am schnellsten für das Bowleysche Dyopol beantworten, das ganz eindeutig eine völlig instabile Situation darstellt. Etwas komplizierter liegen die Dinge bei COURNOT und noch mehr bei STACKELBERG. Die Cournotsche Lösung ist solange stabil, solange keine Datenänderungen eingeführt werden. Aber besonders dann, wenn sich die Erreichung des Cournotschen Gleichgewichts als dynamischer Prozeß in der Zeit vollzieht, kann damit gerechnet werden, daß einer der beiden Dyopolisten den Ablauf des ganzen Prozesses antizipiert und mit seiner Mengenanpassung dort aufhört, wo er selbst die Unabhängigkeitsposition einnimmt und sein Rivale die Abhängigkeitsposition bezieht (man vgl. Tabelle 21). Aus dem Cournotschen Dyopol entwickelt sich die

Stackelbergsche Asymmetrielösung. Bei ihr ist die Frage nach der Stabilität nicht leicht zu beantworten. Sind beide Konkurrenten gleich groß und gleich stark, dann ist nicht einzusehen, weshalb der eine sich mit der Abhängigkeitsposition zufrieden geben soll. Wenn er aber versucht, die Unabhängigkeitsposition zu erreichen, dann ist wiederum nicht einzusehen, wie ihm dies bei gleicher Größe der beiden Dyopolisten gelingen soll, denn man kann ja nicht damit rechnen, daß der andere Dyopolist sich freiwillig mit dem Wechsel in die Abhängigkeitsposition abfinden wird. Entweder kommt es also zum Bowleyschen Machtkampf, oder der in der Abhängigkeitsposition befindliche Dyopolist sieht diese Entwicklung voraus und verzichtet auf seinen Angriff. Gleichwohl bleibt der Pfahl im Fleische, will sagen ärgern und reizen ihn die hohen Gewinne des unabhängigen Dyopolisten und mögen ihn doch noch einmal zu einer Attacke verleiten. Ein allgemeines Urteil über die Stabilität des asymmetrischen Dyopols erscheint demnach kaum möglich, es sei denn, die Größenverteilung der beiden Dyopolisten sei selbst asymmetrisch. Dann entfallen die aufgezeigten Probleme, und die Lösung besitzt weitgehende Stabilität.

Ad 3) und 4): Die beiden letzten Fragen — Frage nach der Domination von Lösungen durch andere Lösungen und die Frage nach zusätzlichen Preisbildungsfaktoren — lassen sich nur schwer trennen. Im Vordergrund steht hier nämlich das Problem, ob die beiden Dyopolisten nicht immer den Monopolpunkt verwirklichen und damit den Gesamtgewinn maximieren werden, ob also die Monopollösung nicht alle anderen Lösungen eindeutig dominiert. Diese Folgerung hat man in der Tat gelegentlich gezogen, so z.B. bei der ersten spieltheoretischen Behandlung des Oligopolproblems[1]). Danach müßten alle vollkommenen und auch alle unvollkommenen Oligopolmärkte in der Wirklichkeit kartellierte Märkte sein, wovon natürlich keine Rede sein kann. Es gilt demnach, weitere die Oligopolpreisbildung beeinflussende Faktoren in die Analyse einzubeziehen, die diese Domination der übrigen Oligopollösungen durch die Monopollösung verhindern. Ohne Vollständigkeit zu beanspruchen, seien einige dieser Faktoren aufgezählt:

a) Koalitionen (Kartelle) können verboten sein, und dann scheidet die gemeinsame Gewinnmaximierung aus dem Kreis der Oligopollösungen aus, wenn man nach der Erfahrung allerdings auch annehmen muß, die Unternehmer seien in der Umgehung eines Kartellverbots außerordentlich findig.

b) Die Koalitionenbildung ist in der Regel mit Kosten verbunden, die im Vergleich mit dem zu erwartenden Mehrgewinn eine Koalierung als wenig rentabel erscheinen lassen können.

c) Kann ein Anbieter im Alleingang denselben Gewinn erzielen, den er bei gemeinsamer Gewinnmaximierung und 1 :1-Aufteilung bekäme, so müssen

---

[1]) Vgl. J. v. Neumann/O. Morgenstern, The Theory..., a.a.O., S. 58ff.

ihm Kompensationszahlungen angeboten werden, bevor die Koalition zustande kommt. (Wie man ohne weiteres erkennt, handelt es sich um den Vergleich der Unabhängigkeitsposition bei der Asymmetrielösung mit der gemeinsamen Gewinnmaximierung; in unserem Beispiel sind in beiden Fällen die Gewinne des sich in der Unabhängigkeitsposition befindenden Dyopolisten gleich.) Das Streben nach unternehmerischer Selbständigkeit kann in diesem Falle den Ausschlag geben, evtl. auch Rücksichtnahme auf die öffentliche Meinung etc.

Trotz dieser gegen eine Koalition von Oligopolisten sprechenden Gründe darf nicht verkannt werden, daß das *Streben nach Sicherheit* beim vollkommenen Oligopol stärker als bei allen anderen Marktformen ausgeprägt ist, verbunden zugleich mit der Möglichkeit, etwas für diese Sicherheit zu tun (K. W. ROTHSCHILD). Die Marktform des Oligopols auf dem vollkommenen Markt ist sicher die Marktform, bei der die Neigung und die Möglichkeit zur Koalitionenbildung am größten sind.

§ 3. Die Oligopollösungen für den vollkommenen Markt bei Preisstrategie

Der französische Mathematiker J. BERTRAND entwickelte auf Grund eines Mißverständnisses der Cournotschen Dyopollösung eine Lösung für den Fall der Preisstrategie, die man die Bertrand (-Edgeworth)-Lösung nennt. In der spezifischen Ausprägung, die ihr EDGEWORTH gegeben hat, nennt man sie auch das Edgeworthsche Oszillationsdyopol.

Die entscheidende Veränderung bei den Voraussetzungen des Modells ist die folgende: Jeder der beiden Dyopolisten agiert jetzt mit dem Preis, wobei er glaubt, der Preis seines Rivalen werde durch die eigenen Preisveränderungen nicht beeinflußt. Wir haben also autonome Preisstrategie bei beiden Dyopolisten vor uns. Die Analysen von BERTRAND und EDGEWORTH unterscheiden sich dann dadurch, daß BERTRAND im Gegensatz zu EDGEWORTH nicht mit Kapazitätsbeschränkungen arbeitet.

Betrachten wir als erstes die Nachfragesituation, wie sie sich für den einzelnen Anbieter bei Preisstrategie darstellt. Die Gesamtnachfragefunktion sei wieder durch unsere Standard-Funktion $p = -x + 100$ gegeben, die wir jetzt aber nach der Menge auflösen: $x = -p + 100$. Wenn beide Dyopolisten stets denselben Preis verlangen, so erhält man für jeden eine Teilnachfragekurve bzw. eine Preis-Absatzfunktion bei stets gleichen Preisen der beiden Anbieter. Sie genügt der Gleichung $x_i = -\frac{1}{2}p + 50$ $(i = 1,2)$ und wird in der graphischen Darstellung für den Anbieter 1 nach rechts, für den Anbieter 2 nach links aufgetragen (vgl. Abb. 102).

Nehmen wir jetzt einen Punkt als verwirklicht an, sagen wir den Monopolpunkt, der bei kostenloser Produktion durch die Werte $x_1 = 25$, $x_2 = 25$ und $p = 50$ repräsentiert wird. Jetzt soll der Dyopolist 1 bei konstantem Preis seines Konkurrenten ($p_2 = 50$) seinen Preis um einen sehr kleinen Betrag senken[1]). Dann wird der zweite Dyopolist seinen gesamten Absatz verlieren, während 1 sich der Gesamtnachfrage gegenübersieht. Die Nachfragekurve für den ersten Dyopolisten bei konstantem Preis seiner Konkurrenten ist

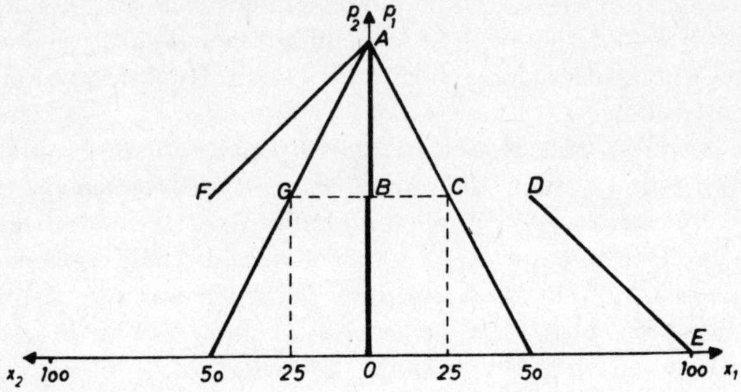

Abb. 102

demnach die dreiteilige Funktion AB, C, DE, das ist eine Preis-Absatzfunktion bei autonomer Preisvariation eines Anbieters. Die Nachfragekurve des Dyopolisten 2 bei konstantem eigenen und variablen Preis seines Rivalen ist AF, G, BO. Der zweite Dyopolist muß nun, um wieder ins Geschäft zu kommen, mindestens in den Preis seines Konkurrenten eintreten oder ihn unterbieten. Bei einer Unterbietung gewinnt der zweite Dyopolist den gesamten Absatz, die gesamte Nachfrage, während der erste leer ausgeht. Dann muß der erste Dyopolist wieder handeln, d.h. seinen Preis senken, und es ergibt sich ein fortgesetzter Prozeß der Preisunterbietung.

Nehmen wir jetzt eine Null-Gewinn-Grenze an. Die Kostenfunktionen der beiden Dyopolisten seien $K_1 = 20x_1$ und $K_2 = 20x_2$, so daß die durchschnittlichen variablen Kosten (die gleich den Grenzkosten sind) $\frac{K_1}{x_1} = \frac{K_2}{x_2} = 20$ betragen. Der Unterbietungsprozeß findet dann bei $p_1 = p_2 = \frac{K_1}{x_1} = \frac{K_2}{x_2} = 20$ spätestens ein Ende; keiner der beiden Dyopolisten erzielt mehr einen Gewinn, und keiner kann die Situation zum Besseren wenden, indem er mit dem Preis wieder nach oben geht. Eine Veränderung der Lage — und zwar eine Verbesserung — ist nur denkbar durch eine (stillschweigende) Verabredung der beiden Dyopolisten, gleichzeitig die Preise auf dasselbe Niveau zu erhöhen.

Die interessanteren Aspekte enthält das Modell von Edgeworth, und zwar durch die Annahme von Kapazitätsbeschränkungen. Wir setzen im

[1]) Es handelt sich um einen sehr kleinen, aber nicht infinitesimal kleinen Betrag.

folgenden die gleichen Kostenfunktionen wie im Bertrand-Modell voraus, führen aber zusätzlich noch die Kapazitätsgrenzen

$$x_1^{\max} = 35 \text{ und } x_2^{\max} = 35$$

ein. Dann ergibt sich zunächst derselbe Unterbietungsprozeß wie bei BERTRAND, beginnend von einem beliebig gewählten Anfangszustand aus, endend aber jedenfalls bei der Preisuntergrenze $p_1 = p_2 = 20$, also dort, wo die Preise beider Dyopolisten ihren durchschnittlichen variablen Kosten gleich sind. Die Situation unterscheidet sich aber doch von der bei BERTRAND, auch wenn dieser Unterschied zunächst als unerheblich erscheinen mag: Im Endzustand haben wir bei EDGEWORTH einen Nachfragemengenüberschuß von 10, denn die nachgefragte Menge beträgt gemäß der Nachfragefunktion $x = 80$ (bei $p = 20$), während die beiden Dyopolisten auf Grund der Kapazitätsbeschränkungen nur $x_1^{\max} + x_2^{\max} = 70$ auf den Markt werfen können.

Dieser Nachfragemengenüberschuß ist tatsächlich der springende Punkt, an den die weitere Analyse anzuschließen hat. Man argumentiert jetzt entweder derart, daß man sagt, die Nachfrager würden sich gegenseitig überbieten, so daß die Aufwärtsbewegung der Preise nicht durch die beiden Dyopolisten, sondern durch die Nachfrager in Gang kommt. Mit dieser Argumentation verläßt man jedoch streng genommen das Modell, denn bis jetzt waren es die Anbieter, die die Preise, und die Nachfrager, die die Mengen bestimmten. Man muß demnach einen anderen Weg einschlagen, und zwar muß man die folgende Überlegung ins Spiel bringen: Könnte nicht einer der beiden Dyopolisten seinen Preis wieder erhöhen? Er kann sich ja sagen, daß sein Rivale auf Grund seiner beschränkten Kapazität doch nur einen Teil der Nachfrager zu befriedigen vermag und der Rest der Nachfrager froh sein wird, wenn er überhaupt — sei es auch zu einem höheren Preis — befriedigt wird.

Um diese Konstruktion durchhalten zu können, ist die folgende Annahme unerläßlich: Von den Nachfragern, die zu dem niedrigeren Preis kaufen würden, aber nicht beliefert werden, ist ein Teil auch bereit, zu einem höheren Preis zu kaufen. Welcher Teil dies ist, darüber muß eine weitere Annahme eingeführt werden. Betrachten wir dazu die folgende Situation: Der Dyopolist 2 biete zum Preise $p_2 = 20$ seine maximale Ausbringung $x_2^{\max} = 35$ an. Die gesamte Nachfrage beträgt 80 (bei $p_2 = 20$ und $p_1 > 20$), die von 2 befriedigte Nachfrage 35, so daß eine nicht befriedigte Nachfrage von 45 verbleibt (Nachfragemengenüberschuß). Der Dyopolist 1 soll sich jetzt fragen, welcher Teil von dieser Restnachfrage (unbefriedigte Nachfrage) von 45 auch bereit wäre, zu einem höheren Preis bei ihm zu kaufen, sagen wir bei $p_1 = 50$ (vgl. Abb. 103).

Um die folgenden etwas komplizierten Überlegungen möglichst zu vereinfachen, empfiehlt es sich, Schritt für Schritt vorzugehen und als erstes die folgenden Festlegungen zu treffen (in Klammern stehen jeweils die numerischen Werte):

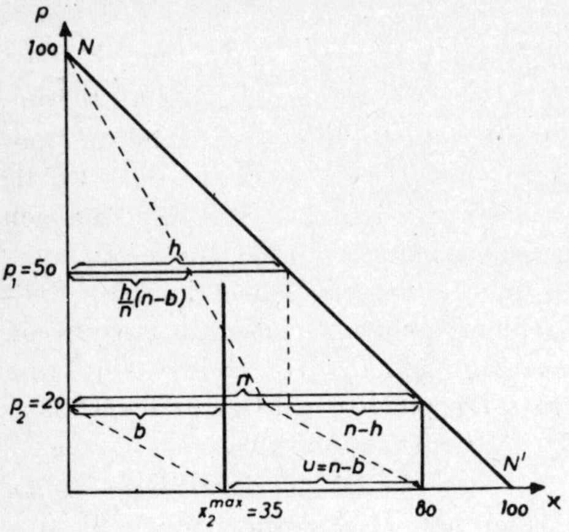

Abb. 103

Bei dem höheren Preis ($p_1 = 50$) kaufen h (50) Nachfrager; bei dem niedrigeren Preis ($p_2 = 20$) kaufen n (80) Nachfrager; $n-h$ (30) sind demnach diejenigen Nachfrager, die nur zum niedrigeren Preis kaufen wollen.

Bei dem niedrigeren Preis werden b (35) Nachfrager befriedigt; bei dem niedrigeren Preis bleiben demnach v (45) Nachfrager unbefriedigt.

Da die Gesamtzahl der Käufer bei dem niedrigeren Preis n (80) beträgt, gilt also $b + v = n$.

Es ist nun sinnvoll, das Folgende anzunehmen: Der Anteil der Käufer, die zum höheren Preis kaufen würden, aber zum niedrigeren Preis befriedigt werden, ist gleich dem Anteil der Käufer, die nur zum niedrigeren Preis kaufen wollen und die zum niedrigeren Preis befriedigt werden. Entsprechend gilt dann natürlich: Der Anteil der Käufer, die zum höheren Preis kaufen würden und beim niedrigeren Preis nicht zum Zuge kommen, ist gleich dem Anteil der Käufer, die nur zum niedrigeren Preis kaufen wollen, aber nicht befriedigt werden. Die Berechnung dieser Anteile enthält Tabelle 23.

Tabelle 23

Die Aufteilung der Nachfrage zur Konstruktion der kontingentierten Nachfragefunktion

	Nachfrager, die zum höheren Preis kaufen (h)	Nachfrager, die nur zum niedrigeren Preis kaufen ($n-h$)	Σ
Nachfrager, die zum niedrigeren Preis befriedigt werden (b)	$\frac{h}{n} b = \frac{50}{80} 35 = 21{,}875$	$\frac{n-h}{n} b = \frac{80-50}{80} 35 = 13{,}125$	$b = 35$
Nachfrager, die zum niedrigeren Preis nicht befriefriedigt werden ($n-b$)	$\frac{h}{n}(n-b) = \frac{50}{80}(80-35) = 28{,}125$	$\frac{n-h}{n}(n-b) = \frac{80-50}{80}(80-35) = 16{,}875$	$n-b = 45$
Σ	$h = 50$	$n-h = 30$	

Entscheidend ist die Zahl 28,125 $\left(= \frac{h}{n}(n-b)\right)$, denn das sind die Käufer, die zum höheren Preis $p_1 = 50$ kaufen würden, aber bei dem niedrigeren Preis $p_2 = 20$ nicht zum Zuge kommen. Mit diesen Käufern kann der Dyopolist 1 rechnen, wenn er seinen Preis auf 50 erhöht, während der Dyopolist 2 bei dem Preis $p_2 = 20$ verharrt und zu diesem Preis 35 Nachfrager befriedigt. Führt man diese Konstruktion für alle Preise $p_1 > p_2 = 20$ durch, so erhält man die Nachfragekurve für den ersten Dyopolisten bei konstanter Menge und konstantem Preis des zweiten Dyopolisten, also $x_1 = f(p_1, \bar{p}_2, \bar{x}_2)$. Man nennt diese Kurve, deren graphische Darstellung Abb. 104 ist, die *kontingentierte* Nachfragekurve für den Dyopolisten 1 (contingent demand function)[1]).

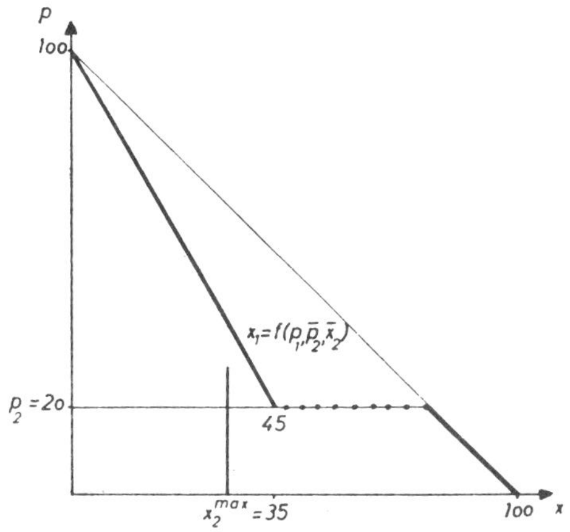

Abb. 104

Wenn man jeweils diese kontingentierten Nachfragekurven verwendet, so ergibt sich für das Edgeworthsche Oszillationsdyopol etwa der folgende Prozeß (Tabelle 24).

Tabelle 24

Das Edgeworthsche Oszillationsdyopol

t	p_1	x_1	G_1	p_2	x_2	G_2
0	60	20	800	60	20	800
1	55	35	1225	60	≈ 9	360
2	55	≈ 13	455	50	35	1050
3	45	35	875	50	≈ 18	540
4	45	≈ 23	575	40	35	700
5	35	35	525	40	≈ 28	560
Die Preisunterbietung in $t = 5$ lohnt sich für den ersten Dyopolisten nicht mehr; er wird den Preis deshalb erhöhen						
5*	60	≈ 17	680	40	35	700
Das Spiel kann von neuem beginnen, wenn der Dyopolist 2 jetzt seinerseits den Preis auf 60 erhöht; es gilt dann die Zeile für $t = 0$.						

---

1) M. Shubik, Strategy and Market Structure. Competition, Oligopoly, and the Theory of Games, New York/London 1959, Kap. 5, S. 80ff.

Der Tabelle liegen die früheren Annahmen zugrunde, also dieselbe Gesamtnachfragefunktion und dieselben Kostenfunktionen wie oben. Bei den Preissenkungen wurden, um den Prozeß abzukürzen, jeweils Schritte von $\Delta p = 5$ unterstellt. Die nur annähernd angegebenen Mengenwerte wurden mit Hilfe der kontingentierten Nachfragefunktionen errechnet. Wie man sieht, wird der Tiefpunkt des Unterbietungsprozesses schon erreicht, bevor die Null-Gewinn-Grenze die Preissenkungen aufhält, ein Tatbestand, auf den bereits EDGEWORTH hingewiesen hatte.

So geistreich und klug die Ableitung des Preisdyopols durch BERTRAND und EDGEWORTH auch sein mag, so schwerwiegend sind andererseits die dagegen anzuführenden Argumente. Vor allem ist es die Annahme autonomer Preisstrategie auf dem vollkommenen Markt, die als völlig unhaltbar angesehen werden muß, zumal das Modell nur unter Berücksichtigung des Zeitablaufs entwickelt werden kann. Natürlich ist es auf dem vollkommenen Markt für einen Dyopolisten verlockend, durch eine Preisreduktion den ganzen Absatz an sich zu ziehen, und zwar unter der Annahme, der andere behalte seinen Preis bei. Wenn jeder der beiden Dyopolisten aber nach jeder Preisreduktion sehen muß, daß sich diese Annahme als falsch erweist, daß der andere seinen Preis nicht konstant hält, dann ist es wenig sinnvoll zu postulieren, die Dyopolisten betrieben dieses kurzsichtige, um nicht zu sagen dumme Spiel immer von neuem. M.a.W.: Die Bertrand-Edgeworth-Lösung ist eine Irrtumslösung par excellence. Ferner sind gegen die Konstruktion der kontingentierten Nachfragefunktionen ebenfalls Einwendungen möglich; streng genommen wird mit dieser Konstruktion der vollkommene Markt verlassen. Insgesamt wird man die Bertrand-Edgeworth-Lösung eher als eine Art akademischer Exerzitien denn als einen realistischen Beitrag zur Lösung des Oligopolproblems zu werten haben.

5. Die Preisbildung beim Oligopol auf dem unvollkommenen Markt

§ 1. Überblick über die traditionellen Lösungen

Das Oligopol auf dem unvollkommenen Markt unterscheidet sich von dem auf dem vollkommenen Markt einmal dadurch, daß die oligopolistische Interdependenz abgeschwächt ist. Diese Milderung ist umso ausgeprägter, je größer die Heterogenität der Produkte, die Kundenpräferenzen, die räumlichen Differenzierungen zwischen den Oligopolisten etc. sind. Jeder Oligopolist besitzt jetzt einen „monopolistischen Bereich", in dem er unabhängig von seinen Konkurrenten ist und insoweit frei schalten und walten kann.

Ferner unterscheidet sich das „Oligopoloid" vom Oligopol auf dem vollkommenen Markt dadurch, daß sowohl Mengen- als auch Preisstrategie möglich ist. Theoretisch besitzt keiner der beiden Aktionsparameter Menge und Preis vor dem anderen den Vorrang, und es lassen sich auch Modelle bilden, in denen eine Gruppe von Oligopolisten Mengenstrategie, eine andere dagegen Preisstrategie treibt. Praktisch spielt natürlich die Preisstrategie die größte Rolle, da es ja, wie früher schon erwähnt wurde, in den heutigen Volkswirtschaften regelmäßig die Anbieter sind, die die Preise setzen, während die Nachfrager über die Mengen entscheiden.

Bei Mengenfixierung durch alle Oligopolisten gilt für ein Oligopol mit m Anbietern ein System von m „*allgemeinen Absatzfunktionen*" (v. STACKELBERG) von der folgenden Form:

$$p_1 = F_1\,(x_1, x_2, \ldots, x_m)$$
$$p_2 = F_2\,(x_2, x_1, \ldots, x_m)$$
$$\vdots$$
$$p_m = F_m\,(x_m, x_1, \ldots, x_{m-1})\,.$$

Das heißt der Preis p_i, den ein Anbieter i erzielen kann, ist abhängig von seiner eigenen Absatzmenge und den Absatzmengen seiner m—1 Konkurrenten.

Bei Preisfixierung gilt das folgende System allgemeiner Absatzfunktionen:

$$x_1 = f_1\,(p_1, p_2, \ldots, p_m)$$
$$x_2 = f_2\,(p_2, p_1, \ldots, p_m)$$
$$\vdots$$
$$x_m = f_m\,(p_m, p_1, \ldots, p_{m-1})\,.$$

Die Absatzmenge x_i eines Oligopolisten i hängt demnach von seinem eigenen Preis p_i und den $m - 1$ Preisen seiner Konkurrenten ab.

Betrachten wir dazu ein Beispiel. Es seien

$$x_1 = -\,2\,p_1 + p_2 + 100 \qquad (0 \leqq p_1 \leqq 100)$$
$$x_2 = -\,2\,p_2 + p_1 + 100 \qquad (0 \leqq p_2 \leqq 100)$$

die im Hotelling-Sinn symmetrischen allgemeinen Absatzfunktionen für ein Dyopol bei Annahme von Preisfixierung durch die beiden Dyopolisten. Dann ist

$$x_1 = -\,2\,p_1 + 100$$

die minimale, monopolistische Preis-Absatzfunktion des 1, denn sie zeigt die Absatzmöglichkeit an, die dem 1 verbleibt, wenn der Dyopolist 2 seinen Preis auf Null senkt. Ferner ist

$$x_1 = -\frac{3}{2} p_1 + 150$$

die maximale Preis-Absatzfunktion des Dyopolisten 1; sie ergibt sich, wenn der Dyopolist 2 überhaupt nichts anbietet und absetzt, wenn also $x_2 = 0$ gilt. Zwischen diesen beiden Absatzfunktionen, der minimalen monopolistischen und der maximalen, kann die tatsächliche Absatzfunktion des Dyopolisten 1 nur liegen. Für die Preisbildung kommt also dieser „Korridor" von Abb. 105 in Frage.

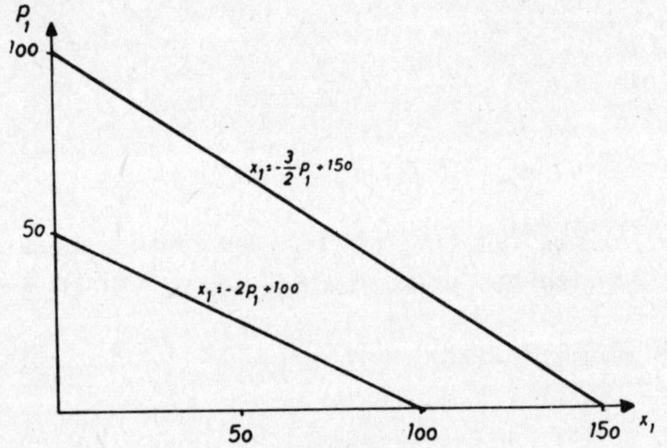

Abb. 105

Für unsere späteren Überlegungen brauchen wir noch zwei weitere Typen von Preis-Absatzfunktionen, die sich aus den allgemeinen Absatzfunktionen ableiten lassen. Bei konstantem Konkurrentenpreis erhält man die Gleichung einer Geradenschar

$$x_1 = -2 p_1 + [\bar{p}_2 + 100],$$

d.i. die Gleichung aller *dd'*-Kurven im Sinne CHAMBERLINS oder die Gleichung aller Preis-Absatzfunktionen bei isolierter Preisvariation des Dyopolisten 1. Für stets gleiche Preise der beiden Dyopolisten erhält man

$$x_1 = - p_1 + 100$$

als Teilnachfragekurve des Dyopolisten 1 oder Absatzkurve bei stets gleichen Preisen aller Anbieter (*DD'*-Kurve im Sinne CHAMBERLINS)[1].

[1]) Vgl. dazu H. v. STACKELBERG, Probleme der unvollkommenen Konkurrenz, Weltwirtschaftliches Archiv, Bd. 48 (1938 II), S. 95—138; A. E. OTT, Preis-Absatzfunktionen beim unvollkommenen Oligopol, ebenda Bd. 88 (1962 I), S. 287—307; A. HEERTJE, Preis-Absatzfunktionen beim Oligopol, ebenda Bd. 89 (1962 II), S. 302 bis 309; A. E. OTT, Preis-Absatzfunktionen beim Oligopol. Eine Replik, ebenda Bd. 90 (1963 I), S. 115—120.

Nach diesen Überlegungen über die Nachfragesituation des Dyopolisten auf dem unvollkommenen Markt wenden wir uns den traditionellen Lösungen zu. Bei Mengenfixierung lassen sich nun die im vorigen Kapitel für das Oligopol auf dem vollkommenen Markt entwickelten Lösungen (COURNOT, v. STACKELBERG, BOWLEY, gemeinsame Gewinnmaximierung) auch für das Oligopol auf dem unvollkommenen Markt ableiten, ohne daß sich in der Regel an der Reihenfolge der Gewinne etwas ändert. Natürlich tritt an die Stelle der Gesamtnachfragekurve des vollkommenen Marktes das erste obenstehende System allgemeiner Absatzfunktionen, so daß die Abb. 100 nicht mehr gilt. Dagegen beschreibt Abb. 101 auch die Situation auf einem unvollkommenen Oligopol- bzw. Dyopolmarkt, so daß wir die Lösungen bei Mengenstrategie nicht weiter zu betrachten brauchen.

Anders liegen die Dinge bei Preisstrategie. Auch hier lassen sich die Cournot-Lösung, die man bei Preisstrategie oft *Launhardt-Hotelling-Lösung* nennt, und die anderen Lösungen ableiten, aber im Regelfall[1]) ändert sich die Reihenfolge der Gewinne. Man erhält nämlich die folgende Ungleichung für die Reihenfolge der Gewinne:

$$G_{\text{Cournot}} < G_{\text{Stackelberg, Unabh.}} < G_{\text{Bowley}} < G_{\text{Stackelberg, Abh.}}$$

Die Cournotsche Lösung hat demnach ihren Platz mit der Bowleyschen getauscht, und ebenso haben die Stackelbergsche Unabhängigkeits- und Abhängigkeitsposition den Platz gewechselt.

Legen wir die obenstehenden linearen Absatzfunktionen zugrunde und unterstellen der Einfachheit halber kostenlose Produktion, so daß der Umsatz eines Dyopolisten gleich seinem Gewinn ist, so ergeben sich die folgenden Gewinne:

$$G_{\text{Cournot}} = 2222{,}22 < G_{\text{Stackelberg, Unabh.}} = 2232{,}1 < G_{\text{Bowley}} = 2295{,}9 <$$
$$< G_{\text{Stackelberg, Abh.}} = 2302{,}3 \,.$$

Für die graphische Darstellung verwenden wir jetzt die sog. Iso-Gewinnkurven, die bei kostenloser Produktion mit den Iso-Umsatzkurven zusammenfallen. Durch Multiplikation mit p_1 erhält man aus der Absatzfunktion des Dyopolisten 1 $x_1 = -2p_1 + p_2 + 100$ seine Umsatzfunktion

$$U_1 = -2p_1^2 + p_1 p_2 + 100 p_1 \,.$$

Wird für den Umsatz ein konstanter Wert eingesetzt, so wird aus der Umsatzfunktion die Gleichung einer Iso-Umsatzkurve

$$\bar{U}_1 = -2p_1^2 + p_1 p_2 + 100\, p_1 \,.$$

[1]) $\delta\delta$-Typ nach H. v. STACKELBERG, Marktform und Gleichgewicht, a.a.O., viertes Kapitel § 1.

Wie aus dieser Gleichung hervorgeht, sind diese Iso-Umsatzkurven Hyperbeln (vgl. Abb. 106), deren Minima in bezug auf die Ordinate auf der Reaktionskurve des Oligopolisten 1, d.i.

$$p_1 = \frac{1}{4} p_2 + 25$$

liegen. (Entsprechendes gilt natürlich für den Dyopolisten 2.) Man kann auf Grund dieses Zusammenhangs auch das Folgende sagen: Bei vorgegebenem Preis des Oligopolisten 2 liegt der gewinnmaximale Punkt des 1 auf seiner Reaktionskurve.

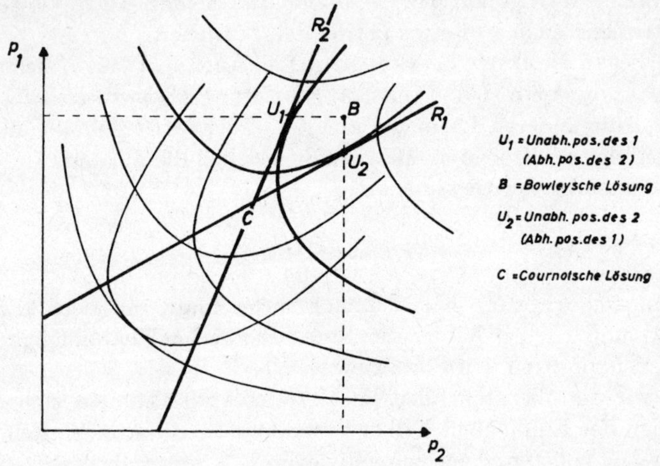

Abb. 106

(C = Cournotscher Dyopolpunkt, U_1 (U_2) = Stackelbergsche Asymmetrielösung mit dem Dyopolisten 1 (2) in der Unabhängigkeitsposition, B = Bowleysche Lösung.)

Diese Ausführungen über die traditionellen Lösungen mögen genügen; auf die Lösung Stackelbergs werden wir später nochmals zurückkommen.

An dieser Stelle erscheint es angebracht, noch eine Oligopollösung zu erwähnen, die eine Zeit lang als *die* Oligopollösung angesehen wurde. Gemeint ist die Theorie der geknickten Nachfragekurve (kinky demand function), wie sie von P. M. Sweezy und — in einer Vollkosten-Version — von R. L. Hall und C. J. Hitch entwickelt wurde[1]). Bei dieser Theorie wird unter-

[1]) P. M. Sweezy, Demand under Conditions of Oligopoly, The Journal of Political Economy, Bd. XLVII (1939), S. 568—573, deutsche Übersetzung in Preistheorie, hrsg. v. A. E. Ott, a.a.O., S. 320—325; R. L. Hall/Ch. J. Hitch, Price Theory and Business Behaviour, Oxford Economic Papers, Nr. 2 (1939), S. 12—45, neu erschienen in: Oxford Studies in the Price Mechanism, hrsg. von T. Wilson und P. W. S. Andrews, Oxford 1951, S. 107—138.

stellt, daß die Konkurrenten eines Oligopolisten Preissenkungen dieses Oligopolisten unverzüglich nachfolgen werden, während sie bei Preiserhöhungen nicht reagieren. Die Preis-Absatzfunktion des betreffenden Oligopolisten setzt sich dann aus zwei Teilen zusammen. Für alle Preise des Oligopolisten, die höher als der Ausgangspreis sind, wird sie durch eine Absatzfunktion bei isolierter Preisvariation (dd'-Kurve) dargestellt. Für alle Preise, die niedriger als der Ausgangspreis sind, wird sie durch die Teilnachfragekurve bzw. die Absatzkurve bei stets gleichen Preisen aller Anbieter gegeben. Legen wir wieder die linearen allgemeinen Absatzfunktionen zugrunde, die oben als Beispiel angeführt wurden, so erhält man bei einer durch $p_1 = p_2 = 50$ und $x_1 = x_2 = 50$ fixierten Ausgangssituation die folgenden beiden Teile der geknickten Nachfragekurve:

$$x_1 = -2p_1 + 150 \qquad (dd'\text{-Kurve, für } 50 \leqq p_1 \leqq 75)$$

$$x_1 = -p_1 + 100 \qquad (DD'\text{-Kurve, für } 0 \leqq p_1 \leqq 50).$$

Die Nachfragekurve besitzt also im herrschenden Preis einen Knick, und die Grenzumsatzkurve ist infolgedessen unstetig. Sie besitzt bei der ursprünglichen Menge ($x_1 = 50$) eine Unstetigkeitsstelle (AB in Abb. 107).

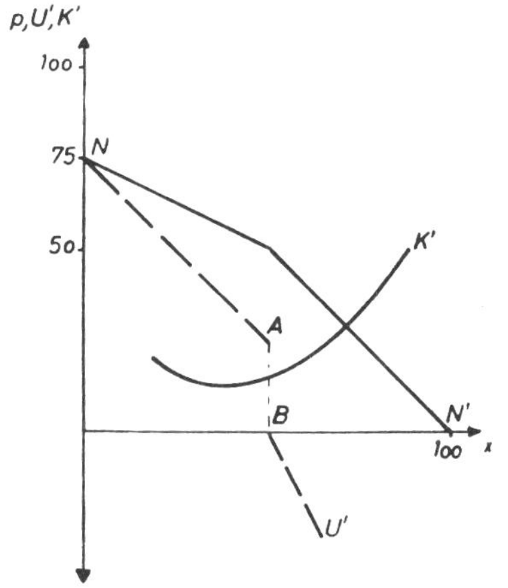

Abb. 107

Verläuft nun die Grenzkostenkurve durch eine Unstetigkeitsstelle, wie es in Abb. 107 angenommen wurde, so besitzt der Dyopolist 1 offenbar keine Veranlassung, von seinem Preis ($p_1 = 50$) nach oben oder nach unten abzuweichen.

Mit der Theorie der geknickten oligopolistischen Nachfragekurve läßt sich demnach die empirisch zu beobachtende Preisstarrheit auf oligopolistischen Märkten erklären. Dagegen zeigt sie nicht, wie der ursprüngliche Preis und die ursprüngliche Menge bestimmt werden, sondern diese Ausgangswerte müssen schon bekannt sein, sind also mit Hilfe irgendeiner der früher behandelten Theorien abzuleiten[1]).

[1]) Zur geknickten Nachfragekurve vgl. den kritischen Beitrag von G. J. STIGLER, The Kinky Oligopoly Demand Curve and Rigid Prices, The Journal of Political Economy, Bd. LV (1947), S. 432—449, deutsche Übersetzung in: Preistheorie, hrsg. v. A. E. OTT, a. a. O., S. 326—353, und die zusammenfassende Darstellung von C. W. EFROYMSON, The Kinked Oligopoly Curve Reconsidered, The Quarterly Journal of Economics, Bd. LXIX (1955), S. 119—136.

§ 2. Die modifizierte Gleichgewichtsgebiet-Lösung

Die wichtigste Weiterentwicklung auf dem Gebiet der Oligopolpreistheorie seit v. STACKELBERGS „Marktform und Gleichgewicht" dürfte die von KRELLE vorgelegte Gleichgewichtsgebiet-Lösung sein[1]). Wir behandeln hier jedoch nicht die Original-KRELLE-Lösung, sondern die vom Verfasser vorgelegte Modifikation (vgl. die Literaturangabe in Anm. 1), die einige Schwächen und Inkonsistenzen der ursprünglichen KRELLE-Lösung vermeidet. Es wird ein heterogenes Dyopol zugrunde gelegt (Dyopol auf dem unvollkommenen Markt), wir haben also zwei Dyopolisten vor uns, die als Zielsetzung die Gewinnmaximierung verfolgen und Preisstrategie treiben sollen. Es werden traditionelle (ertragsgesetzliche) Kostenfunktionen für beide Dyopolisten angenommen. Reklame, Produktvariation und Absprachen fehlen; beide Dyopolisten sind außerdem über die Nachfrage- und Kostenbedingungen voll informiert. Ferner wird vorausgesetzt, daß sich beide Anbieter „wirtschaftsfriedlich" verhalten, d.h. keiner sucht den anderen vom Markt zu verdrängen.

Wie wir im 1. Abschnitt des vorigen Kapitels gesehen haben, liegt die Crux der Oligopoltheorie darin, plausible Annahmen über die Reaktionen der Oligopolisten zu machen. Wir stellen deshalb auch mit KRELLE als erstes die folgende Frage:

Wie wird der Dyopolist 2 (bzw. 1) auf Preisänderungen seines Konkurrenten 1 (bzw. 2) reagieren?

Dies ist die Frage nach der Reaktionshypothese, die wir durch die Ableitung von Reaktionslinien bzw. Vektorfeldern beantworten.

Wenn die Reaktionslinien eines Dyopolisten, sagen wir des Dyopolisten 2 bekannt sind, wenn also feststeht, wie der Dyopolist 2 auf hypothetische Preisänderungen des Dyopolisten 1 reagieren wird, so wird weiter gefragt, ob es zu diesen Preisänderungen des Dyopolisten 1 überhaupt kommt, ob also aus den hypothetischen Preisänderungen tatsächliche Preisänderungen werden. Wir können diese Frage wie folgt formulieren:

In welchem Teil des p_1-p_2-Gebietes hat der Dyopolist 1 ein Interesse an Aktionen, d.h. an Preisveränderungen, und in welchem nicht, und zwar unter

---

[1]) W. KRELLE, Preistheorie, a.a.O., Kap. 8, S. 247ff. Vgl. ferner T. SEITZ, Bemerkungen zur Dyopoltheorie Krelles, Jahrbücher für Nationalökonomie und Statistik, Bd. 174 (1962), S. 430—451; W. KRELLE, Unbestimmtheitsbereiche beim Dyopol, ebenda Bd. 175 (1963), S. 232—236; G. FLEISCHMANN, Symmetrisches Dyopol. Bemerkungen zur Kritik von Seitz an der Dyopoltheorie Krelles, ebenda, S. 347 bis 355; A. E. OTT, Gewinnmaximierung, Reaktionshypothese und Gleichgewichtsgebiet beim unvollkommenen Dyopol, ebenda, S. 428—440; E. HELMSTÄDTER, Gleichgewichtsbereiche in statischen Dyopolmodellen, ebenda, S. 441—458. Inzwischen sind noch weitere Beiträge zur Oligopoltheorie KRELLES erschienen; grundlegend neue Gesichtspunkte wurden jedoch darin nicht aufgezeigt.

Beachtung der Reaktionen des Dyopolisten 2, die durch die Reaktionslinien angegeben werden?

Das ist die Frage nach dem *Gleichgewichtsgebiet* für den Dyopolisten 1, denn der Dyopolist 1 wird keine Preisveränderungen vornehmen, wenn er sich durch seine Aktion, die Preisänderung, und die Reaktion des Konkurrenten schlechter stellt als vorher; er wird Preisänderungen durchführen, wenn seine Aktion und die Reaktion des Konkurrenten ihn zu einer höheren Gewinnlage führen.

Für jeden Dyopolisten ist nun zu ermitteln, in welchem Teil des p_1-p_2-Gebietes er weder an Preissenkungen noch an Preiserhöhungen interessiert ist. Daraus ergibt sich das gesamte Gleichgewichtsgebiet für einen Dyopolisten, in dem er also an keiner Art von Preisänderung interessiert ist. Das beiden Dyopolisten gemeinsame Gleichgewichtsgebiet stellt die Lösung des Dyopolproblems dar.

Sehen wir uns die einzelnen Schritte der Analyse nochmals im einzelnen an:

1a) Ermittlung der Reaktionen des Dyopolisten 2 auf hypothetische Preissenkungen des Dyopolisten 1.

2a) Ermittlung der Reaktionen des Dyopolisten 2 auf hypothetische Preiserhöhungen des Dyopolisten 1.

3a) Ermittlung des Gleichgewichtsgebietes des Dyopolisten 1 für Preissenkungen.

4a) Ermittlung des Gleichgewichtsgebietes des Dyopolisten 1 für Preiserhöhungen.

1b) Ermittlung der Reaktionen des Dyopolisten 1 auf hypothetische Preissenkungen des Dyopolisten 2.

2b) Ermittlung der Reaktionen des Dyopolisten 1 auf hypothetische Preiserhöhungen des Dyopolisten 2.

3b) Ermittlung des Gleichgewichtsgebietes des Dyopolisten 2 für Preissenkungen.

4b) Ermittlung des Gleichgewichtsgebietes des Dyopolisten 2 für Preiserhöhungen.

Über die Gleichgewichtsgebiete informiert die Tabelle 25.

Den Kern auch der modifizierten KRELLE-Lösung stellt also die Konstatierung eines „ausgedehnten Gleichgewichtsbereiches für Preise und Produktionsmengen" dar, „wobei jeder Punkt dieses Bereiches ein stabiler Gleichgewichtspunkt ist". Wir halten dieses noch abzuleitende Resultat sowohl für völlig richtig als auch für derart bedeutend, daß seine Tragweite kaum überschätzt werden kann. Aber nicht allein das Ergebnis ist von Bedeutung, sondern auch die Anwendung der Gleichgewichtsdefinition: Gleichgewicht herrscht, wenn keiner der beiden Dyopolisten ein Interesse an Preisänderungen besitzt, wobei jeder Dyopolist die Reaktion seines Konkurrenten auf hypothetische eigene Aktionen in Rechnung stellt. Kein Gleichgewicht herrscht demgemäß, wenn einer der beiden Anbieter (oder beide) an Preisänderungen interessiert ist (bzw. sind), und zwar wiederum

Tabelle 25: Gleichgewichtsgebiete im Dyopol

Gleichgewichtsgebiet des / Gleichgewichtsgebiet für	Dyopolisten 1	Dyopolisten 2	Horizontale Zusammenfassung
Preissenkungen	Gleichgewichtsgebiet des 1 für Preissenkungen	Gleichgewichtsgebiet des 2 für Preissenkungen	Gemeinsames Gleichgewichtsgebiet für Preissenkungen
Preiserhöhungen	Gleichgewichtsgebiet des 1 für Preiserhöhungen	Gleichgewichtsgebiet des 2 für Preiserhöhungen	Gemeinsames Gleichgewichtsgebiet für Preiserhöhungen
Vertikale Zusammenfassung	Gleichgewichtsgebiet des Dyopolisten 1	Gleichgewichtsgebiet des Dyopolisten 2	Gemeinsames Gleichgewichtsgebiet

unter Berücksichtigung der Reaktion des Rivalen. Zeigen also die Vektorfelder die *Reaktionen* eines Dyopolisten auf Preiserhöhungen bzw. -senkungen seines Konkurrenten an, so führt die Anwendung der Kralleschen Gleichgewichtsdefinition zu der Beantwortung der Frage, ob es zu diesen Preisänderungen als *Aktionen* überhaupt kommt, ob also der Konkurrent an diesen Aktionen interessiert ist oder nicht.

Von Bedeutung erscheinen in diesem Zusammenhang noch die beiden folgenden Einzelheiten. In der Gleichgewichtsdefinition KRELLEs ist die oligopolistische Interdependenz in adäquater Weise berücksichtigt; jeder Dyopolist berücksichtigt bei seinen Aktionen die Reaktion seines Rivalen. Dabei läßt sich eine bemerkenswerte Ähnlichkeit darin feststellen, wie KRELLE das Gleichgewicht und STACKELBERG die Unabhängigkeitsposition eines Dyopolisten umschreibt. So heißt es bei KRELLE: „... Es gibt (beim Dyopol, der Verf.) ... ausgedehnte Preisbereiche, in denen jeder Punkt ein *Gleichgewichts*punkt ist, weil sich jeder Konkurrent bei einer Preisbewegung in diesem Gebiet nach *der Reaktion des anderen* schlechter stehen würde als vorher und daher bei einigermaßen vernünftiger Einsicht in die Marktlage, die man bei rational handelnden Unternehmern voraussetzen kann, jede Preisbewegung unterlassen wird“[1]). Und v. STACKELBERG charakterisiert die Unabhängigkeitsposition wie folgt: Die Reaktionen „... des zweiten Dyopolisten kann der erste in Rechnung stellen und daraufhin die ... Menge

---

[1]) W. KRELLE, Preistheorie a.a.O., S. 365 (im Original nicht hervorgehoben), passim.

auf den Markt werfen, die ihm nicht *vor*, sondern *nach* erfolgter Anpassung seines Konkurrenten den größten Gewinn verschafft"[1]). Diese Ähnlichkeit ist keineswegs zufällig und bedeutungslos, sondern sie ist verantwortlich dafür, daß, wie wir noch sehen werden, die beiden möglichen Positionen der asymmetrischen Dyopoloidlösung STACKELBERGS (Unabhängigkeitsposition) ausgezeichnete Punkte des Gleichgewichtsgebietes darstellen.

Als erstes sind nun die Reaktionen des Dyopolisten 2 auf Preisänderugenn des Dyopolisten 1 zu untersuchen, wobei wir wie KRELLE mit Preissenkungen des Dyopolisten 1 beginnen wollen. Wenn wir Streben nach dem maximalen Gewinn unterstellen, so wird der Dyopolist 2 jedes Vorausziehen des 1, d. h. jetzt also jede Preissenkung des 1, mit einem Übergehen auf seine Kammlinie *GG'*, d. h. seine Reaktionskurve beantworten (vgl. Abb. 108)[2]). Als die „Resultierenden" aus den beiden „Kräften", nämlich der Aktion Δp_1 des Dyopolisten 1 (Δp_1 ist sc. stets negativ) und der Reaktion Δp_2 des Dyopolisten 2 erhält man die in Abbildung 108 eingezeichneten Vektoren.

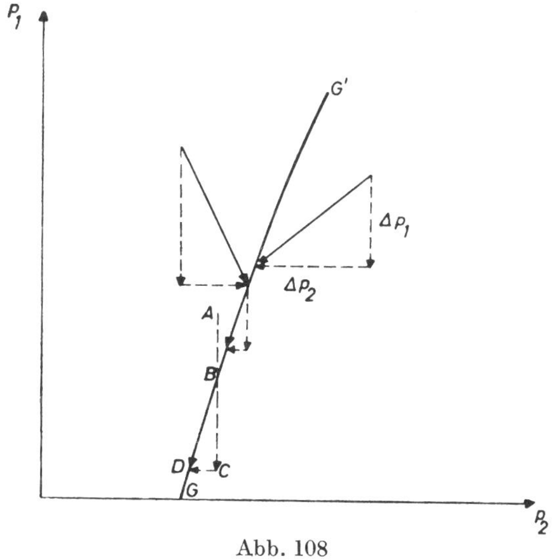

Abb. 108

Ist das Ausmaß einer Preissenkung des 1 bei einer Ausgangs-Preiskombination links von *GG'* so groß, daß die Kammlinie *GG'* überschritten wird (*AC* in Abb. 108), so zerlegen wir eine solche Preissenkung in zwei Teile,

---

[1]) H. v. STACKELBERG, Grundlagen a.a O., S. 210. Die Aussage gilt entsprechend bei Preisstrategie beider Dyopolisten.

[2]) Wir bevorzugen im folgenden den Ausdruck Kammlinie anstelle von Reaktionskurve, um eine Verwechslung der von uns abzuleitenden Reaktionslinien mit der Reaktionskurve (= Kammlinie) zu vermeiden.

nämlich den ersten bis GG' (AB in Abb. 108) und den zweiten ab GG' (BC in Abb. 108). Auf den ersten Teil der Preissenkung reagiert die zweite Firma überhaupt nicht, da sie durch die Preissenkung der ersten Firma in eine für sie gewinnmaximale Position auf der Kammlinie GG' gelangt. Der zweite Teil der Preissenkung, also BC, würde von der zweiten Firma mit der Preissenkung CD beantwortet. Durch diese Zerlegung wird es möglich, von Ausgangs-Preiskombinationen links von der Kammlinie GG', auf GG' und rechts von GG' zu sprechen, und Preissenkungen des Dyopolisten 1, die von diesen Ausgangspreiskombinationen ausgehen, jeweils bestimmte Reaktionen des Dyopolisten 2 zuzuordnen, ohne daß Mißverständnisse auftauchen könnten.

Das gesamte Vektorfeld für die Reaktionen des Dyopolisten 2 auf Preissenkungen des Dyopolisten 1 besitzt dann das Aussehen von Abbildung 109. Liegt die Ausgangs-Preiskombination links von GG', so beantwortet der Dyopolist 2 Preissenkungen des 1 mit Preiserhöhungen; liegt die Ausgangs-Preiskombination auf GG' oder rechts davon, so reagiert die Firma 2 auf Preissenkungen der Firma 1 mit Preissenkungen. Die Vektoren wurden von unterschiedlichen Ausgangspunkten mit unterschiedlicher Länge und links von GG' mit graduell verschiedener negativer, rechts von GG' mit graduell verschiedener positiver Steigung gezeichnet, um anzudeuten, daß die Ausgangs-Preiskombination, das Ausmaß der Preisveränderungen und ihre Richtung von Bedeutung sind. (Bekanntlich steht ein Vektor in der Physik für eine Kraft, bei der Angriffspunkt, Größe und Richtung gegeben sein müssen.)

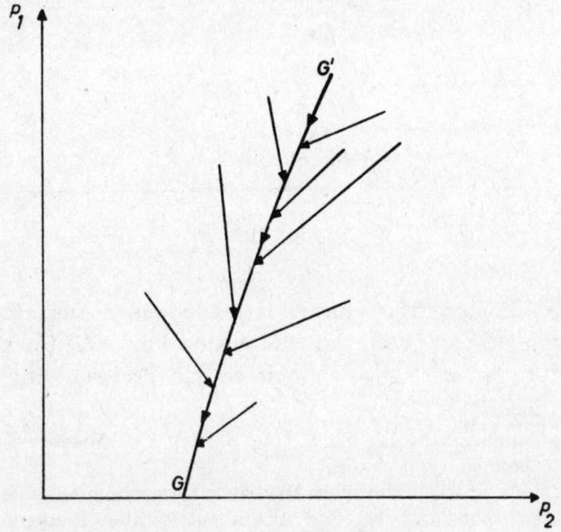

Abb. 109

Untersuchen wir jetzt die Reaktionen des Dyopolisten 2 auf Preiserhöhungen seines Konkurrenten 1. Bei Streben nach dem Maximalgewinn wird 2 jede Preiserhöhung des 1 mit einem Übergehen auf seine Kammlinie *GG'* beantworten. Die Resultierenden werden aus Abb. 110 ersichtlich.

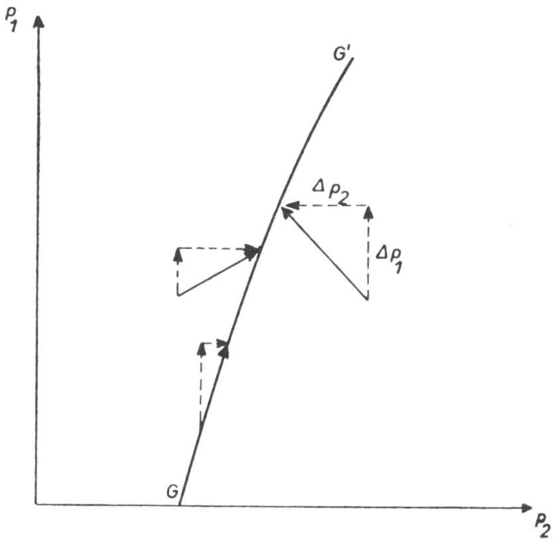

Abb. 110

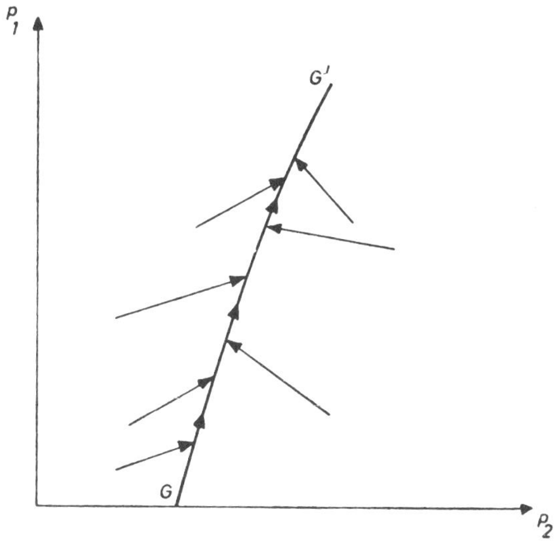

Abb. 111

Liegt die Ausgangs-Preiskombination links von der Kammlinie *GG'*, so reagiert der Dyopolist 2 auf Preiserhöhungen des 1 mit Preiserhöhungen. Dasselbe gilt, wenn die ursprüngliche Preiskombination auf der Kammlinie liegt. Bei Ausgangs-Preiskombinationen rechts von *GG'* beantwortet 2 die Preiserhöhungen des 1 mit Preissenkungen. Das Vektorfeld für die Reaktionen der Firma 2 auf Preiserhöhungen der Firma 1 zeigt Abbildung 111.

Wie sich zeigt, besteht bis hierher wohl kaum eine Abweichung von der traditionellen Theorie, die ja *GG'* (und *FF'*) als Reaktionskurve bezeichnet hatte.

Nachdem die Reaktionen des Dyopolisten 2 auf Preisveränderungen des Dyopolisten 1 abgeleitet wurden, folgt jetzt die Fragestellung Krelles nach dem Gleichgewichtsgebiet für den Dyopolisten 1: An welchen Punkten des p_1-p_2-Gebietes hat der Dyopolist 1 kein Interesse an Preissenkungen bzw. Preiserhöhungen, und zwar unter Berücksichtigung der Reaktionen des Konkurrenten, also des Dyopolisten 2? Es geht also darum herauszufinden, an welchen Punkten der Dyopolist 1 an *Aktionen* interessiert ist und an welchen Punkten nicht, wobei er die *Reaktionen* des 2, wie sie oben abgeleitet wurden, berücksichtigt.

Wir untersuchen das Gleichgewichtsgebiet des Dyopolisten 1 für Preissenkungen, d.h. das Gebiet, in dem er an Preissenkungen desinteressiert ist. Vorausgeschickt seien jedoch noch einige Erläuterungen zu der folgenden Abbildung (Abb. 112). In ihr ist *GG'* die Kammlinie = Reaktionskurve des Dyopolisten 2, *FF'* die des Dyopolisten 1. K_1' und K_2' sind die in das p_1-p_2-

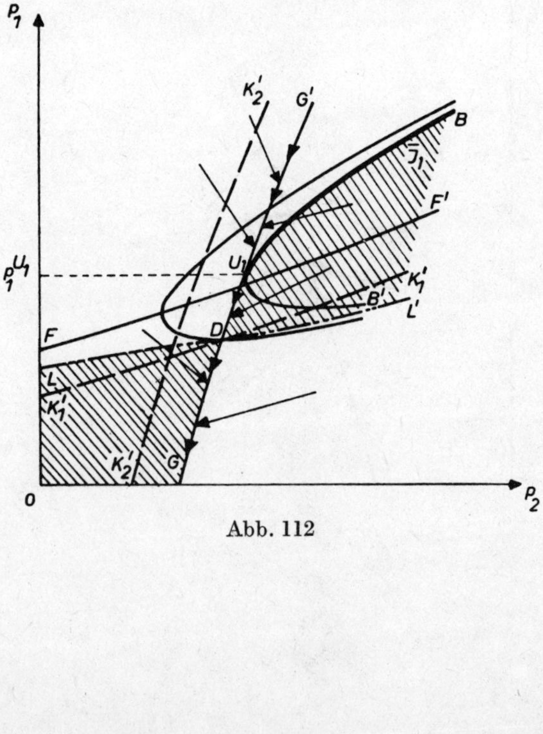

Abb. 112

Koordinatensystem übertragenen Grenzkostenkurven der beiden Dyopolisten[1]).

Das Gleichgewichtsgebiet des Dyopolisten 1 für Preissenkungen wird durch die in Abbildung 112 schraffierten Gebiete *OLDG* und BU_1DL' angegeben. Der Beweis dafür läßt sich wie folgt führen. Links von der Kammlinie GG' wird jede Preissenkung des 1 von 2 mit einer Preiserhöhung beantwortet. Durch eine richtige *Dosierung* seiner Preissenkung hat es der Anbieter 1 links von GG' und oberhalb von *LD* in der Hand, durch seine Preissenkung und die darauf erfolgende Preiserhöhung des 2 auf eine höhere Isogewinnkurve zu gelangen[2]). Die Dosierung — ja nicht zu groß! — ist insbesondere dann wichtig, wenn die Ausgangs-Preiskombination auf der Kammlinie FF' oder auf dem negativ geneigten Teil einer Isogewinnkurve des 1, also unterhalb von FF' und oberhalb von *LD* liegt. Auf den Teil *OLDG* des Gleichgewichtsgebietes werden wir später speziell einzugehen haben.

Liegt die ursprüngliche Preiskombination rechts von der Kammlinie GG', aber oberhalb des in U_1 beginnenden Teils U_1B der Isogewinnkurve I_1 (stark gezeichnet), so kann der Dyopolist durch eine Preissenkung, die jetzt von 2 ebenfalls mit einer Senkung seines Preises beantwortet wird, immer auf eine höhere Isogewinnkurve, nämlich maximal auf I_1 im Punkte U_1 gelangen. U_1 stellt den Stackelbergschen Asymmetrielösungspunkt mit dem Dyopolisten 1 in der Unabhängigkeits- und 2 in der Abhängigkeitsposition dar.

Rechts von GG' und unterhalb des stark gezeichneten Teils U_1B von $\bar{I}_1$, aber oberhalb der Linie DL' führt dagegen jede Preissenkung des 1, von 2 mit einer Preissenkung beantwortet, zu einer Verschlechterung der Gewinnsituation des 1 oder im besten Fall zu unverändertem Gewinn, dann nämlich, wenn die ursprüngliche Preiskombination auf dem stark gezeichneten Ast von $\bar{I}_1$ lag und der Preis p_1 bis auf p_1U_1 gesenkt wurde.

Die Linie LDL', die den Teil *OLDG* des Gleichgewichtsgebietes nach oben und den Teil BU_1DL' nach unten begrenzt, bedarf einer gesonderten Betrachtung, die anhand der Abbildung 113 vorgenommen werden soll.

[1]) Isogewinnkurven lassen sich in einem p_i/x_i Koordinatensystem als Gesamt-Durchschnittskostenkurven mit verschieden hohen Gewinnbestandteilen auffassen. Bei traditionellem Kostenverlauf geht nach dem Prinzip des Durchschnittsextremums die Grenzkostenkurve immer durch das Minimum derartiger Isogewinnkurven. Einem festen p_i-Wert ordnet also die Grenzkostenkurve unabhängig von p_j einen bestimmten Maximalgewinn zu. Dieser Zusammenhang bleibt im p_i/p_j-Koordinatensystem natürlich erhalten, so daß die Verbindung der Isogewinnkurvenminima des i in bezug auf die p_j-Achse nichts anderes als die Grenzkostenkurve des i im p_i/p_j-System darstellt, sich demnach die Isogewinnkurven des i auf beiden Seiten der Grenzkostenkurve $K_i'K_i'$ von der p_j-Achse zurückbiegen müssen.

[2]) Das Problem der Dosierung wirft bei der analytischen Behandlung nicht unerhebliche mathematische Schwierigkeiten auf, weshalb wir auf eine analytische Lösung verzichten.

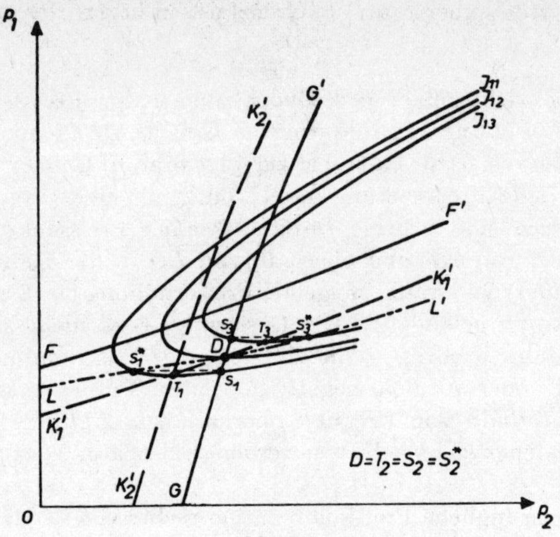

Abb. 113

In Abbildung 113 wurden drei Isogewinnkurven I_{11}, I_{12} und I_{13} für den Dyopolisten 1 eingezeichnet. Die Isogewinnkurve I_{11} besitzt eine horizontale Tangente in T_1, d. h. ihr Minimum, ihre größte Annäherung an die p_2-Achse. T_1 ist der Schnittpunkt der Grenzkostenkurve $K_1' K_1'$ mit der Isogewinnkurve I_{11}. T_1 liegt links von der Kammlinie GG'; der (untere) Schnittpunkt von I_{11} mit der Kammlinie GG' ist S_1. Zieht man durch S_1 eine Parallele zur Abszisse, so erhält man den Schnittpunkt S_1^* der Parallelen mit der Isogewinnkurve I_{11}, einen Punkt, den wir als den (mit S_1) korrespondierenden Punkt bezeichnen wollen.

Bei der Isogewinnkurve I_{12} liegt das Minimum (in bezug auf die p_2-Achse) in dem Schnittpunkt D der Kammlinie GG' und der Grenzkostenkurve $K_1'K_1'$; D und T_2 fallen also zusammen. Der Schnittpunkt S_2 von I_{12} mit der Kammlinie GG' ist ebenfalls D und außerdem auch der korrespondierende Punkt S_2^*, so daß also D, T_2, S_2 und S_2^* zusammenfallen.

Die Isogewinnkurve I_{13} schließlich besitzt ihre horizontale Tangente rechts von der Kammlinie GG' in T_3, dem Schnittpunkt der Grenzkostenkurve $K_1'K_1'$ mit I_{13}. Der (untere) Schnittpunkt S_3 von I_{13} mit der Kammlinie GG' liegt demnach links von T_3; der korrespondierende Punkt S_3^* ist S_1^* entsprechend zu konstruieren und liegt rechts von T_3. Soweit die geometrische Konstruktion.

Ihr Sinn wird deutlich, wenn wir eine Ausgangs-Preiskombination wählen, die zwischen dem unteren Schnittpunkt einer Isogewinnkurve des 1 mit der Kammlinie GG' und dem korrespondierenden Punkt liegt, also

zwischen S_1^* und S_1 auf der Isogewinnkurve I_{11},
in $D = T_2 = S_2 = S_2^*$ auf der Isogewinnkurve I_{12}
oder zwischen S_3 und S_3^* auf der Isogewinnkurve I_{13}.

Wenn der Dyopolist 1 von einer so gelegenen Preiskombination aus seinen Preis senkt und der Dyopolist 2 reagiert — links von GG', also bei der Isogewinnkurve I_{11}, mit einer Preiserhöhung, auf GG' und rechts davon, also bei I_{12} und I_{13}, mit einer Preissenkung — so kann sich der Dyopolist 1 immer nur verschlechtern und nie verbessern. Die Linie LDL', d.i. die Verbindungslinie aller korrespondierenden Punkte S^*, gibt demnach die Obergrenze für den Teil $OLDG$ des Gleichgewichtsgebietes und die Untergrenze für den Teil BU_1DL' an.

Wenden wir uns jetzt dem Gleichgewichtsgebiet des Dyopolisten 1 für Preiserhöhungen zu. Innerhalb des schraffierten Gebietes $G'U_1B'$ von Abbildung 114 hat der Dyopolist 1 kein Interesse an Preiserhöhungen, d.h. das schraffierte Gebiet ist das Gleichgewichtsgebiet des Dyopolisten 1 für Preiserhöhungen.

Dies kann wie folgt gezeigt werden. Links von der Kammlinie GG' wird jede Preiserhöhung des Anbieters 1 von 2 ebenfalls mit einer Preiserhöhung beantwortet. Durch richtige Dosierung der Preiserhöhung hat es der Anbieter 1 in der Hand, durch seine und die darauf folgende Preiserhöhung des 2 auf eine höhere Isogewinnkurve zu gelangen. Die Dosierung tritt hier nicht so in den Vordergrund wie bei Preissenkungen; sie ist jetzt wichtig, wenn die Ausgangs-Preiskombination in dem Minimum einer Isogewinnkurve des 1 in bezug auf

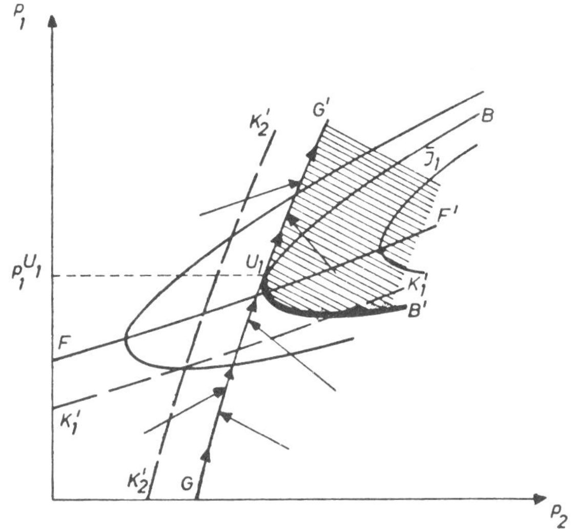

Abb. 114

die p_1-Achse, also auf FF' liegt, oder auf einer Isogewinnkurve des 1 zwischen diesem Minimum und dem oberen Schnittpunkt der Isogewinnkurve mit GG'. Dieser Bereich ist aber wesentlich größer als der entsprechende Bereich bei Preissenkungen.

Liegt die ursprüngliche Preiskombination rechts von der Kammlinie GG', aber unterhalb des in U_1 beginnenden unteren Astes U_1B' der Isogewinnkurve $\bar{I}_1$ (stark gezeichnet), so kann der Dyopolist 1 durch eine Preiserhöhung, die jetzt von 2 mit einer Preissenkung beantwortet wird, immer auf eine höhere Isogewinnkurve und maximal auf $\bar{I}_1$ in dem Stackelbergschen Asymmetrielösungs-Punkt U_1 gelangen.

Rechts von GG' und oberhalb des stark gezeichneten Teils U_1B' von I_1 führt dagegen jede Preiserhöhung des Dyopolisten 1, begleitet von einer Preissenkung des 2, zu einer Verschlechterung der Gewinnsituation des 1 bzw. bestenfalls zu unverändertem Gewinn, wenn die Ausgangskombination auf dem stark gezeichneten Ast von $\bar{I}_1$ lag und der Preis p_1 auf p_1U_1 erhöht wurde. Als Gleichgewichtsgebiet der Firma 1 für Preiserhöhungen ergibt sich demnach das Gebiet rechts von der Kammlinie GG' und oberhalb des stark gezeichneten Astes U_1B' von $\bar{I}_1$, d.i. das Gebiet $G'U_1B'$.

Durch Superposition der Abbildungen 112 und 114 erhält man schließlich das Gebiet, in dem der Dyopolist 1 weder an Preissenkungen noch an Preiserhöhungen interessiert ist (Abb. 115). Die Ableitung der Gleichgewichtsgebiete des Dyopolisten 2 für Preissenkungen und Preiserhöhungen erfolgt

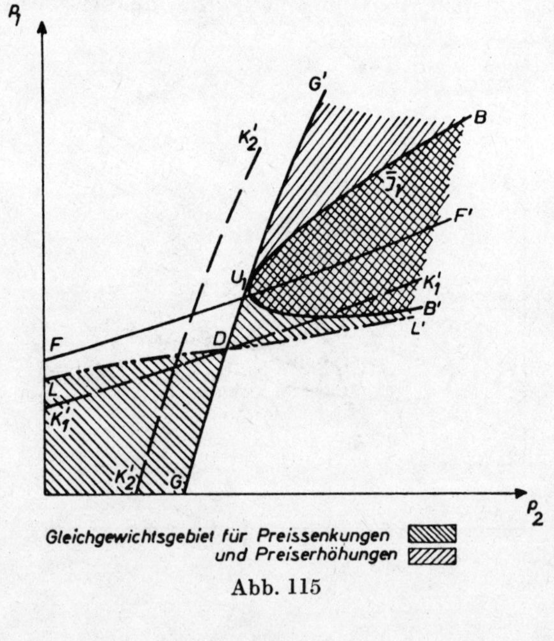

Abb. 115

analog, so daß auf ihre Wiedergabe verzichtet werden kann. Die Superposition der beiden entsprechenden (hier fehlenden) Abbildungen führt zu dem Gleichgewichtsgebiet des Dyopolisten 2 für Preiserhöhungen und Preissenkungen von Abb. 116.

Eine letzte Superposition der Abbildungen 115 und 116 ergibt das gemeinsame Gleichgewichtsgebiet, in dem weder der Dyopolist 1 noch der Dyopolist 2 an Preisänderungen interessiert ist. Aus den Abbildungen 115 und 116 wird dabei jeweils nur das Gleichgewichtsgebiet für Preissenkungen *und* Preiserhöhungen übernommen (vgl. Abb. 117).

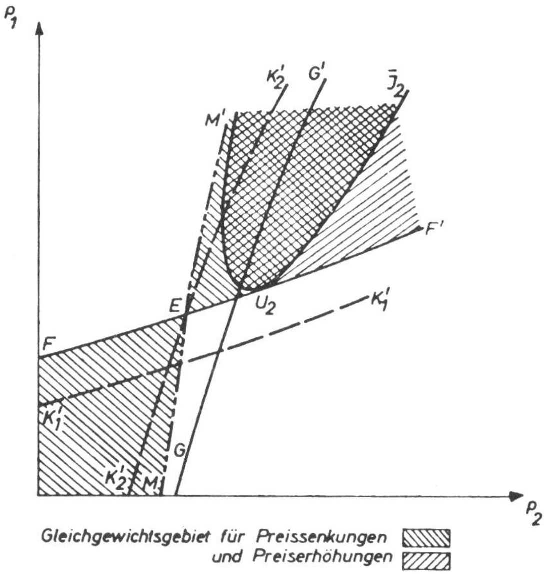

Abb. 116

Das gemeinsame Gleichgewichtsgebiet ist die doppelt schraffierte „Linse" $C'U_1VU_2$.

Damit sind wir am Ende unserer Ableitung und können zu einigen abschließenden Bemerkungen übergehen. Als erstes dürfte die folgende Abweichung gegenüber der Theorie Krelles erwähnenswert sein: Wir verzichten (mit einer Ausnahme, die zum Schluß angeführt werden wird) ausdrücklich auf Aussagen über die außerhalb des Gleichgewichtsgebietes zu erwartenden Preisbewegungen, und zwar aus folgendem Grund. Außerhalb des Gleichgewichtsgebietes muß angenommen werden, daß ein Dyopolist agiert (*vor*zieht) und der andere reagiert (*nach*zieht). Die statische Betrachtung wird dabei zwangsläufig verlassen. Es kann bei statischer Betrachtung nicht angenommen werden, daß jeder Dyopolist agiert und gleichzeitig rea-

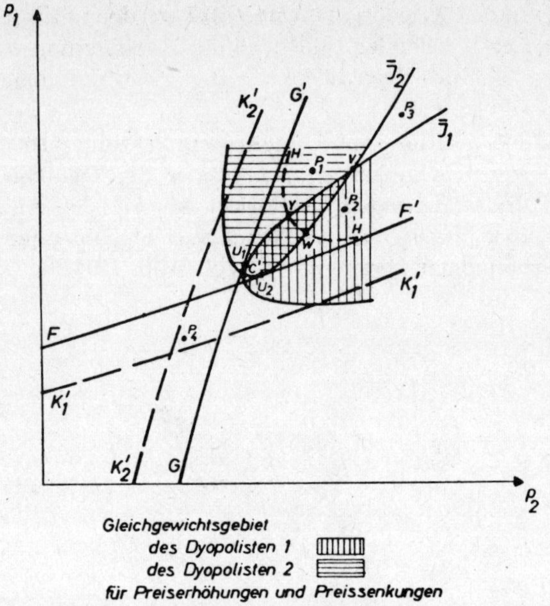

Abb. 117

giert, d. h. ein Dyopolist kann nicht gleichzeitig der Herr und der Sklave des anderen sein. Außerhalb des Gleichgewichtsgebietes kommt demnach eine Asymmetrie ins Spiel, und damit gewinnen die Lösungspunkte des asymmetrischen Dyopoloids von STACKELBERG, d. s. U_1 und U_2 als Anziehungspunkte an Relevanz. Dies ist, wie früher schon ausgeführt wurde, keineswegs zufällig, sondern beruht auf der ähnlichen Definition des Gleichgewichtsgebietes bei KRELLE und der Unabhängigkeitsposition bei STACKELBERG.

Nun darf aber nicht übersehen werden, daß unter den gemachten Annahmen die Abhängigkeitsposition im Sinne STACKELBERGS einem Dyopolisten höhere Gewinne verspricht als die Unabhängigkeitsposition. Ist dies der Fall, so ist es für einen Dyopolisten von Vorteil, wenn sein Rivale die Unabhängigkeitsposition bezieht und er sich selbst mit der Abhängigkeitsposition „begnügt", wobei dieses „Sich-Begnügen" natürlich alles andere als Bescheidenheit, sondern vielmehr ein Meisterstück an Raffinesse darstellt. Noch immer kommt es also für einen Dyopolisten darauf an, das Problem zu lösen: „Wie kann ich meinem Konkurrenten eine solche Vorstellung über mein Verhalten beibringen, daß sein daraus resultierendes Marktverhalten mir am vorteilhaftesten ist?"[1]).

---

[1]) H. v. STACKELBERG, Probleme der unvollkommenen Konkurrenz, a.a.O., S. 117.

Aber es existiert noch eine weitere Möglichkeit, die größtes Interesse beanspruchen kann. Wenn beide Dyopolisten so, wie wir es vorausgesetzt haben, über die Nachfragebedingungen, den Verlauf der Isogewinnkurven und schließlich *über das gemeinsame Gleichgewichtsgebiet* völlig informiert sind, dann kann es bei Ausgangs-Preiskombinationen außerhalb des Gleichgewichtsgebietes zu *autonomen* Preisänderungen eines oder beider Dyopolisten kommen, die ohne Umweg sofort in das Gleichgewichtsgebiet hineinführen. Liegt die ursprüngliche Preiskombination z. B. in P_1 (oder P_2) in Abbildung 117, so wird der Dyopolist 1 (bzw. 2) durch eine autonome Preissenkung eine stabile Lage innerhalb des Gleichgewichtsgebietes herbeiführen können und wollen. Liegt die Ausgangs-Preiskombination in P_3 (oder P_4), so ist mit autonomen, gleichzeitigen Preissenkungen (bzw. Preiserhöhungen) durch beide Dyopolisten zu rechnen, die wiederum ohne Umweg und ohne Verabredung in das Gleichgewichtsgebiet hineinführen. Es kommt also zu einer Art von Parallelverhalten, zu einer *concerted action*, die in gemeinsamen gleichzeitigen Preissenkungen wie Preiserhöhungen bestehen kann, ohne daß es einer Verabredung der beiden Dyopolisten bedürfte und ohne daß von einer Wettbewerbsbeschränkung gesprochen werden könnte. Dieser Aspekt des Problems ist kaum weniger wichtig als die Erklärung oligopolistischer Preisstarrheiten, in der uns die Theorie des Gleichgewichtsgebietes ein so gutes Stück vorangebracht hat.

IV. Spezialprobleme der Preisbildung

1. Werbung und Wettbewerb

Wir hatten bisher auch auf unvollkommenen Märkten nur den Preis und die Menge als Aktionsparameter betrachtet. Wie wir wissen, kommen aber außerdem weitere Parameter ins Spiel, insbesondere die Produktvariation, der Kundendienst und die Werbung. Im folgenden soll untersucht werden, wie sich die Nachfragesituation, der sich der einzelne Anbieter gegenübersieht, unter dem Einfluß der Werbung verändert, und welche Modifikation die Gewinnmaximierungsregel bei der Berücksichtigung von Werbekosten erfährt.

Unter Werbe- und Reklamekosten verstehen wir den Einsatz von Geldmitteln einer Unternehmung oder einer Branche, durch den eine Vergrößerung der mengenmäßigen Nachfrage nach dem betreffenden Gut oder die Aufrechterhaltung des bisherigen Absatzes erreicht werden soll[1]). Die Werbung ist demnach entweder amplifikative oder sustentative Werbung[2]), wobei die Grenzen allerdings nicht immer scharf zu ziehen sind. Es kann also durchaus vorkommen, daß bestimmte Werbemaßnahmen, etwa die Gemeinschaftswerbung einer Branche, als Abwehrmaßnahme gegen die Substitutionskonkurrenz gedacht sind (sustentative Werbung), daß der Erfolg der Kampagne jedoch über das Halten des Marktanteils hinausgeht, also im Endeffekt amplifikative Werbung vorliegt. Als Werbemittel kommen Werbeanzeigen, der Werbefunk in Radio und Fernsehen, Werbebriefe und -drucke etc. in Frage; es zählt aber auch dazu die Ausstattung von Einzelhandelsgeschäften, die Veranstaltung von Modeschauen u. ä.

Der Zweck der Reklameaufwendungen ist wie gesagt eine Vergrößerung der mengenmäßigen Nachfrage, d. h. eine Aufwärts- bzw. Rechtsverschiebung der Preis-Absatzfunktion, der sich ein Anbieter gegenübersieht, bzw., bei der Gemeinschaftswerbung, der Gesamtnachfragekurve der Branche.

---

[1]) Wir verzichten im folgenden auf die Unterscheidung zwischen Werbung und Reklame.

[2]) Wir übernehmen diese passenden Ausdrücke von E. PREISER, der sie zur Unterscheidung zweier Arten von Kapitalexport verwendet. Vgl. E. PREISER, Kapitalexport und Vollbeschäftigung, Jahrbücher für Nationalökonomie und Statistik, Bd. 162 (1950), S. 321—335, neu erschienen in: Theorie der internationalen Wirtschaftsbeziehungen, hrsg. von K. ROSE, Neue wissenschaftliche Bibliothek (2, Wirtschaftswissenschaften), Köln/Berlin 1965, S. 284—298.

Die Preis-Absatzfunktion (Nachfragekurve) wird zu einer Beziehung zwischen dem Preis, der absetzbaren Menge und den Reklameaufwendungen: $p = \varphi(x, R)$. Die Gewinnfunktion des einzelnen Anbieters lautet somit:

$$G = \varphi(x, R)\, x - K_p(x) - R\,,$$

wobei $K_p(x)$ die Produktionskosten und R die Werbekosten bedeuten. Damit diese Funktion ein Maximum wird, müssen die partiellen Ableitungen nach x und R verschwinden, so daß man erhält:

$$\frac{\partial G}{\partial x} = \varphi(x, R) + x\,\frac{\partial \varphi(x, R)}{\partial x} - \frac{d\,K_p(x)}{d\,x} = 0\,;$$

$$\frac{\partial G}{\partial R} = x\,\frac{\partial \varphi(x, R)}{\partial R} - 1 = 0\,.$$

Dies sind die notwendigen Bedingungen für das Gewinnmaximum (auf die Wiedergabe der hinreichenden Bedingungen soll verzichtet werden), von denen die erste nichts anderes als die bekannte Gleichheit von Grenzumsatz und Grenzkosten (und zwar bei konstanten Reklamekosten) fordert, also das Gesetz des erwerbswirtschaftlichen Angebots darstellt. Die zweite Bedingung erscheint zunächst wegen des Subtrahenden 1 schwer zu interpretieren; man vergegenwärtige sich jedoch, daß die Reklamekosten in Geld gerechnet werden und daß somit die Reklamegrenzkosten gleich eins bzw. gleich einer Geldeinheit sein müssen. Die Bedingung 2 fordert demnach die Gleichheit des Grenzumsatzes in bezug auf die Reklame mit den Reklamegrenzkosten (und zwar bei konstanter Produktionsmenge). Damit haben wir die Gewinnmaximierungsbedingung bei Berücksichtigung der Werbung abgeleitet.

Um die Zusammenhänge zu verdeutlichen, bedienen wir uns einmal mehr eines numerischen Beispiels. Die Preis-Absatzfunktion, der sich ein Anbieter gegenübersieht, laute unter Berücksichtigung des Einflusses der Werbemaßnahmen auf die Preis-Absatzfunktion:

$$p = -x + 100 + R^{\frac{1}{2}}\,.$$

In dieser Funktion sind die folgenden Annahmen impliziert:

1. Die Werbekosten wirken bei der angenommenen Funktion nur auf die additive Konstante, d.h. den Ordinatenabschnitt, aber nicht auf die Steigung der Funktion.
2. Der Einfluß der Werbekosten auf die additive Konstante ist positiv, aber ferner degressiv:

$$\frac{\partial p}{\partial R} = \frac{1}{2}\,R^{-\frac{1}{2}}\,, \quad \frac{\partial^2 p}{\partial R^2} = -\frac{1}{4}\,R^{-\frac{3}{2}} \quad \text{bzw.}$$

$$\frac{\partial x}{\partial R} = \frac{1}{2}\,R^{-\frac{1}{2}}\,, \quad \frac{\partial^2 x}{\partial R^2} = -\frac{1}{4}\,R^{-\frac{3}{2}}\,.$$

Ein Zuwachs der Werbekosten vergrößert also die Nachfrage, aber diese Vergrößerung nimmt mit zunehmenden Werbekosten relativ ab.

Durch Multiplikation der Preis-Absatzfunktion mit der Menge erhält man die Umsatzfunktion

$$U = -x^2 + 100x + R^{\frac{1}{2}} x .$$

Nimmt man für die Produktionskosten einen linearen Verlauf gemäß $K_p = 40x$ an (fixe Kosten = 0), so beläuft sich die Summe der Produktions- und Werbekosten auf $K = 40x + R$. Als Differenz zwischen Umsatz- und Kostenfunktion ergibt sich die Gewinnfunktion

$$G = -x^2 + 100x + R^{\frac{1}{2}} x - 40x - R .$$

Diese Funktion ist zu maximieren, d.h. es sind die ersten partiellen Ableitungen zu bilden und gleich Null zu setzen (wir verzichten wieder auf die Ableitung der hinreichenden Bedingungen):

$$\frac{\partial G}{\partial x} = -2x + 100 + R^{\frac{1}{2}} - 40 = 0 ;$$

$$\frac{\partial G}{\partial R} = \frac{1}{2} x R^{-\frac{1}{2}} - 1 = 0 .$$

Aus diesen beiden Gleichungen erhält man für x:

$$x = 30 + \frac{1}{2} R^{\frac{1}{2}} ;$$

$$x = 2 R^{\frac{1}{2}} .$$

Setzt man die beiden letzten Ausdrücke für x gleich, so ergibt sich für die gewinnmaximalen Werbekosten der Wert

$$R = 400.$$

Die Werte der übrigen Größen lassen sich dann leicht errechnen, nämlich $x = 40$, $p = 80$, $U = 3200$, $K_p = 1600$, $K = 2000$, $G = 1200$. Die gewinnmaximale Preis-Absatzfunktion lautet

$$p = -x + 120.$$

Um die so abgeleitete gewinnmaximale Situation mit anderen Situationen bei anderen Werbekosten vergleichen zu können, wurden in Tabelle 26 verschiedene Werbekosten angenommen und ihre Auswirkungen auf die Preis-Absatzfunktion und die relevanten Variablen untersucht. Man sieht, daß bei

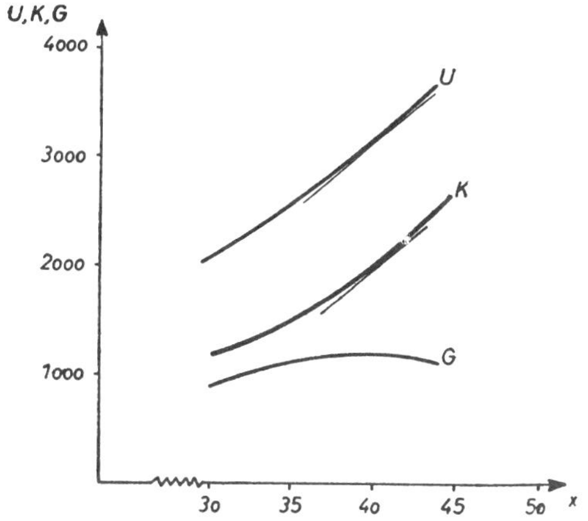

Abb. 118

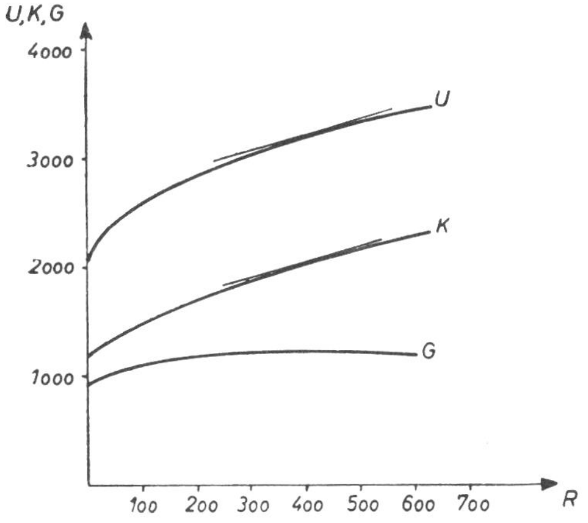

Abb. 119

proportionaler Steigerung der Werbekosten um jeweils 100 die mengenmäßige Nachfrage nur degressiv steigt. Trotzdem steigen zunächst die Gewinne, und zwar bis zu den gewinnmaximalen Werbekosten $R_0 = 400$, um dann wieder abzufallen.

Um die Einflußfaktoren noch klarer hervortreten zu lassen, wurden in Abb. 118 der Umsatz, die Kosten und der Gewinn in Abhängigkeit von der abgesetzten Menge eingezeichnet, und zwar auf der Basis der in Tabelle 26 enthaltenen Werte. Abb. 119 enthält dieselben Größen, jetzt aber in Abhängigkeit von den Werbekosten.

Aus Abb. 118 läßt sich einmal als Gewinnmaximierungsbedingung entnehmen: Die gewinnmaximale Menge ist dort erreicht, wo die Umsatzkurve und die Kurve der Gesamtkosten $(K_p(x) + R)$ die gleiche Steigung aufweisen. Da die Reklamekosten in Abb. 118 nicht konstant sind, ist diese Bedingung offenbar nicht mit der ersten Gewinnmaximierungsbedingung $\frac{\partial G}{\partial x} = 0$, sondern mit der Totalbedingung $\frac{dG}{dx} = 0$ gleichzusetzen, d.i.

$$\frac{dG}{dx} = \varphi(x, R) + x \frac{\partial \varphi(x, R)}{\partial x} - \frac{d K_p(x)}{dx} + x \frac{\partial \varphi(x, R)}{\partial R} \frac{dR}{dx} - \frac{dR}{dx} = 0$$

bzw.

$$\varphi(x, R) + x \frac{\partial \varphi(x, R)}{\partial x} + x \frac{\partial \varphi(x, R)}{\partial R} \frac{dR}{dx} = \frac{d K_p(x)}{dx} + \frac{dR}{dx}.$$

Die linke Seite der letzten Gleichung gibt die Steigung der Umsatzkurve, die rechte Seite die Steigung der Gesamtkostenkurve, also die Grenzproduktions- + Grenzreklamekosten an. In dem numerischen Beispiel lauten die

Tabelle 26

Die Auswirkung unterschiedlicher Reklamekosten auf die Situation eines Anbieters

1	2	3	4	5	6	7	8	9
Werbekosten R	jeweilige Preis-Absatzfunktion $p = \varphi(x, R)$	Grenzumsatzfunktion $\frac{dU}{dx}$	Grenzproduktionskosten $K'_p(x)$	x (aus 3 = 4)	p (aus 2 und 5)	U (5 · 6)	$K_p(x) + R = K$ (4 · 5 + 1)	G (7 — 8)
0	$p = -x + 100$	$U' = -2x + 100$	40	30	70	2100	1200 + 0 = 1200	900
100	$p = -x + 110$	$U' = -2x + 110$	40	35	75	2625	1400 + 100 = 1500	1125
200	$p = -x + 114{,}1$	$U' = -2x + 114{,}1$	40	37,05	77,05	2854,7	1482 + 200 = 1682	1172,7
300	$p = -x + 117{,}3$	$U' = -2x + 117{,}3$	40	38;65	78,65	3039,8	1546 + 300 = 1846	1193,8
400	$p = -x + 120$	$U' = -2x + 120$	40	40	80	3200	1600 + 400 = 2000	1200
500	$p = -x + 122{,}4$	$U' = -2x + 122{,}4$	40	41,2	81,2	3345,44	1648 + 500 = 2148	1197,44
600	$p = -x + 124{,}5$	$U' = -2x + 124{,}5$	40	42,25	82,25	3475,06	1690 + 600 = 2290	1185,06

beiden obenstehenden Gleichungen:

$$\frac{dG}{dx} = -2x + 100 + R^{\frac{1}{2}} - 40 + \frac{1}{2} R^{-\frac{1}{2}} x \frac{dR}{dx} - \frac{dR}{dx} = 0$$

bzw. $$-2x + 100 + R^{\frac{1}{2}} + \frac{1}{2} R^{-\frac{1}{2}} \frac{dR}{dx} = 40 + \frac{dR}{dx}.$$

Man erkennt ferner anhand der Abb. 118, daß es der überproportionale Anstieg der Reklamekosten im Vergleich zu der Entwicklung der Absatzmenge ist, der die Ausdehnung der Reklamekosten über $R_0 = 400$ unrentabel werden läßt. Überproportionaler Anstieg von R gegenüber x ist aber nur ein anderer Ausdruck für unterproportionalen Anstieg von x gegenüber R, so daß man auch sagen kann, die Situation werde letztlich durch die zwar positive, aber degressive Wirkung der Reklamekosten auf die Absatzmenge bestimmt.

Von einem anderen Aspekt her zeigt das Gleiche die Abb. 119, in der die einzelnen Größen von den Reklamekosten abhängen. Sowohl der Umsatz als auch die Produktionskosten wachsen degressiv im Vergleich zu R; die Reklamekosten selbst wachsen proportional und fallen bei wachsendem R gegenüber den Produktionskosten immer mehr ins Gewicht. Dadurch wird eine gewinnmaximale Position möglich, die sich bei gleichem Anstieg der Umsatzkurve und der Gesamtkostenkurve ergibt. Da die Absatzmenge nicht konstant ist, spiegelt dieser gleiche Anstieg der beiden Kurven jedoch nicht die zweite Gewinnmaximierungsbedingung $\frac{\partial G}{\partial R} = 0$ wieder, sondern die Totalbedingung $\frac{dG}{dR} = 0$, also

$$\frac{dG}{dR} = \left(\varphi(x, R) + x \frac{\partial \varphi(x, R)}{\partial x} - \frac{dK_p(x)}{dx}\right) \frac{dx}{dR} + x \frac{\partial \varphi(x, R)}{\partial R} - 1 = 0$$

bzw. $$\left(\varphi(x, R) + x \frac{\partial \varphi(x, R)}{\partial x}\right) \frac{dx}{dR} + x \frac{\partial \varphi(x, R)}{\partial R} = \frac{dK_p(x)}{dx} \frac{dx}{dR} + 1.$$

Die linke Seite der letzten Gleichung zeigt die Steigung der Umsatzkurve in bezug auf R an, die rechte Seite die Steigung der Gesamtkostenkurve ebenfalls in bezug auf R, also die Grenzproduktions- plus Grenzreklamekosten. In dem numerischen Beispiel lauten die beiden Gleichungen:

$$\frac{dG}{dR} = \left(-2x + 100 + R^{\frac{1}{2}} - 40\right) \frac{dx}{dR} + \frac{1}{2} R^{-\frac{1}{2}} x - 1 = 0$$

und $$\left(-2x + 100 + R^{\frac{1}{2}}\right) \frac{dx}{dR} + \frac{1}{2} R^{-\frac{1}{2}} x = 40 \frac{dx}{dR} + 1.$$

Damit dürften die preistheoretischen Aspekte der Werbung eines monopolistischen Anbieters, wie sie in vielen Variationen in der Literatur entwickelt wurden[1]), klar geworden sein, und wir können uns unmittelbar unserem nächsten Thema zuwenden, allerdings nicht ohne darauf hinzuweisen, daß die preistheoretische Analyse der Werbung bis auf wenige Ausnahmen nur den monopolistischen, nicht aber den oligopolistischen und polypolistischen Anbieter berücksichtigt hat.

2. Das Vollkostenprinzip

Das Vollkostenprinzip (full cost principle) wurde durch die beiden Oxforder Nationalökonomen Hall und Hitch im Jahre 1939 entwickelt; die außerordentlich lebhafte Diskussion dieser Theorie fällt dagegen weitgehend in die Nachkriegszeit. Hall und Hitch waren von einer Unternehmerbefragung ausgegangen, deren Ergebnisse die Annahmen der traditionellen, marginalistischen Preistheorie über das Verhalten der Unternehmer bei der Preisfixierung nicht zu bestätigen schienen. Die Anbieter, so stellten Hall und Hitch fest, bedienten sich bei der Preisfixierung keineswegs der marginalistischen Begriffe Grenzkosten und Grenzumsatz; sie handelten auch keineswegs, wie es die Anbieter in Lehrbüchern tun, nach dem Gewinnmaximierungsprinzip, und schließlich schienen sich auch die Kosten nicht so zu verhalten, wie es die Lehrbücher beschreiben. Es waren also im wesentlichen drei Punkte, an denen die Kritik der Vollkosten-Theoretiker ansetzte, nämlich

1. das Gewinnmaximierungsprinzip,
2. das Vorgehen der Unternehmer bei der Preisermittlung,
3. der Verlauf der Kostenkurven.

Die traditionelle Preistheorie geht überwiegend von der Annahme aus, die Unternehmer erstrebten die Maximierung des Umsatzgewinnes, und zwar kurzfristig des Periodengewinns, langfristig des Gewinns „für eine mehrere Perioden umfassende Zeitspanne“ (Schneider). Andere Zielsetzungen wurden zwar gelegentlich analysiert; grundsätzlich aber steht die Annahme des Strebens nach dem maximalen Umsatzgewinn eindeutig im Vordergrund und wird als eine für die überwiegenden Bereiche der Volkswirtschaft realistische Annahme gehalten.

Demgegenüber verweisen die Vertreter des Vollkostenprinzips einmal auf „moralische“ oder „quasimoralische“ Regeln, die die Unternehmer zu einem Abgehen von dem Gewinnmaximierungsstreben veranlassen. „The maximizers“, so schreibt P. Streeten, „will be described as sharp dealers, throat cutters and ‘Jews‘, as sweaters of labour, adulterators and sharks. Even

[1]) Wir verweisen auf die zusammenfassende Darstellung bei D. Nöh, Reklamepolitik und Produktvariation in der Preistheorie, Diss., Frankfurt 1957.

if they could increase their profit, nobody likes to be called names — and being called names may reduce profits in the long-run"[1]). Die Rücksicht auf die öffentliche Meinung mag demnach sehr wohl dazu führen, daß die Unternehmer von der Ausschöpfung aller ihnen offenstehenden Möglichkeiten absehen und sich mit einem geringeren Gewinn bescheiden. Ferner kann es auf Grund von „non-pecuniary motives" (R. A. GORDON) zu einer Gewinnbegrenzung kommen, wenn z.B. ein Unternehmer aus religiösen Gründen auf die Maximierung des Gewinns verzichtet; ferner spielen „semipecuniary motives" (GORDON) eine Rolle, so wenn ein Unternehmer besonders auf die Erhaltung seines Marktanteils bedacht ist und dieses Ziel mit der Gewinnmaximierung im Widerstreit liegt. Zusammenfassend kann man demnach sagen, daß der Unternehmer nach den Vertretern des Vollkostenprinzips eher einen Normalgewinn als einen maximalen Gewinn anstrebt.

Nun zu dem zweiten Kritikpunkt, dem tatsächlichen Vorgehen der Unternehmer bei der Preisermittlung. Nach Annahme der traditionellen, marginalistischen Preistheorie sind es die Marginalgrößen Grenzkosten und Grenzumsatz, die der Unternehmer bei der Preisermittlung verwendet. Die gewinnmaximale Ausbringung bzw. der gewinnmaximale Preis ergibt sich, indem die Gleichheit von Grenzkosten und Grenzumsatz verwirklicht wird.

Ganz anders liegen die Dinge dagegen nach den Ansichten (und den empirischen Unterlagen) der Vollkosten-Theoretiker. Der Unternehmer agiert danach keineswegs mit den Größen Grenzkosten und Grenzumsatz, worunter er sich einerseits kaum etwas vorstellen kann, die andererseits auch kaum ermittelt werden können. Vielmehr sind die Durchschnittskosten die Basis der Preisermittlung, die mit Hilfe eines prozentualen Aufschlags auf die Durchschnittskosten vorgenommen wird. Dieser Aufschlag stellt, wenn von den totalen Durchschnittskosten ausgegangen wird, eine Gewinnmarge, wenn von den variablen Durchschnittskosten ausgegangen wird, eine „average gross profit margin" dar, die neben der Gewinnmarge auch einen Bestandteil zur Deckung der fixen Kosten enthält. Das Streben nach einem normalen Gewinn, zusammen mit der Aufschlagskalkulation, ist der wesentliche Inhalt der „normal price policy" (P. W. S. ANDREWS).

Schließlich wenden sich die Vertreter des Vollkostenprinzips auch von dem traditionellen, auf dem Ertragsgesetz beruhenden konvexkonkaven Verlauf der Gesamtkostenfunktion ab und unterstellen (mit einigen Abweichungen zwischen den Autoren im einzelnen) einen linearen Verlauf der Gesamtkostenkurve.

Betrachten wir die sich nach dem Vollkostenprinzip ergebende Preisbildung unter der Annahme, der Anbieter sehe sich einer geneigten Preis-Absatzfunktion gegenüber. Wird die Preiskalkulation auf der Basis der

---

[1]) STREETEN, P., The Theory of Pricing, Jahrbücher für Nationalökonomie und Statistik, Bd. 161 (1949), S. 177.

durchschnittlichen Gesamtkosten durchgeführt, so ergibt sich der Angebotspreis aus der Formel

$$p_A = \frac{K}{x}(1 + r),$$

wobei r den prozentualen Aufschlag darstellt:

$$r = \frac{p_A - \frac{K}{x}}{\frac{K}{x}}.$$

Die Vollkostenpreisfunktion $p_A = \frac{K}{x}(1 + r)$ ergibt sich graphisch, indem man die Stückkostenkurve um $\frac{K}{x} r$ nach oben verschiebt. Im allgemeinen resultieren daraus zwei Schnittpunkte der Vollkostenpreisfunktion mit der Preis-Absatzfunktion (vgl. Abb. 120)[1]).

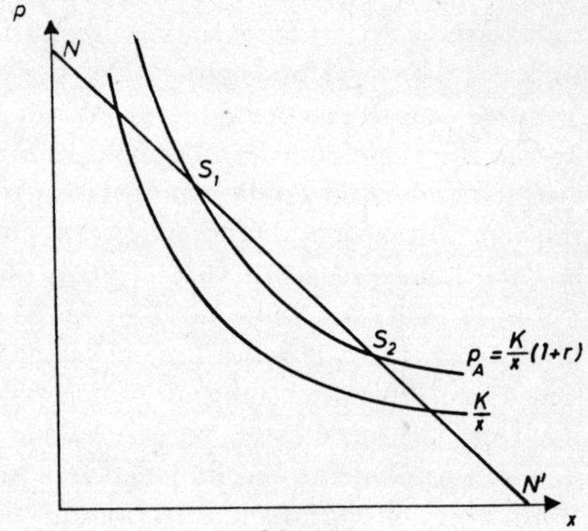

Abb. 120

Die Tatsache, daß im allgemeinen diese zwei Schnittpunkte auftreten, der Angebotspreis und die dazugehörige Absatzmenge also nicht eindeutig bestimmt sind, zeigt schon, daß der Preiskalkulation auf der Basis der Stückkosten etwas Unrealistisches anhaftet. Die Preiskalkulation auf der Basis der durchschnittlichen variablen Kosten erscheint realistischer, insbesondere wenn ein linearer Verlauf der Gesamtkostenkurve, also ein konstanter Wert für die durchschnittlichen variablen Kosten angenommen wird. In diesem Fall lautet die Vollkostenpreisfunktion

$$p_A = \frac{K_v}{x}(1 + s),$$

wobei s wieder den prozentualen Aufschlag darstellt:

$$s = \frac{p_A - \frac{K_v}{x}}{\frac{K_v}{x}}.$$

---

[1]) Vgl. K. Ch. Kuhlo, Eine Analyse des Vollkostenprinzips, Weltwirtschaftliches Archiv, Bd. 75 (1955 II). S. 137—195.

Graphisch erhält man jetzt die Vollkostenpreisfunktion, indem man die Kurve der durchschnittlichen variablen Kosten, d.i. eine Parallele zur Abszisse, um den konstanten Betrag $\frac{K_v}{x} \cdot s$ nach oben verschiebt (vgl. Abb. 121).

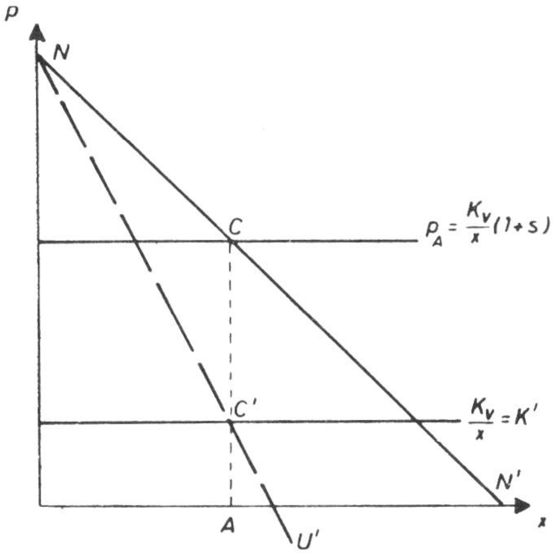

Abb. 121

Die Lösung ist jetzt auf jeden Fall eindeutig, d.h. es existiert nur ein Schnittpunkt der Vollkostenfunktion mit der Preis-Absatzfunktion. Die Abb. 121 wurde so konstruiert, daß die Aufschlagskalkulation auf der Basis der durchschnittlichen variablen Kosten zum Cournotschen Punkt C, also zur Gewinnmaximierung führt. Die Aufschlagsspanne s muß dann einen ganz bestimmten Wert annehmen, nämlich

$$s = \frac{AC - AC'}{AC'} = \frac{C'C}{AC'} = \frac{1}{\varepsilon - 1}.$$

Es gilt also

$$p_0 = \frac{K_v}{x}\left(1 + \frac{1}{\varepsilon - 1}\right) = \frac{K_v}{x} \frac{\varepsilon}{\varepsilon - 1}.$$

Berücksichtigt man, daß die durchschnittlichen variablen Kosten bei linearem Verlauf der Gesamtkostenfunktion mit den Grenzkosten zusammenfallen, so läßt sich aus der letzten Gleichung leicht das Gesetz des erwerbswirtschaftlichen Angebots $p_0\left(1 - \frac{1}{\varepsilon}\right) = K'$ ableiten.

Wie diese letzte Ableitung zeigt, kann die Bestimmung der gewinnmaximalen Ausbringung und des gewinnmaximalen Preises sowohl mit Hilfe der Marginalbegriffe Grenzkosten und Grenzumsatz, also marginalistisch, als auch mit Hilfe der Aufschlagskalkulation erfolgen. Hier besteht demnach keinerlei Diskrepanz zwischen der Marginaltheorie und dem Vollkostenprinzip.

Dieses Ergebnis darf allerdings nicht zu dem voreiligen Schluß verführen, das Vollkostenprinzip sei demnach nur die Übersetzung längst bekannter Zusammenhänge in eine neue Sprache, die vielleicht dazu geeignet sei, das Verständnis zwischen Theoretikern und Praktikern zu erleichtern. Dabei hat man nämlich nach M. J. Farrell immer noch zu fragen: ,,Is the language of the economist or that of the business man better suited to discussing the economics of business?"[1]). Das Vollkostenprinzip entfaltet sozu-

[1]) M. J. Farrell, Deductive Systems and Empirical Generalizations in the Theory of the Firm, Oxford Economic Papers, NS Vol. IV (1952), S. 49.

sagen erst dann seine Reize, wenn man von der Zielsetzung der Gewinnmaximierung abgeht und andere Zielsetzungen (Streben nach einem angemessenen, brancheüblichen oder traditionellen Gewinn) unterstellt. Zwar ist die Formulierung der sich ergebenden Sätze immer auch mit Hilfe von Marginalbegriffen möglich, da ja stets zwischen den Grenzgrößen und den Durchschnittsgrößen bestimmte Beziehungen bestehen bzw. sie im Grenzfall sogar zusammenfallen, aber diese Formulierung mit Hilfe der Marginalgrößen muß als formal, wenn nicht sogar als inadäquat angesehen werden, und zwar aus folgendem Grund: Das Werkzeug der Differentialrechnung dient nicht nur in der Wirtschaftstheorie, sondern ganz allgemein u.a. zur Bestimmung der Extremwerte von Funktionen, also deren Maxima und Minima. Sind diese Extremwerte nicht gefragt, arbeiten wir also in der Wirtschaftstheorie nicht mit der Gewinnmaximierungsannahme, so bemüht man die Differentialrechnung sozusagen völlig überflüssigerweise und im Grunde umsonst, da sie ja darauf hintendiert, die Extremwerte von Funktionen — falls solche überhaupt existieren — zu bestimmen. Unterstellen wir demnach das Streben nach einem angemessenen usw. Gewinn, der sc. kleiner als der maximale sein soll, so ist die Differentialrechnung ein inadäquates Mittel zur Bestimmung des Preises und der Menge, selbst wenn die theoretischen Sätze auch mit Hilfe von Marginalbegriffen formuliert werden können. Es besteht demnach das folgende Zuordnungsverhältnis von Zielsetzung auf der einen Seite, Rechnen in Durchschnitts- bzw. Grenzgrößen auf der anderen Seite:

1. Unter der Voraussetzung des Gewinnmaximierungsstrebens ist die *Marginaltheorie* das angemessene Mittel zur Ermittlung des gewinnmaximalen Preises und der gewinnmaximalen Menge; die Ermittlung mit Hilfe von Durchschnittsgrößen ist möglich, wenn auch im allgemeinen etwas umständlicher, etwas weniger „elegant" als mit Hilfe der Grenzgrößen.
2. Unter der Voraussetzung des Strebens nach einem traditionellen usw. Gewinn, der kleiner ist als der maximale, ist die *Durchschnittsrechnung* das angemessene Mittel zur Ermittlung des Preises und der Menge; die Ermittlung mit Hilfe von Grenzgrößen ist möglich, wenn auch der Differentialkalkül im Sinne der Bestimmung von Extremwerten einer Funktion nicht am Platze ist.
3. Fallen schließlich der maximale und der traditionelle usw. Gewinn zusammen, so sind beide Methoden adäquat, wenn man auch der Marginaltheorie wegen ihrer Eleganz den Vorrang einräumen wird.

Wenn wir die Marginaltheorie als inadäquat (nicht als unmöglich!) bezeichnen, soweit andere Zielsetzungen als die der Gewinnmaximierung (oder andere ökonomische Maximierungs- bzw. Minimierungsprobleme) zur Diskussion stehen, so liegt darin keineswegs eine Abwertung. Die traditionelle Preistheorie hat sich mit der Marginalanalyse, dem Differentialkalkül, des exaktesten und besten Werkzeugs bedient, das bei Maximierungs- bzw.

Minimierungsproblemen überhaupt herangezogen werden kann. Wenn in der Realität, z.B. im Bereich des Einzelhandels, das Streben nach maximalem Gewinn nicht in der Allgemeinheit gegeben ist, wie man angenommen hatte, und wenn man die Marginalanalyse als inadäquat zur Untersuchung der Preisbildung bei anderen Zielsetzungen nicht heranzieht, so wird damit der Wert der traditionellen Preistheorie nicht wesentlich berührt. Es dürfte sich vielmehr nur die Modifikation ergeben, daß wir zu einer Preistheorie gelangen, in der sich die Annahme des Gewinnmaximierungsstrebens einerseits — von einem allerdings formalistischen Standpunkt aus — als Spezialfall auffassen läßt, der andererseits aber den für weite Bereiche der Volkswirtschaft typischen Normalfall darstellt.

Die grundsätzlich unerschütterte Stellung der Marginalanalyse innerhalb der Preistheorie erfährt von einem anderen Gedanken her zusätzliche Stärkung. Das Denken und Rechnen in Grenzgrößen ist nicht nur dann am Platze, wenn es sich um die Auffindung von Maxima und Minima dreht, sondern vor allem auch dann, wenn Veränderungen eintreten. Zwar kann ein Unternehmer beim Eingang eines zusätzlichen Auftrags auch fragen: Bringt mir dieser Auftrag einen angemessenen Gewinn? D.h. er kann auch beim Eintritt von Veränderungen die Zielsetzung Streben nach einem angemessenen Gewinn beibehalten. Im allgemeinen wird jedoch damit zu rechnen sein, daß bei Veränderungen jedes Streben nach einem nichtmaximalen Gewinn durch das Streben nach einem maximalen Gewinn und die ihm entsprechenden Überlegungen abgelöst wird. Der Unternehmer wird solange zusätzliche Aufträge hereinnehmen, solange er „daran noch etwas verdient", d.h. bis er den Gewinn nicht weiter vergrößern kann, *bis er maximiert ist.* Er wird bei sinkender Nachfrage solange seine Produktion einschränken, bis er die Verluste nicht weiter reduzieren kann, d.h. *bis er den Verlust minimiert hat.* Bei Veränderungen ist somit in der überwiegenden Zahl der Fälle mit rein marginalistischem Denken und Handeln der Unternehmer zu rechnen. Da nun in der Wirklichkeit Veränderungen als die Regel und der statisch-stationäre, der veränderungslose Zustand als die Ausnahme angesehen werden müssen, eröffnet sich ein weites Feld für die Gültigkeit der marginalistischen Preistheorie.

3. Preisbildung und Preisbindung im Handel

§ 1. Die vertikale Preisbildung

Unter vertikaler Preisbildung versteht man die Preisbildung bei Existenz mehrerer vor- bzw. nachgelagerter Märkte. In der Wirklichkeit stehen in der Regel zwischen dem Konsumenten und dem Produzenten mehrere Handelsstufen (Großhandel, Einzelhandel), und es gilt in diesem Falle, das Gleichgewicht auf mehreren Märkten simultan zu bestimmen. In der kommenden

Analyse der Preisbildung im Handel sehen wir von der Existenz des Großhandels ab, nehmen also einen zweistufigen Absatz an. Wir unterstellen ferner vollkommene Märkte und abstrahieren von der Mehrproduktunternehmung, und zwar sowohl bei den Händlern als auch bei den Produzenten[1]).

Die Tabelle 27 vermittelt einen Überblick über die möglichen Marktformen-Kombinationen auf dem Konsumenten-Händler- und auf dem Händler-Produzenten-Markt, die sich bei Zugrundelegung der Reihe einer-wenige-viele ergeben.

Tabelle 27

Die Marktformen auf dem Konsumenten-Händler- und auf dem Händler-Produzenten-Markt

Händler (Anbieter) / Konsumenten (Nachfrager)	viele	wenige	einer
viele	I	II	III
wenige	IV	V	VI
einer	VII	VIII	IX

Konsumenten-Händler-Markt

Händler (Nachfrager) / Produzent (Anbieter)	viele	wenige	einer
viele	1	2	3
wenige	4	5	6
einer	7	8	9

Händler-Produzenten-Markt

Insgesamt sind 27 Marktformen-Kombinationen möglich, weil zu jeder der neun Formen des Konsumenten-Händler-Marktes jeweils drei Formen des Händler-Produzenten-Marktes passen bzw. zu jeder der neun Formen des Händler-Produzenten-Marktes jeweils drei Formen des Konsumenten-Händler-Marktes. Im folgenden sollen nun zwei dieser 27 Kombinationen untersucht werden, und zwar die folgenden:

---

[1]) Vgl. dazu A.E. Ott, Vertikale Preisbildung und Preisbindung, Eine theoretische Analyse, Göttingen 1966.

I.1: Polypol auf dem Konsumenten-Händler- und auf dem Händler-Produzenten-Markt.

III.9: Monopol auf dem Konsumenten-Händler- und bilaterales Monopol auf dem Händler-Produzenten-Markt.

In den beiden Modellen werden die folgenden Funktionen verwendet[1]:

Es sei $$p = f(x) \qquad \text{mit } f'(x) < 0 \tag{1.0}$$

die Gesamtnachfragefunktion des Konsumenten-Händler-Marktes. Aus ihr ergibt sich

$$p = f(mx_i) \tag{1.0i}$$

als Teilnachfragefunktion für einen Händler $\hat{i}$ ($i = 1,2, \ldots, m$) bei stets gleichen Preisen aller Händler. Es seien

$$K_H = K_H(x) + K^f_H \tag{2.0}$$

die „sonstigen" Kosten aller Händler (oder eines monopolistischen Händlers), also die Kosten ohne den Wareneinsatz W. Es gelte $K'_H > 0$ und $K''_H > 0$, d.h. die Grenzkosten sind eine monoton steigende Funktion. Aus (2.0) erhält man die sonstigen Kosten eines (nichtmonopolistischen) Händlers i zu

$$K_i = \frac{1}{m} K_H = \frac{1}{m} K_H(x) + \frac{1}{m} K^f_H = \frac{1}{m} K_H(m\,x_i) + K^f_i. \tag{2.0i}$$

Es wird also unterstellt, daß alle Händler gleich groß sind und denselben Kostenverlauf aufweisen. Es fehlen noch die Produktionskosten aller Produzenten (oder eines monopolistischen Produzenten), die durch

$$K_P = K_P(x) + K^f_P \tag{3.0}$$

mit $K'_P > 0$ und $K''_P > 0$ wiedergegeben werden sollen. Auch hier also unterstellen wir eine monoton steigende Grenzkostenkurve. Aus (3.0) folgt

$$K_r = \frac{1}{n} K_P = \frac{1}{n} K_P(x) + \frac{1}{n} K^f_P = \frac{1}{n} K_P(n\,x_r) + K^f_r \tag{3.0r}$$

als Kostenfunktion eines (nichtmonopolistischen) Produzenten r ($r = 1,2, \ldots, n$).

Damit sind alle notwendigen Funktionen bekannt, und wir können zur Betrachtung des ersten Modells übergehen. Bei diesem Modell soll sowohl auf dem Konsumenten-Händler- als auch auf dem Händler-Produzenten-Markt die Marktform des vollkommenen Polypols gegeben sein; es sind also viele Konsumenten, viele Händler (m) und viele Produzenten (n) am Markt. Wir

[1]) Um die Lektüre der folgenden Ausführungen zu erleichtern, wurden die Gleichungen in diesem Kapitel numeriert.

beginnen damit, die Gewinnmaximierung durch einen Händler i zu betrachten. Sein Gewinn ist definitorisch

$$G_i = U_i - W_i - K_i, \tag{4.0i}$$

wobei W_i den Wareneinsatz, also Einstandspreis mal Menge bedeutet. Bezeichnet man den Einstandspreis mit q und berücksichtigt die Kostenfunktion des Händlers, so kann die Gewinngleichung auch wie folgt geschrieben werden:

$$G_i = p x_i - q x_i - \frac{1}{m} K_H (m x_i) - K_i^f. \tag{4.0i}$$

Da der Händler ein Polypolist auf beiden vollkommenen Märkten ist, sieht er sowohl den Verkaufspreis p als auch den Einstandspreis q als Datum an. Die erste Gewinnmaximierungsbedingung lautet dann[1]):

$$G_i' = p - q - \frac{1}{m} \frac{d K_H (m x_i)}{d x_i} = 0 \tag{4.1i}$$

oder

$$p = q + \frac{1}{m} \frac{d K_H (m x_i)}{d x_i}.$$

Der Verkaufspreis muß demnach gleich dem Einstandspreis plus den sonstigen Grenzkosten sein. Das ist das Gesetz des erwerbswirtschaftlichen Konkurrenzangebots bei zweistufigem Absatz. Berücksichtigt man in (4.1i) die Teilnachfragefunktion (1.0i) und löst nach q auf, so erhält man die abgeleitete Nachfragefunktion eines Händlers i bei den Produzenten:

$$q = f(m x_i) - \frac{1}{m} \frac{d K_H (m x_i)}{d x_i}. \tag{4.2i}$$

Diese Funktion zeigt also, welche Mengen ein Händler bei den Produzenten nachfragt, wenn alle Händler stets dieselbe Menge nachfragen. Aus ihr erhält man durch Aggregation

$$q = f(x) - K_H'(x) \tag{4.2}$$

als abgeleitete Nachfragefunktion aller Händler bei den Produzenten und aus ihr wiederum

$$q = f(n x_r) - K_H'(n x_r) \tag{4.2r}$$

als Teilnachfragefunktion, der sich der einzelne Produzent bei stets gleichen Mengen (bzw. Preisen) aller Produzenten gegenübersieht. Den drei abgeleiteten Nachfragefunktionen (4.2i), (4.2) und (4.2r) kommt für die Preisbildung im Handel zentrale Bedeutung zu. Sie stellen nämlich das Bindeglied zwischen dem Konsumenten-Händler- und dem Händler-Produzenten-Markt dar. Wir verlassen diese Funktionen jetzt zunächst und wenden uns der

---

[1]) Wir verzichten im folgenden stets auf die Wiedergabe der hinreichenden Bedingungen; sie sind hier erfüllt.

Gewinnmaximierung durch einen Produzenten zu. Der Gewinn eines Produzenten r ist definitorisch gleich der Differenz zwischen seinem Umsatz und seinen Kosten, also

$$G_r = U_r - K_r\,, \tag{5.0r}$$

oder nach Einfügen von $q x_r$ für den Umsatz und bei Berücksichtigung der Kostenfunktion:

$$G_r = q x_r - \frac{1}{n} K_P(n x_r) - K^f_r\,. \tag{5.0r}$$

Da auch die Produzenten auf einem vollkommenen Markt sind, sieht der einzelne Produzent seinen Abgabepreis q (d. i. für die Händler der Einstandspreis) als Datum an. Die erste Gewinnmaximierungsbedingung für den Produzenten lautet somit:

$$G'_r = q - \frac{1}{n} \frac{d K_P(n x_r)}{d x_r} = 0 \tag{5.1r}$$

bzw.

$$q = \frac{1}{n} \frac{d K_P(n x_r)}{d x_r}\,.$$

Der Preis muß also gleich den Grenzkosten sein, wir haben demnach wieder das Gesetz des erwerbswirtschaftlichen Konkurrenzangebots vor uns, jetzt aber ohne jede Modifikation.

Jetzt folgt der entscheidende Schritt. Die Gewinnmaximierungsbedingung für den Produzenten r wird jetzt mit der Teilnachfragefunktion, der sich der einzelne Produzent gegenübersieht, verknüpft und damit der Händler-Produzenten- mit dem Konsumenten-Händler-Markt verbunden. Die Einfügung von (4.2r) in (5.1r) führt zu

$$q = f(n x_r) - K'_H(n x_r) = \frac{1}{n} \frac{d K_P(n x_r)}{d x_r}\,. \tag{5.2r}$$

Der für alle Produzenten gleiche Abgabepreis q wird also durch den Schnittpunkt der Teilnachfragekurve (4.2r), der sich ein Produzent gegenübersieht, mit der Grenzkostenkurve bestimmt. Natürlich gilt auch

$$q = f(x) - K'_H(x) = K'_P(x), \tag{5.2}$$

d. h. der Gleichgewichts-Abgabepreis kann auch bestimmt werden durch den Schnittpunkt der abgeleiteten Nachfragekurve der Händler mit der Grenzkostenkurve der Produzenten. Für den Endverkaufspreis p erhält man

$$p = f(x) = K'_H(x) + K'_P(x). \tag{6.0}$$

Der für alle Händler gleiche Endverkaufspreis p wird durch den Schnittpunkt der Gesamtnachfragekurve des Konsumenten-Händler-Marktes (1.0) mit der Kurve der aggregierten Händler- und Produzentengrenzkosten bzw. mit der um den Gleichgewichtswert von q nach oben verschobenen Händlergrenzkostenkurve bestimmt.

Diese etwas abstrakten Überlegungen werden verständlich, wenn man die Abbildungen 122a, 122b, 123a und 123b betrachtet. Die Abbildungen 122a und 123a gelten für den jeweiligen Gesamtmarkt, d. h. den Konsumenten-Händler-Markt (122a) und den Händler-Produzenten-Markt (123a). Die Abbildungen 122b und 123b zeigen dagegen die Situation des einzelnen Anbieters, nämlich des einzelnen Händlers (122b) und des einzelnen Produzenten (123b). Es wurden 100 Händler und 10 Produzenten angenommen, weshalb die Abszissenmaßstäbe in den Abb. 122b und 123b zweckmäßigerweise verschieden zu wählen waren.

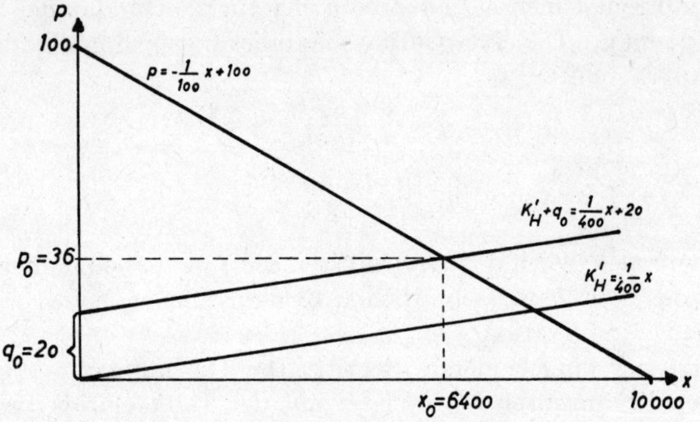

Abb. 122a

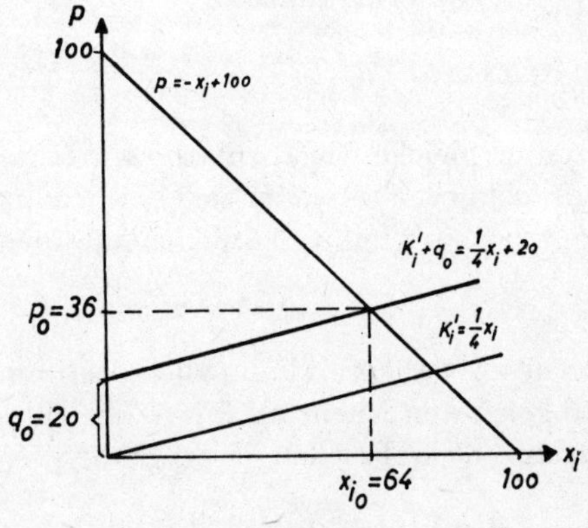

Abb. 122b

In Abb. 122a stellt die Funktion $p = -\frac{1}{100}\, x + 100$ die Gesamtnachfragekurve des Konsumenten-Händler-Marktes (1.0) dar. Aus ihr entsteht durch Subtraktion (vertikale Subtraktion bei der graphischen Darstellung) der sonstigen Händler-Grenzkosten $K'_H = \frac{1}{400}\,x$ die abgeleitete Nachfragekurve aller Händler bei den Produzenten $q = -\frac{1}{80}\,x + 100$, d.i. Funktion (4.2) in Abb. 123a. Dieser Nachfragekurve sehen sich die Produzenten als Gesamtheit gegenüber. Ihr Schnittpunkt mit der Grenzkostenkurve aller Produzenten $K'_P = \frac{1}{320}\,x$ bestimmt den Gleichgewichts-Abgabepreis der Produzenten $q_0 = 20$ und die Absatzmenge der Produzenten $x_0 = 6400$, die gleich der Bezugsmenge der Händler ist. Kehren wir jetzt wieder zu der Abb. 122a zurück. Verschiebt man die Kurve der sonstigen Händler-Grenzkosten um den Gleichgewichts-Einstandspreis $q_0 = 20$ nach oben, so gibt der Schnittpunkt der so entstehenden Funktion $K'_H + q_0 = \frac{1}{400}\,x + 20$ mit der Endnachfragekurve den Gleichgewichts-Endverkaufspreis $p_0 = 36$ an. Die Absatzmenge der Händler (= Bezugsmenge der Konsumenten) muß

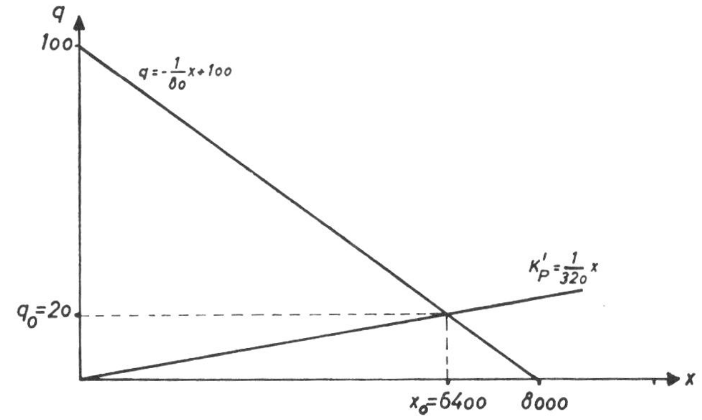

Abb. 123a

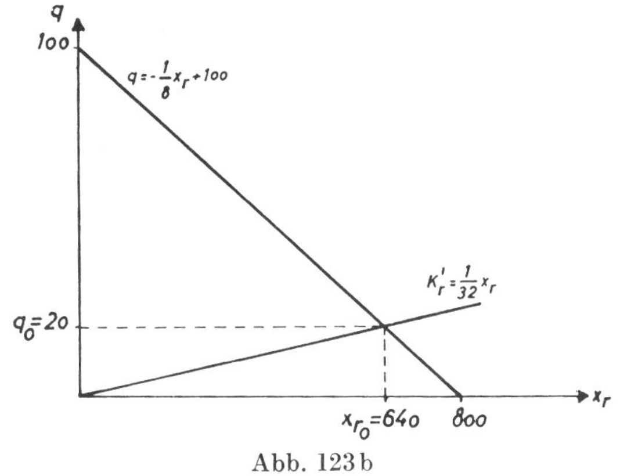

Abb. 123b

selbstverständlich in Abb. 122a, d. h. auf dem Konsumenten-Händler-Markt, gleich der auf dem Händler-Produzenten-Markt, also der in Abb. 123a gefundenen sein. Damit ist das Gleichgewicht auf beiden Märkten simultan bestimmt und das gestellte Problem gelöst. Man erkennt deutlich die zentrale Wichtigkeit der abgeleiteten Nachfragekurve der Händler bei den Produzenten, die den Konsumenten-Händler-Markt mit dem vorgelagerten Händler-Produzenten-Markt verbindet.

Auf die Interpretation der Abbildungen 122b und 123b kann nach dem Ausgeführten fast verzichtet werden. Die Situation des einzelnen Polypolisten (des Händlers in Abb. 122b und des Produzenten in Abb. 123b) wird hier abweichend von der übrigen Darstellung nicht durch die Preisgerade und die Grenzkostenkurve, sondern durch die jeweilige Teilnachfragekurve und die Grenzkostenkurve beschrieben. Man erinnere sich, daß die Teilnachfragekurve beim Polypol auf dem vollkommenen Markt nicht etwa anzeigt, der einzelne Polypolist habe die Möglichkeit, eigenständige Preispolitik zu betreiben! Die Teilnachfragekurve gilt, um das an dieser Stelle zu wiederholen, für stets gleiche Preise (bzw. auch Mengen) aller Polypolisten.

Analysieren wir jetzt unser zweites Modell, in dem viele Konsumenten, aber nur ein Händler und ein Produzent angenommen werden. Auf dem Konsumenten-Händler-Markt existiert also die Marktform des Monopols, während auf dem Händler-Produzenten-Markt ein bilaterales Monopol vorliegt. Der Händler ist Monopolist auf dem nachgelagerten und Monopsonist auf dem vorgelagerten Markt. Der monopolistische Händler soll denselben Kostenverlauf aufweisen wie alle Händler zusammen im vorigen Modell, und das Entsprechende gelte für den monopolistischen Produzenten[1]). Die Gewinngleichung des Händlers lautet dann

$$G_H = px - qx - K_H(x) - K_H^f . \tag{7.0}$$

Im Gegensatz zu früher sieht der Händler jetzt weder den Endverkaufspreis noch den Einstandspreis als Datum an. Für die erste Gewinnmaximierungsbedingung folgt daraus

$$G'_H = \frac{dp}{dx}x + p - \frac{dq}{dx}x - q - K'_H(x) = 0 \tag{7.1}$$

bzw.

$$\frac{dp}{dx}x + p = \frac{dq}{dx}x + q + K'_H(x) .$$

Der Grenzumsatz muß demnach gleich der Grenzausgabe (für den Wareneinsatz) plus den sonstigen Grenzkosten sein. Dies ist das Gesetz des erwerbswirtschaftlichen Angebots bei zweistufigem Absatz, in dem das Gesetz der erwerbswirtschaftlichen Nachfrage aber ebenfalls enthalten ist.

---

[1]) Auf das Problematische dieser Annahme wurde früher hingewiesen; vgl. S. 186f.

Nach Berücksichtigung der Gesamtnachfragefunktion (1.0) des Konsumenten-Händler-Marktes, der sich der monopolistische Händler als seiner Preis-Absatzfunktion gegenübersieht, und nach Umstellung ergibt sich aus (7.1)

$$\frac{dq}{dx}x + q = f(x) + x f'(x) - K'_H(x) \,. \tag{7.2}$$

Gleichung (7.2) stellt die Grenzausgabe für den Wareneinsatz des Händlers als monopsonistischen Nachfrager dar.

Für den monopolistischen Produzenten lautet die Gewinngleichung

$$G_P = qx - K_P(x) - K_P^f \,, \tag{8.0}$$

mit der ersten Gewinnmaximierungsbedingung

$$G'_P = \frac{dq}{dx}x + q - K'_P(x) = 0 \tag{8.1}$$

bzw.

$$\frac{dq}{dx}x + q = K'_P(x) \,.$$

Der Ausdruck auf der linken Seite stellt jetzt den Grenzumsatz des monopolistischen Produzenten dar, und die ganze Gleichung enthält das Gesetz des erwerbswirtschaftlichen Angebots. Die beiden verfügbaren Gleichungen für $\frac{dq}{dx}x + q$, d.s. (7.2) und (8.1), werden gleichgesetzt:

$$\frac{dq}{dx}x + q = f(x) + x f'(x) - K'_H(x) = K'_P(x) \,. \tag{9.0}$$

Daraus erhält man für die Absatzmenge (Bezugsmenge) des Händlers und Absatzmenge des Produzenten

$$x = \frac{K'_H(x) + K'_P(x) - f(x)}{f'(x)} = -\frac{f(x) - K'_H(x) - K'_P(x)}{f'(x)} \tag{10.0}$$

und für den Endverkaufspreis p

$$p = f(x) = K'_H(x) + K'_P(x) - x f'(x) \,. \tag{11.0}$$

(Der zweite Bruch in (10.0) darf natürlich wegen des negativen Vorzeichens nicht dahin mißverstanden werden, die Menge x sei negativ. Der Nenner $f'(x)$ ist negativ und damit der ganze Bruch positiv, wenn $f(x) > K'_H(x) + K'_P(x)$.) Während die Menge x und der Endverkaufspreis p eindeutig bestimmt werden können, läßt sich für den Abgabepreis q infolge des bilateralen Monopols auf dem Händler-Produzenten-Markt nur eine Ober- und eine Untergrenze angeben. Die Obergrenze des Abgabepreises liegt da, wo die variablen Kosten des Händlers, die Untergrenze da, wo die variablen Kosten des Produzenten gerade gedeckt sind. Eine graphische Darstellung läßt sich nur für den Konsumenten-Händler-Markt zeichnen (Abb. 124).

Abbildung 124 zeigt die Preis- und Mengenbestimmung auf dem Konsumenten-Händler-Markt. Der Schnittpunkt der aggregierten Grenzkostenkurve $K'_H + K'_P = \frac{1}{400}x + \frac{1}{320}x$ mit der Grenzumsatzkurve

$$U' = -\frac{1}{50}x + 100$$

bestimmt die gewinnmaximale Monopolmenge $x_0 = 3902\,\frac{18}{41}$ und den auf der Endnachfragekurve liegenden Monopolpreis $p_0 = 60\,\frac{40}{41}$. Unter den gemachten Annahmen ist dieser Monopolpreis höher als der Konkurrenzpreis des vorigen Modells, die Monopolmenge geringer als die Konkurrenzmenge.

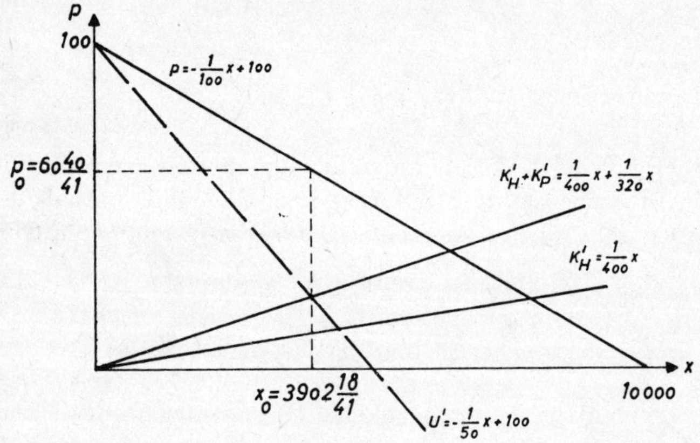

Abb. 124

An dieser Stelle können wir die Analyse der vertikalen Preisbildung abbrechen, dürfte doch das Grundsätzliche aus dem bisher Gesagten deutlich werden. Es kommt bei der Erklärung der vertikalen Preisbildung darauf an, die verschiedenen hintereinander gelagerten Märkte miteinander zu verbinden und das Gleichgewicht auf den einzelnen Märkten simultan zu bestimmen. Für andere Marktformen als die von uns untersuchten lassen sich entsprechende Lösungen ebenfalls ableiten, wenn auch die theoretischen Komplikationen etwa beim Polypol und beim Oligopol auf dem unvollkommenen Markt erheblich zunehmen. Es läßt sich zeigen, daß bei diesen für den Handel als typisch anzusehenden Marktformen die traditionellen Lösungen, d. h. die Chamberlinsche Lösung für das Polypol auf dem unvollkommenen Markt und die Cournot-, Stackelberg- und Bowley-Lösung für das Oligopol auf dem unvollkommenen Markt, ebenfalls abgeleitet werden können.

Die Theorie der Preisbildung im Handel gewinnt an Wirklichkeitsnähe, wenn weitere Faktoren berücksichtigt werden wie etwa die folgenden: andere Zielsetzungen als die Gewinnmaximierung, insbesondere die Erzielung eines branchеüblichen oder traditionellen Gewinns; andere Verfahren zur Preisermittlung, vor allem die für den Handel typische Aufschlagskalkulation; der sogenannte kalkulatorische Ausgleich, d.h. die Festsetzung verschieden hoher Handelsspannen bei den einzelnen Warengruppen und/oder Warenarten des Sortiments, also eine „preispolitische Gewinndifferenzierung" (P. Humbel)[1]). Mit dem kalkulatorischen Ausgleich ist ein Problem verbunden, das man als eines der zentralen Probleme der Preisbildung im Handel anzusehen hat, nämlich die gebührende Berücksichtigung der Mehrproduktunternehmung, die jedes Handelsgeschäft ist. Wir müssen es uns jedoch versagen, auf diese Frage hier einzugehen.

§ 2. Die vertikale Preisbindung

Bei der vertikalen Preisbindung oder Preisbindung der zweiten Hand fixiert (bindet) der Produzent den Endverkaufspreis seiner Ware; die Einzelhändler verpflichten sich durch Reverse zur Einhaltung des gebundenen Preises. Wettbewerbspolitisch gehört die vertikale Preisbindung zu den Problemen allerersten Ranges. Nach der zweiten Kartellgesetznovelle vom 3. August 1973 ist die vertikale Preisbindung grundsätzlich verboten; nur bei Verlagserzeugnissen ist die Preisbindung weiterhin erlaubt.

Im kommenden geht es uns im wesentlichen um die wirtschaftstheoretische Erklärung dessen, was bei der vertikalen Preisbindung vor sich geht. Das theoretische Hauptproblem der vertikalen Preisbindung besteht in folgendem: Wie läßt sich ein sinnvoller Zusammenhang zwischen der Bindung des Endverkaufspreises, der auf der Endnachfragekurve des Konsumenten-Händler-Marktes liegt, und der Gewinnmaximierung des bzw. der Produzenten herstellen, für die, wie wir im vorigen Abschnitt gesehen haben, eine aus dieser Endnachfragekurve abgeleitete Nachfragekurve der Händler bei den Produzenten maßgebend ist? Bei der Preisbindung kommt es auf den Endverkaufspreis p an, bei der Gewinnmaximierung eines Produzenten auf seinen Abgabepreis q (= Einstandspreis für die Händler); worin besteht das „missing link" zwischen der Bindung von p, der Gewinnmaximierung des Produzenten und q?

Wir unterstellen wie im vorigen Abschnitt vollkommene Märkte. Die Zahl der Händler soll weiterhin m, die der Produzenten n betragen, und die früher verwendeten Funktionen (1)—(3) bilden weiterhin das Fundament der

---

[1]) P. Humbel, Preispolitische Gewinndifferenzierung im Einzelhandel, Zürich 1958.

Untersuchung. Die Preisbindung wird, wie es auf dem vollkommenen Markt nur denkbar ist, durch alle Produzenten durchgeführt.

Für die theoretische Erklärung der vertikalen Preisbindung bieten sich vier Hypothesen an, von denen die erste wie folgt lautet:

1. Hypothese: Die vertikale Preisbindung ist ein Mittel der Produzenten zur Gewinnmaximierung bzw. zur Gewinnvergrößerung gegenüber der Situation ohne Preisbindung. Die Handelsspanne ist vorgegeben.

Bei dieser Hypothese wird also angenommen, die Händler seien im „Spannendenken" befangen, sie wollen also nichts anderes als eine garantierte Handelsspanne. Es ist

$$h = p - q \tag{12.0}$$

die sog. absolute Handelsspanne, d.i. die Differenz zwischen dem Endverkaufspreis und dem Einstandspreis. Die relative Aufschlagsspanne entsteht aus (12.0) bei Division durch den Einstandspreis:

$$h^* = \frac{p - q}{q}. \tag{12.1}$$

(Als relative Abschlagsspanne wird das Verhältnis der absoluten Handelsspanne zum Endverkaufspreis bezeichnet.) Zwischen der absoluten Spanne und der relativen Aufschlagsspanne besteht die Beziehung

$$h = h^* q. \tag{12.2}$$

Wir bezeichnen jetzt die von den Händlern als Garantie gewünschte Handelsspanne, ausgedrückt als Aufschlagsspanne, mit $\bar{h}^*$. Die Gesamtnachfragefunktion (1.0) des Konsumenten-Händler-Marktes wird zunächst mit Hilfe von (12.0), der absoluten Handelsspanne, umgeformt in

$$q + h = f(x) \tag{1.2}$$

bzw.

$$q = f(x) - h. \tag{1.2}$$

Nach Berücksichtigung der von den Händlern gewünschten Spanne $\bar{h}^*$ und von (12.2) ergibt sich:

$$q = \frac{f(x)}{1 + \bar{h}^*}. \tag{1.3}$$

Die Endnachfragekurve des Konsumenten-Händler-Marktes ist also derart umgeformt worden, daß sie in (1.3) zu einer Beziehung zwischen dem Abgabepreis der Produzenten und der von den Konsumenten nachgefragten Menge bei konstanter Aufschlagsspanne wird. Aus (1.3) entsteht bei Multiplikation mit der Menge die Umsatzfunktion der Produzenten, und man erkennt daraus, daß bei der ersten Hypothese die Verknüpfung von p mit der Gewinnmaximierung der Produzenten und q über die konstante Aufschlagsspanne hergestellt wird. Die Gewinngleichung der Produzenten lautet jetzt:

$$G_P = \frac{x f(x)}{1 + \bar{h}^*} - K_P(x) - K_P^f \qquad (13.0)$$

mit

$$G'_P = \frac{f(x) + x f'(x)}{1 + \bar{h}^*} - K'_P(x) = 0\,. \qquad (13.1)$$

(13.1) ist die erste Gewinnmaximierungsbedingung, aus der sich für die Absatzmenge der Produzenten (= Bezugs- und Absatzmenge der Händler und Bezugsmenge der Konsumenten) der folgende Ausdruck ergibt[1]):

$$x_{1,PB} = \frac{K'_P(x)(1 + \bar{h}^*) - f(x)}{f'(x)}\,. \qquad (14.0)$$

Für den gebundenen Endverkaufspreis und den Abgabepreis erhält man:

$$p_{1,PB} = f(x) = K'_P(x)(1 + \bar{h}^*) - x f'(x)\,; \qquad (15.0)$$

$$q_{1,PB} = K'_P(x) - \frac{x f'(x)}{1 + \bar{h}^*}\,. \qquad (16.0)$$

Damit ist die theoretische Erklärung mit Hilfe der ersten Hypothese abgeschlossen, denn alle relevanten Variablen sind bestimmt. (Die auf den einzelnen Händler bzw. Produzenten entfallenden Mengen lassen sich durch Division der Gesamtmenge (14.0) durch m bzw. n leicht errechnen.) Die Zusammenhänge lassen sich anhand der Abb. 125a und 125 b verdeutlichen, wobei 125a den Konsumenten-Händler-Markt und 125 b den Händler-Produzenten-Markt darstellt. Die verwendeten numerischen Funktionen sind dieselben wie im ersten Abschnitt dieses Kapitels. Die von den Händlern bei dem Übergang zur Preisbindung als Garantie gewünschte Handelsspanne betrage $\bar{h}^* = 50\,\%$.

Bei der geometrischen Konstruktion geht man von der Endnachfragekurve des Konsumenten-Händler-Marktes aus, d.i. die Funktion

$$p = -\frac{1}{100}\,x + 100$$

in Abb. 125a. Diese Kurve wird um die gewünschte Aufschlagsspanne $\bar{h}^* = 50\,\%$ nach unten verschoben, das bedeutet eine Drehung der Endnachfragekurve um den Abszissenabstand im entgegengesetzten Uhrzeigersinn. Die sich so ergebende Funktion $q = -\frac{1}{150}\,x + 66\frac{2}{3}$ ist die modifizierte Endnachfragefunktion von Gleichung (1.3). Sie wird jetzt in die Abb. 125b, also in den Händler-Produzenten-Markt übertragen und stellt dort die Preis-Absatzfunktion für die Produzenten dar. Der Schnittpunkt der zu ihr ge-

[1]) Der Index soll bedeuten: Menge bei Preisbindung, 1. Hypothese.

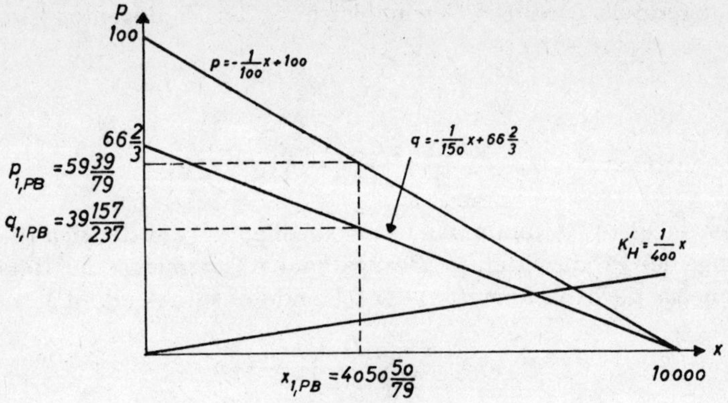

Abb. 125a

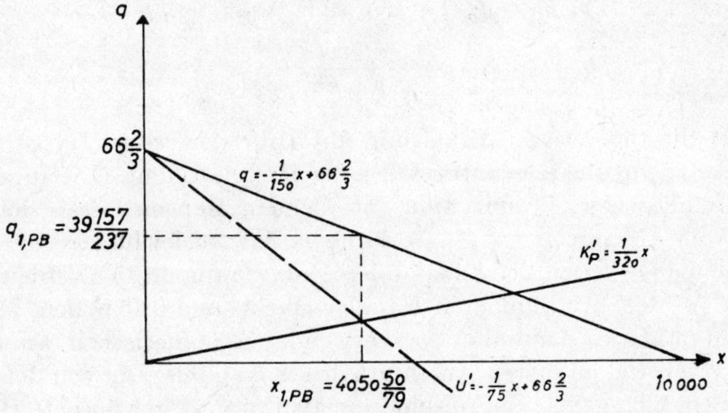

Abb. 125b

hörenden Grenzumsatzkurve $U' = -\frac{1}{75}x + 66\frac{2}{3}$ mit der Grenzkostenkurve der Produzenten $K'_P = \frac{1}{320}x$ liefert die gewinnmaximale Absatzmenge der Produzenten $x_{1,\,PB} = 4050\,\frac{50}{79}$ und den Abgabepreis $q_{1,\,PB} = 39\,\frac{157}{237}$. Da die Aufschlagsspanne mit 50 % bekannt ist, läßt sich aus dem Abgabepreis ohne weiteres der zu bindende Endverkaufspreis $p_{1,\,PB} = 59\,\frac{39}{79}$ errechnen. In Abb. 125a ergibt er sich, indem man von der Menge $x_{1,\,PB}$ aus auf die Endnachfragefunktion $p = -\frac{1}{100}x + 100$ übergeht.

Verlassen wir jetzt die erste Hypothese für die vertikale Preisbindung und wenden uns der zweiten zu.

2. Hypothese: Die vertikale Preisbindung ist ein Mittel der Produzenten zur Gewinnmaximierung bzw. zur Gewinnvergrößerung gegenüber der Situation ohne Preisbindung. Den Händlern wird ein Mindestgewinn zugestanden.

Bei der zweiten Hypothese sind es also wie bei der ersten die Produzenten, von denen die Initiative ausgeht, die vertikale Preisbindung einzuführen. Die Händler verhalten sich im Grunde passiv, sie fordern nur einen bestimmten Mindestgewinn. Dieser Mindestgewinn, so kann man unterstellen, wird gleich dem Gewinn sein müssen, den die Händler vor der Einführung der Preisbindung erzielt haben, er hängt also von den vorher existierenden Marktverhältnissen ab. Wir konkretisieren ihn nicht näher und bezeichnen ihn mit T_H.

Die Gewinngleichung der Produzenten wird durch die folgende Gleichung wiedergegeben, in der jetzt neben der Menge x die absolute Handelsspanne h als Variable auftaucht:

$$G_P = x\,f(x) - hx - K_P(x) - K_P^f\,. \tag{17.0}$$

Der Mindestgewinn der Händler beträgt

$$G_H^{\min} = hx - K_H(x) - K_H^f = T_H\,. \tag{18.0}$$

Unter Verwendung von (18.0) bildet man jetzt eine modifizierte Gewinngleichung der Produzenten, in der die Nichtunterschreitung des Mindestgewinns der Händler als Nebenbedingung erscheint (Lagrange-Funktion):

$$G_P^* = x\,f(x) - hx - K_P(x) - K_P^f - \lambda\left(hx - K_H(x) - K_H^f - T_H\right). \tag{19.0}$$

Die Produzenten maximieren also ihren Gewinn unter der Nebenbedingung, daß die Händler mindestens T_H bekommen müssen. Die Maximierung von (19.0) nach dem üblichen Verfahren führt zu:

$$x_{2,\,PB} = \frac{K_H'(x) + K_P'(x) - f(x)}{f'(x)} \tag{10.0}$$

und

$$p_{2,\,PB} = K_H'(x) + K_P'(x) - x f'(x)\,. \tag{11.0}$$

Man gelangt demnach bei der vertikalen Preisbindung gemäß Hypothese 2 zu derselben Menge und demselben Endverkaufspreis wie bei freier vertikaler Preisbildung beim Vorliegen eines Monopols auf dem Konsumenten-Händler-Markt und eines bilateralen Monopols auf dem Händler-Produzenten-Markt. Wir werden auf diese Übereinstimmung später zurückkommen.

Betrachten wir jetzt die dritte Hypothese.

3. Hypothese: Die vertikale Preisbindung ist ein Mittel der Händler zur Gewinnmaximierung bzw. zur Gewinnvergrößerung gegenüber der Situation ohne Preisbindung. Den Produzenten wird ein Mindestgewinn zugestanden. Die Bindung des Endverkaufspreises erfolgt durch die Produzenten, und zwar auf Verlangen der Händler.

Bei der dritten Hypothese sind also gegenüber der ersten und zweiten die Rollen vertauscht. Jetzt spielen die Händler die aktive Rolle, und die Produzenten begnügen sich mit einem Mindestgewinn. Allerdings kann dieser Mindestgewinn nur zum Teil mit dem früher, vor Einführung der Preisbindung erzielten Gewinn identifiziert werden; die Produzenten dürften sich damit kaum begnügen, da sie bei Preisbindung ja zusätzlich die Kontrollfunktion ausüben, d.h. die Lückenlosigkeit der Preisbindung überwachen müssen. Dafür werden sie vermutlich eine Entschädigung verlangen. Wir konkretisieren den Mindestgewinn wiederum nicht näher und bezeichnen ihn mit T_P.

Es ist diesmal von der Gewinngleichung der Händler auszugehen:

$$G_H = hx - K_H(x) - K_H^f . \tag{7.0}$$

Der Mindestgewinn der Produzenten beträgt

$$G_P^{\min} = xf(x) - hx - K_P(x) - K_P^f = T_P . \tag{20.0}$$

Wird (20.0) als Nebenbedingung in die Gewinnfunktion der Händler eingeführt, so ergibt sich die folgende modifizierte Gewinnfunktion der Händler:

$$G_H^* = hx - K_H(x) - K_H^f - \lambda\,(xf(x) - hx - K_P(x) - K_P^f - T_P) . \tag{21.0}$$

Die Maximierung dieser Lagrange-Funktion nach dem üblichen Verfahren führt zu derselben Menge (10.0) und demselben zu bindenden Preis (11.0) wie bei der zweiten Hypothese.

Es bleibt noch die vierte Hypothese zu behandeln.

4. Hypothese: Die vertikale Preisbindung ist ein Mittel der Händler *und* Produzenten, um den gemeinsamen Gesamtgewinn zu maximieren bzw. gegenüber der Situation ohne Preisbindung zu erhöhen.

Bei der vierten Hypothese wird also ein gemeinsames Handeln der beiden Marktparteien Händler und Produzenten unterstellt. Ihr „Opfer“ ist der Konsument, der diskriminierte Spieler in diesem Drei-Personen-Spiel.

Um den Gesamtgewinn zu erhalten, sind die Gewinnfunktionen der Händler und Produzenten zu addieren:

$$G_H = px - qx - K_H(x) - K_H^f \tag{7.0}$$

$$G_P = \qquad qx - K_P(x) - K_P^f \tag{8.0}$$

$$G = G_H + G_P = px \ - K_H(x) - K_P(x) - K_H^f - K_P^f \tag{22.0}$$

bzw. nach Berücksichtigung der Endnachfragefunktion (1.0):

$$G = xf(x) - K_H(x) - K_P(x) - K_H^f - K_P^f. \tag{22.0}$$

In der Gleichung des gemeinsamen Gesamtgewinns erscheint der Abgabepreis q nicht mehr; er ist für die Errechnung und ebenso für die Maximierung des Gesamtgewinns unerheblich. Die Maximierung von (22.0) führt zu derselben Menge (10.0) und demselben zu bindenden Endverkaufspreis (11.0) wie die Hypothesen 2 und 3.

Nach dieser Darlegung der vier Hypothesen für die theoretische Erklärung der vertikalen Preisbindung erscheint es notwendig, einmal die Zusammenhänge zwischen den vier Hypothesen zu untersuchen und ferner die vertikale Preisbindung mit der freien vertikalen Preisbildung zu vergleichen. Betrachtet man die vier Hypothesen für die vertikale Preisbindung, so gehören vom Ergebnis her offenbar die Hypothesen 2—4 zusammen, während die erste Hypothese für sich allein steht.
Dabei drängt sich insbesondere die folgende Frage auf: Welchen Wert muß die von den Händlern bei der Hypothese 1 als Garantie geforderte Aufschlagsspanne $\bar{h}^*$ annehmen, damit die erste Hypothese zu denselben Resultaten, d.h. derselben Menge und demselben Preis wie die Hypothesen 2—4 führt? Um diese Frage zu beantworten, braucht man nur den nach Hypothese 1 zu bindenden Preis (15.0) mit dem nach 2—4 zu bindenden Preis (11.0) gleichzusetzen:

$$K'_P(x)(1 + \bar{h}^*) - xf'(x) = K'_H(x) + K'_P(x) - xf'(x). \qquad (15.0) = (11.0)$$

Daraus folgt für die Aufschlagsspanne:

$$\bar{h}^* = \frac{K'_H(x)}{K'_P(x)}.$$

Die erste Hypothese — Gewinnmaximierung der Produzenten bei gegebener Aufschlagsspanne — führt also dann zu demselben Endverkaufspreis (und dann natürlich auch zu derselben Menge) wie die Hypothesen 2—4, wenn die Aufschlagsspanne, die die Händler als Garantie wünschen, dem Verhältnis der Händler- zu den Produzentengrenzkosten gleich ist. Die Hypothese 1 führt dann auch zur Maximierung des gemeinsamen Gesamtgewinns.

Wie man leicht nachprüft, ist die Aufschlagsspanne bei freier vertikaler Preisbildung dann gleich dem Verhältnis der Händler- zu den Produzentengrenzkosten, wenn auf dem Konsumenten-Händler- wie auf dem Händler-Produzenten-Markt die Marktform des vollkommenen Polypols verwirklicht ist. Die Händler müssen demnach, um den gemeinsamen Gesamtgewinn zu maximieren, die *Konkurrenz-Handelsspanne* als Garantie fordern! Dieser Sachverhalt ist so erstaunlich, daß der Verf. ihn an anderer Stelle als das *Spannenparadoxon* bezeichnet hat. Es folgt daraus, daß es vom Verbraucherstandpunkt aus gesehen keineswegs genügt, ja sogar in die Irre führen kann, nur die Handelsspannen miteinander zu vergleichen. Die Handelsspannen können wie im Fall des Spannenparadoxons bei freier vertikaler Konkurrenzpreisbildung und vertikaler Preisbindung durchaus gleich sein; die vertikale Preisbindung führt aber — jedenfalls bei den bisher gemachten Annahmen — zu einem höheren Preis und einer niedrigeren Menge als die Konkurrenzpreisbildung.

Es muß weiterhin das Verhältnis der Hypothese 4 zu der Hypothese 2 und 3 interessieren, die ja zu dem gleichen Ergebnis, nämlich denselben x- und p-Werten und zu demselben maximalen Gesamtgewinn, führen. Hier ist zu fragen: Wieso führt die Gewinnmaximierung unter einer Nebenbedingung (Hypothesen 2 und 3) zur Maximierung des gemeinsamen Gesamtgewinns? Die Beantwortung dieser Frage ist relativ einfach: Wenn die Produzenten bzw. die Händler „ihren" Gewinn unter der Nebenbedingung $G_H^{\min} = T_H$ bzw. $G_P^{\min} = T_P$ maximieren wollen, dann maximieren sie logischerweise den überhaupt erzielbaren Gesamtgewinn, um aus ihm den festen Betrag T_H bzw. T_P an die Händler bzw. Produzenten abzuzweigen. Das bedeutet aber offenbar: Die Hypothesen 2 und 3 sind Varianten der Hypothese 4; die Hypothese 2 liefert über T_H die Obergrenze für q, die Hypothese 3 über T_P die Untergrenze. Für die Hypothese 4, bei der der Abgabepreis q ja nicht bestimmt werden konnte, gilt jetzt:

$$q^{\min}(T_P) \leqq q \leqq q^{\max}(T_H).$$

Vergleichen wir jetzt noch die vertikale Preisbindung mit der freien vertikalen Preisbildung. Von zentraler Bedeutung ist dabei die Tatsache, daß die vertikale Preisbindung nach den Hypothesen 2—4 immer und nach der Hypothese 1 dann, wenn die garantierte Aufschlagsspanne der Konkurrenzspanne gleich ist, zu demselben Ergebnis führt wie die Marktformenkombination Monopol auf dem Konsumenten-Händler- und bilaterales Monopol auf dem Händler-Produzenten-Markt. Man kann also auch sagen, die Händler und Produzenten suchten durch die Einführung der vertikalen Preisbindung eine solche Position einzunehmen, als ob die genannte Marktformenkombination und freie Preisbildung vorlägen. Es ist danach kaum zu bestreiten, daß die vertikale Preisbindung einer Wettbewerbsbeschränkung gleichkommt.

Allerdings ist vor voreiligen wirtschaftspolitischen Folgerungen dringend zu warnen, und zwar aus dem folgenden Grund: Überträgt man die vorstehenden Analysen auf den unvollkommenen Markt, dann stellt sich ein verblüffendes Ergebnis ein. Der gebundene Preis braucht dann keineswegs mehr immer höher zu sein als der freie Preis beim vollkommenen Polypol auf beiden Märkten, sondern der gebundene Preis kann über oder unter dem freien Preis beim *unvollkommenen* Polypol auf beiden Märkten liegen oder ihm gleich sein. Es bedarf ferner der Einbeziehung weiterer Faktoren, z.B. der Beachtung asymmetrischer Größenverteilung bei den Händlern und Produzenten, der Unterscheidung verschiedener Güterkategorien und der besonderen Rolle der Werbung bei gebundenen Preisen etc., bevor eine abgewogene wirtschaftspolitische Beurteilung der vertikalen Preisbindung möglich erscheint[1]).

4. Der Zusammenhang zwischen Güter- und Faktorenmärkten

§ 1. Einführung in die Problematik

Die individuelle Unternehmung ist auf der einen Seite Anbieter von Gütern auf ihrem Absatzmarkt oder ihren Absatzmärkten, auf der anderen Seite Nachfrager nach Produktionsmitteln auf ihrem Beschaffungsmarkt oder ihren Beschaffungsmärkten. Im kommenden gilt es zu untersuchen, welche Beziehungen zwischen dem Auftreten einer Unternehmung auf dem Gütermarkt und ihrem Handeln auf den vorgelagerten Faktorenmärkten bestehen. Das Problem hat demnach einige Ähnlichkeit mit den im vorigen Kapitel analysierten Fragen, handelt es sich doch diesmal auch um eine vertikale Preisbildung. Allerdings weicht die kommende Untersuchung von der der vertikalen Preisbildung im vorigen Kapitel insofern ab, als wir nicht die simultane Bestimmung des Gleichgewichts auf dem nachgelagerten Gütermarkt und einem vorgelagerten Faktormarkt betrachten, so wie oben das Gleichgewicht auf dem nachgelagerten Konsumenten-Händler- und dem vorgelagerten Händler-Produzenten-Markt bestimmt worden war. Wir sehen die Dinge jetzt unter dem Aspekt der individuellen Unternehmung; sie ist unser Erkenntnisobjekt in ihrer doppelten Funktion als Anbieter eines Fertigproduktes auf dem Absatzmarkt und als Nachfrager nach Produktionsmitteln auf den Beschaffungsmärkten.

Offensichtlich ist es bei der Behandlung dieser Probleme nicht gleichgültig, welche Position die Unternehmung auf den beiden Märkten einnimmt, ob sie auf einem vollkommenen Polypolmarkt anbietet und nachfragt, oder

---

[1]) Für weitere Einzelheiten sei auf die schon genannte Veröffentlichung von A.E. OTT, Vertikale Preisbildung und Preisbindung, a.a.O., hingewiesen. Vgl. ferner die Arbeit von H. LAMPERT, Preistheoretische und Wettbewerbspolitische Probleme mehrstufiger Produktion und mehrstufigen Absatzes, Schmollers Jahrbuch, 86. Jahrgang (1966), S. 1ff.

ob sie auf dem Absatzmarkt eine Monopolstellung und auf dem Beschaffungsmarkt eine Monopsonstellung innehat etc. Es genügt, aus der großen Zahl der möglichen Kombinationen die folgenden herauszugreifen und zu behandeln:

Gütermarkt (Absatzmarkt)	Faktorenmarkt (Beschaffungsmarkt)
I. Vollkommenes Polypol	1. Vollkommenes Polypol
I. Vollkommenes Polypol	2. Monopson
II. Monopol	1. Vollkommenes Polypol
II. Monopol	2. Monopson

Im ersten Fall ist die Unternehmung Polypolist auf einem vollkommenen Absatzmarkt; sie betrachtet den Preis des Fertigproduktes als Datum und verhält sich als Mengenanpasser. Auf dem vollkommenen Beschaffungsmarkt ist die Unternehmung Polypsonist; sie betrachtet den Faktorpreis als Datum und verhält sich ebenfalls als Mengenanpasser. Im zweiten Fall sind die Verhältnisse auf dem Absatzmarkt dieselben wie im ersten Fall, die Unternehmung nimmt aber auf dem Beschaffungsmarkt eine Monopsonstellung ein. Dabei steht Monopson als pars pro toto für alle Marktformen, in denen die Unternehmung den Faktorpreis nicht als Datum anzusehen hat, es kann sich demnach durchaus etwa um monopsonistische Konkurrenz handeln[1]). Im dritten Fall besitzt die Unternehmung auf dem Absatzmarkt eine Monopolstellung, wobei jetzt Monopol stellvertretend steht für alle Marktformen, bei denen der Preis des Fertigprodukts vom Anbieter nicht als Datum zu betrachten ist. Auf dem Beschaffungsmarkt liegt bei dieser Kombination wieder ein vollkommenes Polypol vor. Der letzte Fall schließlich ergibt sich als Kombination einer Monopolstellung auf dem Absatz- und einer Monopsonstellung auf dem Beschaffungsmarkt. (Wie man erkennt, entspricht der erste Fall dem ersten Modell bei der vertikalen Preisbildung, der vierte Fall dem zweiten Modell, wenn man nur die Marktsituation der bzw. des Händler(s) mit der Marktsituation der jetzt betrachteten Unternehmung vergleicht.)

Man kann die Dinge auch etwas anders formulieren, indem man nämlich darauf abstellt, ob sich der Unternehmer einer geneigten Preis-Absatzfunktion oder der Preisgeraden auf dem Absatzmarkt und einer geneigten Preis-Bezugsfunktion oder der (Faktor-)Preisgeraden auf dem Beschaffungsmarkt gegenübersieht. Je nachdem wird der Unternehmer nach dem Gesetz des erwerbswirtschaftlichen Angebots oder nach dem Gesetz des erwerbswirtschaftlichen Konkurrenzangebots handeln, und Entsprechendes gilt natür-

---

[1]) Die Unternehmung fragt dann also Produktionsmittel auf einem unvollkommenen Markt nach.

lich auch für die Nachfrageseite. Man erhält dann die folgende, mit der ersten natürlich übereinstimmende Übersicht:

Absatzmarkt	Beschaffungsmarkt
I. Preisgerade, Gesetz des erwerbswirtsch. Konkurrenzangebots;	1. (Faktor-)Preisgerade, Gesetz der erwerbswirtsch. Konkurrenznachfrage;
I. Preisgerade, Gesetz des erwerbswirtsch. Konkurrenzangebots;	2. (Geneigte)Preis-Bezugsfunktion, Gesetz der erwerbswirtsch. Nachfrage;
II. (Geneigte) Preis-Absatzfunktion, Gesetz des erwerbswirtsch. Angebots;	1. (Faktor-)Preisgerade, Gesetz der erwerbswirtsch. Konkurrenznachfrage;
II. (Geneigte) Preis-Absatzfunktion, Gesetz des erwerbswirtsch. Angebots;	2. (Geneigte) Preis-Bezugsfunktion, Gesetz der erwerbswirtsch. Nachfrage.

Wie man dieser Übersicht entnehmen kann, besteht unsere Aufgabe zunächst darin, das Gesetz der erwerbswirtschaftlichen Konkurrenznachfrage und das der erwerbswirtschaftlichen Nachfrage nach Produktionsmitteln abzuleiten bzw. die Gewinnmaximierungsregeln für den Input zu finden (Input-Regeln). Im Anschluß daran sind diese Gewinnmaximierungsregeln für den Faktoreinsatz in die Gewinnmaximierungsregeln für den Güterabsatz zu überführen. Dabei erscheint es angebracht, von vornherein vor dem folgenden möglichen Mißverständnis zu warnen: Wenn von den Gewinnmaximierungsregeln für den betrieblichen Input gesprochen wird, so könnte man auf die Idee verfallen, es werde zunächst einmal von der Unternehmung ein Input-Gewinn maximiert, der irgendwie mit dem möglichst günstigen Einkauf der Produktionsmittel zusammenhänge, dann werde produziert und beim Absatz der Fertigprodukte ein Output-Gewinn maximiert, der mit dem möglichst günstigen Verkauf der Endprodukte zusammenhänge. Das ist natürlich eine völlig absurde Vorstellung: Es gibt nur einen Unternehmungsgewinn, und die Input- und Output-Regeln sind nur zwei verschiedene Formulierungen für dieselbe Sache, nämlich die Maximierung eben dieses Gewinns, einmal im Hinblick auf den Faktoreinsatz, zum anderen im Hinblick auf den Güterabsatz.

Wir haben also im kommenden je nach der Marktformenkombination auf dem Absatz- und dem Beschaffungsmarkt vier verschiedene Fälle zu untersuchen. Da man entweder substitutive oder limitationale Produktionsmittel unterstellen kann, ergeben sich insgesamt acht mögliche Fälle. Wir befassen uns zunächst mit den begrenzt substitutiven Produktionsmitteln (Ertragsgesetz).

§ 2. Die Gewinnmaximierungsregeln bei substitutiven Produktionsmitteln

Wir betrachten der Einfachheit halber zunächst eine Unternehmung, die nur zwei Produktionsmittel 1 und 2 einsetzt. Die Menge des zweiten Produktionsmittels soll konstant sein ($\bar{v}_2$), während die Menge v_1 variabel ist. Das Problem besteht dann offenbar allein darin, den gewinnmaximalen Faktoreinsatz v_1 zu bestimmen. Die Produktionsfunktion lautet unter diesen Annahmen

$$x = x\,(v_1, \bar{v}_2),$$

d.h. wir haben eine partielle Ertragsfunktion vor uns. Die beiden Produktionsmittel sollen begrenzt substitutiv sein, d.h. es gilt das Ertragsgesetz.

Bevor wir uns jetzt den im vorigen Abschnitt unterschiedenen vier Fällen, d.h. den vier Marktformenkombinationen auf dem Absatz- und auf dem Beschaffungsmarkt zuwenden, leiten wir die allgemeine Form der Input-Regel ab, und zwar unter der Annahme, alle verwendeten Funktionen seien stetig und zweimal differenzierbar. Der Gewinn der Unternehmung ist rein definitorisch gleich der Differenz zwischen Umsatz und Kosten:

$$G = U - K.$$

Um durch irgendeine Verschiedenheit anzudeuten, daß jetzt nach dem gewinnmaximalen Faktoreinsatz und nicht nach dem gewinnmaximalen Güterabsatz gefragt wird, verwenden wir jetzt anstelle des Buchstabens K den Buchstaben A (Ausgaben), so daß also die Gewinngleichung

$$G = U - A$$

lautet. Ist der Preis des zweiten Faktors gegeben ($\bar{q}_2$), so läßt sich für

$$A\ (= A_1 + A_2)$$

auch schreiben:

$$G = U - A_1 - A_2 = U - q_1 v_1 - \bar{q}_2 \bar{v}_2 .$$

Gesucht ist, wie schon erwähnt, die gewinnmaximale Einsatzmenge des variablen Faktors 1, also ist die Gewinngleichung nach v_1 abzuleiten und gleich Null zu setzen (1. Gewinnmaximierungsbedingung). Dabei ist aber zu beachten, daß der Umsatz U eine unmittelbare Funktion der Absatzmenge x und nur mittelbar — über $x = x\,(v_1, v_2)$ — eine Funktion von v_1 ist. Man erhält demnach rein formal:

$$\frac{dG}{dv_1} = \frac{dU}{dx}\,\frac{dx}{dv_1} - \frac{dA_1}{dv_1} = 0\,. \tag{1.0}$$

Diese Gleichung stellt die allgemeine Form der 1. Gewinnmaximierungsbedingung für die Beschaffungsseite dar. In ihr bedeutet dG/dv_1 den Grenzgewinn in bezug auf den Faktoreinsatz v_1, dU/dx den Grenzumsatz, dx/dv_1 das physische Grenzprodukt und dA_1/dv_1 die Grenzausgabe. Für den Grenzumsatz gilt selbstverständlich

$$\frac{dU}{dx} = p + \frac{dp}{dx} x = p\left(1 - \frac{1}{\varepsilon}\right)$$

und für die Grenzausgabe

$$\frac{dA_1}{dv_1} = q_1 + \frac{dq_1}{dv_1} v_1 = q_1\left(1 + \frac{1}{\eta_1}\right),$$

wobei ε die Nachfrageelastizität auf dem Absatzmarkt und η_1 die Angebotselastizität auf dem Beschaffungsmarkt (sc. des Faktors 1) bedeuten. Den Ausdruck $\frac{dU}{dx}\frac{dx}{dv_1}$ bezeichnen wir als Grenzumsatzprodukt (marginal revenue product)[1]). Für die zweite Gewinnmaximierungsregel (hinreichende Bedingung) ergibt sich:

$$\frac{d^2G}{dv_1^2} = \frac{dU}{dx}\frac{d^2x}{dv_1^2} + \frac{d^2U}{dx^2}\left(\frac{dx}{dv_1}\right)^2 - \frac{d^2A}{dv_1^2} < 0\,. \qquad (2.0)$$

Wir lassen diese Bedingung zunächst unkommentiert und wenden uns nach dieser generellen Ableitung den einzelnen Marktformenkombinationen zu.

Kombination I.1: Vollkommenes Polypol auf dem Absatzmarkt, vollkommenes Polypol auf dem Beschaffungsmarkt

Die Unternehmung sieht in diesem Fall den Preis auf dem Absatzmarkt als Datum an. Der Preis ist demnach gleich dem Grenzumsatz: $p = \frac{dU}{dx}$. Ferner ist der Preis des Produktionsmittels 1 auf dem Beschaffungsmarkt ebenfalls der Beeinflussung durch die Unternehmung entzogen und somit gleich der Grenzausgabe $q_1 = \frac{dA_1}{dv_1}$. Damit wird aus den beiden allgemeinen Gewinnmaximierungsbedingungen (1.0) und (2.0):

$$p\frac{dx}{dv_1} = q_1 \qquad (1;\,\text{I}.1)$$

$$p\frac{d^2x}{dv_1^2} < 0\,. \qquad (2;\,\text{I}.1)$$

Ein Unternehmer, der auf dem vollkommenen Absatzmarkt Polypolist und auf dem vollkommenen Beschaffungsmarkt Polypsonist ist, setzt ein variables Produktionsmittel 1 gewinnmaximal ein, indem er die Gleichheit

---

[1]) Weder das deutschsprachige noch das angloamerikanische Schrifttum ist von terminologischer Laxheit völlig frei. Wir verwenden die Ausdrücke Grenzumsatzprodukt (marginal revenue product) für $\frac{dU}{dx}\frac{dx}{dv}$ und Grenzwertprodukt (marginal value product) für $p\frac{dx}{dv}$.

von Grenzwertprodukt $p\frac{dx}{dv_1}$ und Faktorpreis q_1 herbeiführt. Dies ist der schon früher einmal erwähnte Grenzproduktivitätssatz. Die zweite Gewinnmaximierungsbedingung erfordert eine negative Steigung der Grenzwertproduktkurve, d.h. es kommt nur der sinkende Ast der Grenzwertproduktkurve in Frage, und zwar ab dem Maximum der Durchschnittswertproduktkurve. Wir werden später darauf zurückkommen (vgl. S. 297f.).

Kombination I.2: Vollkommenes Polypol auf dem Absatzmarkt, Monopson auf dem Beschaffungsmarkt

Bei dieser zweiten Marktformenkombination ist der Preis des Fertigprodukts auf dem Absatzmarkt weiterhin ein Datum und somit gleich dem Grenzumsatz: $p = \frac{dU}{dx}$. Dagegen sieht sich die Unternehmung auf dem Beschaffungsmarkt einer (monoton) steigenden Preis-Bezugsfunktion gegenüber, muß also einen mit der Bezugsmenge steigenden Faktorpreis bezahlen. Der Faktorpreis ist demnach ungleich der Grenzausgabe, es gilt vielmehr $\frac{dA_1}{dv_1} = q_1 + \frac{dq_1}{dv_1} v_1$ bzw. gemäß der Amoroso-Robinson-Relation $\frac{dA_1}{dv_1} = q_1\left(1 + \frac{1}{\eta_1}\right)$. Dabei ist η_1 die Angebotselastizität, d.h. die Elastizität der Preis-Bezugsfunktion des Faktors 1. Damit erfahren die beiden allgemeinen Gewinnmaximierungsregeln (1.0) und (2.0) die folgende Modifikation:

$$p\frac{dx}{dv_1} = \frac{dA_1}{dv_1} = q_1\left(1 + \frac{1}{\eta_1}\right) \qquad (1;\,\mathrm{I}.2)$$

bzw.

$$\frac{p\frac{dx}{dv_1}}{1 + \frac{1}{\eta_1}} = q_1 \qquad (1;\,\mathrm{I}.2)$$

und

$$p\frac{d^2x}{dv_1^2} < \frac{d^2A}{dv_1^2}\,. \qquad (2;\,\mathrm{I}.2)$$

Das bedeutet: Ein Unternehmer, der auf dem vollkommenen Absatzmarkt Polypolist ist und auf dem Beschaffungsmarkt Monopsonist, setzt ein Produktionsmittel gewinnmaximierend ein, indem er die Gleichheit des Grenzwertprodukts $p\frac{dx}{dv_1}$ mit der Grenzausgabe $\frac{dA_1}{dv_1} = q_1\left(1 + \frac{1}{\eta_1}\right)$ herbeiführt. Die Steigung der Grenzwertproduktkurve $p\frac{d^2x}{dv_1^2}$ muß kleiner sein als die der Grenzausgabenkurve $\frac{d^2A}{dv_1^2}$, damit ein Maximum vorliegt.

Kombination II.1: Monopol auf dem Absatzmarkt, vollkommenes Polypol auf dem Beschaffungsmarkt

Nimmt die Unternehmung auf dem Absatzmarkt eine Monopolstellung ein, so betrachtet sie den Preis nicht mehr als gegeben. Damit fallen Preis und Grenzumsatz nicht mehr zusammen, sondern es gilt $\frac{dU}{dx} = p + \frac{dp}{dx}x$ bzw. gemäß der Amoroso-Robinson-Relation $\frac{dU}{dx} = p\left(1 - \frac{1}{\varepsilon}\right)$. Dabei ist ε die Nachfrageelastizität, d.h. die Elastizität der Preis-Absatzfunktion des betreffenden Gutes.

Auf Grund der polypsonistischen Stellung der Unternehmung auf dem Beschaffungsmarkt ist der Faktorpreis als gegeben anzusehen und der Grenzausgabe gleich: $q_1 = \frac{dA_1}{dv_1}$. Für die beiden allgemeinen Gewinnmaximierungsregeln (1.0) und (2.0) zieht diese Konstellation die folgenden Modifikationen nach sich:

$$\frac{dU}{dx}\frac{dx}{dv_1} = p\left(1 - \frac{1}{\varepsilon}\right)\frac{dx}{dv_1} = q_1; \qquad (1; \text{II}.1)$$

$$\frac{dU}{dx}\frac{d^2x}{dv_1^2} + \frac{d^2U}{dx^2}\left(\frac{dx}{dv_1}\right)^2 < 0. \qquad (2; \text{II}.1)$$

Eine Unternehmung, die auf dem Absatzmarkt als Monopolist und auf dem vollkommenen Beschaffungsmarkt als Polypsonist auftritt, setzt ein Produktionsmittel dann gewinnmaximal ein, wenn sie die Gleichheit des Grenzumsatzprodukts $\frac{dU}{dx}\frac{dx}{dv_1} = p\left(1 - \frac{1}{\varepsilon}\right)\frac{dx}{dv_1}$ mit dem Faktorpreis q_1 herbeiführt. Die hinreichende Bedingung erfordert eine negative Steigung der Grenzumsatzproduktkurve. Da der Grenzumsatz $\frac{dU}{dx}$ positiv, die Steigung der Grenzumsatzkurve $\frac{d^2U}{dx^2}$ negativ und das Quadrat des Grenzproduktes $\left(\frac{dx}{dv_1}\right)^2$ immer positiv ist, muß die Steigung der Grenzertragskurve $\frac{d^2x}{dv_1^2}$ negativ sein, damit die hinreichende Bedingung erfüllt ist.

Kombination II.2: Monopol auf dem Absatzmarkt, Monopson auf dem Beschaffungsmarkt

Bei dieser letzten Marktformenkombination sieht die Unternehmung weder den Preis auf dem Absatzmarkt noch den Faktorpreis auf dem Beschaffungsmarkt als Datum an. Es gilt also $\frac{dU}{dx} = p + \frac{dp}{dx}x$ und $\frac{dA_1}{dv_1} = q_1 + \frac{dq_1}{dv_1}v_1$ oder bei Berücksichtigung der Amoroso-Robinson-Relation

$$\frac{dU}{dx} = p\left(1 - \frac{1}{\varepsilon}\right) \text{ und } \frac{dA_1}{dv_1} = q_1\left(1 + \frac{1}{\eta_1}\right).$$

Man erhält als Gewinnmaximierungsbedingungen

$$\frac{dU}{dx}\frac{dx}{dv_1} = p\left(1 - \frac{1}{\varepsilon}\right)\frac{dx}{dv_1} = \frac{dA_1}{dv_1} = q_1\left(1 + \frac{1}{\eta_1}\right) \qquad (1;\mathrm{II}.2) = (1.0)$$

bzw.

$$\frac{p\left(1 - \frac{1}{\varepsilon}\right)\frac{dx}{dv_1}}{1 + \frac{1}{\eta_1}} = q_1 \qquad (1;\mathrm{II}.2) = (1.0)$$

und

$$\frac{dU}{dx}\frac{d^2x}{dv_1^2} + \frac{d^2U}{dx^2}\left(\frac{dx}{dv_1}\right)^2 < \frac{d^2A_1}{dv_1^2}. \qquad (2;\mathrm{II}.2) = (2.0)$$

Die Gewinnmaximierungsbedingungen behalten also die allgemeine Form, in der wir sie abgeleitet haben, d.h. diese Kombination eines Monopols auf dem Absatzmarkt mit einem Monopson auf dem Beschaffungsmarkt stellt den allgemeinen Fall dar. Alle anderen Kombinationen sind Sonderfälle und I.1 kann sogar als Grenzfall bezeichnet werden. Die Unternehmung, die gleichzeitig Monopolist und Monopsonist ist, setzt ein bestimmtes Produktionsmittel dann gewinnmaximal ein, wenn sie die Gleichheit des Grenzumsatzproduktes $\frac{dU}{dx}\frac{dx}{dv_1} = p\left(1 - \frac{1}{\varepsilon}\right)\frac{dx}{dv_1}$ mit der Grenzausgabe $\frac{dA_1}{dv_1} = q_1\left(1 + \frac{1}{\eta_1}\right)$ herbeiführt. Die Steigung der Grenzumsatzproduktkurve (linke Seite von 2;II.2) muß kleiner sein als die der Grenzausgabenkurve (rechte Seite von 2;II.2).

Nach dieser Behandlung der vier Kombinationen von Marktformen erscheint es angebracht, die Ergebnisse in einer Tabelle zusammenzufassen (Tabelle 28).

Wie man der Tabelle 28 entnehmen kann, erhält der betreffende Faktor nur bei der ersten Marktformenkombination Polypol — Polypol das volle Grenzwertprodukt $p\frac{dx}{dv}$, während bei den anderen Fällen Abzüge von diesem Grenzwertprodukt gemacht werden, die „Entlohnung" des Faktors also geringer ist. So wird im zweiten Fall (Polypol — Monopson) das Grenzwertprodukt durch einen Faktor dividiert, der größer als eins ist, es findet also eine „monopsonistische" Ausbeutung statt, wie man diese Erscheinung auch genannt hat. Die Entlohnung ist um $p\frac{dx}{dv}/1 + \eta$ geringer als das Grenzwertprodukt. Bei der dritten Marktformenkombination (Monopol — Polypol) findet ebenfalls ein Abzug statt, der, wie man leicht nachprüft, $\frac{p}{\varepsilon}\frac{dx}{dv}$ beträgt. Hier spricht man von monopolistischer Ausbeutung. Im vierten Fall schließlich, bei der Kombination Monopol — Monopson, findet eine doppelte, mono-

Tabelle 28

Die Gewinnmaximierungsbedingungen für den Absatz- und für den Beschaffungsmarkt bei substitutiven Produktionsmitteln[1])

Marktformenkombination	Output-Regeln		Input-Regeln	
I. 1 Vollkommenes Polypol auf dem Absatzmarkt $\left(\frac{dU}{dx} = p\right)$ und vollkommenes Polypol auf dem Beschaffungsmarkt $\left(\frac{dA}{dv} = q\right)$	Preis = Grenzkosten $p = \frac{dK}{dx}$	1. Bedingung	Grenzwertprodukt = Faktorpreis $p\frac{dx}{dv} = q$	1. Bedingung
	positive Steigung der Grenzkostenkurve $0 < \frac{d^2K}{dx^2}$	2. Bedingung	negative Steigung der Grenzwertproduktkurve $p\frac{d^2x}{dv^2} < 0$	2. Bedingung
I. 2 Vollkommenes Polypol auf dem Absatzmarkt $\left(\frac{dU}{dx} = p\right)$ und Monopson auf dem Beschaffungsmarkt $\left(\frac{dA}{dv} = q\left(1 + \frac{1}{\eta}\right)\right)$	Preis = Grenzkosten $p = \frac{dK}{dx}$	1. Bedingung	Grenzwertprodukt = Grenzausgabe $p\frac{dx}{dv} = q\left(1 + \frac{1}{\eta}\right)$	1. Bedingung
	positive Steigung der Grenzkostenkurve $0 < \frac{d^2K}{dx^2}$	2. Bedingung	Steigung der Grenzwertproduktkurve < Steigung der Grenzausgabenkurve $p\frac{d^2x}{dv^2} < \frac{d^2A}{dv^2}$	2. Bedingung
II. 1 Monopol auf dem Absatzmarkt $\left(\frac{dU}{dx} = p\left(1 - \frac{1}{\varepsilon}\right)\right)$ und vollkommenes Polypol auf dem Beschaffungsmarkt $\left(\frac{dA}{dv} = q\right)$	Grenzumsatz = Grenzkosten $p\left(1 - \frac{1}{\varepsilon}\right) = \frac{dK}{dx}$	1. Bedingung	Grenzumsatzprodukt = Faktorpreis $p\left(1 - \frac{1}{\varepsilon}\right)\frac{dx}{dv} = q$	1. Bedingung
	Steigung der Grenzumsatzkurve < Steigung der Grenzkostenkurve $\frac{d^2U}{dx^2} < \frac{d^2K}{dx^2}$	2. Bedingung	negative Steigung der Grenzumsatzproduktkurve $\frac{dU}{dx}\frac{d^2x}{dv^2} + \frac{d^2U}{dx^2}\left(\frac{dx}{dv}\right)^2 < 0$	2. Bedingung
II. 2 Monopol auf dem Absatzmarkt $\left(\frac{dU}{dx} = p\left(1 - \frac{1}{\varepsilon}\right)\right)$ und Monopson auf dem Beschaffungsmarkt $\left(\frac{dA}{dv} = q\left(1 + \frac{1}{\eta}\right)\right)$	Grenzumsatz = Grenzkosten $p\left(1 - \frac{1}{\varepsilon}\right) = \frac{dK}{dx}$	1. Bedingung	Grenzumsatzprodukt = Grenzausgabe $p\left(1 - \frac{1}{\varepsilon}\right)\frac{dx}{dv} = q\left(1 + \frac{1}{\eta}\right)$	1. Bedingung
	Steigung der Grenzumsatzkurve < Steigung der Grenzkostenkurve $\frac{d^2U}{dx^2} < \frac{d^2K}{dx^2}$	2. Bedingung	Steigung der Grenzumsatzproduktkurve < Steigung der Grenzausgabenkurve $\frac{dU}{dx}\frac{d^2x}{dv^2} + \frac{d^2U}{dx^2}\left(\frac{dx}{dv}\right)^2 < \frac{d^2A}{dv^2}$	2. Bedingung

[1]) Bei dem Produktionsmittel wurde der Index weggelassen.

polistisch-monopsonistische Ausbeutung statt. Die Faktorentlohnung bleibt um $p \frac{dx}{dv} \frac{\varepsilon + \eta}{\varepsilon(1+\eta)}$ hinter dem Grenzwertprodukt $p \frac{dx}{dv}$ zurück.

So richtig diese Ableitungen formal gesehen sind, so vorsichtig sollte man diese Ergebnisse interpretieren, insbesondere auch im Hinblick auf den wertenden Ausdruck „Ausbeutung“. Sieht man einmal ganz davon ab, daß Ausbeutung eigentlich Vorsatz voraussetzt (E. PREISER), der in all diesen Fällen sicher nicht unterstellt werden kann[1]), so bleibt doch noch das Folgende zu erwägen: Was wird überhaupt bei dem Vergleich, sagen wir der Kombination Monopol — Polypol, mit der ersten Kombination Polypol — Polypol alles vorausgesetzt? Gegenüberzustellen sind die beiden Ausdrücke

$$p \frac{dx}{dv} = q$$

und

$$p^* \left(1 - \frac{1}{\varepsilon^*}\right) \frac{dx^*}{dv} = q^*,$$

wobei wir alle Größen der Kombination Monopol — Polypol mit einem Stern versehen, um sie von denen der ersten Kombination Polypol — Polypol unterscheiden zu können.

Es gilt sicher

$$q^* < q, \quad \text{wenn} \quad p^* = p, \frac{dx}{dv} = \frac{dx^*}{dv} \quad \text{und} \quad \varepsilon^* < \infty .$$

D.h. die Entlohnung des betreffenden Faktors ist bei der Kombination Monopol — Polypol niedriger als bei der Kombination Polypol — Polypol, wenn a) der Monopolpreis gleich dem Polypolpreis ist,

b) das physische Grenzprodukt in beiden Fällen gleich ist und

c) die Nachfrageelastizität beim Monopol kleiner als unendlich ist.

Von diesen Annahmen ist nur die dritte selbstverständlich, während die beiden anderen als fragwürdig angesehen werden müssen.

Nach dieser Diskussion der einzelnen Marktformen-Kombinationen auf dem Gütermarkt und auf dem Faktorenmarkt stehen noch drei Aufgaben vor uns. Wir haben nämlich

1. den Zusammenhang zwischen den Input- und den Output-Regeln zu untersuchen,
2. eine geometrische Darstellung für die Vorgänge auf dem Beschaffungsmarkt zu entwickeln und
3. die Analyse zu verallgemeinern, indem wir mehr als ein variables Produktionsmittel annehmen.

---

[1]) Der in anderem Zusammenhang vorkommende Terminus unfreiwillige Ausbeutung (non-deliberate exploitation) ist dann vollends eine contradictio in adiecto.

Beginnen wir also mit dem Zusammenhang zwischen den Input-Regeln und den Output-Regeln, wobei wir uns auf eine Marktformen-Kombination beschränken, nämlich die Kombination I.1, vollkommenes Polypol auf dem Absatz- und auf dem Beschaffungsmarkt. In diesem Fall betrachtet die Unternehmung sowohl den Preis auf dem Absatzmarkt p als auch den Preis auf dem Beschaffungsmarkt q als Datum, so daß die Gewinnmaximierungsregeln lauten:

$$p = \frac{dK}{dx} \qquad \text{Output-Regel}$$

$$p \frac{dx}{dv_1} = q_1 \qquad \text{Input-Regel}$$

Beide Regeln lassen sich jetzt leicht ineinander überführen, wenn man sich das Folgende vergegenwärtigt: Bei konstantem Faktorpreis q_1 und nur einem variablen Produktionsmittel kann ein Kostenzuwachs nur dadurch zustandekommen, daß der Einsatz des variablen Produktionsmittels vergrößert wird. Es ist also

$$dK = dv_1 \, q_1 .$$

Wird diese Beziehung in der Output-Regel berücksichtigt, so erhält man

$$p = \frac{dv_1}{dx} q_1$$

oder nach Umstellung:

$$p \frac{dx}{dv_1} = q_1 .$$

Das ist aber nichts anderes als die Input-Regel, womit gezeigt ist, daß es sich bei den beiden Gewinnmaximierungsregeln nur um zwei verschiedene Formulierungen ein und desselben Sachverhalts handelt.

Eine recht anschauliche Illustration dieses Zusammenhangs von Input- und Output-Regel ist auch auf graphischem Wege möglich (vgl. Abb. 126). In dem Vier-Quadranten-Koordinatensystem von Abb. 126 wird in den vierten Quadranten die partielle Ertragsfunktion $x = x(v_1, \bar{v}_2)$ eingezeichnet. Spiegelt man diese partielle Ertragsfunktion um die positive Abszissenachse, so erhält man im ersten Quadranten die Aufwandsfunktion

$$v_1 = v_1(x, \bar{v}_2),$$

die die Abhängigkeit des Einsatzes v_1 von der Ausbringung bei konstanter Einsatzmenge $\bar{v}_2$ anzeigt (vgl. dazu §3, Kap. II, 3). Wird der Preis des variablen Produktionsmittels mit eins normiert, also $q_1 = 1$ gesetzt, so stellt die Aufwandsfunktion gleichzeitig die Kurve der variablen Kosten K_v dar. Durch Berücksichtigung der Kosten des konstanten Faktors $K_f = \bar{v}_2 \bar{q}_2$ erhält man die (um K_f nach oben verschobene) Kurve der Gesamtkosten. Wird jetzt in den ersten Quadranten die Umsatzkurve $U = px$ eingezeichnet, die wegen des konstanten Preises p eine Gerade durch den Nullpunkt darstellt, so erhält man im ersten Quadranten die gewinnmaximale Ausbringung x_0 an der Stelle, an der die Gesamtkostenkurve dieselbe Steigung wie die Umsatzkurve aufweist[1]). Die gewinnmaximale Ausbringung liegt dort, wo die Output-Regel erfüllt ist, also

$$p = \frac{dK}{dx} = \frac{dv_1}{dx} q_1$$

bzw. wegen der Normierung $q_1 = 1$:

$$p = \frac{dK}{dx} = \frac{dv_1}{dx}.$$

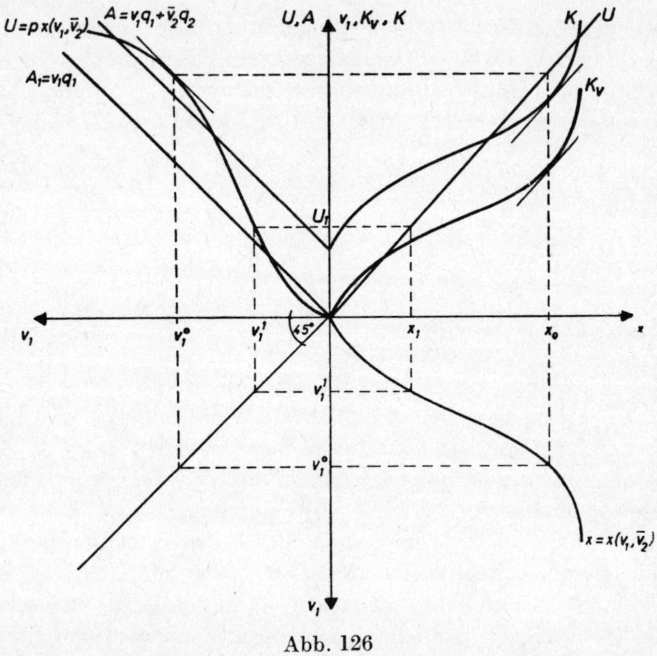

Abb. 126

Bis dahin enthält die Abbildung noch nichts, was uns nicht bereits längst bekannt und geläufig wäre. Wenden wir uns aber jetzt dem zweiten und dritten Quadranten zu. Der dritte Quadrant dient allein dazu, die Mengen des variablen Produktionsmittels von der unteren Ordinatenhalbachse mit Hilfe einer 45°-Linie auf die linke Abszissenhalbachse zu übertragen. Man kann nun aber mittels der im ersten Quadranten enthaltenen Umsatzgeraden einem jeden Einsatz des variablen Produktionsmittels einen Umsatz-

[1]) Natürlich würde die Kurve der variablen Kosten völlig genügen, um das Gewinnmaximum zu bestimmen.

wert zuordnen. Im einzelnen geht dieses Verfahren wie folgt vor sich: Von v_1^1 auf der unteren Ordinatenhalbachse ausgehend ermittelt man die zu diesem Faktoreinsatz gehörende Ausbringung x_1 (4. Quadrant); dieser Ausbringung entspricht ein bestimmter Umsatz U_1 im ersten Quadranten, der sich ebenso im zweiten Quadranten abbilden läßt. Überträgt man jetzt den Faktoreinsatz v_1^1 von der unteren Ordinatenhalbachse auf die linke Abszissenhalbachse, so erhält man das Wertepaar v_1^1/U_1, d.h. den zu dem Faktoreinsatz v_1^1 gehörenden Umsatz U_1. Auf diese Weise wird im zweiten Quadranten der Umsatz als eine Funktion des Einsatzes des variablen Produktionsmittels abgetragen; ist $x = x(v_1, \bar{v}_2)$ die partielle Ertragsfunktion, so erhält man also im zweiten Quadranten

$$U = p\,x\,(v_1, \bar{v}_2)\,,$$

wobei der Preis des Absatzmarktes p eine Konstante darstellt. In den zweiten Quadranten wird jetzt außerdem die Ausgabenfunktion für das variable Produktionsmittel eingezeichnet, d.h. die Funktion

$$A_1 = q_1\,v_1$$

bzw. wegen der Normierung $q_1 = 1$:

$$A_1 = v_1.$$

Die Ausgabenfunktion für das variable Produktionsmittel ist demnach infolge der Normierung von q_1 gleich der Winkelhalbierenden des zweiten Quadranten. Bei Berücksichtigung der festen Ausgaben (Kosten) für das konstante Produktionsmittel erhält man die Gesamtausgabenfunktion

$$A = q_1\,v_1 + \bar{q}_2\,\bar{v}_2$$

bzw. wegen $q_1 = 1$: $$A = v_1 + \bar{q}_2\,\bar{v}_2.$$

Der gewinnmaximale Einsatz des variablen Produktionsmittels liegt dort, wo die Umsatzfunktion in Abhängigkeit von v_1 dieselbe Steigung aufweist wie die Ausgabenfunktion. Die Steigung der Umsatzfunktion

$$U = p\,x\,(v_1, \bar{v}_2)$$

beträgt $$\frac{dU}{dv_1} = p\,\frac{dx}{dv_1}$$

und die der Ausgabenfunktion

$$\frac{dA}{dv_1} = q_1 = 1\,.$$

Man erhält also als notwendige Gewinnmaximierungsbedingung (Input-Regel)

$$p\frac{dx}{dv_1} = 1$$

bzw.

$$p = \frac{dv_1}{dx},$$

d.i. nichts anderes als die Output-Regel, wie sie aus dem ersten Quadranten deutlich wird.

Man erkennt aus Abb. 126 deutlich, daß die gewinnmaximale Ausbringung x_0 und der gewinnmaximale Faktoreinsatz v_1^0 simultan bestimmt werden. Der Gewinn G_0 im ersten Quadranten muß selbstverständlich gleich dem Gewinn G_0 im zweiten Quadranten sein, d.h. es gibt nur einen Unternehmungsgewinn und nicht etwa einen Output- und einen Input-Gewinn (vgl. S. 284). Selbstverständlich läßt sich die entsprechende Abbildung auch für die anderen Marktformen-Kombinationen auf dem Absatz- und auf dem Beschaffungsmarkt zeichnen. In den Fällen I. 2 und II. 2 — Monopson auf dem Beschaffungsmarkt — tritt an die Stelle der linearen Ausgabenkurve eine progressiv ansteigende Funktion, in den Fällen II. 1 und II. 2 — Monopol auf dem Absatzmarkt — an die Stelle der linearen Umsatzkurve eine zunächst ansteigende und dann absinkende, also umgekehrt U-förmige Funktion. Auf die Konstruktion dieser 3 Abbildungen mag hier verzichtet werden, da sie der Leser nach dem Muster von Abb. 126 leicht selbst durchführen kann.

Wenden wir uns jetzt unserem zweiten Problem zu, der geometrischen Darstellung des Beschaffungsmarktes, wobei wir unmittelbar an die vorhergehende Abbildung anknüpfen können. Wie aus Abb. 126, und zwar aus dem zweiten Quadranten, hervorgeht, können die Vorgänge auf dem Beschaffungsmarkt einmal mit Hilfe von Gesamtkurven dargestellt werden; daneben besteht natürlich auch wie früher die Möglichkeit, mit Grenz- und Durchschnittskurven zu arbeiten. Bei den beiden folgenden Darstellungen unterstellen wir wieder die erste Marktformen-Kombination, also vollkommenes Polypol auf dem Absatz- und auf dem Beschaffungsmarkt. Im Gegensatz zu der Abbildung 126, bei der der Faktorpreis q_1 mit eins normiert worden war, normieren wir jetzt den Güterpreis p mit eins, also $p = 1$. Diese Normierung hat die folgende wichtige und für die Graphik angenehme Konsequenz: Ist $p = 1$, so fällt die Umsatzkurve in Abhängigkeit von v, also $U = p \cdot x\,(v_1, \bar{v}_2)$ mit der partiellen Ertragsfunktion $x = x\,(v_1, \bar{v}_2)$ zusammen.

Abbildung 127 zeigt die Vorgänge auf dem Beschaffungsmarkt mit Hilfe von Gesamtkurven. Wir haben einerseits die Umsatzkurve in Abhängigkeit vom Faktoreinsatz v_1, d.i. wegen $p = 1$ die partielle Ertragsfunktion

$$x = x\,(v_1, \bar{v}_2).$$

Ferner zeigt Abb. 127 die Ausgabenfunktion, wobei man entweder nur die Ausgaben für das variable Produktionsmittel, also $A_1 = q_1\, v_1$ oder die Gesamtausgaben $A = q_1\, v_1 + \bar{q}_2\, \bar{v}_2$ betrachtet. Im ersten Fall wird sozusagen der Bruttogewinn maximiert, aus dem die fixen Ausgaben (Kosten) noch abzugelten sind, im zweiten Fall der Nettogewinn. Beide Verfahren laufen natürlich, wie aus Abb. 127 hervorgeht, auf dasselbe hinaus, d.h. die fixen Ausgaben beeinflussen zwar den Wert, nicht aber die Lage des Gewinnmaximums. Der Einsatz des variablen Produktionsmittels ist gewinnmaximal, wenn die Steigung der Umsatzkurve (in Abhängigkeit von v_1) gleich der Steigung der Ausgabenkurve ist, wenn also

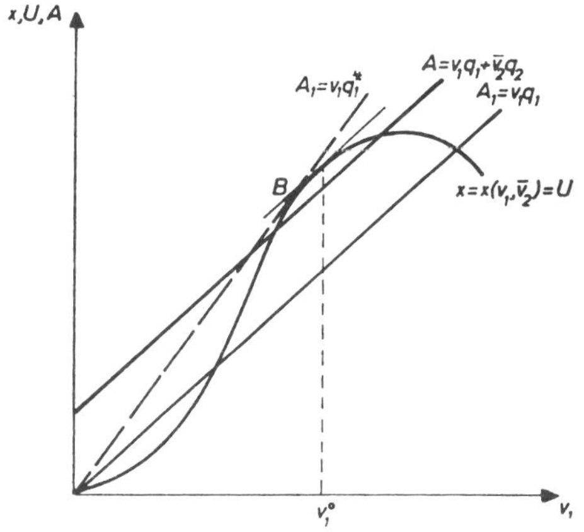

Abb. 127

$$\frac{dU}{dv_1} = \frac{dA}{dv_1}$$

erfüllt ist. Wegen der Normierung $p = 1$ läuft diese Bedingung in unserem Fall auf $\frac{dx}{dv_1} = q_1$ hinaus.

Von Interesse ist es, noch einen Augenblick die Situation zu betrachten, die sich im Punkte B ergibt. Hier wurde ein so hoher Preis des variablen Produktionsmittels (q_1^*) unterstellt, daß die partielle Ausgabenkurve

$$A_1 = q_1^*\, v_1$$

gerade die Umsatzfunktion in Abhängigkeit von v_1, d.i. wegen $p = 1$ die partielle Ertragskurve $x = x\,(v_1, \bar{v}_2)$, tangiert. Offenbar gilt im Punkte B, daß der Umsatz gerade so groß ist wie die Ausgabe für das variable Produktionsmittel, es entsteht also ein Verlust in Höhe der fixen Kosten für das konstante Produktionsmittel. Demnach gibt der Tangentialpunkt B nichts anderes an als die Schwelle, ab der produziert werden kann, der Punkt B müßte demnach der Produktionsschwelle oder dem Betriebsminimum entsprechen. Das ist in der Tat der Fall, denn wie man leicht erkennt, stellt der Punkt B nichts anderes als das Maximum des Durchschnittsertrages in bezug auf das variable Produktionsmittel dar, in dem außerdem Durchschnitts- und Grenzertrag gleich sind. Es kann demnach nur rechts vom Maximum des Durchschnittsertrages des variablen Produktionsmittels produziert werden, und das heißt anders formuliert, es kann nur rechts vom Betriebsminimum produziert werden. Die Produktionsschwelle kann demnach einmal im Hinblick auf die Ausbringung definiert werden (Betriebsminimum = Minimum der durchschnittlichen variablen Kosten) oder im Hinblick auf den Einsatz eines variablen Produktionsmittels (Maximum des Durchschnittsertrages des variablen Produktionsmittels). Auch hier wieder handelt es sich nur um zwei verschiedene Aspekte desselben Sachverhalts: Bei gegebenem Preis der Produktionsmittel wird die kurzfristige Produktionsuntergrenze dann erreicht, wenn der Güterpreis bis auf das Minimum der durchschnittlichen variablen Kosten absinkt; bei gegebenem Güterpreis wird die kurzfristige Produktionsuntergrenze dann erreicht, wenn der Preis des variablen Produktionsmittels bis zum Maximum des Durchschnittsertrages des betreffenden Produktionsmittels ansteigt.

Der zuletzt beschriebene Zusammenhang wird noch deutlicher, wenn wir jetzt zur Betrachtung der Grenz- und Durchschnittskurven übergehen. Abb. 128 enthält die Grenzwert- und die Durchschnittswertproduktkurve des variablen Produktionsmittels, die wegen der Normierung $p = 1$ mit der Grenz- und Durchschnittsproduktkurve zusammenfallen. Der Faktorpreis q_1 ist wegen des Polypols auf dem Beschaffungsmarkt ein Datum; die das variable Produktionsmittel nachfragende Unternehmung sieht sich also einer Faktorpreisgeraden, dem Grenzfall einer Preis-Bezugsfunktion, gegenüber.

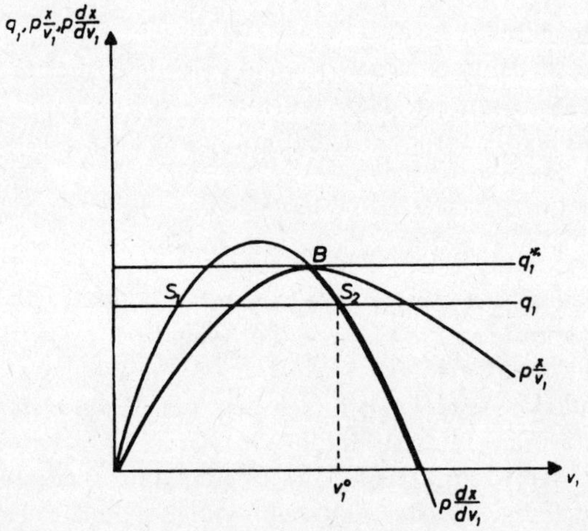

Abb. 128

Wie man sieht, existieren zwei Schnittpunkte S_1 und S_2 der Grenzwert- = Grenzproduktkurve mit der Faktorpreisgeraden, die erste Gewinnmaximierungsbedingung $p\,\frac{dx}{dv_1} = q_1$ bzw. (wegen $p = 1$) $\frac{dx}{dv_1} = q_1$ ist also an zwei Stellen erfüllt. Die zweite, hinreichende Gewinnmaximierungsbedingung $p \frac{d^2 x}{d v_1^2} < 0$ bzw. (wegen $p = 1$) $\frac{d^2 x}{d v_1^2} < 0$ ist dagegen nur in S_2 befriedigt, die gewinnmaximale Einsatzmenge des variablen Produktionsmittels wird also durch den Schnittpunkt S_2 determiniert. Für die Faktornachfrage der Unternehmung kommt damit nur der fallende Ast der Grenzwertproduktkurve in Frage.

Aber auch diese Aussage bedarf noch einer Einschränkung. Sähe sich die Unternehmung nämlich dem höheren Faktorpreis q_1^* gegenüber, so würde sie eine dem Punkt B entsprechende Faktornachfrage entfalten. Im Punkte B deckt der Umsatz gerade die Kosten des variablen Faktors, und es entsteht ein Verlust in Höhe der fixen Kosten des konstanten Faktors. Wäre der Preis des variablen Produktionsmittels noch höher als q_1^*, so würde der Umsatz nicht einmal zur Deckung der variablen Kosten ausreichen, die Produktion würde eingestellt. Somit kommt für die Nachfrage nach einem variablen Produktionsmittel nur der fallende Ast der Grenzwertproduktkurve ab dem Maximum der Durchschnittswertproduktkurve in Frage.

Noch ein weiteres wichtiges Resultat ergibt sich jetzt ganz beiläufig. Wie aus Abb. 128 hervorgeht, entscheidet der fallende Ast der Grenzwertproduktkurve ab dem Maximum der Durchnittswertproduktkurve über die von einer Unternehmung bei alternativen Faktorpreisen nachgefragten Mengen des variablen Produktionsmittels. Die Grenzwertproduktkurve verbindet so alternative hypothetische Nachfragemengen mit alternativen hypothetischen Faktorpreisen und stellt somit die Nachfragekurve der Unternehmung nach dem betreffenden Faktor dar. Dies gilt unter der Annahme eines vollkommenen Polypols auf dem Absatz- wie auf dem Beschaffungsmarkt. Liegt auf dem Absatzmarkt ein Monopol, auf dem Beschaffungsmarkt weiterhin ein vollkommenes Polypol vor, so wird die Nachfragekurve nach einem Produktionsmittel durch die Grenzumsatzproduktkurve dargestellt. Bei einer monopsonistischen Struktur des Beschaffungsmarktes läßt sich nur dann eine Faktornachfragekurve konstruieren, wenn ein bestimmter Typ von Verschiebungen der Faktorangebotskurve (= Preis-Bezugsfunktion vom Monopsonisten aus gesehen) angenommen wird. Das Vorgehen entspricht in diesem Fall der Konstruktion, die bei der Güterangebotskurve eines Monopolisten anzuwenden ist.

Als letzte Aufgabe bleibt uns noch, die Analyse zu verallgemeinern, indem wir mehr als ein variables Produktionsmittel unterstellen. Betrachten wir hierbei zunächst den einfachsten Fall, bei dem sowohl auf dem Absatzmarkt als auch auf den Beschaffungsmärkten der Produktionsmittel die Marktform des vollkommenen Polypols verwirktlicht sei. Die Zahl der variablen Produktionsmittel betrage m; die konstanten Produktionsmittel können vernachlässigt werden, da sie die Gewinnmaximierung nicht beeinflussen, sondern nur die mittelfristige Produktionsuntergrenze festlegen. Die Gewinngleichung einer Unternehmung lautet dann

$$G = px - q_1 v_1 - q_2 v_2 - \ldots - q_m v_m ,$$

wobei sämtliche Preise gegeben und die Ausbringung von allen Faktoreinsatzmengen abhängig ist:

$$x = x(v_1, v_2, \ldots, v_m).$$

Die gewinnmaximalen Einsatzmengen werden dann durch das folgende Gleichungssystem (notwendige Bedingung[1]) bestimmt:

$$\begin{aligned} \frac{\partial G}{\partial v_1} &= p\frac{\partial x}{\partial v_1} - q_1 = 0 \\ \frac{\partial G}{\partial v_2} &= p\frac{\partial x}{\partial v_2} - q_2 = 0 \\ &\vdots \\ \frac{\partial G}{\partial v_m} &= p\frac{\partial x}{\partial v_m} - q_m = 0 . \end{aligned}$$

Für jedes Produktionsmittel gilt also der Grenzproduktivitätssatz

$$p\frac{\partial x}{\partial v_i} = q_i \qquad (i = 1, 2, \ldots, m) .$$

Daraus folgt aber auch, daß durch die Festlegung der gewinnmaximalen Faktoreinsatzmengen die Kosten minimiert werden, denn aus der jeweils paarweisen Gegenüberstellung der Input-Regeln für zwei Faktoren ergibt sich die Minimalkostenkombination

$$\frac{q_i}{q_j} = \frac{\dfrac{\partial x}{\partial v_i}}{\dfrac{\partial x}{\partial v_j}} .$$

Das System der Input-Regeln für m Faktoren stellt demnach nichts anderes als die Minimalkostenkombination für m Faktoren dar.

Ein weiteres wichtiges Ergebnis läßt sich am einfachsten ableiten, wenn wir uns auf zwei variable Faktoren beschränken, also in dem obenstehenden Gleichungssystem nur die ersten beiden Gleichungen ins Auge fassen. Aus $\frac{\partial G}{\partial v_1} = p\frac{\partial x}{\partial v_1} - q_1 = 0$ und $\frac{\partial G}{\partial v_2} = p\frac{\partial x}{\partial v_2} - q_2 = 0$ folgt für das totale Differential

$$dG = \left(p\frac{\partial x}{\partial v_1} - q_1\right)dv_1 + \left(p\frac{\partial x}{\partial v_2} - q_2\right)dv_2 = 0 ,$$

[1]) Die hinreichende Bedingung für den gewinnmaximalen Einsatz eines Faktors lautet

$$\frac{\partial^2 G}{\partial v_i^2} = p\frac{\partial^2 x}{\partial v_i^2} < 0 .$$

falls $dv_1 \neq 0$ und $dv_2 \neq 0$, wie unterstellt werden kann. Daraus ergibt sich

$$\frac{dG}{dv_1} = p\frac{\partial x}{\partial v_1} - q_1 + \left(p\frac{\partial x}{\partial v_2} - q_2\right)\frac{dv_2}{dv_1} = 0$$

oder nach Umstellung

$$p\left(\frac{\partial x}{\partial v_1} + \frac{\partial x}{\partial v_2}\frac{dv_2}{dv_1}\right) - q_2\frac{dv_2}{dv_1} = q_1 .$$

Nun ist der Ausdruck in der Klammer nichts anderes als $\frac{dx}{dv_1}$, so daß man endgültig zu der folgenden Beziehung gelangt:

$$p\frac{dx}{dv_1} - q_2\frac{dv_2}{dv_1} = q_1 .$$

Man bezeichnet den Ausdruck auf der linken Seite als das Netto-Grenzwertprodukt des Faktors 1. Es entsteht aus dem Brutto-Grenzwertprodukt $p\frac{dx}{dv_1}$ dadurch, daß man die Kosten bzw. die Kostenänderung bei dem anderen variablen Produktionsmittel (bzw. allgemein: bei den anderen variablen Produktionsmitteln), die auf die Veränderung des Einsatzes von v_1 zurückgeführt werden, subtrahiert. Bei mehr als einem variablen Produktionsmittel kann demnach die Input-Regel auch so formuliert werden, daß man sagt: Das Netto-Grenzwertprodukt eines Faktors muß dem Faktorpreis gleich sein, wenn der Einsatz des betreffenden Faktors gewinnmaximal erfolgen soll. Bei nur einem variablen Produktionsmittel fallen Brutto- und Netto-Grenzwertprodukt zusammen.

Werfen wir abschließend noch einen Blick auf die Zusammenhänge, die sich im allgemeinen Fall II.2 — Monopol auf dem Absatzmarkt, Monopson auf dem Beschaffungsmarkt — ergeben. Ausgehend von der Gewinngleichung

$$G = px - q_1 v_1 - q_2 v_2 - \cdots - q_m v_m ,$$

in der weder der Güterpreis p noch die Faktorpreise q_i konstant sind, erhält man als notwendige Gewinnmaximierungsbedingungen:

$$\frac{\partial G}{\partial v_1} = \left(p + \frac{dp}{dx}x\right)\frac{\partial x}{\partial v_1} - q_1 - \frac{\partial q_1}{\partial v_1}v_1 = 0$$

$$\frac{\partial G}{\partial v_2} = \left(p + \frac{dp}{dx}x\right)\frac{\partial x}{\partial v_2} - q_2 - \frac{\partial q_2}{\partial v_2}v_2 = 0$$

$$\vdots$$

$$\frac{\partial G}{\partial v_m} = \left(p + \frac{dp}{dx}x\right)\frac{\partial x}{\partial v_m} - q_m - \frac{\partial q_m}{\partial v_m}v_m = 0 .$$

Für jedes Produktionsmittel gilt also die allgemeine Form der ersten Gewinnmaximierungsregel

$$p\left(1-\frac{1}{\varepsilon}\right)\frac{\partial x}{\partial v_i}=q_i\left(1+\frac{1}{\eta_1}\right) \qquad (i=1,2,\ldots,m)\,.$$

Aus der jeweils paarweisen Gegenüberstellung dieser Input-Regeln für zwei Faktoren erhält man die allgemeine Form der Minimalkostenkombination

$$\frac{q_i\left(1+\dfrac{1}{\eta_i}\right)}{q_j\left(1+\dfrac{1}{\eta_j}\right)}=\frac{\dfrac{\partial x}{\partial v_i}}{\dfrac{\partial x}{\partial v_j}}\,.$$

Schließlich läßt sich noch das Netto-Grenzumsatzprodukt eines Faktors berechnen, das im Gewinnmaximum der Grenzausgabe gleich sein muß:

$$p\left(1-\frac{1}{\varepsilon}\right)\frac{d x}{d v_i}-\sum_{\substack{j=1\\ j\neq i}}^{m} q_j\left(1+\frac{1}{\eta_j}\right)\frac{d v_j}{d v_i}=q_i\left(1+\frac{1}{\eta_i}\right).$$

Dabei stellt der Ausdruck mit dem Summationszeichen die Summe aller Kosten bzw. Kostenänderungen bei den $(m-1)$ übrigen variablen Produktionsmitteln dar.

§ 3. Die Gewinnmaximierungsregeln bei limitationalen Produktionsmitteln

Während sich die Zusammenhänge zwischen dem Absatzmarkt einer Unternehmung und ihren Beschaffungsmärkten bei substitutiven Produktionsmitteln äußerst elegant ableiten und sich zu einem geschlossenen System zusammenfügen lassen, bereiten die limitationalen Produktionsmittel einige Schwierigkeiten. Dafür sind mehrere Gründe verantwortlich. Wie wir früher nachgewiesen hatten, ist der Einsatz limitationaler Produktionsmittel dann von dem Faktorpreis*niveau* und der Faktorpreis*relation* unabhängig, wenn eine vorgegebene Menge produziert werden soll. Ist etwa eine bestimmte Ausbringung mit zwei limitationalen Faktoren herzustellen, so werden die beiden Faktoren in dem richtigen Verhältnis, dem Limitationalitätsverhältnis, eingesetzt, ganz gleichgültig, wie auch immer Niveau und Relation der Faktorpreise beschaffen sein mögen. Jetzt allerdings werden wir zu zeigen haben — und damit kommen wir in gewisser Hinsicht zu einer Modifikation unserer früheren These —, daß das *Einsatzniveau* limitationaler Produktionsmittel von der Faktorpreisrelation und dem Faktorpreisniveau abhängt, sofern der Absatzmarkt in die Betrachtung einbezogen wird und damit die Produktionsmenge *nicht* mehr vorgegeben ist.

Ferner ergeben sich bei limitationalen Produktionsmitteln insofern Schwierigkeiten, als bei Zugrundelegung des vollkommenen Polypols auf dem Absatzmarkt die gewöhnliche marginale Gewinnmaximierungsregel Preis = Grenzkosten ihren Dienst versagt. Die Unternehmung wird an der in der Regel durch den konstanten Faktor festgelegten Kapazitätsgrenze anbieten, wenn der Preis die Grenzkosten übersteigt; die Produktions- und Absatzmenge ist unbestimmt, wenn Preis und Grenzkosten zusammenfallen. Wenn demnach auf dem Absatzmarkt die Marktform des vollkommenen Polypols vorliegt, so müssen Schwierigkeiten auftreten, und zwar Schwierigkeiten durch das Versagen der Output-Regel und damit auch der Input-Regel, die ja miteinander zusammenhängen.

Beginnen wir nach diesen Vorbemerkungen sofort mit der eigentlichen Analyse, wobei wie im Abschnitt 2 die vier typischen Marktformen-Kombinationen unterschieden werden sollen. Zur Vereinfachung werden jeweils nur zwei limitationale Faktoren unterstellt; daneben können konstante Faktoren auftreten, sie beeinflussen jedoch die Gewinnmaximierung nicht. Die Produktionsfunktion werde durch die beiden Verbrauchsfunktionen

$$v_1 = a_1 x \text{ und } v_2 = a_2 x$$

wiedergegeben.

Kombination I. 1: Vollkommenes Polypol auf dem Absatzmarkt, vollkommenes Polypol auf den Beschaffungsmärkten

Bei dieser ersten Marktformen-Kombination sieht die Unternehmung sowohl den Güterpreis p als auch die Faktorpreise q_1 und q_2 der limitationalen Faktoren 1 und 2 als Daten an. Die Gewinnmaximierungsregel Preis = Grenzkosten ist wie gesagt nicht anwendbar, die Produktion erfolgt an der Kapazitätsgrenze, falls $p > K'$, die Produktionsmenge ist unbestimmt, falls $p = K'$. Auf Grund dieser Tatsachen lassen sich bei dieser ersten Marktformen-Kombination nur kurz- und langfristige Preisuntergrenzen für p und Preisobergrenzen für q_1 und q_2 angeben.

Wie früher ausführlich gezeigt wurde, betragen die durchschnittlichen Gesamtkosten bei limitationalen Produktionsmitteln, also linearem Verlauf der Grenzkostenkurve:

$$\frac{K}{x} = a_1 q_1 + a_2 q_2 + \frac{K_f}{x} .$$

Die mittelfristige Preisuntergrenze ist gleich dem tiefsten Punkt dieser Stückkostenkurve, der an der Kapazitätsgrenze liegt. Die kurzfristige Preisuntergrenze wird durch die durchschnittlichen variablen Kosten gezogen:

$$\frac{K_v}{x} = p^k_{\min} = a_1 q_1 + a_2 q_2 .$$

Daraus läßt sich wahlweise für eines der beiden limitationalen Produktionsmittel eine kurzfristige Preisobergrenze herleiten:

$$q^k_{1\,\max} = \frac{p}{a_1} - \frac{a_2 q_2}{a_1} .$$

So wie oben die Preisuntergrenze für p bei gegebenen Faktorpreisen q_1 und q_2 galt, gilt diese Preisobergrenze für q_1 bei gegebenem Güterpreis p und gegebenem Faktorpreis q_2. Der Ausdruck auf der rechten Seite stellt das Netto-Grenzwertprodukt des Faktors 1 dar.

Fassen wir diese Überlegungen noch einmal zusammen: Da das Gesetz des erwerbswirtschaftlichen Konkurrenzangebots, die Output-Regel Preis = Grenzkosten, bei der ersten Marktformen-Kombination Polypol — Polypol und bei Zugrundelegung limitationaler Produktionsmittel nicht angewandt werden kann, fehlen Output- und Input-Regeln, die denen bei Annahme substitutiver Produktionsmittel vergleichbar wären. Es lassen sich nur Preisunter- bzw. Preisobergrenzen für p bzw. q_1 und q_2 ableiten.

Kombination I.2: Vollkommenes Polypol auf dem Absatzmarkt, Monopson auf den Beschaffungsmärkten

Bei der zweiten Marktformen-Kombination ist der Güterpreis p weiterhin ein Datum, während sich die Unternehmung auf ihren Beschaffungsmärkten ansteigenden Preis-Bezugsfunktionen gegenübersieht. Die Faktorpreise q_1 und q_2 sind also von den durch die Unternehmung nachgefragten Mengen abhängig: $q_1 = f_1(v_1)$ und $q_2 = f_2(v_2)$ mit

$$\frac{dq_1}{dv_1} > 0 \quad \text{sowie} \quad \frac{dq_2}{dv_2} > 0 .$$

Aus der linearen Kostenfunktion, wie wir sie bei der ersten Marktformen-Kombination hatten, wird dadurch offenbar eine nichtlineare Funktion. Damit aber wird die Gewinnmaximierungsregel Preis = Grenzkosten wieder anwendbar.

Der Gewinn der Unternehmung ist rein definitorisch:

$$G = px - q_1 v_1 - q_2 v_2 - K_f .$$

Die erste Ableitung dieser Funktion nach x, gleich Null gesetzt, liefert die erste Gewinnmaximierungsbedingung:

$$\frac{dG}{dx} = p - v_1 \frac{dq_1}{dv_1}\frac{dv_1}{dx} - q_1 \frac{dv_1}{dx} - v_2 \frac{dq_2}{dv_2}\frac{dv_2}{dx} - q_2 \frac{dv_2}{dx} = 0 .$$

Wird diese Gleichung nach p aufgelöst, so erhält man

$$p = \left(q_1 + \frac{dq_1}{dv_1} v_1\right)\frac{dv_1}{dx} + \left(q_2 + \frac{dq_2}{dv_2} v_2\right)\frac{dv_2}{dx} .$$

Diese Gleichung fordert erneut die Gleichheit von Preis und Grenzkosten; die Grenzkosten setzten sich aus den Mehrkosten für das Produktionsmittel 1 und das Produktionsmittel 2 zusammen. Dabei entstehen bei jedem der beiden Produktionsmittel die Mehrkosten einmal dadurch, daß der Einsatz des betreffenden Produktionsmittels bei konstantem Preis vergrößert wird, außerdem aber auch dadurch, daß der Faktorpreis bei konstanter Einsatzmenge zunimmt. Mit Hilfe der Amoroso-Robinson-Relation läßt sich die erste Output-Gewinnmaximierungsregel auch wie folgt umformen:

$$p = q_1\left(1 + \frac{1}{\eta_1}\right)\frac{d\,v_1}{d\,x} + q_2\left(1 + \frac{1}{\eta_2}\right)\frac{d\,v_2}{d\,x}.$$

Berücksichtigt man jetzt noch die Verbrauchsfunktionen $v_1 = a_1 x$ und $v_2 = a_2 x$ bzw. die daraus abgeleiteten marginalen Produktionskoeffizienten $\frac{d\,v_1}{d\,x} = a_1$ und $\frac{d\,v_2}{d\,x} = a_2$, so ergibt sich:

$$p = a_1\,q_1\left(1 + \frac{1}{\eta_1}\right) + a_2\,q_2\left(1 + \frac{1}{\eta_2}\right).$$

Aus dieser oder auch schon aus den vorigen Schreibweisen erkennt man außerdem, daß die monopsonistische Struktur eines einzigen Beschaffungsmarktes schon genügt, um die Grenzkostenkurve der betreffenden Unternehmung ansteigen zu lassen und damit der polypolistischen Gewinnmaximierungsregel für den Absatzmarkt Preis = Grenzkosten wieder zur Gültigkeit zu verhelfen.

Wenden wir uns nunmehr der zweiten Gewinnmaximierungsbedingung zu. Man erhält durch zweimalige Differentiation der Gewinnfunktion nach x:

$$\frac{d^2 G}{d\,x^2} = -\frac{d\,v_1}{d\,x}\frac{d\,q_1}{d\,v_1}\frac{d\,v_1}{d\,x} - v_1\frac{d^2 q_1}{d\,v_1^2}\left(\frac{d\,v_1}{d\,x}\right)^2 - v_1\frac{d\,q_1}{d\,v_1}\frac{d^2 v_1}{d\,x^2} - \frac{d\,q_1}{d\,v_1}\left(\frac{d\,v_1}{d\,x}\right)^2 - q_1\frac{d^2 v_1}{d\,x^2} -$$
$$-\frac{d\,v_2}{d\,x}\frac{d\,q_2}{d\,v_2}\frac{d\,v_2}{d\,x} - v_2\frac{d^2 q_2}{d\,v_2^2}\left(\frac{d\,v_2}{d\,x}\right)^2 - v_2\frac{d\,q_2}{d\,v_2}\frac{d^2 v_2}{d\,x^2} - \frac{d\,q_2}{d\,v_2}\left(\frac{d\,v_2}{d\,x}\right)^2 - q_2\frac{d^2 v_2}{d\,x^2} < 0\,.$$

In diesem unhandlichen Ausdruck lassen sich zunächst das erste und vierte sowie das sechste und neunte Glied zusammenfassen. Aus der Linearität der Verbrauchsfunktionen folgt ferner $\frac{d^2 v_1}{d\,x^2} = 0$ und $\frac{d^2 v_2}{d\,x^2} = 0$, so daß die zweite Gewinnmaximierungsbedingung endgültig lautet:

$$0 < 2\frac{d\,q_1}{d\,v_1}\left(\frac{d\,v_1}{d\,x}\right)^2 + v_1\frac{d^2 q_1}{d\,v_1^2}\left(\frac{d\,v_1}{d\,x}\right)^2 + 2\frac{d\,q_2}{d\,v_2}\left(\frac{d\,v_2}{d\,x}\right)^2 + v_2\frac{d^2 q_2}{d\,v_2^2}\left(\frac{d\,v_2}{d\,x}\right)^2$$

bzw.
$$0 < 2\,a_1^2\frac{d\,q_1}{d\,v_1} + a_1^2\,v_1\frac{d^2 q_1}{d\,v_1^2} + 2\,a_2^2\frac{d\,q_2}{d\,v_2} + a_2^2\,v_2\frac{d^2 q_2}{d\,v_2^2}\,.$$

In diesen Ungleichungen sind hinsichtlich des Vorzeichens nur die zweiten Ableitungen der Preis-Bezugsfunktionen $\frac{d^2 q_1}{d\,v_1^2}$ und $\frac{d^2 q_2}{d\,v_2^2}$ problematisch; sie können positiv, negativ oder gleich Null sein.

Daher ist die zweite Gewinnmaximierungsbedingung dann erfüllt, wenn der erste und der dritte Term der vorstehenden Ungleichungen nicht durch den zweiten und vierten Term kompensiert werden. Wie man sich leicht klar macht, genügt auch hier wieder unter Umständen die positive Steigung *einer* Preis-Bezugsfunktion, also die Monopsonstellung auf nur *einem* Beschaffungsmarkt, um die Erfüllung der hinreichenden Bedingung zu garantieren.

Wenden wir uns jetzt den Beschaffungsmärkten für die beiden limitationalen Produktionsmittel zu, auf denen unsere Unternehmung eine monopsonistische Stellung innehat. Bei der Ableitung der Gewinnmaximierungsregeln für eines der beiden Produktionsmittel — wir wählen v_1 — gehen wir wieder von der Gewinnfunktion der Unternehmung aus:

$$G = px - q_1 v_1 - q_2 v_2 - K_f.$$

Ihre erste Ableitung nach v_1 führt zu der ersten Gewinnmaximierungsbedingung

$$\frac{dG}{dv_1} = p\frac{dx}{dv_1} - v_1\frac{dq_1}{dv_1} - q_1 - v_2\frac{dq_2}{dv_2}\frac{dv_2}{dv_1} - q_2\frac{dv_2}{dv_1} = 0$$

oder umgeformt

$$p\frac{dx}{dv_1} - \left(q_2 + v_2\frac{dq_2}{dv_2}\right)\frac{dv_2}{dv_1} = q_1 + v_1\frac{dq_1}{dv_1}.$$

Auf der rechten Seite dieser Gleichung steht die Grenzausgabe für das Produktionsmittel 1, links sein Netto-Grenzwertprodukt. Diese erste Input-Regel läßt sich mit Hilfe der Amoroso-Robinson-Relation folgendermaßen ausdrücken:

$$p\frac{dx}{dv_1} - q_2\left(1 + \frac{1}{\eta_2}\right)\frac{dv_2}{dv_1} = q_1\left(1 + \frac{1}{\eta_1}\right)$$

oder unter Berücksichtigung der marginalen Produktionskoeffizienten:

$$\frac{1}{a_1}p - \frac{a_2}{a_1}q_2\left(1 + \frac{1}{\eta_2}\right) = q_1\left(1 + \frac{1}{\eta_1}\right).$$

Die Auflösung dieser ersten Input-Regel nach p führt selbstverständlich zu der ersten Output-Regel zurück.

Um die zweite, hinreichende Input-Regel zu erhalten, hat man die Gewinnfunktion zweimal nach dem gewählten Produktionsmittel 1 zu differenzieren:

$$\frac{d^2G}{dv_1^2} = p\frac{d^2x}{dv_1^2} - \frac{dq_1}{dv_1} - v_1\frac{d^2q_1}{dv_1^2} - \frac{dq_1}{dv_1} - \frac{dv_2}{dv_1}\frac{dq_2}{dv_2}\frac{dv_2}{dv_1} - v_2\frac{d^2q_2}{dv_2^2}\left(\frac{dv_2}{dv_1}\right)^2 -$$
$$- v_2\frac{dq_2}{dv_2}\frac{d^2v_2}{dv_1^2} - \frac{dq_2}{dv_2}\left(\frac{dv_2}{dv_1}\right)^2 - q_2\frac{d^2v_2}{dv_1^2} < 0$$

oder unter Berücksichtigung von $\frac{d^2x}{dv_1^2} = 0$, $\frac{d^2v_2}{dv_1^2} = 0$, Zusammenfassung und Umstellung:

$$-2\frac{dq_2}{dv_2}\left(\frac{dv_2}{dv_1}\right)^2 - v_2\frac{d^2q_2}{dv_2^2}\left(\frac{dv_2}{dv_1}\right)^2 < 2\frac{dq_1}{dv_1} + v_1\frac{d^2q_1}{dv_1^2}$$

bzw.

$$-2\frac{a_2^2}{a_1^2}\frac{dq_2}{dv_2} - \frac{a_2^2}{a_1^2}v_2\frac{d^2q_2}{dv_2^2} < 2\frac{dq_1}{dv_1} + v_1\frac{d^2q_1}{dv_1^2}.$$

Auch hier können Schwierigkeiten hinsichtlich des Vorzeichens nur durch die Glieder mit den zweiten Ableitungen der Preis-Bezugsfunktionen hervorgerufen werden. Diese Ungleichungen fordern, daß die Steigung der Netto-Grenzwertproduktkurve kleiner sein muß als die der Grenzausgabenkurve.

Damit die hinreichende Gewinnmaximierungsregel für den Einsatz von v_1 erfüllt ist, dürfen der erste und der dritte Term der vorstehenden Ungleichung nicht durch den zweiten und vierten kompensiert werden. Schließlich kann auch hier wieder die positive Steigung nur einer Preis-Bezugsfunktion ausreichen, um die Ungleichung zu erfüllen.

Dasselbe Verfahren kann jetzt natürlich auch für das zweite limitationale Produktionsmittel durchgeführt werden, ohne daß sich allerdings dadurch neue Informationen gewinnen lassen. Anstatt diese Ableitung durchzuführen, fassen wir die etwas komplizierten Beziehungen, die wir im vorstehenden kennengelernt haben, zusammen. Liegt auf dem Absatzmarkt einer Unternehmung ein vollkommenes Polypol vor, während die Unternehmung auf den Beschaffungsmärkten der beiden limitationalen Produktionsmittel eine monopsonistische Stellung einnimmt, so lautet die erste Gewinnmaximierungsbedingung für den Absatzmarkt Preis = Grenzkosten:

$$p = a_1 q_1\left(1 + \frac{1}{\eta_1}\right) + a_2 q_2\left(1 + \frac{1}{\eta_2}\right).$$

Die Grenzkosten steigen nichtlinear, wenn auch nur bei einem limitationalen Produktionsmittel die Preis-Bezugsfunktion positiv geneigt ist, also nur bei einem limitationalen Produktionsmittel eine monopsonistische Stellung der Unternehmung vorliegt. Die zweite Gewinnmaximierungsregel für den Absatzmarkt

$$0 < 2\, a_1^2 \frac{d q_1}{d v_1} + a_1^2 v_1 \frac{d^2 q_1}{d v_1^2} + 2\, a_2^2 v_2 \frac{d q_2}{d v_2} + a_2^2 v_2 \frac{d^2 q_2}{d v_2^2}$$

erfordert wiederum, daß mindestens eine Preis-Bezugsfunktion positiv geneigt ist und daß der entsprechende Term (der erste und/oder dritte) nicht durch den entsprechenden evtl. negativen Term (den zweiten und/oder vierten) kompensiert wird.

Die erste Gewinnmaximierungsregel für den Beschaffungsmarkt erfordert die Gleichheit des Netto-Grenzwertprodukts des betreffenden Faktors und seiner Grenzausgabe, d. h. für den ersten Faktor

$$\frac{1}{a_1} p - \frac{a_2}{a_1} q_2\left(1 + \frac{1}{\eta_2}\right) = q_1\left(1 + \frac{1}{\eta_1}\right).$$

Die hinreichende Bedingung für den Beschaffungsmarkt lautet

$$-2 \frac{a_2^2}{a_1^2} \frac{d q_2}{d v_2} - \frac{a_2^2}{a_1^2} v_2 \frac{d^2 q_2}{d v_2^2} < 2 \frac{d q_1}{d v_1} + v_1 \frac{d^2 q_1}{d v_1^2}.$$

Damit diese Ungleichung erfüllt ist, müssen dieselben Voraussetzungen gegeben sein wie bei der zweiten Gewinnmaximierungsbedingung für den Absatzmarkt.

Kombination II.1: Monopol auf dem Absatzmarkt, vollkommenes Polypol auf den Beschaffungsmärkten

Bei dieser dritten Kombination von Marktformen hat die Unternehmung auf ihrem Absatzmarkt die Möglichkeit, Preispolitik zu treiben, sieht also den Güterpreis nicht mehr als Datum an. Dagegen sind die Preise der beiden limitationalen Produktionsmittel ihrer Beeinflussung entzogen.

Um die Gewinnmaximierungsbedingungen für den Absatzmarkt abzuleiten, gehen wir wieder von der definitorischen Gewinngleichung aus:

$$G = px - q_1 v_1 - q_2 v_2 - K_f.$$

Die erste Ableitung dieser Funktion wird gleich Null gesetzt:

$$\frac{dG}{dx} = p + \frac{dp}{dx}x - q_1 \frac{dv_1}{dx} - q_2 \frac{dv_2}{dx} = 0$$

bzw.

$$p\left(1 - \frac{1}{\varepsilon}\right) = q_1 \frac{dv_1}{dx} + q_2 \frac{dv_2}{dx}.$$

Berücksichtigt man jetzt wieder die Verbrauchsfunktionen bzw. die daraus abgeleiteten marginalen Produktionskoeffizienten, so ergibt sich

$$p\left(1 - \frac{1}{\varepsilon}\right) = a_1 q_1 + a_2 q_2.$$

Das ist die erste Gewinnmaximierungsregel für den Absatzmarkt — das Gesetz des erwerbswirtschaftlichen Angebots: Grenzumsatz gleich Grenzkosten. Die zweite Gewinnmaximierungsbedingung lautet dann[1])

$$\frac{d^2 G}{dx^2} = \frac{d^2 U}{dx^2} = 2\frac{dp}{dx} + \frac{d^2 p}{dx^2}x < 0.$$

Die Steigung der Grenzumsatzkurve muß also negativ sein, damit ein Gewinnmaximum vorliegt.

Für den Beschaffungsmarkt lauten die Gewinnmaximierungsregeln, wobei wir nur die Nachfrage nach v_1 betrachten, wie folgt:

$$\frac{dG}{dv_1} = \frac{dU}{dx}\frac{dx}{dv_1} - q_1 - q_2 \frac{dv_2}{dv_1} = 0$$

oder nach Umformung und Umstellung:

$$p\left(1 - \frac{1}{\varepsilon}\right)\frac{dx}{dv_1} - q_2 \frac{dv_2}{dv_1} = q_1$$

---

[1]) Man beachte, daß die zweiten Ableitungen $\frac{d^2 v_1}{dx^2}$ und $\frac{d^2 v_2}{dx^2}$ gleich Null sind; demnach ist nur $\frac{d\left(p + \frac{dp}{dx}x\right)}{dx} = \frac{d\left(\frac{dU}{dx}\right)}{dx}$ zu bilden.

bzw. $$\frac{1}{a_1} p\left(1-\frac{1}{\varepsilon}\right)-\frac{a_2}{a_1} q_2=q_1 .$$

Das ist die erste Gewinnmaximierungsbedingung für den Einsatz von v_1. Das Netto-Grenzumsatzprodukt des Faktors muß demnach gleich seinem Preis sein. Für die zweite hinreichende Bedingung erhält man:

$$\frac{d^2 G}{d v_1^2}=\frac{1}{a_1^2} \frac{d^2 U}{d x^2}<0 .$$

Die Steigung der Netto-Grenzumsatzproduktkurve muß also negativ sein, damit ein Gewinnmaximum vorliegt.

Kombination II.2: Monopol auf dem Absatzmarkt, Monopson auf den Beschaffungsmärkten

Wir sind bei der letzten Marktformen-Kombination angelangt, bei der die Unternehmung weder den Güterpreis p noch die Faktorpreise q_1 und q_2 als Datum ansieht, sondern sowohl auf ihrem Absatzmarkt als auch auf ihren Beschaffungsmärkten Preispolitik betreiben kann.

Zur Ableitung der Output-Regeln gehen wir wieder von der definitorischen Gewinngleichung

$$G=p x-q_1 v_1-q_2 v_2-K_f$$

aus. Die Maximierung dieser Funktion führt zu

$$\frac{d G}{d x}=p+\frac{d p}{d x} x-v_1 \frac{d q_1}{d v_1} \frac{d v_1}{d x}-q_1 \frac{d v_1}{d x}-v_2 \frac{d q_2}{d v_2} \frac{d v_2}{d x}-q_2 \frac{d v_2}{d x}=0$$

oder $$p+\frac{d p}{d x} x=\left(q_1+\frac{d q_1}{d v_1} v_1\right) \frac{d v_1}{d x}+\left(q_2+\frac{d q_2}{d v_2} v_2\right) \frac{d v_2}{d x} .$$

Die Unternehmung maximiert also ihren Gewinn, indem sie die Gleichheit des Grenzumsatzes mit den Grenzkosten herbeiführt. Die Grenzkosten enthalten wie im Fall I.2 eine Mengensteigerungs- und eine Preissteigerungskomponente. Gleichwertig sind die folgenden Umformungen der ersten Output-Regel:

$$p\left(1-\frac{1}{\varepsilon}\right)=q_1\left(1+\frac{1}{\eta_1}\right) \frac{d v_1}{d x}+q_2\left(1+\frac{1}{\eta_2}\right) \frac{d v_2}{d x} ;$$

$$p\left(1-\frac{1}{\varepsilon}\right)=a_1 q_1\left(1+\frac{1}{\eta_1}\right)+a_2 q_2\left(1+\frac{1}{\eta_2}\right) .$$

Die zweite Gewinnmaximierungsregel führt zu:

$$\frac{d^2 G}{d x^2}=\frac{d^2 U}{d x^2}-2 \frac{d q_1}{d v_1}\left(\frac{d v_1}{d x}\right)^2-v_1 \frac{d^2 q_1}{d v_1^2}\left(\frac{d v_1}{d x}\right)^2-2 \frac{d q_2}{d v_2}\left(\frac{d v_2}{d x}\right)^2-v_2 \frac{d^2 q_2}{d v_2^2}\left(\frac{d v_2}{d x}\right)^2<0$$

oder $$\frac{d^2 U}{d x^2}<2 a_1^2 \frac{d q_1}{d v_1}+a_1^2 v_1 \frac{d^2 q_1}{d v_1^2}+2 a_2^2 \frac{d q_2}{d v_2}+a_2^2 v_2 \frac{d^2 q_2}{d v_2^2} .$$

Da der Ausdruck auf der rechten Seite der letzten Ungleichung nicht größer als Null sein muß wie im Fall I.2, sondern größer als die stets negative Steigung der Grenzumsatzkurve, ist die zweite Gewinnmaximierungsbedingung weniger streng als bei der Marktformen-Kombination I.2. Auch diesmal hängt die Erfüllung der Ungleichung von den Ausdrücken $\frac{d^2 q_1}{d v_1^2}$ und $\frac{d^2 q_2}{d v_2^2}$ ab. Über die möglichen Konstellationen kann man sich leicht Klarheit verschaffen, so daß wir uns weitere Einzelheiten ersparen können.

Betrachten wir jetzt die Beschaffungsmärkte und suchen die Gewinnmaximierungsregeln für den Einsatz eines Produktionsmittels (v_1) abzuleiten. Es ist auszugehen von der Gewinngleichung

$$G = px - q_1 v_1 - q_2 v_2 - K_f,$$

deren erste Ableitung nach v_1, gleich Null gesetzt, lautet:

$$\frac{dG}{dv_1} = \frac{dU}{dx}\frac{dx}{dv_1} - v_1 \frac{dq_1}{dv_1} - q_1 - v_2 \frac{dq_2}{dv_2}\frac{dv_2}{dv_1} - q_2 \frac{dv_2}{dv_1} = 0\,.$$

Dies läßt sich umformen in:

$$p\left(1 - \frac{1}{\varepsilon}\right)\frac{dx}{dv_1} - q_2\left(1 + \frac{1}{\eta_2}\right)\frac{dv_2}{dv_1} = q_1\left(1 + \frac{1}{\eta_1}\right)$$

oder $$\frac{1}{a_1} p\left(1 - \frac{1}{\varepsilon}\right) - \frac{a_2}{a_1} q_2\left(1 + \frac{1}{\eta_2}\right) = q_1\left(1 + \frac{1}{\eta_1}\right).$$

Die erste Input-Regel erfordert demnach, daß das Netto-Grenzumsatzprodukt des betreffenden Faktors der Grenzausgabe für den betreffenden Faktor gleich ist. Wie die letzten Gleichungen erkennen lassen, kann die erste Input-Regel ohne Schwierigkeiten in die erste Output-Regel überführt werden.

Für die zweite Input-Regel, die hinreichende Gewinnmaximierungsbedingung, erhält man:

$$\frac{1}{a_1^2}\frac{d^2 U}{dx^2} - 2\frac{a_2^2}{a_1^2}\frac{dq_2}{dv_2} - \frac{a_2^2}{a_1^2} v_2 \frac{d^2 q_2}{dv_2^2} < 2\frac{dq_1}{dv_1} + v_1 \frac{d^2 q_1}{dv_1^2}\,.$$

Die Bedingungen dafür, daß diese Ungleichung erfüllt ist, sind dieselben wie bei der zweiten Output-Regel.

Damit sind wir am Ende dieser etwas langwierigen Deduktionen und wollen die Ergebnisse in einer Tabelle zusammenfassen.

Wie die Tabelle 29 in Verbindung mit der Tabelle 28 zeigt, bestehen bei limitationalen Produktionsmitteln auf den ersten Blick ähnliche Gesetzmäßigkeiten wie bei substitutiven Produktionsmitteln. Allerdings fällt die erste Marktformen-Kombination (vollkommenes Polypol auf dem Absatzmarkt und auf den Beschaffungsmärkten) völlig aus dem Rahmen; sie stellt bei limitationalen Produktionsmitteln einen Sonderfall dar, dem jede Ent-

Tabelle 29

Die Gewinnmaximierungsbedingungen für den Absatz- und den Beschaffungsmarkt bei limitationalen Produktionsmitteln

Marktformenkombination	Output-Regeln	Input-Regeln
I. 1 Vollkommenes Polypol auf dem Absatzmarkt $\left(\frac{dU}{dx} = p\right)$ und vollkommenes Polypol auf dem Beschaffungsmarkt $\left(\frac{dA_i}{dv_i} = q_i \text{ für } i = 1{,}2\right)$	Produktion an der Kapazitätsgrenze, wenn $p > \frac{dK}{dx}$; bei $p = \frac{dK}{dx}$ ist die Ausbringung unbestimmt. Preisuntergrenze kurzfristig: $p_{\min}^{K} = a_1 q_1 + a_2 q_2$	Verwirklicht wird der Faktoreinsatz, der der maximalen Ausbringung entspricht, wenn $p > \frac{dK}{dx}$; bei $p = \frac{dK}{dx}$ ist der Faktoreinsatz unbestimmt. Faktorpreisobergrenze kurzfristig: $q_{1,\max}^{k} = \frac{p}{a_1} - \frac{a_2 q_2}{a_1}$
I. 2 Vollkommenes Polypol auf dem Absatzmarkt $\left(\frac{dU}{dx} = p\right)$ und Monopson auf dem Beschaffungsmarkt $\left(\frac{dA_i}{dr_i} = q_i\left(1 + \frac{1}{\eta_i}\right) \text{ für } i = 1{,}2\right)$	Preis = Grenzkosten $p = \frac{dK}{dx} = a_1 q_1\left(1 + \frac{1}{\eta_1}\right) + a_2 q_2\left(1 + \frac{1}{\eta_2}\right)$ } 1. Bedingung positive Steigung der Grenzkostenkurve $0 < \frac{d^2K}{dx^2} = 2a_1^2\frac{dq_1}{dr_1} + a_1^2 r_1 \frac{d^2q_1}{dr_1^2} + 2a_2^2\frac{dq_2}{dr_2} + a_2^2 r_2 \frac{d^2q_2}{dr_2^2}$ } 2. Bedingung	Netto-Grenzwertprodukt = Grenzausgabe $\frac{1}{a_1} p - \frac{a_2}{a_1} q_2\left(1 + \frac{1}{\eta_2}\right) = q_1\left(1 + \frac{1}{\eta_1}\right)$ } 1. Bedingung Steigung der Netto-Grenzwertproduktkurve < Steigung der Grenzausgabenkurve $-2\frac{a_2^2}{a_1^2}\frac{dq_2}{dv_2} - \frac{a_2^2}{a_1^2} v_2 \frac{d^2q_2}{dv_2^2} < 2\frac{dq_1}{dv_1} + v_1\frac{d^2q_1}{dr_1^2}$ } 2. Bedingung
II. 1 Monopol auf dem Absatzmarkt $\left(\frac{dU}{dx} = p\left(1 - \frac{1}{\varepsilon}\right)\right)$ und vollkommenes Polypol auf dem Beschaffungsmarkt $\left(\frac{dA_i}{dv_i} = q_i \text{ für } i = 1{,}2\right)$	Grenzumsatz = Grenzkosten $p\left(1 - \frac{1}{\varepsilon}\right) = \frac{dK}{dx} = a_1 q_1 + a_2 q_2$ } 1. Bedingung negative Steigung der Grenzumsatzkurve $\frac{d^2U}{dx^2} < 0$ } 2. Bedingung	Netto-Grenzumsatzprodukt = Faktorpreis $\frac{1}{a_1} p\left(1 - \frac{1}{\varepsilon}\right) - \frac{a_2}{a_1} q_2 = q_1$ } 1. Bedingung negative Steigung der Netto-Grenzumsatzproduktkurve $\frac{1}{a_1^2}\frac{d^2U}{dx^2} < 0$ } 2. Bedingung
II. 2 Monopol auf dem Absatzmarkt $\left(\frac{dU}{dx} = p\left(1 - \frac{1}{\varepsilon}\right)\right)$ und Monopson auf dem Beschaffungsmarkt $\left(\frac{dA_i}{dv_i} = q_i\left(1 + \frac{1}{\eta_i}\right) \text{ für } i = 1{,}2\right)$	Grenzumsatz = Grenzkosten $p\left(1 - \frac{1}{\varepsilon}\right) = \frac{dK}{dx} = a_1 q_1\left(1 + \frac{1}{\eta_1}\right) + a_2 q_2\left(1 + \frac{1}{\eta_2}\right)$ } 1. Bedingung Steigung der Grenzumsatzkurve < Steigung der Grenzkostenkurve $\frac{d^2U}{dx^2} < \frac{d^2K}{dx^2} = 2a_1^2\frac{dq_1}{dv_1} + a_1^2 v_1 \frac{d^2q_1}{dv_1^2} + 2a_2^2\frac{dq_2}{dr_2} + a_2^2 r_2 \frac{d^2q_2}{dr_2^2}$ } 2. Bedingung	Netto-Grenzumsatzprodukt = Grenzausgabe $\frac{1}{a_1} p\left(1 - \frac{1}{\varepsilon}\right) - \frac{a_2}{a_1} q_2\left(1 + \frac{1}{\eta_2}\right) = q_1\left(1 + \frac{1}{\eta_1}\right)$ } 1. Bedingung Steigung der Netto-Grenzumsatzproduktkurve < Steigung der Grenzausgabenkurve $\frac{1}{a_1^2}\frac{d^2U}{dx^2} - 2\frac{a_2^2}{a_1^2}\frac{dq_2}{dv_2} - \frac{a_2^2}{a_1^2} v_2 \frac{d^2q_2}{dv_2^2} < 2\frac{dq_1}{dr_1} + r_1\frac{d^2q_1}{dr_1^2}$ } 2. Bedingung

sprechung bei den substitutiven Produktionsmitteln fehlt. Diese Tatsache sollte uns eine Warnung sein, die Ähnlichkeiten und Übereinstimmungen zwischen den Gewinnmaximierungsregeln bei substitutiven und limitationalen Faktoren zu sehr zu betonen und die Unterschiede zu bagatellisieren. Die Übereinstimmung kann nämlich mit vollem Recht nur für den Absatzmarkt behauptet werden, d.h. die Output-Regeln sind bei substitutiven und limitationalen Produktionsmitteln für die Marktformen-Kombinationen I.2, II.1 und II.2 dieselben. Dagegen ist die Übereinstimmung bei den Input-Regeln mehr oder weniger nur eine formale Angelegenheit, denn im Gegensatz zu den substitutiven Produktionsmitteln kommt bei den limitationalen nie eine partielle Variation eines einzelnen Faktors vor (es sei denn in dem trivialen Fall, in dem der andere Faktor im Überschuß vorhanden ist). Wenn wir also bei limitationalen Faktoren zwar auch vom Nettogrenzwertprodukt oder Netto-Grenzumsatzprodukt eines Faktors sprechen können, so darf doch nie vergessen werden, daß der Einsatz des anderen oder der anderen limitationalen Produktionsmittel ebenfalls variiert wird, und zwar automatisch und in der festen Proportion, die durch das Limitationalitätsverhältnis fixiert ist. Jedes andere Vorgehen, d.h. die isolierte Variation eines limitationalen Faktors, wäre ökonomisch sinnlos. Es besteht demnach trotz der materiellen Übereinstimmung bei den Output-Regeln und der formalen Übereinstimmung bei den Input-Regeln für substitutive und limitationale Produktionsmittel zwischen diesen beiden Kategorien von Produktionsmitteln kein gradueller, sondern ein prinzipieller Unterschied, der sich beim Übergang zur gesamtwirtschaftlichen Betrachtung, speziell zur Theorie der Einkommensverteilung in voller Deutlichkeit zeigt. Die Grenzproduktivitätstheorie der Verteilung, deren einzelwirtschaftliche Version der 2. Abschnitt dieses Kapitels enthält, setzt in ihrer gesamtwirtschaftlichen Version substitutive Produktionsmittel voraus; die Annahme limitationaler Produktionsmittel schließt ihre Anwendung aus[1]).

Am Ende dieses Abschnitts haben wir noch ein Problem zu untersuchen, nämlich das folgende: Existiert bei limitationalen Produktionsmitteln, zumindest unter bestimmten Marktbedingungen, eine Nachfragekurve nach einem limitationalen Produktionsmittel, also eine Kurve, die alternative hypothetische Preise des betreffenden Produktionsmittels mit hypothetischen Nachfragemengen verbindet? Mit dieser Frage knüpfen wir zugleich an die zu Anfang dieses Abschnitts aufgestellte Behauptung an, das Einsatzniveau limitationaler Produktionsmittel sei unter bestimmten Umständen von der Faktorpreisrelation und dem Faktorpreisniveau abhängig.

Wir erleichtern uns die Beantwortung der gestellten Frage, wenn wir zunächst untersuchen, bei welcher Marktformen-Kombination sich eine solche

---

[1]) Vgl. etwa V. Zarnowitz, Die Theorie der Einkommensverteilung, a.a.O., S.72ff.; W. Krelle, Verteilungstheorie, Tübingen 1962, 7. Kapitel (S.50ff.).

abgeleitete Nachfragekurve nach einem limitationalen Produktionsmittel wohl am ehesten mit den geringsten Schwierigkeiten deduzieren läßt. Mit Sicherheit scheidet die erste Marktformen-Kombination Polypol – Polypol wegen der mit ihr verbundenen Komplikationen aus. Ferner kommen diejenigen Marktformen-Kombinationen erst in zweiter Linie in Frage, bei denen auf den Beschaffungsmärkten eine monopsonistische Struktur vorliegt, also die Kombinationen I.2 und II.2, denn bei ihnen muß eine Verschiebung (und zwar ein bestimmter Typ von Verschiebung) der Preis-Bezugsfunktion für den betreffenden Faktor angenommen werden, damit eine Nachfragefunktion abgeleitet werden kann (vgl. S. 186).

Es bleibt also die Marktformen-Kombination II.1 übrig, bei der auf dem Absatzmarkt ein Monopol, auf den Beschaffungsmärkten vollkommene Polypole vorliegen. Diese Marktformen-Kombination gestattet in der Tat die Ableitung einer Faktornachfragekurve auf die einfachste Art.

Nach den vorangegangenen abstrakten Erörterungen mag ein numerisches Beispiel einmal wieder guttun. Es sei

$$p = -x + 100$$

die Nachfragekurve des Absatzmarktes. Die Leontief-Produktionsfunktion werde durch die beiden folgenden Verbrauchsfunktionen dargestellt:

$$v_1 = 2x;$$

$$v_2 = x.$$

Die Faktorpreise betrachtet die Unternehmung als Daten; sie sollen in der Ausgangsperiode $q_1^0 = q_2^0 = 20$ betragen. Gesucht ist die Nachfragekurve nach dem ersten Produktionsmittel, also v_1 in Abhängigkeit von q_1.

Für die Umsatzfunktion der Unternehmung ergibt sich

$$U = -x^2 + 100x$$

und für die Kostenfunktion

$$K = (2q_1 + q_2)\,x + K_f = 60x + K_f.$$

Die Gewinnfunktion lautet somit

$$G = -x^2 + 100x - 60x - K_f,$$

mit der ersten Extremalbedingung

$$\frac{dG}{dx} = -2x + 40 = 0.$$

Die Unternehmung bietet also 20 Mengeneinheiten zum Preise von 80 Geldeinheiten auf ihrem Absatzmarkt an; die Faktoreinsatzmengen betragen

$v_1^0 = 40$ und $v_2^0 = 20$, die Kosten sind also $K = 1200$ (ohne Berücksichtigung von Fixkosten), der Umsatz beträgt $U = 1600$ und der Gewinn $G = 400$.

Um die Nachfragekurve nach v_1 abzuleiten, setzen wir jetzt in die Kostenfunktion und ebenso dann natürlich auch in die Gewinnfunktion für den einen Faktorpreis zwar den festen Wert $q_2^0 = 20$, für den Preis des ersten Faktors jedoch keinen festen Wert, etwa $q_1^0 = 20$, sondern einfach q_1 ein. Das soll nicht anzeigen, die Unternehmung könne plötzlich q_1 beeinflussen; dann hätte sie ja eine monopsonistische und keine polypsonistische Stellung auf dem Beschaffungsmarkt des ersten Produktionsmittels inne. Der variable Wert q_1 bedeutet nichts anderes, als daß sich dieser Marktpreis eines polypolistisch strukturierten Marktes verändern kann. Wenn eine Nachfragekurve nach v_1 in Abhängigkeit von q_1 abgeleitet werden soll, dann kann q_1 nicht weiterhin festgehalten werden.

Werden die oben angedeuteten Operationen durchgeführt, so erhält man die Kostenfunktion

$$K = (2q_1 + 20)\,x + K_f$$

und die Gewinnfunktion

$$G = -x^2 + 100\,x - (2q_1 + 20)\,x - K_f .$$

Diese Gewinnfunktion wird maximiert und die erste, gleich Null gesetzte Ableitung nach q_1 aufgelöst:

$$\frac{dG}{dx} = -2x + 80 - 2q_1 = 0\,;$$

$$q_1 = -x + 40.$$

Man erhält also eine Beziehung zwischen dem Faktorpreis q_1 und der Absatz- = Produktionsmenge x, die mit Hilfe der Verbrauchsfunktion $v_1 = 2x$ in eine Beziehung zwischen q_1 und v_1 transformiert werden kann:

$$q_1 = -\frac{1}{2}v_1 + 40\,.$$

Diese Beziehung ist die gesuchte abgeleitete Faktornachfragekurve nach v_1. Beträgt etwa q_1 nur noch 10, so werden 60 Einheiten v_1 nachgefragt und eingesetzt; desgleichen steigen die Nachfrage und der Einsatz von v_2, und zwar auf 30 Einheiten. Die übrigen Variablen nehmen dann die folgenden Werte an: $x = 30$, $p = 70$, $U = 2100$, $K = 1200$ und $G = 900$.

Führt man die oben vorgenommene Ableitung der Faktornachfragekurve in allgemeiner Form durch, so ergibt sich ein vielleicht überraschendes, aber auf jeden Fall wichtiges Resultat[1]). Die Faktornachfragekurve wird nämlich durch die erste Input-Regel angegeben, d.i. bei der von uns unterstellten Marktformenkombination Monopol — Polypol die Regel

Faktorpreis = Netto-Grenzumsatzprodukt

bzw. $$q_1 = \frac{dU}{dx}\frac{dx}{dv_1} - q_2 \frac{dv_2}{dv_1}.$$

In dieser Tatsache, daß die erste Gewinnmaximierungsregel für den Input entweder die Faktornachfragekurve selbst darstellt (Marktformen-Kombination II.1) oder die Grundlage für ihre Ableitung bildet (Marktformen-Kombinationen I.2. und II.2), liegt die eigentliche Berechtigung dafür, diese Regeln auch für limitationale Produktionsmittel abzuleiten.

5. Partielles und totales Gleichgewicht — Der Preismechanismus

In den vorhergehenden Kapiteln war stets die Methode des partiellen Gleichgewichts angewandt worden, und es bleibt uns noch die Aufgabe, einen Blick auf das totale Gleichgewicht einer Marktwirtschaft zu werfen. Zunächst steht fest, daß die Existenz eines Gleichgewichts auf einem partiellen Markt durchaus mit Ungleichgewichten auf anderen Märkten vereinbar ist, da ja bei der partiellen Gleichgewichtsanalyse die ceteris paribus-Klausel benützt, also die ökonomische Umwelt des betreffenden Marktes als eingefroren gedacht wird, und zwar ohne Rücksicht darauf, ob da nun ein Gleichgewichts- oder ein Ungleichgewichtszustand herrscht. Das totale

---

[1]) Der allgemeinen Ableitung legen wir die Nachfragekurve des Absatzmarktes
$$p = f(x)$$
und die Leontief-Produktionsfunktion
$$v_1 = a_1 x$$
$$v_2 = a_2 x$$
zugrunde. Der Faktorpreis q_2 sei konstant. Die Gewinnfunktion lautet dann
$$G = x f(x) - (a_1 q_1 + a_2 q_2) x - K_f.$$
Es ist $\frac{dG}{dx} = f(x) + xf'(x) - a_1 q_1 - a_2 q_2 = 0$ die erste Gewinnmaximierungsbedingung. Daraus ergibt sich
$$q_1 = \frac{1}{a_1}[f(x) + xf'(x)] - \frac{a_2}{a_1} q_2$$
oder bei Berücksichtigung von $\frac{dU}{dx} = f(x) + xf'(x)$ sowie $\frac{1}{a_1} = \frac{dx}{dv_1}$ und $\frac{a_2}{a_1} = \frac{dv_2}{dv_1}$:
$$q_1 = \frac{dU}{dx}\frac{dx}{dv_1} - q_2 \frac{dv_2}{dv_1}.$$

Gleichgewicht in einer Marktwirtschaft erfordert jedoch die simultane Verwirklichung des Gleichgewichts auf allen partiellen Märkten, und das adäquate Instrument zur Beschreibung eines solchen generellen Gleichgewichts ist offenbar die Aufstellung (und eigentlich auch Lösung!) eines simultanen Gleichungssystems.

Wie schon früher erwähnt wurde, ist die erstmalige Aufstellung solcher simultanen Gleichungssysteme, die wie kein anderes Instrument der Wirtschaftstheorie die Interdependenz aller ökonomischen Größen erkennen lassen, das große Verdienst der Lausanner Schule (WALRAS, PARETO). Je nach den Annahmen lassen sich recht verschiedenartige Modelle unterscheiden, so z. B. reine Tauschmodelle und Modelle, die den Produktionsprozeß enthalten, wobei fixe oder variable Produktionskoeffizienten unterstellt werden können. Die Zahl der Modelltypen hat seit den Tagen von WALRAS und PARETO außerordentlich zugenommen; als Beispiele seien genannt das dynamisierte Modell von G. TINTNER, das Input-Output-Modell von LEONTIEF als eine „simplification of the Walrasian system from which it is descended" (J. B. BALDERSTON), die neuerdings von P. SRAFFA entwickelten Systeme (die ihrerseits wieder mit der Input-Ouput-Analyse zusammenhängen) und schließlich auch das v. Neumann-Modell einer im Gleichgewicht expandierenden Volkswirtschaft[1]).

In dem vorliegenden Rahmen muß auf die Wiedergabe und Erklärung dieser Modelle natürlich verzichtet werden. Es kann nur anhand eines sehr einfachen Beispiels der Aufbau eines solchen Modells gezeigt werden, wobei wir uns in der Darstellung an R. G. D. ALLEN anlehnen. Wir wählen den Fall eines reinen Tauschmodells, in dem also der Produktionsprozeß unberücksichtigt bleibt. Diese Modellwirtschaft werde von n Wirtschaftssubjekten bevölkert ($i = 1,2, \ldots, n$); es existieren m wirtschaftliche Güter ($r = 1,2, \ldots, m$). Die Gütermengen werden mit x bezeichnet, und es bedeutet

$\bar{x}_{ri}$ die Menge des Gutes r, über die das Individuum i vor Beginn des Tauschprozesses verfügt, und

x_{ri} die Menge des Gutes r, die das Individuum i nach dem Tauschprozeß besitzt.

Die Preise der Güter werden mit p_r bezeichnet und in Einheiten des letzten Gutes m ausgedrückt. Das Gut m bildet demnach den numéraire mit $p_m = 1$.

---

[1]) G. TINTNER, A "Simple" Theory of Business Fluctuations, Econometrica, Vol. X (1942), S. 317ff.; W. LEONTIEF, The Structure ..., a.a.O.; J. B. BALDERSTON, Models of General Economic Equilibrium, in: Economic Activity Analysis, hrsg. v. O. MORGENSTERN, London/New York 1954, S. 3ff.; P. SRAFFA, Production of Commodities by Means of Commodities. Prelude to a Critique of Economic Theory. Cambridge 1960; J. v. NEUMANN, Über ein ökonomisches Gleichungssystem und eine Verallgemeinerung des Brouwerschen Fixpunktsatzes, in: Ergebnisse eines Mathematischen Kolloquiums (1935—1936), hrsg. v. K. MENGER, Leipzig und Wien 1937.

Gesucht sind offenbar die $m \cdot n$ Gütermengen, die sich nach Beendigung des Tauschprozesses in den Händen der Individuen befinden, also die x_{ri} für $r = 1,2, \ldots, m$ und $i = 1,2, \ldots, n$. Ferner sind die $m - 1$ Preise gesucht, also insgesamt $m \cdot n$ Gütermengen und $m - 1$ Preise, d.s.

$$m\,(n + 1) - 1$$

Größen. Zur Bestimmung dieser Größen ist dieselbe Anzahl voneinander unabhängiger Gleichungen notwendig.

Jedes Individuum sucht seinen Nutzen zu maximieren unter der Nebenbedingung, daß sein Gesamteinkommen (bei einer Sparquote von Null) gleich der Ausgabensumme sein muß. Wir können diese Nebenbedingung (Bilanzgleichung) auch so formulieren, daß wir sagen, der Wert der Güter, über die das Individuum vor und nach dem Tauschprozeß verfügt, muß gleich bleiben. Es sei

$$N_i = N_i\,(x_{1i}, x_{2i}, \ldots, x_{mi})$$

die (ordinale) Nutzenfunktion des Individuums i $(i = 1,2, \ldots, n)$. Die Nebenbedingung lautet

$$\sum_r p_r \bar{x}_{ri} = \sum_r p_r x_{ri} \qquad (\text{für } i = 1, 2, \ldots, n)$$

oder

$$\sum_r p_r\,(\bar{x}_{ri} - x_{ri}) = 0\,.$$

Wird die Nutzenfunktion unter dieser Nebenbedingung maximiert, so erhält man das Gesetz vom Ausgleich der gewogenen Grenznutzen, das wegen $p_m = 1$ wie folgt geschrieben werden kann:

$$\frac{N'_{ri}}{p_r} = N'_{mi}$$

für $r = 1,2, \ldots, m - 1$ und $i = 1,2, \ldots, n$. D.h. bei jedem Individuum muß der Grenznutzen des Geldes bei allen Verwendungen gleich sein.

Das Gleichgewicht erfordert ferner die Gleichheit der angebotenen und der nachgefragten Menge bei jedem Gute r oder anders ausgedrückt: Die Menge, die von einem Gut vor dem Tauschprozeß vorhanden ist, muß gleich der Menge nach Beendigung des Tauschprozesses sein, da ja nichts durch Produktion hinzukommt noch etwas wegfällt. Es muß demnach für jedes Gut r sein:

$$\sum_i \bar{x}_{ri} = \sum_i x_{ri}$$

bzw.

$$\sum_i (\bar{x}_{ri} - x_{ri}) = 0\,.$$

Man kann nun aber zeigen, daß eine dieser Gleichungen aus den übrigen $m - 1$ Gleichungen abgeleitet werden kann, also von ihnen abhängt.

Es gelte

$$\sum_i (\bar{x}_{ri} - x_{ri}) = 0$$

für $m - 1$ Güter. Dann gilt für diese $m - 1$ Güter offenbar auch

$$p_r \sum_i (\bar{x}_{ri} - x_{ri}) = 0 \quad (\text{für } r = 1, 2, \ldots, m-1)$$

oder

$$\sum_{r=1}^{m=1} p_r \sum_i (\bar{x}_{ri} - x_{ri}) = 0 .$$

Ferner ergibt sich bei Summation der Bilanzgleichungen über alle Individuen:

$$\sum_i \sum_r p_r (\bar{x}_{ri} - x_{ri}) = 0 .$$

Subtrahiert man von dieser Summe der Bilanzgleichungen die zweitletzte Beziehung, so ergibt sich

$$\sum_i \sum_r p_r (\bar{x}_{ri} - x_{ri}) - \sum_{r=1}^{m-1} p_r \sum_i (\bar{x}_{ri} - x_{ri}) = p_m \sum_i (\bar{x}_{mi} - x_{mi}) = 0$$

und damit

$$\sum_i (\bar{x}_{mi} - x_{mi}) = 0 .$$

Oder mit einem Versuch der verbalen Erklärung: Wenn für alle m Güter der Wert vor und nach dem Tauschprozeß gleich ist, und wenn dies auch für $m - 1$ Güter der Fall ist, dann muß es zwangsläufig auch für das m-te Gut gelten. Da das m-te Gut den Preis eins besitzt, ist die Bedingung für die Wertgleichheit bei diesem Gut identisch mit der Bedingung für die Gleichheit der Mengen vor und nach dem Tausch.

Für die Ermittlung der $m(n+1) - 1$ Variablen stehen die folgenden Gleichungen zur Verfügung:

(1) $\dfrac{N'_{ri}}{p_r} = N'_{mi}$ für $m - 1$ Güter und n Individuen, also $(m-1)\,n$ Gleichungen;

(2) $\sum_i p_r (\bar{x}_{ri} - x_{ri}) = 0$ für n Individuen, also n Gleichungen;

(3) $\sum_i (\bar{x}_{ri} - x_{ri}) = 0$ für $m - 1$ Güter, also $m - 1$ Gleichungen.

Insgesamt verfügt man demnach über $(m-1)\,n + n + m - 1 = m(n+1) - 1$ Gleichungen für die ebensovielen Unbekannten, d.s. die $m \cdot n$ Gütermengen und die $m - 1$ Preise. Damit ist das Problem grundsätzlich gelöst.

Aus dem vorstehenden Beispiel ersieht man sozusagen die Bildungsgesetze für ein statisches mikroökonomisches Totalmodell. Aus Verhaltensfunktionen, technischen Beziehungen (bei Einbeziehung des Produktionsprozesses), Nebenbedingungen und Gleichgewichtsbedingungen wird ein Gerüst von Gleichungen aufgebaut, deren Zahl der Zahl der Unbekannten entsprechen muß. Wohl garantiert dieses „counting equations" noch längst nicht die Lösung (und zwar die widerspruchsfreie und ökonomisch sinnvolle Lösung) des Systems, aber die Übereinstimmung der Anzahl von Gleichungen und Unbekannten ist eine erste Bedingung für die Determiniertheit des Systems überhaupt. Die neueren Bemühungen in der Theorie der allgemeinen Interdependenz zeichnen sich gegenüber den älteren nicht zuletzt dadurch aus, daß die Lösbarkeit des Systems nahezu im Brennpunkt des Interesses steht.

Auffällig ist schon in dem vorgeführten einfachen Tauschmodell, wie sich der Preisbildungsprozeß gleichsam im Verborgenen, in abstracto abspielt. Die mikroökonomischen Totalmodelle sind in dieser Beziehung wesentlich weniger anschaulich als die Modelle der partiellen Gleichgewichtsanalyse. Gleichwohl läßt sich auch aus diesem einfachen Tauschmodell erkennen, welche Aufgabe dem Preismechanismus in ihm zufällt, nämlich die *Koordinierung der individuellen Wirtschaftspläne der einzelnen Wirtschaftssubjekte.* Die Preisrelationen müssen sich sozusagen in einem „simultanen Prozeß", d.h. mit unendlicher Reaktionsgeschwindigkeit, derart einspielen, daß auf allen Märkten Gleichgewicht herrscht. Dabei müssen die Einzelpreise natürlich ihre Funktion als *Indikatoren für die relative Knappheit der einzelnen Güter* wahrnehmen, d.h. der Preis eines relativ knappen Gutes muß höher sein als der eines relativ reichlich vorhandenen. Läßt man Datenänderungen in einem Modell zu, so muß der Preis eines Gutes mit steigender (sinkender) Nachfrage steigen (sinken) und mit steigendem (sinkendem) Angebot sinken (steigen). Aber nicht allein die Güterpreise sind von Bedeutung, sondern ebenso die Produktionsmittelpreise. Sie müssen in einem statischen Totalmodell simultan mit den Preisen der Endprodukte bestimmt werden, und sie haben dieselbe Funktion zu erfüllen wie die Güterpreise, sie müssen die relative Knappheit der einzelnen Produktionsmittel widerspiegeln. Unter bestimmten Modellbedingungen, auf die im einzelnen einzugehen hier zu weit führen würde und von denen deshalb als vermutlich wichtigste nur die Bedingung vollkommenes Polypol auf allen Güter- und Produktionsmittelmärkten genannt sei, ergibt sich in einem solchen statischen mikroökonomischen Totalmodell ein Optimum des Güteraustausches, eine optimale Allokation der Ressourcen, eine optimale Standortverteilung usw., d.h. ein *sozialökonomisches Optimum.* Obwohl dieser Idealzustand, den dieses sozialökonomische Optimum darstellt, in der „*Wohlfahrtsökonomik*" (welfare economics) auf intensives wirtschaftstheoretisches und -politisches Interesse gestoßen ist, wollen wir diesen Gedankengängen nicht weiter folgen, sondern zum Abschluß die Frage stellen, ob bzw. inwieweit der Preismechanismus in der Realität seine Funktionen zu erfüllen vermag.

Als erstes ist dabei festzustellen, daß selbst das komplizierteste und umfassendste preistheoretische Totalmodell nicht mehr vermag, als einige bestimmte Phänomene der Wirklichkeit abzubilden, daß sich aber die ganze Komplexität der Wirklichkeit einer vollständigen theoretischen Fassung noch immer entzieht. So zeigt die wirkliche Wirtschaft eine Mannigfaltigkeit von Marktformen, Zielsetzungen und Verhaltensweisen, eine Ineinanderschachtelung und Verflechtung von Märkten, offene und versteckte Koalitionenbildung und Konzentration zu marktbeherrschenden Unternehmungen, eine Vielfalt von Kostenstrukturen und Kostenverläufen etc. Ferner wirkt der Staat durch Steuern, Zölle und Subventionen in oft schwer durchschaubarer Weise auf den Preisbildungsprozeß ein. Und schließlich ist dies alles eingebettet in einen dynamischen Prozeß, in dem sich einmal der technische Fortschritt in neuen Produktionsverfahren manifestiert, zum anderen aber von der Geldseite her nicht nur Veränderungen des Preisniveaus, sondern auch Veränderungen der Preisrelationen bewirkt werden. Dann aber wäre es offenbar vermessen, allein von preistheoretischen Überlegungen her die Frage beantworten zu wollen, ob bzw. inwieweit der Preismechanismus seine Funktionen in der Realität zu erfüllen vermag. Denn jetzt erscheinen, wie SCHNEIDER es treffend formuliert hat, Geld-, Finanz- und Preistheorie „als unlösbar miteinander verbundene Bestandteile einer allgemeinen Verlaufstheorie gesamtwirtschaftlicher Prozesse“.

1. LITERATURVERZEICHNIS

(Im Text zitierte Werke)

ARNDT, H.: Anpassung und Gleichgewicht am Markt, Jahrbücher für Nationalökonomie und Statistik, Bd. 170 (1958), S. 217—286, 362—394, 434—465.

ARROW, K. J.: Social Choice and Individual Values, 2nd ed. New York 1963 (1. Aufl. 1951).

ARROW, K. J., CHENERY, H. B., MINHAS, B. S., SOLOW, R. M.,: Capital — Labor Substitution and Economic Efficiency, The Review of Economics and Statistics, Vol. XLIII (1961), S. 225—250.

AUBERT, J.: La courbe d'offre, Paris 1949.

BALDERSTON, J. B.: Models of General Economic Equilibrium, in: Economic Activity Analysis, hrsg. von O. Morgenstern, London/New York 1954, S. 3—41.

BECHER, J. J.: Politischer Discurs von den eigentlichen Ursachen des Auff- und Abnehmens der Städt, Länder und Republicken, Frankfurt 1668.

BÖHM-BAWERK, E. v.: Kapital und Kapitalzins, Zweite Abteilung, Positive Theorie des Kapitals, 4. Aufl., Jena 1921.

BOLLE, M., BREKENFELD, H. u.a.: Zum Erlös-Kosten-Diagramm, in: Wirtschaftskreislauf und Wirtschaftswachstum. Carl Föhl zum 65. Geburtstag, hrsg. von E. Schneider, Tübingen 1966, S. 183—222.

COURNOT, A. A.: Recherches sur les principes mathématiques de la théorie des richesses, Paris 1838. — Deutsche Ausgabe: Untersuchungen über die mathematischen Grundlagen der Theorie des Reichtums. Sammlung sozialwissenschaftlicher Meister, Bd. 24, hrsg. von H. Waentig, Jena 1924.

EFROYMSON, C. W.: The Kinked Oligopoly Curve Reconsidered, The Quarterly Journal of Economics, Vol. LXIX (1955), S. 119—136.

ENGEL, E.: Die Produktions- und Konsumtionsverhältnisse des Königreichs Sachsen, Zeitschrift des Statistischen Bureaus des königlich-sächsischen Ministeriums des Innern, Dresden 1857; wiederabgedruckt in: E. Engel, Die Lebenskosten belgischer Arbeiter früher und jetzt, Dresden 1895.

EUCKEN, W.: Die Grundlagen der Nationalökonomie, 8. Aufl., Berlin-Heidelberg-New York 1965 (1. Aufl., 1939).

FARRELL, M. J.: Deductive Systems and Empirical Generalizations in the Theory of the Firm, Oxford Economic Papers, NS Vol. IV (1952), S. 45—49.

FELLNER, W.: Competition Among the Few, Oligopoly and Similar Market Structures (1949), Reprint New York 1960.

FISHER, I.: The Purchasing Power of Money, New York 1911, deutsche Übers.: Die Kaufkraft des Geldes, Berlin 1916.

FLEISCHMANN, G.: Symmetrisches Dyopol. Bemerkungen zur Kritik von Seitz an der Dyopoltheorie Krelles, Jahrbücher für Nationalökonomie und Statistik, Bd. 175 (1963), S. 347—355.

FÖHL, C., WEGNER, M., KOWALSKI, L.: Kreislaufanalytische Untersuchung der Vermögensbildung in der Bundesrepublik und der Beeinflußbarkeit ihrer Verteilung, Schriftenreihe des Instituts für Angewandte Wirtschaftsforschung, Tübingen, Bd. 2, Tübingen 1964.

FRIEDMAN, M.: The Marshallian Demand Curve, The Journal of Political Economy, Vol. LVII (1949), S. 463—495, Nachdruck in M. Friedman, Essays in Positive Economics, Chicago 1953, S. 47—99.

FRISCH, R.: Monopole-Polypole. La notion de force dans l'économie, in: Festschrift für Harald Westergaard (Nationaløkonomisk Tidsskrift, Bd. 71), Kopenhagen 1933, S.241—259, deutsche Übers. in: Preistheorie, hrsg. von A. E. Ott, Neue Wissenschaftliche Bibliothek, 1 Wirtschaftswissenschaften, Köln/Berlin 1965, S.17—32.

GERLOFF, W.: Die Entstehung des Geldes und die Anfänge des Geldwesens, 2. Aufl., Frankfurt 1943.

GUTENBERG, E.: Grundlagen der Betriebswirtschaftslehre, 2. Bd., Der Absatz, 15. Aufl., Berlin-Heidelberg-New York 1976.

GUTENBERG, E.: Zur Diskussion der polypolistischen Absatzkurve, Jahrbücher für Nationalökonomie und Statistik, Bd. 177 (1965), S.289—303.

HALL, R. L., HITCH, CH. J.: Price Theory and Business Behaviour, Oxford Economic Papers, Nr.2 (1939), S.12—45, neu erschienen in: Oxford Studies in the Price Mechanism, hrsg. von T. Wilson und P. W. S. Andrews, Oxford 1951, S.107—138.

HEERTJE, A.: Preis-Absatzfunktionen beim Oligopol, Weltwirtschaftliches Archiv, Bd. 89 (1962 II), S.302—309.

HEIMANN, E.: Stellung und Bedeutung der öffentlichen Unternehmung im Wirtschaftssystem des Kapitalismus. Grundsätzliche Bemerkungen, in: Moderne Organisationsformen der öffentlichen Unternehmung, hrsg. von Julius Landmann, Schriften des Vereins für Socialpolitik, 176. Bd., München und Leipzig 1932, S. 1—80.

HELMSTÄDTER, E.: Gleichgewichtsbereiche in statischen Dyopolmodellen, Jahrbücher für Nationalökonomie und Statistik, Bd. 175 (1963), S.441—458.

HEUSS, E.: Allgemeine Markttheorie, Tübingen-Zürich 1965.

HICKS, J. R.: The Rehabilitation of Consumers' Surplus, The Review of Economic Studies, Vol. VIII (1940/41), S.108—116.

HICKS, J. R., ALLEN, R. G. D.: A Reconsideration of the Theory of Value, Economica, NS Vol. I (1934), Teil I S.52—76, Teil II S.196—219, deutsche Übers. in: Preistheorie, hrsg. von A. E. Ott, a.a.O., S.117—161.

HUMBEL, P.: Preispolitische Gewinndifferenzierung im Einzelhandel, Zürich 1958.

JACOB, H.: Zur neueren Diskussion um das Ertragsgesetz, Zeitschrift für handelswissenschaftliche Forschung, NF 9.Jg. (1957), S.598—618.

JÖHR, W. A.: Die Konjunkturschwankungen, Tübingen/Zürich 1952.

DE JONG, F. J.: Het System van de Marktvormen, Leyden 1951.

KALDOR, N.: Market Imperfection and Excess Capacity, Economica, NS Vol. II (1935), S.33—50. Neu erschienen in: Readings in Price Theory, London 1953 (Nachdruck London 1956), S.384—403.

KILGER, W.: Die quantitative Ableitung polypolistischer Preisabsatzfunktionen aus den Heterogenitätsbedingungen atomistischer Märkte, in: Zur Theorie der Unternehmung, Festschrift zum 65. Geburtstag von Erich Gutenberg, Wiesbaden 1963, S.269—309.

KOOPMANS, J. G.: Zum Problem des neutralen Geldes, in: Beiträge zur Geldtheorie, hrsg. von F. A. Hayek, Wien 1933, S.211—359.

KRELLE, W.: Unbestimmtheitsbereiche in der Preisbildung als Erklärungsgrund für Änderungen der Einkommensverteilung, in: Beiträge zur Theorie der Produktion und der Einkommensverteilung, hrsg. von E. Schneider, Schriften des Vereins für Socialpolitik, NF Bd.12, Berlin 1956, S.61—96.

KRELLE, W.: Preistheorie, Tübingen-Zürich 1961, 2. Aufl. Tübingen 1976, 2 Bände.

KRELLE, W.: Verteilungstheorie, Tübingen 1962.

KRELLE, W.: Unbestimmtheitsbereiche beim Dyopol, Jahrbücher für Nationalökonomie und Statistik, Bd. 175 (1963), S.232—236.

KROMPHARDT, W.: Sinn und Inhalt der Präferenzhypothese in der Wirtschaftstheorie, Jahrbücher für Nationalökonomie und Statistik, Bd. 169 (1957), S. 161–173.

KRÜMMEL, W.: Bankzinsen, Schriftenreihe Annales Universitatis Saraviensis. Rechts- und Wirtschaftswissenschaftliche Abteilung, Heft 11, Köln/Berlin/Bonn/München 1964.

KUHLO, K. CH.: Eine Analyse des Vollkostenprinzips, Weltwirtschaftliches Archiv, Bd. 75 (1955 II), S. 137—195.

LAMPERT, H.: Preistheoretische und wettbewerbspolitische Probleme mehrstufiger Produktion und mehrstufigen Absatzes, Schmollers Jahrbuch, 86. Jg. (1966), S. 1—32.

LEONTIEF, W.: The Structure of the American Economy, 1919—1939, 2nd ed., New York 1951.

LIEFMANN-KEIL, E.: Organisierte Konkurrenzpreisbildung, Leipzig 1936.

LÖSCH, A.: Die räumliche Ordnung der Wirtschaft, Jena 1944.

MACHLUP, F.: Monopoly and Competition: A Classification of Market Positions, The American Economic Review, Vol. XXVII (1937), S. 445—51, deutsche Übers. in: Preistheorie, hrsg. von A. E. Ott, a. a. O., S. 270—279.

MACHLUP, F.: Wettbewerb im Verkauf. Modellanalyse des Anbieterverhaltens (Übers. aus dem Amerikanischen [1956]), Göttingen 1966.

MARSHALL, A.: Principles of Economics, deutsche Übers. Handbuch der Volkswirtschaftslehre, 1. Bd., Stuttgart u. Berlin 1905.

MORGENSTERN, O.: Demand Theory Reconsidered, The Quarterly Journal of Economics, Vol. LXII (1947/48), S. 165—201.

NEUMANN, J. v.: Über ein ökonomisches Gleichungssystem und eine Verallgemeinerung des Brouwerschen Fixpunktsatzes, in: Ergebnisse eines Mathematischen Kolloquiums (1935—1936), hrsg. von K. Menger, Leipzig und Wien 1937.

NEUMANN, J. v., MORGENSTERN, O.: The Theory of Games and Economic Behavior, Princeton 1943, deutsche Übers.: Spieltheorie und wirtschaftliches Verhalten, Würzburg 1961.

NÖH, D.: Reklamepolitik und Produktvariation in der Preistheorie, Diss. Frankfurt 1957.

OTT, A. E.: Zur dynamischen Theorie der Marktformen, Jahrbücher für Nationalökonomie und Statistik, Bd. 167 (1955), S. 1—32.

OTT, A. E.: Marktform und Verhaltensweise, Stuttgart 1959.

OTT, A. E.: Les Systèmes de Classification des Marchés et l'Oligopole, Economie appliquée, Vol. XV (1962), S. 543—600.

OTT, A. E.: Preis-Absatzfunktionen beim unvollkommenen Oligopol, Weltwirtschaftliches Archiv, Bd. 88 (1962 I), S. 287—307.

OTT, A. E.: Gewinnmaximierung, Reaktionshypothese und Gleichgewichtsgebiet beim unvollkommenen Dyopol, Jahrbücher für Nationalökonomie und Statistik, Bd. 175 (1963), S. 428—440.

OTT, A. E.: Preis-Absatzfunktionen beim Oligopol. Eine Replik, Weltwirtschaftliches Archiv, Bd. 90 (1963 I), S. 115—120.

OTT, A. E.: Einführung in die dynamische Wirtschaftstheorie, Göttingen 1963.

OTT, A. E.: Vertikale Preisbildung und Preisbindung. Eine theoretische Analyse, Göttingen 1966.

PETER, H.: Grundprobleme der theoretischen Nationalökonomie, Bd. 1, Wert, Preis, Profit, Stuttgart 1933.

PREISER, E.: Kapitalexport und Vollbeschäftigung, Jahrbücher für Nationalökonomie und Statistik, Bd. 162 (1950), S. 321—335. Neu erschienen in: Theorie der internationalen Wirtschaftsbeziehungen, hrsg. von K. Rose, Neue Wissenschaftliche Bibliothek, 2 Wirtschaftswissenschaften, Köln/Berlin 1965, S. 284—298.

PREISER, E.: Besitz und Macht in der Distributionstheorie, in: Synopsis, Festgabe für

Alfred Weber, Heidelberg 1948, S. 331—358. Neu erschienen in: E. Preiser, Bildung und Verteilung des Volkseinkommens, 3. Aufl., Göttingen 1963, S. 227—246.

RICARDO, D.: The Principles of Political Economy and Taxation, No. 590 Everyman's Library, London 1962.

RICCI, U.: Pareto e l'Economia Pura, Giornale degli Economisti, Vol. LXV (1924), S. 27—44.

ROBINSON, E. A. G.: Monopoly, Cambridge Economic Handbooks XI, 7. Aufl., New York/London 1949.

ROBINSON, J.: The Economics of Imperfect Competition, 2nd ed., London 1969 (1. Aufl. 1933).

RÜSTOW, H. J.: Theorie der Vollbeschäftigung in der freien Marktwirtschaft, Tübingen 1951.

SANMANN, H.: Marktform, Verhalten, Preisbildung bei heterogener Konkurrenz, Jahrbuch für Sozialwissenschaft, Bd. 14 (1963), S. 56—99.

SCHEELE, E.: Die Föhlsche E-N-Tafel, Jahrbuch für Sozialwissenschaft, Bd. 11 (1960), S. 94—102.

SCHMALENBACH, E.: Der freien Wirtschaft zum Gedächtnis, 3. erw. u. verb. Aufl., Köln u. Opladen 1958.

SCHNEIDER, E.: Kostentheoretisches zum Monopolproblem, Zeitschrift für Nationalökonomie, Bd. 3 (1932), S. 185—211.

SCHNEIDER, E.: Zur Konkurrenz und Preisbildung auf vollkommenen und unvollkommenen Märkten, Weltwirtschaftliches Archiv, Bd. 48 (1938 II), S. 399—419.

SCHNEIDER, E.: Wirklichkeitsnahe Theorie der Absatzpolitik, Weltwirtschaftliches Archiv, Bd. 56 (1942 II), S. 90—130,

SCHNEIDER, E.: Zielsetzung, Verhaltensweise und Preisbildung, Jahrbücher für Nationalökonomie und Statistik, Bd. 157 (1943), S. 405—434, wieder abgedruckt in: Preistheorie, hrsg. von A. E. Ott, a.a.O., S. 33—61.

SCHNEIDER, E.: Wirtschaftsforschung in unserer Zeit, München 1951.

SCHNEIDER, E.: Einführung in die Wirtschaftstheorie, II. Teil, 14. Aufl., Tübingen 1972 (1. Aufl. 1948).

SCHUMPETER, J. A.: Zur Einführung der folgenden Arbeit Knut Wicksells, Archiv für Sozialwissenschaft und Sozialpolitik, Bd. 58 (1927), S. 238—251. Neu erschienen als: Knut Wicksells mathematische Nationalökonomie, in: J. A. Schumpeter, Dogmenhistorische und biographische Aufsätze, Tübingen 1954, S. 241—254.

SCHUMPETER, J. A.: Kapitalismus, Sozialismus und Demokratie, Bern 1950.

SEITZ, T.: Bemerkungen zur Dyopoltheorie Krelles, Jahrbücher für Nationalökonomie und Statistik, Bd. 174 (1962), S. 430—451.

SHUBIK, M.: Information, Theories of Competition, and the Theory of Games, The Journal of Political Economy, Vol. LX (1952), S. 145—150.

SHUBIK, M.: Strategy and Market Structure, Competition, Oligopoly and the Theory of Games, New York/London 1959.

SLUTZKY, E. E.: Sulla teoria del bilancio del consumatore, Giornale degli Economisti, Bd. 51 (1915), S. 1—26, deutsche Übers. in: Preistheorie, hrsg. von A. E. Ott, a.a.O., S. 87—116.

SMITH, A.: The Wealth of Nations, Vol. 1, No. 412 Everyman's Library, London 1964.

SRAFFA, P.: Production of Commodities by Means of Commodities, Prelude to a Critique of Economic Theory, Cambridge 1960.

STACKELBERG, H. v.: Marktform und Gleichgewicht, Wien und Berlin 1934.

STACKELBERG, H. v.: Probleme der unvollkommenen Konkurrenz, Weltwirtschaftliches Archiv, Bd. 48 (1938 II), S. 95—141.

STACKELBERG, H. v.: Preisdiskrimination bei willkürlicher Teilung des Marktes,

Archiv für mathematische Wirtschafts- und Sozialforschung, Bd. 5 (1939), S. 1—11, wieder abgedruckt in: Preistheorie, hrsg. von A. E. Ott, a.a.O., S. 379—389.

Stackelberg, H. v.: Grundlagen der theoretischen Volkswirtschaftslehre, Bern 1948.

Stavenhagen, G.: Rente, in: Handwörterbuch der Sozialwissenschaften, 8. Bd., Stuttgart/Tübingen/Göttingen 1964, S. 802—812.

Stigler, G. J.: The Kinky Oligopoly Demand Curve and Rigid Prices, The Journal of Political Economy, Vol. LV (1947), S. 432—449, deutsche Übers. in: Preistheorie, hrsg. von A. E. Ott, a.a.O., S. 326—353.

Stigler, G. J.: Notes on the History of the Giffen Paradox, The Journal of Political Economy, Vol. LV (1947), S. 152—156.

Sting, K.: Die polypolitische Preisbildung. Ein Kapitel der Preistheorie, Jahrbücher für Nationalökonomie und Statistik, Bd. 134 (1931, I), S. 761—789.

Streeten, P.: The Theory of Pricing, Jahrbücher für Nationalökonomie und Statistik, Bd. 161 (1949), S. 161—187.

Stützel, W.: Volkswirtschaftliche Saldenmechanik. Ein Beitrag zur Geldtheorie, Tübingen 1958.

Sweezy, P. M.: Demand under Conditions of Oligopoly, The Journal of Political Economy, Vol. XLVII (1939), S. 568—573, deutsche Übers. in: Preistheorie, hrsg. von A. E. Ott, a.a.O., S. 320—325.

Tintner, G.: A „Simple" Theory of Business Fluctuations, Econometrica, Vol. X (1942), S. 317—320.

Triffin, R.: Monopolistic Competition and General Equilibrium Theory, 7th print., Cambridge 1962 (1. Aufl. 1940).

Veblen, Th.: The Theory of the Leisure Class. An Economic Study of Institutions, (1925), 3rd impr., London 1957, deutsche Übers.: Theorie der feinen Leute, Köln/Berlin o. J.

Viner, J.: Cost Curves and Supply Curves, Zeitschrift für Nationalökonomie, Bd. III (1932), S. 23—46, deutsche Übers. in: Preistheorie, hrsg. von A. E. Ott, a.a.O., S. 195—221.

Wagner, A.: Grundlegung der politischen Ökonomie, Bd. I, Leipzig 1892.

Wittmann, W.: Über Faktoreigenschaften und Bedingungen beim Ertragsgesetz, Zeitschrift für die gesamte Staatswissenschaft, 118. Bd. (1962), S. 385—407.

Yntema, Th. O.: The Influence of Dumping on Monopoly Price, The Journal of Political Economy, Vol. XXXVI (1928), S. 686—698.

Zarnowitz, V.: Die Theorie der Einkommensverteilung, Tübingen 1951.

Zimmerman, L. J.: The Propensity to Monopolize (Contributions to Economic Analysis II), Amsterdam 1952.

2. LITERATURVERZEICHNIS

(Das folgende Literaturverzeichnis enthält im Teil A eine Übersicht über Lehrbücher der mikroökonomischen Theorie bzw. der Preistheorie, im Teil B spezielle Literaturangaben zu den einzelnen Kapiteln.)

BAIN, J. S.: Price Theory, Science edition New York 1966 (1. Aufl. 1952).

BOULDING, K. E.: Economic Analysis, 4. ed., Vol. I: Microeconomics, New York-Evanston-London-Tokyo 1966.

BRANDT, K.: Preistheorie, Ludwigshafen am Rhein 1960.

CHAMBERLIN, E. H.: The Theory of Monopolistic Competition, 7th ed., London 1956 (1. Aufl. 1933).

FERGUSON, C. E.: Microeconomic Theory, 3rd ed. Homewood/Ill. 1972 (1. Aufl. 1969).

GUTENBERG, E.: Die Grundlagen der Betriebswirtschaftslehre, Bd. I, Die Produktion, 21. Aufl., Berlin 1975 (1. Aufl. 1951).

-: Grundlagen der Betriebswirtschaftslehre, 2. Band, Der Absatz, 15. Aufl. Berlin-Heidelberg-New York 1976.

HENDERSON, J. M. und QUANDT, R. E.: Mikroökonomische Theorie. Eine mathematische Darstellung. Übers. aus dem Amerikanischen. 4. Aufl. München 1977 (1. Aufl. 1967).

HEUSS, E.: Allgemeine Markttheorie, Tübingen/Zürich 1965.

KRELLE, W.: Preistheorie, 2 Bände, 2. Aufl., Tübingen 1976 (1. Aufl. 1961).

LEFTWICH, R. H.: Lehrbuch der Mikroökonomischen Theorie. Übers. aus dem Amerikanischen, Stuttgart 1972.

LIPSEY, R. G.: An Introduction to Positive Economics, 3rd ed., London 1971 (1. Aufl. 1963).

MACHLUP, F.: Wettbewerb im Verkauf, Modellanalyse des Anbieterverhaltens (Übers. aus dem Amerikanischen [1956]), Göttingen 1966.

OTT, A. E. (Hrsg.): Preistheorie. Neue Wissenschaftliche Bibliothek 1, Wirtschaftswissenschaften, 2. Aufl., Köln-Berlin 1965.

ROBINSON, J.: The Economics of Imperfect Competition, 2nd ed., London 1969 (1. Aufl. 1933).

RYAN, W. J. L.: Price Theory, 2. Aufl., London 1960 (1. Aufl. 1958).

SCHNEIDER, E.: Einführung in die Wirtschaftstheorie, II. Teil. Wirtschaftspläne und wirtschaftliches Gleichgewicht in der Verkehrswirtschaft, 14. Aufl., Tübingen 1972 (1. Aufl. 1948).

SCHNEIDER, H.: Mikroökonomie. Eine Einführung in die Preis-, Produktions- und Wohlfahrtstheorie, München 1973.

SCHUMANN, J.: Grundzüge der mikroökonomischen Theorie, 2. Aufl., Berlin 1976 (1. Aufl. 1971).

STACKELBERG, H. v.: Grundlagen der theoretischen Volkswirtschaftslehre, Bern 1948.

STIGLER, G. J.: The Theory of Price, 3rd ed., New York-London 1967 (1. Aufl. 1942).

WEINTRAUB, S.: Price Theory, New York-Toronto, 2. Aufl., London 1956 (1. Aufl. 1949).

B

Zu Kapitel 1

ALBERT, H.: Theorie und Realität, Ausgewählte Aufsätze zur Wissenschaftslehre der Sozialwissenschaften, 2. Aufl., Tübingen 1972 (1. Aufl. 1964).

AMONN, A.: Objekt und Grundbegriffe der theoretischen Nationalökonomie, Leipzig-Wien 1911 (2. Aufl. 1927).

BECKERATH, E. v., KLOTEN, N., KUHN, H.: Wirtschaftswissenschaft: Methodenlehre, Handwörterbuch der Sozialwissenschaften, Bd. 12, Stuttgart-Tübingen-Göttingen 1965, S. 288—328.

FRIEDMAN, M.: Essays in Positive Economics, Chicago 1953.

KADE, G.: Die Grundannahmen der Preistheorie. Eine Kritik an den Ausgangssätzen der mikroökonomischen Modellbildung, Berlin und Frankfurt a. Main 1962.

PAPANDREOU, A. C.: Economics as a Science, Chicago-Philadelphia-New York 1958.

SCHNEIDER, H. K.: Methoden und Methodenfragen der Volkswirtschaftstheorie, in: Kompendium der Volkswirtschaftslehre, hrsg. von W. EHRLICHER et al., Band 1, 5. Aufl., Göttingen 1975.

Zu Kapitel II, 1

EUCKEN, W.: Die Grundlagen der Nationalökonomie, 8. Aufl., Berlin-Heidelberg-New York 1965 (1. Aufl. 1939).

DE JONG, F. J.: Het System van de Marktvormen, Leyden 1951.

LIEFMANN-KEIL, E.: Organisierte Konkurrenzpreisbildung, Leipzig 1936.

OTT, A. E.: Zur dynamischen Theorie der Marktformen, Jahrbücher für Nationalökonomie und Statistik, Bd. 167 (1955), S. 1–32.

-: Marktform und Verhaltensweise, Stuttgart 1959.

SCHNEIDER, E.: Wirklichkeitsnahe Theorie der Absatzpolitik, Weltwirtschaftliches Archiv, Bd. 56 (1942 II), S. 90—130.

STEINBRÜCK, K.: Vom unvollkommenen Markt zur heterogenen Konkurrenz. Eine Dogmengeschichte der preistheoretischen Umwälzungen der Gegenwart, Mainz 1954.

TRIFFIN, R.: Monopolistic Competition and General Equilibrium Theory, 7th print., Cambridge 1962 (1. Aufl. 1940).

ZIMMERMAN, L. J.: The Propensity to Monopolize (Contributions to Economic Analysis II), Amsterdam 1952.

Zu Kapitel II, 2

JORDI, E.: Anomales Nachfrageverhalten in der Preistheorie. Möglichkeiten der Darstellung im Nutzen- und Indifferenzkurvensystem, Berlin und Stuttgart 1976.

Katona, G.: Das Verhalten der Verbraucher und Unternehmer. Übers. aus dem Amerikanischen, Tübingen 1960.

Kreikebaum, H. und Rinsche, G. (Hrsg.): Das Prestigemotiv in Konsum und Investition. Demonstrative Investition und aufwendiger Verbrauch, Berlin 1961.

Luckenbach, H.: Theorie des Haushalts. Grundriß der Sozialwissenschaft, Bd. 27, Göttingen 1975.

Ott, A. E.: Preis-Absatzfunktion beim unvollkommenen Oligopol, Weltwirtschaftliches Archiv, Bd. 88 (1962), S. 287–307.

Stackelberg, H. v.: Angebot und Nachfrage in der Produktionswirtschaft, Archiv für mathematische Wirtschafts- und Sozialforschung, Bd. 4 (1938), S. 73–99.

Streissler, E. u. M. (Hrsg.): Konsum und Nachfrage, Neue Wissenschaftliche Bibliothek 13, Wirtschaftswissenschaften, Köln-Berlin 1966.

Streissler, M.: Theorie des Haushalts, Stuttgart 1974.

Zu Kapitel II, 3

Aubert, G.: La courbe d'offre, Paris 1949.

Gutenberg, E.: Grundlagen der Betriebswirtschaftslehre, Erster Band, Die Produktion, 19. Aufl., Berlin-Heidelberg-New York 1973.

Klaus, J. (unter Mitarbeit von G. Hahn): Produktions- und Kostentheorie, Stuttgart 1974.

Krelle, W.: Produktionstheorie, Teil I der Preistheorie, 2. Aufl., Tübingen 1969.

Lücke, W.: Produktions- und Kostentheorie, 3. Aufl., Würzburg, Wien 1973 (1. Aufl. 1969).

Schweitzer, M. und Küpper, H.-U.: Produktions- und Kostentheorie der Unternehmung, Reinbek bei Hamburg 1974.

Stackelberg, H. v.: Angebot und Nachfrage in der Produktionswirtschaft (siehe unter B III).

Wied-Nebbeling, S.: Industrielle Preissetzung, Eine Überprüfung der marginal- und vollkostentheoretischen Hypothesen auf empirischer Grundlage. Institut für Angewandte Wirtschaftsforschung, Tübingen. Schriftenreihe: Band 27, Tübingen 1975.

Wittmann, W.: Produktionstheorie. Ökonometrie und Unternehmensforschung XI, Berlin-Heidelberg-New York 1968.

Zu Kapitel III, 1

Die Preisbildung beim Polypol auf dem vollkommenen Markt kann in jedem Standard-Lehrbuch der mikroökonomischen Theorie nachgelesen werden. Wir verweisen daher auf die im Teil A des Literaturverzeichnisses genannten Werke.

Zu Kapitel III, 2

Chamberlin, E. H.: The Theory of Monopolistic Competition (siehe unter A).

Gutenberg, E.: Die Grundlagen der Betriebswirtschaftslehre, Zweiter Band: Der Absatz (siehe unter A).

MACHLUP, F.: Wettbewerb im Verkauf (siehe unter A).

MÖLLER, H.: Kalkulation, Absatzpolitik und Preisbildung. Nachdruck mit einer neuen Einführung über die Entwicklung der modernen Preistheorie, Tübingen 1962.

STEINBRÜCK, K.: Vom unvollkommenen Markt zur heterogenen Konkurrenz (siehe unter B II, 1).

Zu Kapitel III, 3

ECKEL, D.: Das Kartell. Ein Modell der Verhaltenskoordination, Berlin 1968.

ENKE, H.: Kartelltheorie. Begriff, Standort und Entwicklung. Institut für Angewandte Wirtschaftsforschung Tübingen, Schriftenreihe: Band 20, Tübingen 1972.

LYNCH, D.: The Concentration of Economic Power, New York 1949.

MACHLUP, F.: The Political Economy of Monopoly. Business, Labor, and Government Policies, Baltimore 1952.

ROBINSON, E. A. G.: Monopoly. Cambridge Economic Handbooks XI., 7. Aufl., New York, London 1949.

SCHNEIDER, E.: Reine Theorie monopolistischer Wirtschaftsformen, Tübingen 1932.

ZEUTHEN, F.: Problems of Monopoly and Economic Warfare, London 1930.

ZIMMERMAN, J. L.: The Propensity to Monopolize (siehe unter B II, 1).

Zu Kapitel III, 4 und 5

CHAMLEY, P.: L'Oligopole, Paris 1944.

FELLNER, W.: Competition among the Few. Oligopoly and Similar Market Structures, (1949). Reprint New York 1960.

HEUSS, E.: Das Oligopol: ein determinierter Markt. Weltwirtschaftliches Archiv, Bd. 84 (1960 I), S. 165—190.

HILKE, W.: Statische und dynamische Oligopolmodelle. Ein Beitrag zur Entscheidungstheorie in Oligopolsituationen, Wiesbaden 1973.

KRELLE, W.: Preistheorie. I. Teil, Monopol- und Oligopoltheorie, 2. Aufl., Tübingen 1976.

NEUMANN, J. v. und MORGENSTERN, O.: Spieltheorie und wirtschaftliches Verhalten. Übers. aus dem Amerikanischen, Würzburg 1961.

SEITZ, T.: Preisführerschaft im Oligopol, Köln-Berlin-Bonn-München 1965.

STACKELBERG, H. v.: Marktform und Gleichgewicht, Wien und Berlin 1934.

SYLOS-LABINI, P.: Oligopoly and Technical Progress, Rev. ed., Cambridge/Mass. 1969 (1. Aufl. 1962).

Zu Kapitel IV, 1

NÖH, D.: Reklamepolitik und Produktvariation in der Preistheorie, eine dogmenkritische Analyse. Diss. Frankfurt am Main 1957.

SEITZ, T.: Zur ökonomischen Theorie der Werbung, Tübingen 1971.

Zu Kapitel IV, 2

KUHLO, K. CHR.: Eine Analyse des Vollkostenprinzips. Weltwirtschaftliches Archiv, Bd. 75 (1955 II), S. 137—195.

WIED-NEBBELING, S.: Industrielle Preissetzung (siehe unter II, 3).

Zu Kapitel IV, 3

OTT, A. E.: Vertikale Preisbildung und Preisbindung, Göttingen 1966.

WEBER, H. H.: Grundlagen einer quantitativen Theorie des Handels, Köln-Opladen 1966.

Zu Kapitel IV, 4

KÜLP, B., u. Mitarbeiter: Wohlfahrtsökonomik, 2 Bde., Tübingen/Düsseldorf 1975/76.

SOHMEN, E.: Allokationstheorie und Wirtschaftspolitik, Tübingen 1976.

Zu Kapitel IV, 5

KRAUSS, M. B. und JOHNSON, H. G.: General Equilibrium Analysis. A Microeconomic Text, London 1974.

KUENNE, R. E.: The Theory of General Economic Equilibrium, Princeton 1963.

Personenregister

Sachregister

Grundriß der Sozialwissenschaft

Ergänzungsbände

1. Alfred E. Ott
Einführung in die dynamische Wirtschaftstheorie
2., durchges. und erw. Aufl. 1970. 254 Seiten mit 81 Abb., Leinen

2. Alfred E. Ott
Vertikale Preisbildung und Preisbindung
Eine theoretische Analyse.
1966. 154 Seiten und 22 Abbildungen, Leinen

3. Heinz Stöwe / Erich Härtter
Lehrbuch der Mathematik für Volks- und Betriebswirte
Die mathematischen Grundlagen der Wirtschaftstheorie und der Betriebswirtschaftslehre.

2., neubearbeitete und erweiterte Auflage 1972. XII, 365 Seiten, Leinen und kartoniert

Aus dem Inhalt: Funktionen einer Veränderlichen / Funktionen von mehreren Veränderlichen / Lineare Algebra / Lineare Programmierung / Differenzgleichungen / Differentialgleichungen.

4. Michael Carlberg
Stadtökonomie
1978. 197 Seiten, kartoniert

Inhalt: Die Fragestellung der Stadtökonomie / Nachfrage und Angebot auf dem Wohnungsmarkt / Die Funktion von Industrie und Dienstleistung / Privater und öffentlicher Stadtverkehr / Der städtische Grundstücksmarkt / Ökonomische Modelle der Stadt / Stadtentwicklungsplanung / Öffentliche Ausgaben und ihre Finanzierung / Die optimale Stadt / Zusammenfassung / Literaturverzeichnis.

Vandenhoeck & Ruprecht in Göttingen und Zürich